ET À L'HEURE DE VOTRE MORT

LES CAHIERS NOIRS DE L'ALIÉNISTE –3

Du même auteur

Nébulosité croissante en fin de journée. Roman.
 Beauport : Alire, Romans 034, 2000.
Le Rouge idéal. Roman.
 Lévis : Alire, Romans 063, 2002.
La Rive noire. Roman.
 Lévis : Alire, Romans 092, 2005.
Le Chemin des brumes. Roman.
 Lévis : Alire, Romans 113, 2008.

Wilfrid Derome, expert en homicides. Biographie.
 Montréal : Boréal, 2003.

Les Cahiers noirs de l'aliéniste
 Dans le quartier des agités. Roman.
  Lévis : Alire, GF 10, 2010.
 Le Sang des prairies. Roman.
  Lévis : Alire, GF 13, 2011.

Et à l'heure
de votre mort

JACQUES CÔTÉ

ALIRE

Illustration de couverture : BERNARD DUCHESNE
Photographie : VALÉRIE ST-MARTIN

Distributeurs exclusifs :

Canada et États-Unis :
Messageries ADP
2315, rue de la Province
Longueuil (Québec) Canada
J4G 1G4
Téléphone : 450-640-1237
Télécopieur : 450-674-6237

France et autres pays :
Interforum editis
Immeuble Paryseine
3, Allée de la Seine, 94854 Ivry Cedex
Tél. : 33 1 49 59 11 56/91
Télécopieur : 33 1 49 59 11 33
Service commande France Métropolitaine
Téléphone : 33 2 38 32 71 00
Télécopieur : 33 2 38 32 71 28
Service commandes Export-DOM-TOM
Télécopieur : 33 2 38 32 78 86
Internet : www.interforum.fr
Courriel : cdes-export@interforum.fr

Suisse :
Diffuseur : **Interforum Suisse S.A.**
Route André-Piller 33 A
Case postale 1701 Fribourg – Suisse
Téléphone : 41 26 460 80 60
Télécopieur : 41 26 460 80 68
Internet : www.interforumsuisse.ch
Courriel : office@interforumsuisse.ch

Distributeur : **OLF**
Z.I.3, Corminboeuf
P. O. Box 1152, CH-1701 Fribourg
Commandes :
Téléphone : 41 26 467 51 11
Télécopieur : 41 26 467 54 66
Courriel : information@olf.ch

Belgique et Luxembourg :
Interforum Editis S.A.
Fond Jean-Pâques, 6 1348 Louvain-La-Neuve
Téléphone : 32 10 42 03 20
Télécopieur : 32 10 41 20 24
Courriel : info@interforum.be

Pour toute information supplémentaire
LES ÉDITIONS ALIRE INC.
C. P. 67, Succ. B, Québec (Qc) Canada G1K 7A1
Tél. : 418-835-4441   Fax : 418-838-4443
Courriel : info@alire.com
Internet : www.alire.com

Les Éditions Alire inc. bénéficient des programmes d'aide à l'édition de la
Société de développement des entreprises culturelles du Québec (SODEC),
du Conseil des Arts du Canada (CAC) et reconnaissent l'aide financière du
gouvernement du Canada par l'entremise du Fonds du Livre du Canada
(FLC) pour leurs activités d'édition. Nous remercions également le gouvernement du Canada de son soutien financier pour nos activités de traduction
dans le cadre du Programme national de traduction pour l'édition du livre.

Gouvernement du Québec – Programme de crédit d'impôt pour l'édition
de livres – Gestion Sodec.

Dépôt légal : 4e trimestre 2013
Bibliothèque et Archives nationales du Québec
Bibliothèque et Archives Canada

TABLE DES MATIÈRES

Les Cahiers noirs de l'aliéniste

Volume 3

Georges Villeneuve

Surintendant de l'asile Saint-Jean-de-Dieu
– Longue Pointe Lunatic Asylum

Médecin expert à la morgue de Montréal

Professeur de la chaire de médecine légale
de l'Université de Montréal

Membre de la Société des aliénistes de Paris,
de l'Association médico-psychologique américaine
et de la Société de médecine légale de New York

Avertissement au lecteur

Tous les lieux, institutions et personnages publics qui constituent le décor de ce roman ont été empruntés à la réalité.

Toutefois, certains des événements qui y sont racontés, de même que la majorité des actions et des paroles prêtées aux personnages, sont entièrement imaginaires.

PROLOGUE

Hôpital Saint-Jean-de-Dieu

Dr Georges Villeneuve, Surintendant médical
Dr F.-E. Devlin, Assistant

BUREAU
Téléphone : Est 2939

HÔPITAL SAINT-JEAN-DE-DIEU
Adresse postale : Tiroir 1147 B. P., Montréal

HEURES DE BUREAU
De 1 h à 3 h p.m., tous les jours excepté le
Samedi, le Dimanche et les jours de fête

Longue-Pointe, dimanche 27 octobre 1912

Cher Berthiaume,

Je viens de lire votre lettre. Une fois de plus, je vous répète que je ne vois pas l'intérêt de m'étendre sur la période qui a suivi mon retour de Paris. Je ne crois pas que ces années d'errance professionnelle soient d'un quelconque intérêt pour vos lecteurs férus de sensations fortes. Elles m'ennuient juste à y songer. J'y ai perdu quelques années et la vie est si courte. Demandez-le aux hommes qui gisent dans les tiroirs de la morgue. Mais jugez-en par vous-même.

De retour au pays, avec un diplôme de la Faculté de médecine de Paris en maladie mentale, je me retrouvai malgré tout dans une position précaire. Si tous les chemins mènent à Rome, un diplôme ne mène pas nécessairement vers les voies de l'emploi. Je tenais à pratiquer la médecine asilaire, mais aucun poste n'était disponible. Il me faudrait attendre une succession. Comme la politique m'intéressait, j'en profitai pour m'installer à Québec, où l'on me proposa de poursuivre mon travail d'assistant-greffier au Conseil législatif. De plus, j'eus la chance d'être augmenté de salaire et de renouer mon amitié avec le président de l'Assemblée législative, le libéral Félix-Gabriel Marchand, qui allait devenir premier ministre quelques années plus tard. Comme vous le voyez, rien de très passionnant pour vos lecteurs plus avides de sang que de politique. Il régnait néanmoins beaucoup d'effervescence dans la Vieille Capitale. Mercier venait tout juste d'être élu pour un second mandat, le 17 juin 1890. Sa politique sans compromis du fait français et ses discours nationalistes dérangeaient les Anglo-Saxons. J'approuvais sans réserve cette défense de la patrie. À mon retour de Paris, je tenais à voir fleurir notre petite France d'Amérique.

Entre-temps, je perdis mon colocataire, mon frère Alphonse, lieutenant dans le 65e bataillon, qui épousa Annie Kinsley Bulger en 1891. Il entra au service de la Société de navigation du Richelieu comme contrôleur-trésorier. Par ma profession judiciaire, je retrouvai le lieutenant Lafontaine, policier à la ville de Montréal, avec qui j'avais participé à la campagne du Nord-Ouest.

Les semaines passèrent, puis les mois, et les places de médecin à l'asile étaient toujours aussi rares. Je n'allais pas rester assistant-greffier toute ma vie, c'était en deçà des attentes qu'on avait mises en moi. Mes parents s'étaient sacrifiés pour m'envoyer chez les Jésuites. Il fallait un retour sur l'investissement. Hélas, tout ce que la profession médicale put m'offrir après un si long temps d'attente, ce fut un poste de médecin au dispensaire de dermatologie de l'hôpital Notre-Dame. J'acceptai en attendant l'invitation pour un nouveau concours en médecine légale des aliénés. Comme cela arrive souvent aux jeunes médecins, on me confia le secrétariat des réunions du Conseil médical de l'hôpital.

J'étais aussi attiré par la dermatologie qu'une chauve-souris par la lumière. La vue de plaies purulentes sur la peau, de zonas, d'eczéma, de pustules et des effets dévastateurs de la syphilis et de la variole – cette rogneuse de chair humaine – m'obligeait à m'instruire sur ces sujets alors que j'avais d'autres visées en tête. Je développai malgré tout un traitement efficace à base d'acide chrysiphanique contre le psoriasis. Je le recommande encore. Ce fut aussi l'occasion de publier mon premier article dans *L'Union médicale du Canada* avec un long titre des plus pompeux : *Action à distance exercée par l'acide chrysiphanique, en applications externes et localisées dans le traitement du psoriasis*. Cet essai – heureusement, ma seule contribution à la littérature dermatologique – ne reçut pas de prix scientifiques.

Quelques mois plus tard, on me proposa enfin une charge d'enseignement qui allait de pair avec ma formation. Je devins substitut temporaire à la chaire de médecine légale à la place du docteur

Durocher. Puisque à Paris l'enseignement des maladies mentales et celui de la médecine légale étaient intimement liés, mon cours accordait une place importante aux ouvrages sur l'aliénation mentale chez les criminels, un sujet que j'avais exploré lors de mes études dans cette ville. Mais j'ai déjà abordé de long en large ma vie parisienne avec *Dans le quartier des agités.*

Je n'eus guère à attendre longtemps pour qu'on me propose un poste de médecin-expert à la morgue de Montréal, ce qui fit de moi un médecin heureux. Les choses se plaçaient finalement comme je le souhaitais. Mes étudiants découvraient une branche fascinante de la médecine légale et je redonnais ce qu'on m'avait offert dans la Ville lumière. Mais, comme je vous le dis, je ne tiens pas à ce que cette période de ma vie figure dans le livre que je vous envoie. Ce qui suit risque de vous intéresser bien davantage, puisque vos journaux en ont beaucoup profité à l'époque. Comme j'aime à le dire, les sensations sont au journalisme ce que le sang est au cœur. Pour les derniers détails, voyez mon avocat, Me Antoine Bernard. Le roman s'intitulera *Le Mausolée du docteur Death,* à moins que vous n'ayez une objection. Et n'y voyez pas un calque du docteur Hyde de Stevenson. Le titre n'est pas original, mais il rappelle les terribles événements qui ont frappé Montréal en 1894.

Votre tout dévoué,
Dr Georges Villeneuve

PREMIÈRE PARTIE

CAR LE FRUIT DE VOS ENTRAILLES EST BÉNI

1. Un tableau noir

Les feuilles des arbres du square Dorchester luisaient sous les éclairs qui fendaient le ciel tourmenté. L'air saturé d'humidité annonçait encore des averses chaudes. La noirceur s'installait et le tonnerre, au loin, « timbalait » avec la percussion grinçante des tramways.

Je fis le tour de l'hôtel Windsor. À l'ombre des neuf étages de l'imposant édifice, je révisai mon discours sous mon parapluie. Sur les rues Cypress et Stanley, je répétai dans ma tête les passages essentiels. Puis, comme par magie, les réverbères électriques de la rue Dorchester s'allumèrent tel un long chapelet. Je revins sur Peel en me disant qu'il était l'heure d'entrer pour vendre ma salade à des sourds qui n'entendaient rien au progrès. Je rangeai dans ma poche mon chiffon de feuilles humides.

Il régnait une grande fébrilité dans le hall de l'hôtel. Les gens ne cessaient d'affluer par la grande porte. J'aperçus les éditorialistes de *La Presse* et de *La Patrie*. Je traversai la foule d'un bon pas sans enlever mon chapeau. Je ne voulais pas être reconnu. Du moins, pas pour l'instant.

Je montai l'escalier. Du haut de la balustrade, je vis une traînée noire de chapeaux mous et d'ulsters. En entrant, les avocats, juges et médecins ouvraient et fermaient leurs parapluies en les secouant légèrement pour les égoutter. Une marée d'odeurs s'élevait dans l'air moite – eaux de Cologne dispendieuses avec un frais parfum de vanité. De grandes clameurs de retrouvailles et des éclats de rire perçaient les murmures ambiants.

Près de la porte d'entrée de la salle, l'assistant-procureur de la province, Gaudias Rochon, discutait avec Joseph-Octave Villeneuve, le nouveau maire de Montréal. Celui-ci m'aperçut et me toisa d'un regard austère et hostile, celui du patron qui n'a aucune estime pour ses employés. Ce conservateur me savait ami des libéraux de Marchand et il n'allait pas me faire de cadeaux. Les mœurs politiques étant ce qu'elles sont dans notre province, chacun savait où l'autre se situait sur l'échiquier. Mais je comptais sur l'influence des médecins, de certains juges et de plusieurs avocats. Le Conseil du Barreau et la Société médicale de Montréal avaient été convoqués pour la conférence que le docteur Johnston et moi allions donner dans quelques minutes. Le titre de notre allocution était inscrit en grosses lettres sur une affiche à l'entrée.

DE L'EXPERTISE MÉDICO-LÉGALE
ET DE LA NÉCESSITÉ D'UNE NOUVELLE MORGUE
POUR LA VILLE DE MONTRÉAL
Dr Georges Villeneuve, Université Laval de Montréal
Dr Wyatt Galt Johnston, Université McGill

Nous avions choisi un endroit prestigieux pour tenir notre conférence. Avec ses six restaurants, sa salle de concert, ses deux salles de bal et ses trois cent soixante-huit chambres, l'hôtel était tout désigné pour réunir le gratin décisionnel de la Ville de Montréal.

La clameur gagnait en intensité. J'avais des papillons dans l'estomac, comme chaque fois que je devais parler en public, et ce, malgré les nombreux témoignages que je faisais à la cour et mon apprentissage de la rhétorique au Collège de Montréal.

Silas Huntingdon Carpenter se fraya un chemin jusqu'à moi. Le chef du nouveau Bureau de détectives autonomes était un homme de forte carrure, aux yeux perçants, et il arborait une moustache en guidon. L'enquête qu'il avait menée dans les derniers mois sur la corruption et le favoritisme à la Ville de Montréal avait conduit à la création du bureau dont il était le tout premier chef. Ses enquêteurs ne portaient pas l'uniforme, ce qui dérangeait les autres corps de police. Johnston et moi avions un excellent rapport avec cet homme tourné vers le progrès en matière de justice.

Il me tendit la main. Je le félicitai pour sa nomination, et lui pour la mienne.

— Sois sûr, docteur, de mon appui. Il faut nous une *new* morgue et des nouvelles méthodes pour attraper les criminels.

— On m'a dit que vous allez adopter le système d'identification Bertillon ?

— Déjà commencé : mensurations du criminel, identification de signes *particulars* – cicatrices, grains de beauté, couleur de yeux, types de nez et usage de la photographie.

— Je m'en réjouis, monsieur Carpenter.

— Tu peux appeler moi Silas.

— D'accord, alors appelez-moi Georges.

— *No problem.*

En bas de l'escalier, Wyatt ne parvenait plus à se défaire de la horde de journalistes anglophones qui l'entourait. Elle avançait avec lui comme des goélands sur un filet de pêche. Il faut dire que mon collègue, médecin-expert à la morgue, était l'un des plus éminents bactériologistes et pathologistes d'Amérique du Nord. La médecine lui devait entre autres l'usage de l'écouvillon pour le prélèvement de cultures bactériologiques. Quand je l'avais félicité pour cet avancement, dont l'usage s'était répandu dans tout le monde civilisé, il avait minimisé son importance. « Il suffisait d'y penser, Georges. C'est comme la cuillère pour la soupe : on ne va pas se demander qui a inventé la cuillère… », avait-il ajouté avec son accent écossais. Son apport au service d'hygiène de la Ville de Montréal était tout aussi remarquable. Il avait récemment mis au point un appareil destiné à recueillir des échantillons d'eau à diverses profondeurs, de manière précise, sans aucune contamination possible. Bref, Wyatt était un esprit original et pragmatique qui dédiait son quotidien à réfléchir, mais aussi à soigner et à sauver des vies.

De mon côté, je venais d'être nommé médecin-expert à la cour du coroner et des tribunaux en compagnie de mon collègue de l'Université McGill, ce même Wyatt Galt Johnston. Moi qui croyais être intimidé par ce jeune et prestigieux médecin, ce fut tout le contraire. Il fit tout pour me mettre à l'aise, et un rapport très amical marqua nos premiers jours à la morgue. Lui et moi entendions insuffler un vent de réformes, à commencer par l'érection d'une nouvelle morgue – celle de la rue Perthuis faisait honte à la profession, tout juste bonne à servir de décor pour un roman gothique. Il nous fallait une installation moderne où nous pourrions pratiquer un grand nombre d'autopsies avec un équipement adéquat. Une morgue du XXe siècle, quoi ! C'est pourquoi nous avions invité le maire de Montréal, l'assistant-procureur général de la province et d'autres décideurs à notre conférence. L'heure était à délier les cordons de la bourse.

Romain Girard, journaliste à *La Presse*, s'approcha de moi en ouvrant son carnet.

— Confiant de voir vos réformes adoptées, docteur ?

— Bien entendu, sinon je ne serais pas ici.

— J'ai parlé au maire et il m'a dit que la Ville de Montréal n'allait pas prendre la responsabilité de la morgue, que c'était au gouvernement provincial de s'en occuper. J'ai posé la même question à l'assistant-procureur qui, lui, m'a répondu que c'était à la Ville de chapeauter cette institution et non à Québec. Ce n'est pas très encourageant. Qu'en pensez-vous ?

— La compagnie funéraire à qui appartient le bâtiment – et qui profite d'un monopole scandaleux sur les cadavres de la morgue, soit dit en passant – va se réjouir de ce *statu quo*.

— Croyez-vous que…

— Veuillez m'excuser, cher ami…

Je m'éloignai à la hâte pour jeter un regard sous la rambarde.

Wyatt tentait de gravir l'escalier avec un cordon humain agrippé à lui. J'entendis le journaliste Robert « Bob » Reynolds, du journal *The Gazette*, lui demander pourquoi un médecin anglophone travaillait avec un médecin francophone.

— *Because we're doing a hell of a good job. You know that, don't you ?*

La réponse sembla amortir momentanément ce bigot.

— *But…*

— *No buts, Reynolds : just a hell of a good job.*

Johnston resta un instant à mi-parcours à débattre du sujet. Les scribes en contre-plongée notaient avec avidité ses propos. Avec sa gestuelle expressive, il ressemblait à un chef d'orchestre.

Il est vrai que notre tandem était une aberration dans une province où nos deux systèmes de médecine se détestaient comme chien et chat. Les anglophones et les francophones de Montréal vivent côte à côte sans se parler ; les premiers sont riches, les seconds leurs subalternes.

Wyatt, qui avait été élevé à Sherbrooke, parlait un excellent français et s'avérait de bonne compagnie. Tout le contraire de l'idée que je me faisais des Anglais de Montréal. L'Écosse lui coulait dans les veines tel un bon scotch. Même si ma réputation ne lui arrivait pas à la cheville, il avait adoré que je l'initie à l'entomologie à des fins d'expertise médico-légale, ce qui nous avait amenés à signer un long article sur l'utilisation des insectes dans la datation de la mort. Une première en Amérique !

— Messieurs, je dois aller donner ma conférence, lança enfin Wyatt.

— *One last question, doctor Johnston.*

— *No, sir. No more questions*, trancha-t-il en se défilant au pas de course.

Après quelques mois en poste comme médecins-experts de la cour du coroner, nous venions de réaliser de nombreuses autopsies en équipe et avions rédigé plusieurs articles, quatre au total. Wyatt et moi tenions à donner un premier souffle de modernité à la médecine légale de Montréal. C'est ce que nous venions présenter en ce 17 septembre. Au menu : des statistiques sur les enquêtes tenues à la cour du coroner du district de Montréal, ainsi qu'une étude des verdicts de ladite cour du coroner au point de vue médical qui donnait froid dans le dos. Il était à prévoir que les policiers dans la salle seraient embarrassés, ainsi que de nombreux coroners qui arrondissaient leurs fins de mois en bâclant des enquêtes. Wyatt et moi avions établi que certains médecins effectuaient un travail exécrable, voire invisible. Les morts, nous semblait-il, n'obtenaient pas la justice à laquelle ils avaient droit et les assassins riaient dans leur barbe. Le box des accusés restait vide. Rien n'obligeant un coroner à demander une autopsie, celle-ci était considérée comme une mesure exceptionnelle.

Nous ne cessions de marteler sur toutes les tribunes que la loi était tout à fait incohérente relativement aux enjeux qui se jouaient aux assises. C'est le message que nous venions répéter ce soir-là.

Libéré des journalistes, Wyatt vint à ma rencontre en gravissant les dernières marches deux à la fois. Il portait un trois pièces noir ajusté comme un gant. Ses cheveux bruns retombaient sur ses épaules et il avait des allures de poète de la bande à Byron et à Shelley, des auteurs qu'il adorait par ailleurs citer dans sa salle de classe de l'université ou à la morgue en ma compagnie... Après tout, si la mort était pour ces auteurs une source d'inspiration, pour nous, elle était une source de réflexion.

Wyatt arriva sur le palier avec le souffle court et sifflant.

— Bonsoir, Georges. Ça va ?

— Je vois que j'ai un peu moins de succès avec les journalistes que toi.

— Et je sais que tu t'en réjouis. *God damn it !* Si tu veux, je te laisse tout ce succès. Les journalistes sont aux nouvelles policières ce que les bactéries sont aux cadavres : insatiables !

Il sortit de la poche de son veston le texte de son discours et le regarda un instant. Il l'avait raturé et annoté à plusieurs endroits, et de nombreux passages étaient soulignés en rouge.

Les feux étincelants des lustres en cristal de la salle de bal scintillaient autant que les boutons de manchettes, bagues, joncs et montres à gousset de ces notables. Une vingtaine de rangées de chaises avaient été alignées devant la scène. Sur les longues fenêtres en ogive recommençaient de s'abattre des trombes d'eau.

On marcha en silence jusqu'à la tribune. Le coroner Edmond MacMahon, notre patron à la morgue, nous serra la main. Il était un grand partisan de nos réformes. Il avait essayé tant bien que mal de faire fléchir Québec à l'époque du gouvernement Mercier, mais sans succès.

— Messieurs, bonne chance ! Tous ceux qui peuvent changer la situation sont ici ce soir.

— Merci, Ed ! Nous ferons de notre mieux.

J'allais commencer la conférence en français et Wyatt prendrait le relais pour les journalistes anglophones. Une rencontre avec les reporters était prévue par la suite.

Je me hissai sur le piédestal et contemplai la salle. Le parterre était comble. Le maire Villeneuve était installé dans la première rangée avec sa femme aux ongles si bien manucurés qu'ils chatoyaient. Le chef de la police provinciale discutait avec le chef de la police de Montréal, celui-ci tournant mesquinement le dos à son collègue Carpenter, du Bureau de détectives.

J'attendis que le toussotement d'un phtisique prenne fin. Après m'être éclairci la gorge, je projetai ma voix jusqu'au dernier rang.

— Bonsoir, messieurs, et merci d'être venus aussi nombreux pour entendre ce que le docteur Johnston et moi avons à vous dire sur un sujet qui vous intéresse : la justice. Dès notre entrée en fonction comme experts à la cour du coroner et des tribunaux, le docteur Johnston et moi avons accru le nombre d'autopsies. Les lacunes du système jetaient de l'ombre sur la quête de vérité. Les divergences entre les témoignages d'experts médicaux et les verdicts rendus à la cour du coroner avaient attiré notre attention. Les témoignages de certains de ces prétendus experts s'appuyaient souvent sur des données insuffisantes. Dans notre première étude, nous avons revu les deux cent une enquêtes du coroner effectuées de janvier à juin 1893. Sur ces deux cent un cas, à peine quatre homicides avaient été relevés !

Des murmures embarrassés se firent entendre. Je vis Silas Carpenter hocher la tête avec dépit alors que l'assistant-procureur, Gaudias Rochon – et surtout les chefs de police de la province et de Montréal –, ne montrait aucune émotion.

— Ces résultats sont une véritable aberration. Les statistiques que nous avons obtenues des grandes métropoles américaines de la taille de Montréal donnent des résultats fort différents.

Une nuée de chuchotements étonnés bruissa dans la salle. À le voir se gratter la tête, le maire de Montréal paraissait embarrassé. J'attendis que le silence revienne avant de poursuivre.

— À soixante-dix reprises, la cour du coroner a fait appel à nos services. Dans vingt-six cas, le docteur Johnston et moi avons pu réaliser une autopsie avec des résultats significatifs, résultats qui ont permis de faire avancer les enquêtes, de coffrer des assassins et d'inculquer de nouvelles méthodes aux policiers, comme le font présentement le chef Carpenter et le coroner MacMahon, dont je salue la présence parmi nous. Mais ce travail d'éducation, vous vous en doutez bien, n'est pas toujours commode à accomplir. Il faut parfois un fer à repasser pour chasser les mauvais plis. J'ai frais à la mémoire un verdict d'infanticide que nous avons rendu récemment. Malheureusement, les policiers n'avaient pas relevé les indices sur le corps de la jeune victime. Tout était perdu et l'enquête du coroner achoppa. Vous savez de quoi il est question ici. Les policiers n'avaient pas cru qu'il pouvait s'agir d'un meurtre. Conséquences : l'assassin dort tranquille pendant que le docteur Johnston et moi râlons dans les langues de Molière et de Shakespeare confondues, car nous le savons coupable. Je n'apprendrai rien à personne en disant que les premières heures d'une enquête sont capitales dans la traque au meurtrier. Lors de mes études à Paris, Brouardel ne cessait de me répéter : « On ne recommence pas une autopsie ». Messieurs, il en va de même d'une enquête bâclée !

Je pris une gorgée d'eau, donnant ainsi le temps à mes mots de produire leur effet. Je sentais le vent tourner dans ma direction. Une brise faible, mais bien sentie. Le président du Conseil du Barreau et le président de la Société médicale de Montréal réagissaient positivement à mes propos. La salle froide du début se réchauffait. Je sentais de la sympathie, même si le maire et l'assistant-procureur, assis l'un à côté de l'autre, me semblaient réfractaires par leur attitude imperturbable.

Je reposai le verre sur le pupitre de la tribune.

— Or, il suffit qu'un homme soit retrouvé sur le bord d'un chemin de fer pour que l'on conclue dans notre belle province à une mort accidentelle, et ce, sans même demander l'avis d'un médecin. Il suffit qu'un enfant tombe dans un puits et, sans preuve valable, vous trouverez un médecin pour inscrire dans son rapport : « chute accidentelle ». Trop souvent, lorsqu'un cadavre est découvert dans une pièce où règne une forte odeur de gaz, les autorités concluent à un empoisonnement accidentel. Mais peut-être que la valve du bec d'éclairage a été ouverte par un meurtrier afin de masquer son crime ? Pour les assassins, ces conclusions hâtives constituent une véritable prime au meurtre, une couverture inespérée. Et dire qu'on ose affubler ces canailles de l'épithète « génie du crime »... Je dirais plutôt que c'est nous qui manquons de génie. Le docteur Johnston et moi avons été à la fois outrés et en proie au fou rire à la lecture de certains cas. Avant de procéder à des autopsies, nous lisions des avis médicaux si extravagants que je m'étonnai souvent qu'ils fussent endossés par des membres de notre Collège des médecins. Je m'excuse d'ailleurs pour les membres en règle du Collège qui sont dans la salle, car nous avons baptisé l'un de vos collègues le « Docteur Choc ».

Une nouvelle vague de chuchotements s'empara de la salle, mais je la fis aussitôt taire en levant une main.

— Non, messieurs, vous ne saurez pas de qui il s'agit, mais laissez-moi vous en parler brièvement, tout de même. Dans un premier cas, ce médecin indiquait qu'un « choc nerveux » avait causé le décès. Pourtant, notre autopsie révéla plutôt que la victime avait subi un enfoncement crânien et maintes fractures lors d'un accident du travail.

Le rire de Carpenter perça à travers ceux de la foule.

— Tout un choc, en effet ! *Shocking !* ironisa quelqu'un dans la salle.

Je balayai l'assistance du regard.

— Dans un autre cas, ce docteur mentionnait qu'un « choc nerveux » avait causé la mort, alors que la victime s'était ébouillantée. Dans une autre affaire encore, il avait attribué le décès à un « choc nerveux », alors que nous avons déterminé qu'une congestion cérébrale avait occasionné le décès. L'insignifiance de certains verdicts a de quoi faire sourciller. Je me souviens aussi qu'il a écrit dans un autre rapport : *mort naturelle de cause inconnue.*

La salle éclata de rire et, à ma grande joie, je vis le maire se fendre enfin d'un sourire.

— Et pourtant, ce médecin est diplômé de la même université que moi. Honoré Daumier, qui a si bien caricaturé les médecins de Molière, aurait sans doute été inspiré par le « Docteur Choc »… Un verdict erroné entraîne parfois des conséquences morales sans nom. Je revois encore une certaine famille éplorée… On avait refusé l'inhumation dans un cimetière catholique pour le père, car la cour avait établi que l'homme était mort d'intempérance. Il avait eu le malheur de mourir dans une gargote. La famille ne cessait de nous dire que le paternel avait toujours pratiqué la religion. L'homme avait la réputation de boire, mais cette intempérance avait-elle causé le décès ?

Je laissai planer un long silence, en balayant la foule du regard.

— Il ne pouvait exister une tragédie pire à leurs yeux que de voir un membre de leur famille privé d'une sépulture dans une section consacrée du cimetière. La honte pesait sur eux. Parents et amis insistèrent auprès de nous. Johnston et moi avons exigé une exhumation du cadavre. Le coroner Edmond MacMahon a autorisé celle-ci. Quel n'a pas été notre soulagement à l'autopsie de démontrer qu'une pneumonie avait causé la mort de l'homme ! D'ailleurs, son cœur et son estomac ne portaient pas les altérations que l'on rencontre d'habitude chez les ivrognes. Au grand soulagement de la famille, le père fut inhumé là où tous souhaitaient le voir reposer. « Ton père tu honoreras », nous dit la Bible. Ce fut fait. La justice fut honorée par le biais de la science.

Sil Carpenter frappa dans ses mains, ce qui déclencha une vague d'applaudissements nourris, quoique ceux du maire et de l'assistant-procureur restèrent en sourdine…

Je m'éclaircis la voix, avalai une gorgée d'eau.

— La leçon que nous avons tirée de notre étude est terrible : trop de médecins errent dans leurs verdicts, sans doute trop pressés d'établir la cause du décès et d'empocher quelques dollars pour arrondir leurs fins de mois. L'absence d'autopsie ne peut que desservir la justice et multiplier les erreurs judiciaires. Le pire est de savoir que ces médecins sévissent encore. Heureusement, l'un des magistrats les plus influents des assises criminelles, le juge Würtele, est vite devenu l'un de nos alliés. Il est ici ce soir et je l'en remercie. Nous souhaitons que Québec modifie sa loi au plus vite. Le docteur Johnston et moi avons dénoncé sur de nombreuses tribunes et dans plusieurs études les aberrations du système. « Avez-vous été entendus ? » demanderez-vous. Très peu, malgré tout le travail et les efforts que nous avons consacrés à cet effet.

Sur ces mots, je cédai la parole au docteur Johnston, que la salle applaudit chaleureusement. Alors que je regagnais mon siège, j'aperçus dans les coulisses le lieutenant Lafontaine, dont le visage trahissait l'anxiété, et je crus halluciner en constatant qu'il avait les mains rouges de sang. Il n'eut pas besoin de me faire de signe pour que je comprenne qu'il voulait me voir d'urgence.

Je me dirigeai vers mon ancien collègue du 65e bataillon, qui était accompagné du détective Patrick MacCaskill, un colosse à la chevelure rousse. Il fallait que ce soit grave pour qu'ils rappliquent ici.

— Georges, je suis désolé de te déranger, mais il s'est produit un événement atroce ce soir et nous avons besoin de toi.

Je l'encourageai à poursuivre, alors que le coroner MacMahon et le chef Carpenter, avisés par deux policiers en uniforme, arrivaient à la course de la salle pour se joindre à nous.

— C'est arrivé dans un appartement désaffecté, près du canal Lachine, reprit Lafontaine. Nous avons été avisés par des locataires qui entendaient des gémissements. On s'est rendus sur place. Une femme ensanglantée gisait morte sur un lit. Tout était rouge partout…

L'émotion était palpable tant dans sa voix que sur son visage, à un point tel que je crus qu'il allait s'effondrer. Il est vrai que sa femme était enceinte et que sa grossesse s'avérait difficile.

— J'ai vu bien des écœuranteries, mais celle-là… Un vrai massacre.

Il leva les mains en guise d'impuissance. MacCaskill appuya les affirmations de Lafontaine par un coup de hachoir verbal dont il était passé maître.

— *It's a damned bloody mess.*

Carpenter intervint en cassant son français :

— Bruno, Mac, je veux que vous retourne là-bas et vous empêche de brouiller le lieu du crime.

— C'était déjà fait avant que l'on arrive, monsieur. La police du 7 a tout cochonné.

— *Shit !* dit Carpenter en serrant les dents.

En voyant notre déception, Lafontaine s'excusa, mais je savais qu'il n'y était pour rien. Lui et MacCaskill, contrairement à d'autres policiers qui refusaient tout encadrement, acceptaient les nouvelles méthodes que nous leur avions enseignées.

— Bon. Dans ces conditions, il est inutile de nous précipiter. Retournez là-bas et sécurisez du mieux que vous pouvez la scène du crime, conclus-je. Wyatt et moi vous rejoindrons sitôt la conférence de presse terminée.

Lafontaine hocha la tête pour indiquer qu'il était d'accord, puis me tendit un bout de papier sur lequel étaient inscrits le nom d'une rue et un numéro. Je retournai m'asseoir sur la scène où Johnston poursuivait son allocution comme si rien ne s'était passé.

2. *Abortus provocatus*

Ce fut difficile de quitter la salle. Il fallait nous rendre au plus vite rue Saint-Patrick. Mais après la conférence de presse, qui nous permit de préciser certains points et d'en infirmer quelques autres, dans la cohue du parterre qui se vidait, on ne cessait de nous tendre la main, de nous féliciter, de nous souhaiter bonne chance. Le maire y alla d'une parole en l'air :

— Je vous ai bien entendus.

Rien pour nous rassurer. On peut entendre sans comprendre. À ses côtés, l'assistant-procureur Rochon me toisait avec son regard d'habitant perdu dans le grand monde. Cet homme qui avait participé en 1870 à la campagne des zouaves pontificaux en Italie affichait un air suffisant et déplacé dans les circonstances. Si le maire avait « entendu », lui n'avait rien à dire.

Wyatt m'entraîna vers l'extérieur.

Devant l'hôtel, le conducteur alluma les lanternes à l'avant du fiacre et nous pria de monter alors que la pluie s'était estompée. Je lui remis l'adresse de notre destination et je posais un soulier sur le marchepied quand un homme arborant une soutane me prit à partie en criant :

— Monsieur, vous devriez savoir, ne vous en déplaise, que la ville a d'autres besoins que de mieux loger ses morts. Cette ville est sous le sceau de Sodome et de Gomorrhe ! Elle n'a plus de morale. Montréal est une cité noire. Il vaudrait mieux nettoyer la fange qui souille l'âme de cette chère Ville-Marie avant de s'en remettre à la science. Toujours la science, rien que la science ! Il faut chasser le péché qui serpente dans notre cité. La science ne peut pas tout régler. Où est Dieu dans tout cela ?

— J'en prends bonne note, monsieur.

Ses grands yeux colériques semblaient vouloir s'extirper de leurs orbites.

Wyatt me tira par la manche alors que le cocher avait peine à retenir son cheval.

— Laisse faire cet illuminé.

Je me hissai dans la voiture. Par la vitre, l'homme en soutane me montra la croix argentée qu'il portait sur lui avant que le cocher ne claque la langue et que l'équipage ne s'ébranle.

La soirée torride et moite faisait exhaler les odeurs pestilentielles des immondices. Toute la pluie tombée durant notre allocution engorgeait les caniveaux. Un mince filet de brume se mouvait à quelques pouces de la chaussée. Les enchevêtrements de rails luisaient. Les petits chars, lavés par toute cette eau, rutilaient comme des jouets. Les passagers se pressaient de monter à bord. Il me faisait tout drôle de voir la cohabitation des chevaux et de ces véhicules électriques.

On s'engagea dans Peel en direction sud. Une fois passé le square Dorchester, la pluie cessa. Il y avait peu de circulation et le cocher roulait vite. Il dépassa un joli phaéton bleu ornementé d'un S penché sur sa capote et un boghei rouge qui transportaient des étudiants anglophones faisant la fête. Un tramway croisa notre voiture en générant un coup de vent qui agaça l'un des chevaux, qui voulut alors se tasser à droite.

Malgré les secousses, Wyatt avait adroitement bourré le foyer de sa pipe et l'avait allumée. Il semblait perplexe.

— Le maire n'a pas posé une seule question, ni ses conseillers. Les policiers semblaient excédés de nous entendre. Les coroners aussi… Je crois qu'il est difficile de se faire autant d'ennemis aussi rapidement, mais nous y sommes parvenus, Georges.

— J'apprécie ton esprit, Wyatt, mais comme on dit chez nous, on ne fait pas d'omelette sans casser des œufs. Il va falloir continuer notre travail d'éducation.

— Aussi bien faire des enfants…

— Oui, mais après la tragédie de Clarenceville, les éditorialistes se sont rangés de notre côté.

Je faisais référence à un homme qui avait disparu là-bas, mais dont le cheval avait été retrouvé tournant autour d'une grande flaque de sang sur la neige.

— Remplir les journaux ressemble au gavage de l'oie, on trouve vite matière à farcir les colonnes. Clarenceville, c'est déjà si loin. Ce terrible malheur, tout l'émoi qu'il a causé – sans oublier l'assassin qui court toujours –, ne pouvait que servir notre cause.

Je le trouvais franchement pessimiste en cette soirée que nous attendions depuis si longtemps. Il écrasa un moustique, ce qui laissa une tache de sang sur le dos de sa main.

Notre cocher tourna à droite dans Wellington. Nous dûmes nous arrêter au canal. Devant nous, le pont tournant pivotait pour laisser passer une longue barge. Elle avançait lentement sur le canal aussi lisse qu'un miroir. Un matelot à la proue aspira la dernière bouffée de sa cigarette avant de lancer le mégot dans l'eau.

Les lumières des lanternes picotaient l'eau du canal. Les vastes manufactures aux briques orangées et les entrepôts semblaient l'emmurer. De grandes fenêtres rectangulaires miroitaient mollement sur l'eau. Sur le bord de la traverse de chemin de fer, de gros rats dodus avalaient les grains de blé qu'avaient laissé tomber les wagons en provenance des Prairies.

Dans sa cabine, le contrôleur fit couiner l'armature du pont en le ramenant en position perpendiculaire pour permettre le passage des charrettes, des piétons et des fiacres. L'opération prit quelques minutes.

Au loin dans la cour, un long train actionna son sifflet et s'immobilisa dans un grand vacarme de fer. Au travers des grincements, on entendit les vociférations vulgaires d'un vagabond en plein délire éthylique qui sauta d'un wagon.

Le cocher franchit à grand trot le canal Lachine. Au bout du pont, il tourna à droite dans Saint-Patrick. Quinze minutes après avoir quitté l'hôtel, nous arrivions dans un de ces quartiers sinistres que Montréal semble vouloir disputer à Londres. Quel contraste entre l'opulence du Windsor et ce qui s'étalait devant nous.

L'immeuble à logements vers lequel nous nous dirigions, tout en bois, était situé dans l'axe du canal, à l'ombre des manufactures et des entrepôts. La désolation des lieux n'avait d'égale que celle qui prévaut dans cette partie de la ville.

Pointe-Saint-Charles faisait partie du quartier Sainte-Anne, tout comme Griffintown juste en haut. Des quartiers qui s'étaient peuplés d'immigrants irlandais ayant fui la maladie de la pomme de terre, mais aussi de Canadiens français qui ne pouvaient se payer mieux. Une odeur d'œuf pourri se mélangeait à l'air du soir. Sur le trottoir, deux travailleurs d'usine aux visages burinés par la fatigue marchaient en silence, leur besace à l'épaule.

Une voiture des pompes funèbres tirée par deux gros chevaux noirs était garée devant la bâtisse de trois étages et des journalistes faisaient le pied de grue devant la porte – Lafontaine avait posté un constable pour les empêcher de fouiner sur la scène de crime. Juché en haut de son corbillard, un croque-mort édenté fumait un cigare luisant de bave tout en devisant sur une histoire de pari clandestin avec son collègue et un policier.

Le cocher ouvrit la porte pour nous permettre de descendre et je le payai.

L'officier qui gardait l'entrée avait des épaules carrées comme des étaux. En nous reconnaissant, il salua et nous céda le passage. Du papier peint rouge avec des motifs de fleurs noirs tapissait les murs de la cage d'escalier où nous attendaient Lafontaine, MacCaskill et le coroner MacMahon. Sa chemise détrempée et les rigoles d'eau ruisselant sous sa chevelure rousse, MacCaskill était en sueur.

— Salut, messieurs. C'est à l'étage du haut, à droite. Nous avons fait de notre mieux pour contenir les curieux. Tout le monde voulait entrer, à commencer par les échevins et les journalistes.

— Merci, Mac.

Bruno Lafontaine avait pris le temps de laver ses mains ensanglantées, mais les manches de son costume marron étaient maculées. Sa chemise était ruinée. Même les meilleures buanderies du quartier chinois n'arrivaient pas à faire disparaître les taches de sang. Lafontaine était un homme de confiance. Il avait été mon premier lieutenant durant la rébellion du Nord-Ouest, en 1885, et moi son capitaine. Il était grand et toujours aussi mince – en dix ans, il n'avait pas pris une once de gras ! La moustache et le bouc qu'il portait fièrement étaient les seuls détails qui avaient changé.

Bruno nous indiqua de le suivre. La peinture de l'escalier était tout écaillée et la main courante ne tenait qu'à un endroit. L'appartement avait été vidé deux mois plus tôt. Le dernier locataire, un mauvais payeur du nom de O'Brien, avait été évincé.

Lafontaine donna l'ordre aux policiers qui montaient derrière nous d'aller frapper aux portes voisines pour demander si un suspect, homme ou femme, n'avait pas été aperçu avec un sac ou une valise.

On arriva au troisième étage. Un long corridor s'ouvrait devant nous. Le papier peint vert olive était décollé à maintes places.

— C'est là-bas, au fond.

Lafontaine nous conduisit dans une chambre dont les murs de plâtre étaient bosselés à plusieurs endroits.

Les planchers de bois avaient pris l'eau et gonflé. Une odeur d'humidité et de moisissure désagréable envahit mes narines. Des excréments de rats parsemaient le plancher dans tous les recoins.

Wyatt fut le premier à entrer et il jura.

— *Gosh! Look at that mess…*

Lafontaine et ses hommes avaient fait attention de toucher le moins possible à ce qui se trouvait sur la scène du crime, mais il n'en était pas de même pour les premiers policiers qui avaient pénétré dans l'appartement. Il fallait oublier l'utilisation de la dactyloscopie, cette nouvelle méthode qui permettait d'identifier les empreintes du criminel. Nous avions importé d'Angleterre tout le matériel mis au point par Galton, que j'avais eu l'occasion de croiser à Paris en 1889.

J'entrai à mon tour dans la chambre et demeurai saisi par le funeste tableau.

Sur un matelas gisait une jeune femme d'environ vingt ans. Sa tête était enfoncée entre deux oreillers. Son visage exsangue semblait endormi. Son bras droit pendait sur le bord du lit avec un chapelet encore agrippé à la main. C'était comme si elle avait essayé de se lever dans un dernier sursaut. Elle était nue, à l'exception d'un chemisier blanc imbibé de sang. Sa longue chevelure rousse reposait sur l'oreiller. La pauvre fille avait été avortée et elle s'était vidée de son sang. Le bourreau – c'est le nom que je donne à ces opérateurs sans vergogne – donnait l'impression d'avoir creusé la chair avec une cisaille pour atteindre le fœtus. Le placenta de la malheureuse reposait au pied du lit. Il avait déjà été en partie mangé par les rats. En le regardant, je vis un carton en dessous avec un fond bleu. Je déplaçai le sac et constatai qu'il s'agissait d'une image religieuse : la Vierge Marie au ciel encerclée de lumière. L'opérateur l'avait probablement remise à sa victime pour la rassurer, ou peut-être la fille-mère l'avait-elle elle-même apportée pour s'en remettre à Notre-Dame.

Abortus provocatus, écrivis-je dans mon calepin. À voir l'état du corps, la mort datait de quelques heures à peine, ce qui confirmait les dires des voisins qui avaient entendu des râles.

— Où est le fœtus ? demandai-je.

— Je me posais justement cette question, répliqua Wyatt.

Je regardai les couvertures en cherchant dans les draps une bosse qui aurait révélé le petit corps, mais en vain. Je me penchai pour examiner le plancher sous le lit. Je vis des empreintes de talons et de bouts de semelle dans une petite flaque de sang. Le motif d'un crampon en forme de V était clairement visible à un endroit.

— Messieurs, venez voir.

Lafontaine, MacCaskill et Johnston rappliquèrent.

— Il faudrait vérifier auprès de tous ceux qui sont entrés dans la chambre pour déterminer s'il s'agit des traces de l'opérateur ou de celles d'un curieux malfaisant.

— On s'en occupe, assura Lafontaine.

— Je vais aller interroger ceux qui sont dehors, râla MacCaskill.

Bruno sortit sa règle pour mesurer la trace.

— Deux pouces et trois quarts sur deux pouces et quart.

Puis, en se relevant, il désigna la fenêtre.

— T'as vu ?

Sur le châssis, il y avait une rose d'un violet très foncé, presque noir, dont les pétales commençaient à faner. Puisque l'appartement était sans locataire depuis quelques semaines, il était à peu près certain qu'elle avait été emportée par la jeune femme. Peut-être lui avait-elle été remise par son amoureux pour lui rappeler pendant l'opération qu'il était de cœur et d'esprit avec elle ? Mais bon, tout cela n'était que pure spéculation. En me voyant regarder la fleur, Wyatt s'approcha :

— *This is weird !*

Oui, c'était bizarre. En bas, j'entendis la grosse voix d'Ed MacMahon refouler les journalistes.

— Vous ne pouvez pas entrer ! *You cannot come inside !*

— *Why ?* demanda un journaliste anglophone. *We always do.*

— C'est ainsi, répliqua sèchement MacMahon qui, malgré son nom anglais, appartenait à la communauté francophone.

Pendant ce temps, je pus imprimer le motif du crampon en forme de « V » sur une feuille de papier. À voir la qualité des détails, le soulier ou le bottillon semblait récent. Les autres traces étaient imparfaites, mais je pus malgré tout déduire que la personne en question – un homme, si j'en croyais le type de semelle – portait des souliers de taille dix.

Derrière moi, Wyatt ouvrait les tiroirs d'une commode sans rien trouver. Lafontaine était passé avant lui et n'avait rien vu non plus. Les opérateurs criminels n'avaient pas l'habitude d'emporter les fœtus, mais ils laissaient rarement leurs instruments derrière eux.

Je cherchai d'autres indices pouvant nous venir en aide, tel le sac à main de la morte, mais il n'était nulle part dans l'appartement. Soit elle ne l'avait pas apporté avec elle, soit l'opérateur était reparti avec.

— Il fallait que le meurtrier ou la victime soit au courant que l'appartement était inoccupé, avisa Wyatt.

— Ou une tierce personne qui sert d'entremetteur, dis-je.

— *Yes indeed !*

Lafontaine revint vers moi, l'air dépité.

— Personne des gens à l'intérieur ne porte des souliers qui ressemblent à ceux-là, dit-il en haussant les sourcils.

Je me tournai vers lui alors qu'il sortait son calepin pour compléter un dessin grossier de la scène qu'il avait entrepris en nous attendant.

— As-tu une idée de son identité ? lui demandai-je en hochant la tête en direction du lit.

— Pas le moindre indice pour l'instant.

— Une jeune fille catholique dans la vingtaine avec des cheveux roux et un joli visage, dit Wyatt, narquois.

— Vous venez de décrire une bonne partie des filles du quartier, ajouta Lafontaine.

— Nous voilà très avancés… constatai-je.

Son esquisse complétée, Lafontaine sortit de la chambre, mais il se retint au cadre au dernier moment et fit demi-tour.

— Est-ce qu'on peut transporter le corps à la morgue, Georges ?

Je consultai Wyatt du regard avant de répondre « Oui ».

MacCaskill entra dans la pièce avec son air de gros chien en colère.

— Personne dehors a de damnés souliers comme ceux-là.

— Wyatt, nous détenons un premier indice, dis-je avec un peu d'espoir dans la voix.

— Bel indice : l'opérateur porte des souliers ! railla-t-il.

MacCaskill ne la trouva pas drôle.

— *Bloody hell, doctor Johnston ! How can you make jokes like that ?*

— *I'm not joking, Paddy. I'm just thinking…*

MacCaskill soupira, puis reprit :

— Au fait, le voisin de palier dit avoir entendu parler en anglais. Il croyait que le propriétaire faisait visiter l'appartement.

— Catholique, anglophone et quoi encore, railla Wyatt, qui aurait aimé avoir des informations plus pertinentes.

— Il arrive que de jeunes anglophones de l'Ontario et des États-Unis, souhaitant n'être ni vues ni connues, viennent à Montréal pour un avortement, dis-je.

— Il se peut aussi que ce soit une jeune Anglaise de Montréal, argua Lafontaine. Elles ne sont pas toutes protestantes.

Il nous demanda de le suivre jusqu'à la porte et nous indiqua le cadre.

— Cette porte n'a pas été ouverte de force avec un pied-de-biche. Le pêne et la serrure sont intacts. Comment se fait-il que l'opérateur ait pu entrer aussi facilement ? Après tout, cet appartement était à louer. Il aurait dû être verrouillé.

MacCaskill, de fort mauvaise humeur, se tourna vers un policier inactif.

— Allez chercher le concierge, ordonna-t-il.

Les deux croque-morts montaient nonchalamment l'escalier avec un cercueil de bois. Je remarquai qu'ils laissaient dans leur sillage le même parfum que Wyatt et moi exhalions, une fragrance de mort tenace.

Quelques instants plus tard, le concierge, visiblement en boisson, entra dans l'appartement avec une démarche chaloupée. Il avait une longue dégaine feluette. Ses yeux bleus vitreux, son visage émacié et varlopé par la variole et ses cheveux comme des filins d'acier lui donnaient l'air d'un revenant. Ses dents ressemblaient à un morceau de fromage bleu et son haleine empestait le gin.

Lafontaine et MacCaskill l'entraînèrent dans un coin de la pièce près d'une fenêtre au rideau noir. Bruno lança la première salve de questions sous le regard sévère de MacCaskill, qui semblait prêt à lui tordre le bras, s'il le fallait.

— Ton nom ?

— Henri Bellemare.

Il cassait son français, et sa pomme d'Adam allait et venait comme une poulie dans sa gorge. Et il avait le réflexe de mettre l'index sale de sa main droite dans tous les orifices de son visage, hormis sa bouche.

— Occupation ?

— J'travaille à' *flour mill*.

— As-tu l'habitude de laisser cette porte ouverte après une visite ?

— Non, j'la barre toutte le temps.

— Alors comment se fait-il que cette porte ait été ouverte sans avoir été forcée ?

L'autre se gratta le cuir chevelu, ce qui souleva un nuage de pellicules. Il prit un air innocent, mais fut incapable de répondre à la question.

— *I dunno*.

MacCaskill s'éclaircit la gorge et s'approcha à un pouce des yeux du gringalet.

— Je vais répéter la question du lieutenant Lafontaine : pourquoi la porte était-elle débarrée ?

Le concierge haussa ses frêles épaules. Je sentis le corps de Lafontaine se raidir et celui de MacCaskill prêt à décocher le poing. Je m'invitai dans la conversation.

— Écoutez, monsieur Bellemare, si vous ne voulez pas collaborer, vous passerez une nuit dans la cellule de la cour du coroner, qui est située à la morgue. Laissez-moi vous dire que je ne vous le souhaite pas. Il y a de quoi faire bien des cauchemars.

Le visage de Bellemare exprima la crainte et je le sentis prêt à collaborer.

— Alors, Bellemare, tu réponds ? cracha Bruno.

— Le semaine passée, dit-il en levant les yeux au plafond comme s'il cherchait la réponse, *yeah, that's right, a week ago*, j'ai montré l'appartement à une dame... pis j'm'ai rendu compte après son visite que j'ava' pu' é... clés.

— Connaissais-tu cette femme ?

— Non. L'ava' jamas vue d'ma vie.

— Tu peux la décrire ?

— *Big fat lady*, dans' trentaine, *not too many teeth*.

— Comment s'est déroulée la visite ? demanda MacCaskill.

— *Quickly*. A l'a faite le tour pis est r'partie.

— Quel jour est-elle venue ?

— Jeudi.

— OK, on t'emmène au poste pour établir un portrait parlé de cette femme.

— *I can't.*

— Oh *yes*, *you can*, insista Lafontaine en le regardant dans les yeux, tu seras revenu avant le milieu de la nuit.

— *Come on*, je sais pas plus que ça !

Bruno ignora les jérémiades du concierge et demanda au jeune policier en uniforme qui avait été le chercher d'accompagner Bellemare jusqu'au poste.

Wyatt me regarda avec un air dépassé alors que les croque-morts sortaient le cercueil de la jeune fille.

Le coroner MacMahon, qui avait surgi dans la pièce pendant le bref interrogatoire de Bellemare, s'approcha de nous.

— On a cherché le fœtus partout aux alentours, même dans les poubelles, mais sans résultat. Je ne comprends pas, dit MacMahon.

— Il faut chercher encore, annonça Bruno. Mac-Caskill ! Prends trois policiers avec toi : nous allons fouiller tout l'édifice…

3. Le funeste banquet

Je me rendis à pied à la morgue. J'habitais rue de la Commune, au coin de Saint-Laurent et tout près du marché Bonsecours. J'étais à moins de dix minutes de marche de mon lieu de travail. J'aimais la vie du quartier. Derrière leurs étalages, les marchands annonçaient leurs produits, et des odeurs variées d'épices, de poissons et de fruits émanaient tout autour.

Il faisait encore plus chaud que la veille, une température torride. Pas un souffle de vent. Ce qu'il y a de pire à Montréal l'été, c'est l'humidité. Les miasmes des quartiers pauvres s'accentuent avec la hausse du mercure. Sans compter l'odeur rance des chevaux en sueur et des déjections nauséabondes qu'ils déversent sur la chaussée. Nous ne laissions pas notre place avec nos installations désuètes en plein cœur de la vieille cité.

Un jeune crieur de journal avec un calot trop grand pour lui clamait les nouvelles du jour. Le meurtre de la rue Saint-Patrick s'ajoutait à sa litanie de mauvaises nouvelles. Devant son kiosque, je vis que les journaux faisaient leurs choux gras de cette sombre affaire. « La boucherie de la rue Saint-Patrick », titrait *La Presse*. Je l'ouvris. Le garçon aux joues picotées pointa son museau dans ma face et je fourrageai dans ma poche pour lui donner l'argent. Heureusement, le meurtre n'éclipsait pas complètement le compte-rendu de notre conférence. L'éditorial appuyait sans réserve notre démarche. Puis mon cœur s'emballa lorsque je vis sur la quatrième et dernière page du journal le nom d'Emma Royal. Elle venait à Montréal pour donner un récital pour une fondation parrainée par l'homme d'affaires Joseph Vincent. Emma à Montréal ! Je cherchai à en savoir plus, mais l'article ne mentionnait pas de date.

Je vis aussi mon nom dans une colonne qui était la suite de la première page. Il m'était étrange de le voir ainsi apparaître, chaque jour ou presque, dans la première ou la dernière page des grands journaux.

Certains articles me déridaient par leur sensationnalisme de bas étage. Il suffisait qu'un cadavre soit retrouvé dans un cabaret pour qu'on parle de « mort des plus mystérieuses ». Quelques heures plus tard, un journaliste se présentait inévitablement à la morgue, tout fébrile. Dans l'édition suivante, les trois dernières lignes de son article reprenaient mon verdict : « L'homme est décédé d'une simple congestion pulmonaire liée à la consommation excessive d'alcool. » J'étais celui qui éteignait les sensations que souhaitaient les journaux pour augmenter leur tirage – je m'en confesse avec un malin plaisir ! La mort ne représentait pas un spectacle à mes yeux.

La morgue était située dans la rue Perthuis, entre les rues Craig et Notre-Dame, une petite rue tranquille qui débouchait à l'ouest sur la rue Lacroix, à l'est sur Saint-André. On avait commencé à démolir l'hospice Saint-Charles afin d'ériger la gare Viger. Juste en bas de Notre-Dame se trouvaient les entrepôts et la gare de triage du CP, le quai Victoria ainsi que les élévateurs à grains. Nous n'étions qu'à quelques minutes de marche du Champ de Mars. L'établissement, dont les fenêtres

étaient agrémentées de jolis volets, se composait de deux maisons identiques auxquelles on avait enlevé une cloison pour les transformer en un seul bâtiment. Il comptait un rez-de-chaussée, un étage et un grenier. Il y avait un toit versant et de jolies lucarnes. Au bout du bâtiment, une porte cochère permettait d'accéder à l'écurie et à l'atelier. À cet endroit, on étrillait les chevaux. Mais la beauté des lieux s'arrêtait là.

Plusieurs couches de peinture recouvraient la vieille brique de soixante-quinze ans et les joints de mortier étaient à refaire. La morgue avait abrité quelques années plus tôt une maison de débauche dans ce qui avait été auparavant une rue chic de Montréal. Au-dessus de la porte, un écriteau sinistre, six lettres noires sur fond blanc qui avaient été maintes fois repeintes: MORGUE. L'endroit ne portait aucun numéro. De l'autre côté de la rue, les grincements perpétuels des scies du moulin à bois Paquette charriaient des nuages de bran de scie, et nous, des miasmes de cadavres. Malgré la proximité du fleuve, nous avions droit aux pires odeurs qu'un homme puisse endurer. Sans parler des senteurs de levure de la brasserie Molson. S'il avait existé des orgues à parfums, le nôtre aurait joué une longue toccata nauséabonde.

Le visiteur entrant dans la morgue pouvait trouver sur sa droite le comptoir de la réception. À sa gauche s'étalait un spectacle plutôt sinistre. La compagnie funéraire Duhaime exposait en vitrine ses voitures: un corbillard encrêpé superbement ouvragé, les voitures de baptême et de mariage ainsi que le fourgon noir de la morgue. Il y avait une voiture pour tous les stades de la vie.

Une flèche pointant vers le haut avec la mention « Coroner » signalait au public l'emplacement de la cour, aussi nommée « salle d'enquête », une pièce étroite de trente pieds de long sur quinze de large. La salle était terne au possible. La tribune surélevée du coroner MacMahon trônait au fond et devant s'étalait une douzaine de chaises dépareillées pour asseoir le public et les jurés. Du plafond parsemé de moisissures descendait un fil avec une ampoule suspendue. Un poêle datant d'une autre époque était installé dans un coin. C'était une pièce sombre où se jouaient chaque fois des drames et des tragédies du grand bestiaire humain. Maître MacMahon avait beau s'adresser au premier ministre Taillon pour redonner du lustre à ce bâtiment et répondre aux plaintes des résidants quant aux mauvaises odeurs, le gouvernement s'en lavait les mains, tout comme la Ville de Montréal. Personne ne voulait en prendre la responsabilité! Et cela faisait l'affaire de la compagnie funéraire, qui y trouvait une manne de cadavres à présenter et de cercueils à vendre. Un monopole honteux aux yeux de tous ceux qui travaillaient à la morgue.

Malgré l'heure matinale, j'arrivai tout en sueur. La chemise me collait déjà au dos. L'air moite saturé d'humidité annonçait une journée pénible. Devant la porte, le livreur de glace, déchargeant ses blocs, apportait un peu de fraîcheur. Nous en aurions bien besoin avec cette température. Je saluai le livreur, dont la chemise était tout aussi détrempée que la mienne.

Quand on entrait à la morgue, la vue était troublée par le papier peint qui se décollait du mur et tenait par endroits avec de la broche. Les planchers, jadis vernis, étaient tout décatis, rongés et bombés par l'humidité.

Dès que je refermai la porte, Sansquartier, notre commis-morgueur, me tendit le courrier du matin – une seule lettre – tout en vaquant à ses autres occupations.

— Une recommandée de la Ville de Montréal, me dit-il en souriant, ce qu'il faisait rarement, car il avait une bouche pleine de dents – un vrai brochet, avec sa cavité palatale trop petite et des quenottes qui allaient dans tous les sens jusqu'à former deux rangées par endroits!

Outre ce défaut physique, Sansquartier était grand, très grand. Son corps était tout aussi disproportionné que sa bouche surdentée. Un émule du géant Beaupré. Une force de la nature comme la province de Québec arrive à en produire de temps à autre. Je l'avais engagé d'ailleurs pour cette raison – le lecteur comprendra pourquoi un peu plus loin. Je l'appréciais tant pour sa discrétion que pour sa politesse. Il s'adressait à moi comme si j'étais le premier ministre.

J'ouvris avec fébrilité la lettre. Deux conseillers municipaux viendraient visiter la morgue « pour faire rapport au maire ».

— Parlez-moi d'un début de journée pareil ! lançai-je à notre commis-morgueur.

Sansquartier, qui expédiait par le pneumatique un document pour le coroner, releva discrètement la tête pour me regarder. Un regard patibulaire comme lui seul pouvait en dispenser.

— La conférence a porté ses fruits ! ajoutai-je, heureux.

— Alors je suis content pour vous, monsieur.

Notre vaillant morgueur avait une étrange histoire rattachée à son nom. Sansquartier affirmait que ses ancêtres avaient reçu ce patronyme parce qu'ils s'étaient montrés sans pitié et qu'ils avaient tué dans de nombreuses circonstances. Le cher Sansquartier disait que sa famille avait été condamnée depuis des générations à travailler avec les morts pour payer une dette envers Dieu. Pas superstitieux pour un sou, j'étais sceptique, mais l'anecdote était amusante.

Nos bureaux jouxtaient la longue salle d'enquête à l'étage. Celui du docteur Johnston, le mien et celui du coroner. Un escalier à pic, fermé à son extrémité par une trappe, menait sous les combles, où se trouvait la salle d'autopsie. Le morgueur devait monter le cadavre à bras d'homme jusqu'en haut et pousser la trappe avec son épaule. Porter un cadavre est bien moins évident qu'on le pense. Un mort, c'est lourd et, contrairement aux vivants, ça ne se tient pas – à moins d'être en *rigor mortis*, ce qui est une autre affaire. Dans ce cas, ce sont les bras qui ne passent pas, ou les jambes, et ça ne se déplace pas comme les membres d'une poupée. C'est là que notre Hercule devenait l'homme de la situation. Sansquartier portait les cadavres comme les débardeurs les poches de farine. Il les échappait rarement et quand cela arrivait, c'était en raison de sa grande taille : il se frappait souvent la tête à la poutrelle. Et là, il jurait de sa voix grave, puis nous entendions un bang, le cadavre venant d'atterrir sur le plancher. Parfois, c'était un bloc de glace qui dégringolait bruyamment l'escalier…

Sous les combles s'alignaient trois pièces. Dans la salle d'autopsie, il y avait une table destinée aux opérations placée stratégiquement sous une lucarne pour que l'on puisse bénéficier de la lumière et de la brise. Contre le mur de droite, une étagère était remplie de produits et d'instruments de chirurgie, de couteaux, de scies et de trépans. Dans la pièce adjacente, il y avait une glacière à cadavres. Finalement, une salle d'ensevelissement se trouvait à l'extrémité. Là séjournaient des lambeaux de chair ou des cadavres entiers qui s'en iraient soit chez le croque-mort, soit à la fosse commune, voire à la faculté de médecine pour les cours d'anatomie. Sous les chevrons, les rats faisaient bombance à même nos malheureux. Cette ripaille n'était pas sans nous lever le cœur et nous priver d'indices importants… Je m'accroupis dans la salle d'ensevelissement pour vérifier les pontes récentes et la transformation de mes carcasses dans ces conditions ombragées.

Des fenêtres de la mansarde – qui ne fermaient plus –, nous avions une vue splendide sur la scierie d'un côté et sur les écuries de l'autre.

Avec cette journée collante, nos mouches festoyaient dans la cour arrière et n'hésitaient pas à se frayer un chemin dans la morgue. Elles frôlaient mes oreilles en

zézayant. N'importe où ailleurs, on aurait sorti la tapette ou pendu des papiers-mouches, mais pour le bénéfice de nos expériences, il fallait les tolérer.

Près de l'escalier, madame Jos, la grosse femme de peine, avait cessé de vadrouiller. Exténuée, en sueur elle aussi mais surtout exaspérée, elle balayait l'air de sa main : nos insectes n'exerçaient pas de discrimination. Les mouches voltigeaient au-dessus de son chignon, atterrissaient sur ses bras dodus, puis se posaient sur la chair humaine à l'étage ou sur nos échantillons de viande à l'extérieur, là où le docteur Johnston était à compiler de nouvelles données sur les phases de ponte par rapport à notre latitude. Madame Jos m'amusait bien avec son visage grassouillet et ses deux canines qu'un grand trou noir séparait et qui rendait son sourire irrésistible.

— J'haguis ces sales bestioles, docteur Villeneuve.

— Eh bien, moi, je les cultive comme une sage-femme dans une maternité pour larves ! Elles sont les alliées de la justice. Je les trouve adorables ! Regardez-les bouger. On dirait des grains de parmesan sur des pâtes bien chaudes.

— C'est dégoûtant ! Comment pouvez-vous cultiver d'la vermine ? Vous vous moquez de moi, docteur, répliqua-t-elle en continuant d'agiter sa main autour de sa tête.

— Pas du tout ! Je vous l'ai déjà expliqué. Elles sont très utiles dans la datation de la mort. C'est une escouade qui ne demande rien en retour que de pondre sur de la chair morte. En plus, ce sont d'excellentes nettoyeuses. Elles ne laissent pas grand-chose derrière elles.

— M'en dites pas plus, c'est répugnant.

Elle se pencha pour ramasser le tas de poussière qu'elle avait accumulé et le jeter dans une chaudière.

— Mais ce sont des créatures de Dieu, ne l'oubliez pas, dis-je en la taquinant.

— Vous devriez vous en remettre plus à Dieu qu'aux mouches pour connaître la vérité.

Je m'esclaffai.

— Mais Dieu est en chaque créature qu'il a créée, argumentai-je. Nous devons supposer qu'il est aussi l'auteur de nos gentilles bestioles.

Elle s'éclipsa comme un gros oiseau noir, non sans ajouter :

— Vous leur faites trop d'honneur, docteur Villeneuve.

— Vous verrez bien ! Un jour, elles voleront la vedette au cours d'un procès où elles feront éclater la vérité.

Pensif, je regardai à travers les carreaux et vis Wyatt de dos, penché sur un échantillon de viande. À le voir dans son champ de larves, il me fit penser à un apiculteur heureux parmi ses fleurs et son rucher.

Dès mon embauche à la morgue de Montréal, j'avais tenu à mettre cette nouvelle technique au service de la cour. Tout était à découvrir en la matière et il fallait développer nos propres champs d'expérimentation. Jamais une telle recherche n'avait été réalisée en Amérique du Nord. Le docteur Johnston avait été enthousiaste quand je lui avais parlé des possibilités offertes par ces insatiables anthropophages. Il avait aussitôt emboîté le pas. Je lui avais donc exposé les théories de Mégnin, qui m'avait lui-même initié à la faune des cadavres pendant mes études à Paris.

Dans un premier temps, il avait fallu se résoudre à entreprendre une culture de larves à la morgue. Wyatt l'appelait à la blague notre chair d'étude universitaire. Cette initiative avait été accueillie par maints haut-le-cœur autour de nous – à commencer par le brave coroner MacMahon, qui en avait pourtant vu, des horreurs, dans sa carrière.

Nous voulions comparer les résultats de Mégnin à ceux que nous trouverions à Montréal. Le cycle de la faune des cadavres, selon Mégnin, se devait d'être vérifié selon les températures qui prévalaient *in situ*. Même si nos résultats corroboraient en plusieurs points ceux de l'entomologiste français, nos recherches démontrèrent que la succession d'insectes sur les cadavres s'opérait plus rapidement à Montréal qu'à Paris. En outre, certaines espèces étaient spécifiques à notre région, alors que d'autres étaient cosmopolites. Johnston et moi avions noté que certains nécrophages s'attaquaient goulûment à du gibier mort, mais prenaient plusieurs mois avant de s'attaquer aux cadavres humains. Il avait donc fallu se rendre à l'évidence que le dicton « autre pays, autres mœurs » s'appliquait aussi à nos insectes. Sur les vingt-trois espèces que Pierre Mégnin m'avait montrées durant ses leçons, à peine onze s'étaient présentées à nos funestes banquets. Les douze absents étaient des insectes rares en Amérique.

Le Centre de données météorologiques de Washington nous avait fourni les moyennes annuelles de températures des vingt dernières années afin de mieux asseoir nos recherches. Nous en étions là.

Le coroner Edmond MacMahon apparut soudain sur le palier avec sa serviette en cuir, me tirant de mes rêveries.

— Bonjour, docteur Villeneuve !

— Bonjour, maître MacMahon.

— C'est moi qui serai en charge de cette étrange affaire de la rue Saint-Patrick.

— C'est vrai qu'elle est pour le moins bizarre !

MacMahon, à l'instar de Wyatt et de moi, était en poste depuis peu. Avocat de formation au début de la quarantaine, il travaillait mieux que la plupart des médecins-coroners. Et il fallait le voir à l'œuvre pendant les audiences. Un vrai bull-terrier ! Il ne fallait pas que les avocats de la partie adverse aient le malheur de le prendre pour une valise. Il commençait par rougir un peu, puis devenait rubescent jusqu'à éclater. De plus, fait cocasse, sa réputation comme maître de chœur de l'église Saint-Joseph était reconnue partout à Montréal. Il était spécialiste du chant grégorien, dont il avait développé une méthode de plain-chant romain.

En bas, la clochette de la porte d'entrée tinta, puis j'entendis des pas dans l'escalier. Les inspecteurs Lafontaine et MacCaskill apparurent à leur tour. Ils s'approchèrent du coroner pour lui serrer la main.

— Maître MacMahon !

— Messieurs. Je compte sur vous pour résoudre cette sinistre affaire qui va vite nous mettre sur la sellette. Avez-vous lu les journaux ?

— Non. Les pisse-copie nuisent à mon travail, répondit Lafontaine, plus sérieux que pince-sans-rire.

— Et moi je déteste lire, annonça MacCaskill.

— J'apprécie votre franchise, messieurs. Mais ce matin, nous avons eu un avant-goût de ce qui nous attend si l'affaire devait se répéter. On aura l'assistant-procureur de la province de Québec sur le dos, sans compter l'archevêché. Cette affaire ne sent pas bon. Et nous sommes sur la ligne de front.

Wyatt arriva avec une horde de mouches dans son sillage. MacMahon, qui avait horreur de nos expériences, les chassa de la main.

— Docteur Johnston, je ne peux pas croire que vous êtes celui qui a la responsabilité de purifier l'eau de Montréal quand je vous vois nourrir et cultiver des charognes sur le terrain de la morgue. Le cœur me lève !

— Vous vous trompez, coroner. Les mouches serviront à purifier le système de justice.

— Je suppose que c'est une façon de voir les choses, dit MacMahon, résigné.

— De toute manière, le véritable coupable, c'est Georges, ajouta Wyatt en souriant. C'est lui qui a ramené de Paris l'amour de la vermine ailée et m'a contaminé.

Le coroner roula des yeux et préféra retraiter à son bureau en compagnie des deux inspecteurs. Wyatt se tourna vers moi :

— Georges, j'ai deux billets pour le concert d'Ignace Paderewski, ce soir, à la salle Windsor. Il y jouera Chopin, bien sûr. Comme Julia a une soirée avec les dames patronnesses de l'Hôpital Général, je t'invite à m'accompagner. Ça m'évitera d'être gazé par de vieilles poudrées de Westmount qui auraient envie de m'inviter dans leurs salons cossus.

— Si c'est juste pour t'éviter ces ennuis... Merci. J'y serai.

J'appréciais davantage chaque jour la présence de mon collègue, tant pour ses qualités de médecin et d'homme de science que pour ses qualités humaines et sa propension pour le scotch, qu'il me faisait découvrir après notre quart de travail à la morgue. Plus je le connaissais et plus j'étais impressionné par le parcours de ce jeune prodige de la médecine. Je n'étais rien par rapport à lui. Alors que les médecins anglophones disaient de leurs collègues francophones qu'ils tuaient leurs patients en les soignant, nous répliquions, cinglants, qu'eux les laissaient mourir, ce qui est bien pire. À la blague, Wyatt et moi affirmions que nos clients, eux, n'avaient plus rien à craindre.

Tout comme moi, Wyatt avait trente-deux ans. Deux mois à peine nous séparaient. De grande taille, il portait la barbe en pointe et avait un goût recherché pour les beaux tissus et le tartan. Ce jeune phénomène avait reçu, à dix-neuf ans à peine, son permis de médecin résident à l'Hôpital Général de Montréal. L'année suivante, il devenait pathologiste et démonstrateur de pathologie à l'Université McGill, où il succédait au célèbre William Osler. Des chaussures difficiles à porter mais qu'il chausserait brillamment. Après des études postdoctorales en Allemagne auprès de Virchow et de Grawitz, il était devenu l'un des grands experts en bactériologie. Il dirigeait, en compagnie du docteur Robert Fulford Ruttan, le premier laboratoire de bactériologie au Canada. De là, il menait une lutte sans merci à la diphtérie et à d'autres maladies infectieuses.

Les journaux avaient appris récemment au grand public qu'il venait de mettre au point dans son laboratoire de l'Hôpital Général une méthode simplifiée de dépistage de culture diphtérique sur des œufs bouillis, une méthode qui allait rapidement se répandre ailleurs. Afin de faciliter le diagnostic de la lèpre, il s'était rendu compte qu'il suffisait de gratter un nodule cutané. Ses recherches sur la maladie de Pictou, qui décimait les troupeaux de bovins, étaient aussi reconnues.

Si comme médecin légiste Wyatt parvenait à racheter l'honneur et l'intégrité des victimes contre leur bourreau, il va sans dire qu'il sauvait aussi de nombreuses vies au laboratoire de son hôpital.

4. *Corpus cursus*

Une demi-heure plus tard, j'étais à l'entrée pour accueillir six étudiants. Même si la leçon clinique de médecine légale ne commençait officiellement que dans dix jours, ils suivaient ma formation en auditeurs libres. Rhéaume, Désy, Sarrazin, Sicard, Leblanc et Comtois, à peine sortis du lit, avaient encore le visage tout froissé de sommeil – ils devaient avoir veillé très tard, comme c'est l'habitude chez les étudiants en médecine. Nous montâmes dans les combles. Quand ils entrèrent dans la salle d'autopsie, le réveil fut brutal.

— C'est le meurtre dont on parle dans les journaux, releva Comtois en ramenant son long toupet vers l'arrière puis en caressant son bouc.

— Je sens que je vais avoir une montée de bile, dit Désy en mettant la main sur sa bouche.

— Ici, dis-je en montrant un seau rempli de matière biologique.

Il se vida de son gruau matinal tandis que ses amis se moquaient de lui.

— C'est toi qui vas payer la bière ce soir, Charles !

Tous s'esclaffèrent. Ils faisaient ce genre de paris au début de l'année, et personne ne devait se désister, sous peine de quolibets sans fin.

Charles Désy s'essuya la bouche avec le revers de son veston. Il avait une raie au milieu de la tête et des

cheveux bruns avec des reflets roux très fins qui retombaient sur le côté. Il portait une barbe bien fournie
et de petites lunettes rondes. Athlète par excellence de
l'Université Laval à Montréal, il aspirait à participer
aux premiers Jeux olympiques depuis l'Antiquité qui
auraient lieu à Athènes dix-huit mois plus tard.

Ils avaient tous cette dégaine d'étudiants en médecine dans leurs costumes noirs usés et fripés. Antoine
Sicard, un long gringalet sur lequel les muscles ne
semblaient pas prendre corps, n'avait que vingt-six
ans et déjà les cheveux blancs. Il portait le nœud papillon. Il était inséparable d'Eugène Leblanc, un garçon
baraqué aux traits fins, presque féminins. Tout était
contraste chez Leblanc : cheveux drus, noir corbeau,
avec un visage de mi-carême et des lèvres rouges et
charnues. Thomas Rhéaume avait moins de chance,
lui, avec ses cheveux clairs, et sa calvitie gagnait la
guerre sur le champ de bataille de sa tête. Rhéaume
était un jeune homme frêle avec un regard allumé et
stimulant pour un professeur. Tout ce que vous disiez
l'intéressait. Il envisageait de devenir chirurgien comme
son père, dont la réputation était grande. Son ami Oscar
Comtois portait un petit bouc blond sur lequel ses
doigts s'attardaient constamment. J'appréciais ce grand
garçon au franc-parler qui défendait le mouvement
ouvrier. Quant à Théodore Sarrazin, il était corpulent,
massif, et me faisait penser à un personnage de Rabelais.
Il avait le souffle court et sifflant des gens de sa taille.
Je l'imaginais manger, s'empiffrer jusqu'à en dormir
assis au bout d'une table.

Le corps exsangue et malingre de la jeune femme
assassinée la veille reposait nu sur la table blanche. Sa
longue chevelure rousse brillait sur la dalle blanche.
Devant le cadavre, Rhéaume se signa. Les autres l'imitèrent. Le regard qu'ils posaient sur le corps de la jeune
femme était chargé à la fois de gêne, de compassion et
de répulsion.

Pour mieux comprendre les gestes de l'opérateur, il m'avait fallu examiner, lors de l'autopsie que j'avais pratiquée la veille au soir, la cavité utérine de haut en bas. Ces jeunes gens étaient intimidés – et avec raison – de se trouver devant le cadavre nu d'une jeune femme, mais surtout devant l'incision que j'avais pratiquée du pubis jusqu'au sternum pour voir l'utérus et l'infection résultant de la manœuvre abortive. Cela leur passerait.

Wyatt entra dans la salle d'autopsie, située dans la mansarde de la morgue, les mains dans le dos attachant son tablier de caoutchouc tout en sifflant les premiers accords de la cinquième symphonie de Beethoven.

— *'Morning, gentlemen!*

— *Good morning, doctor Johnston*, répondirent en chœur les étudiants.

Je voyais à leurs yeux qu'ils étaient toujours impressionnés de rencontrer cette sommité médicale. Wyatt restait simple comme si de rien n'était. Les plus savants n'ont rien à prouver et ils n'ont pas la morgue des arrivistes.

Je m'installai au milieu de la table pour effectuer mon travail. Je chassai quelques mouches de la main. La salle d'autopsie ne faisait pas exception : comme partout ailleurs dans la morgue, on avait l'impression d'être dans un four malgré que les fenêtres étaient ouvertes pour tenter de laisser entrer un peu de fraîcheur. La brise absente, au moins n'étions-nous pas envahis par le bran de scie de chez Paquette !

— Aujourd'hui, je vais vous entretenir de ce cas d'opération criminelle survenue hier...

Après avoir rencontré le coroner MacMahon et le chef Carpenter, Lafontaine et MacCaskill étaient venus faire le point avec moi. Aucune personne portée disparue ne correspondait à celle étendue devant nous. Peut-être venait-elle de l'Ontario, des Maritimes, voire des États-Unis ? L'affaire n'en serait que plus ardue, comme c'était souvent le cas. De mon côté, l'autopsie n'avait rien révélé de plus que nous ne sachions déjà. Une femme entre vingt et vingt-trois ans aux cheveux roux, mesurant cinq pieds et trois pouces et pesant cent quinze livres – cent dix-huit avant le meurtre si nous considérions tout le sang qu'elle avait perdu. Avant de tomber entre les mains de son bourreau, elle était en parfaite santé.

J'écartai les tissus de mes mains pour montrer à mes étudiants les ravages causés par l'opérateur. Les chairs étaient à vif et gravement infectées. Elles avaient été piquées par ce qui me semblait être un instrument long, mince et assez solide pour atteindre le col. L'avorteur avait tenté une ponction des membranes de l'œuf.

Je me tournai vers une tablette de notre petit musée médico-légal où se trouvaient des instruments de faiseur d'anges et des spécimens de fœtus à différents stades dans des bocaux de formol.

Je pris un ton professoral en désignant chacun des outils.

— L'instrument utilisé afin de perforer et décoller les membranes peut être une sonde, un cathéter, une broche, une aiguille à tricoter, une épingle, une baguette de bois, une tige de luminaire, voire une plume d'oie. En raison de l'infection abondante que je vais décrire, il m'est impossible de dire si l'opérateur a effectué une injection intra-utérine pour atténuer les douleurs de la femme. Mais, à voir le résultat, l'accoucheur n'a pas fait l'injection d'un antiseptique à base d'eau pure et de glycérine, comme le font certains.

— Est-ce qu'il y a d'autres procédés abortifs que l'usage de tiges ou de cathéters ? demanda Désy en me regardant au-dessus du foyer de ses lunettes.

— Oui, mais ils sont peu efficaces : certaines femmes croient que si elles prennent des purgatifs gastriques, de l'huile de croton ou de l'aloès – des substances qui agissent sur le gros intestin –, celui-ci, à son tour, contractera l'utérus. Certaines vont recourir à des matières comme le genièvre, la salsepareille, l'absinthe, la bière et le safran, qui peuvent congestionner l'utérus. D'autres moyens plus brutaux peuvent causer une action toxique sur le fœtus, je parle ici de l'absorption de métaux lourds comme le plomb, le mercure ou encore de l'iodure ou de l'acide salicylique. En règle générale et à notre connaissance, aucune de ces substances ne peut causer un avortement, même si toutes peuvent nuire au développement du fœtus.

Wyatt, tout en enfilant ses gants de caoutchouc, observait le corps de notre inconnue – Jane Doe, comme il se plaisait à l'appeler.

Dans la moiteur de la salle d'autopsie, les étudiants notaient mes commentaires, s'arrêtant pour s'essuyer le front avec la manche de leur veston.

— Il m'est arrivé de voir un cas de manœuvre directe, soit un traumatisme extragénital sur la paroi abdominale. En fait, la femme s'était sciemment laissée choir plusieurs fois sur le siège afin d'expulser le fœtus, ce qui avait causé la mort du bébé. Mais ces cas de traumatisme n'entraînent pas souvent l'expulsion du fœtus.

— Il est connu en obstétrique, ajouta Wyatt, que les douches vaginales, le pétrissage et les massages de la paroi abdominale favorisent les contractions, mais seulement dans la dernière phase avant l'accouchement.

— Exact. Le décollement et la ponction des membranes demeurent des procédés efficaces pour un avorteur expérimenté, mais nous avons vu des femmes y parvenir d'elles-mêmes quand le col était plus ouvert.

Je demandai aux étudiants d'approcher pour constater les blessures mortelles.

Seule une autopsie permettait de voir les dégâts causés dans le vagin, le col et le corps utérin. La mort avait été provoquée par un choc inhibiteur causant un traumatisme utérin. L'hémorragie avait été foudroyante et suivie de complications infectieuses.

— Comme la ponction peut avoir lieu dans les trois premiers mois, cela nous donne une idée de l'âge du fœtus, que la police n'a malheureusement toujours pas retrouvé.

— Pouvez-vous identifier le genre de blessures ? demanda Sicard.

— Lorsque l'autopsie est réalisée quelques heures après la mort et qu'il n'y a pas d'infection, il est facile de juger le type et la variété des blessures. Mais en règle générale, ces procédés ne sont pas efficaces.

L'opérateur avait fait un travail de boucherie. On aurait dit qu'il avait voulu éviscérer une truite ; c'est l'image qui m'était venue à l'esprit pendant que je pratiquais l'autopsie, mais je la gardai pour moi. Les instruments dont il s'était servi avaient déchiré profondément le col de l'utérus. L'hémorragie consécutive à cette opération criminelle avait causé la mort. En remontant du bas du col vers le haut, on pouvait voir l'action menée par l'opérateur et les lésions sévères occasionnées.

— Vous remarquerez les blessures aux voies génitales. Les lésions dans le vagin sont profondes au niveau de la paroi postérieure et des culs-de-sac. Dans le col, notez ici les déchirures plus ou moins profondes. Comme vous le voyez clairement, on remarque plusieurs blessures sur la paroi utérine, celles qui ont causé l'hémorragie et la mort. La lésion que vous pouvez observer ici est courante, un trou large dans la partie supérieure de l'utérus… juste là, au fond. Le trou finit par rejoindre la cavité abdominale. En regardant à la loupe, on voit bien la forme de la lésion avec ses contours irréguliers, un peu coniques et parsemés de filaments nécrosés.

Les étudiants, qui en avaient pourtant vu d'autres, avaient peine à observer la scène. Les mouches voltigeaient autour de leurs têtes, les obligeant à agiter occasionnellement leurs mains. L'odeur rendait l'air irrespirable. La lucarne ne suffisait pas à aérer les lieux.

Je pris la craie pour écrire au tableau.

— Les questions qu'il faut vous poser au moment de votre diagnostic sont les suivantes. Premièrement: l'avortement a-t-il eu lieu?

Les étudiants hochèrent la tête.

— Bien entendu... Deuxièmement: s'agit-il d'un avortement spontané ou criminel? Troisièmement: à quel stade de la grossesse a eu lieu l'avortement? Et finalement, quand ont eu lieu les manœuvres abortives?

— Est-ce que le fœtus est blessé pendant ce genre d'opération? demanda Eugène Leblanc.

— Bonne question! À dire vrai, c'est rarement le cas. Puisque le fœtus flotte dans le liquide amniotique et qu'il est petit, il n'est pas facile de l'atteindre. Cependant, il arrive que l'on remarque sur le petit cadavre des traces de la manœuvre criminelle: des contusions ou des piqûres sur la tête et aussi sur l'abdomen.

Le cours portant sur les circonstances médicales entourant le crime, je ne parlai pas aux étudiants des traces de chaussures que Lafontaine avait trouvées dans la chambre de l'appartement. Certes, les étudiants les plus méritoires auraient éventuellement accès à une scène de crime, mais ceux qui étaient devant moi étaient encore très loin de celle-ci. Ce genre de renseignements ne concernait que la police, le coroner et nous, les légistes. Si on mettait la main au collet de l'opérateur, ces détails ressortiraient au cours de son procès et les journalistes en rapporteraient, sensationnalisme oblige, les détails les plus scabreux à la population.

— Voilà, c'est tout pour aujourd'hui. Je vous souhaite une bonne journée, dis-je en déposant la craie.

Les étudiants rangèrent leur tablette et s'approchèrent pour que je signe leur carte de présence avant qu'ils aillent à la clinique suivante, donnée à l'hôpital Notre-Dame.

La présentation semblait les avoir frappés, car je les entendis discuter de détails de l'avortement alors qu'ils descendaient l'escalier. Je laissai la porte ouverte pour essayer de provoquer un courant d'air qui, je le savais, ne viendrait pas. Je retournai près du cadavre afin de poursuivre son examen. Pendant mon cours, j'avais observé avec encore plus d'attention que pendant l'autopsie quelques détails sur le visage blanchâtre de Jane, des signes distinctifs qui pourraient aider à son identification. Tout d'abord, une cicatrice était apparente au-dessus de son arcade sourcilière droite. Elle avait aussi un grain de beauté dans le cou, deux pouces sous son oreille droite, et un acrochordon sur la poitrine. Sa chevelure rousse, statistiquement parlant, la démarquait aussi. Puisqu'un voisin avait entendu parler anglais, il était fort probable que nous avions affaire à une jeune Irlandaise. Restait à trouver d'où elle venait, ce qui, avec un peu de chance, nous permettrait de découvrir son identité.

Alors que je notais mes réflexions dans un carnet, je sentis l'ombre de Wyatt passer derrière moi.

— Avant longtemps, il nous faudra demander à la Ville de nous fournir un appareil photo pour garder ces visages anonymes dans nos archives, se plaignit-il.

— C'est déjà fait, mais on m'a dit qu'il n'y avait pas d'argent prévu avant la fin de l'année prochaine...

— Ha! Tu ne me surprends pas. Écoute, Georges, je vais aviser le coroner et nous allons prendre un montant sur le budget de la cour du coroner. Je m'en vais dès aujourd'hui acheter un Kodak chez Lavergne.

— Je te seconde. Ce sera très utile pour mes cours.

— Pour aujourd'hui, on va faire un masque en plâtre. Ainsi, on aura un élément d'identification advenant une décomposition trop rapide du cadavre.

Wyatt alla à l'armoire chercher le sac de cristaux de gypse que nous réservions à cet effet. Il en versa une petite quantité dans un bol, dans lequel il ajouta de l'eau.

Je sortis la rose et l'image de Marie que l'on avait retrouvée sous le placenta.

— *Gosh! So* bizarre, s'exclama Wyatt.

Pendant que Wyatt fabriquait son masque funéraire, j'examinai la rose à la loupe pour tenter d'y trouver quelque indice. Mon examen ne révéla rien de plus, sinon que cette rose noire était en réalité une *Rosa chinensis* d'un rouge profond qu'on avait plongée dans un mélange d'eau et de colorant noir. L'effet était saisissant, car, à la lumière du jour, on pouvait apercevoir des reflets grenat sur les pétales. Je plaçai la rose funeste dans un herbier afin de la préserver en prévision d'un procès.

Nous déposâmes ensuite le cadavre de mademoiselle Jane Doe sur une civière et le replaçâmes dans notre petit congélateur qui débordait de corps, près de l'escalier. Puis nous descendîmes en vitesse dans le bureau du coroner MacMahon.

Lafontaine et MacCaskill causaient toujours avec le coroner. Bruno avait sorti de sa valise un talon identique à celui qui avait marqué le plancher de l'appartement où était morte Jane. En nous voyant arriver, il nous le tendit.

— Nous avons fait des recherches pour trouver des chaussures avec ce genre de semelles et les cordonniers nous ont dit qu'on les trouve sur de nombreux modèles. Ils n'ont rien de distinctif. À preuve, on a pu facilement m'en donner un.

— Donc, si je comprends bien, les cordonniers remplacent habituellement les vieux talons usés par ce modèle-là.

— Oui.

— Vous ont-ils dit s'il s'agissait d'un talon de semelle bon marché ou haut de gamme ?

MacCaskill se gratta l'arrière de la tête.

— Non, docteur, on n'a pas pensé à poser cette question.

— On va retourner le demander, coupa Bruno Lafontaine.

— Ça nous permettrait de savoir à quel rang social appartient notre faiseur d'anges.

Lafontaine avait aussi prévu de rendre visite à des fleuristes de Montréal.

— Des fleurs noires, on n'en voit pas partout, précisa-t-il. Le type qui a fait ça connaît la technique. Un fleuriste ? Ou un amateur des *Fleurs du mal*...

— Excellente idée, lieutenant !

— Si je l'attrape, je vais lui faire avaler tout le bouquet, épines comprises, ajouta Patrick MacCaskill en serrant sa mâchoire de boxeur.

— Je vous en donne la permission, mais avant il faut lui mettre la main au collet, trancha MacMahon.

— Allez, Pat, on y va, dit Lafontaine.

◆

J'étais de retour au coin Peel et Dorchester. La foule affluait vers les portes de la salle Windsor, attenante à l'hôtel dudit nom. La salle datait de trois ans à peine. Wyatt m'attendait, appuyé contre une colonne, en lisant des vers de Chaucer.

Même quand je me plantai à deux pieds de lui, il ne broncha pas, perdu qu'il était dans sa lecture.

Je passai mon petit doigt devant ses yeux et il m'aperçut enfin.

— Chaucer a le don de m'extraire du monde qui m'entoure, s'excusa-t-il en refermant son livre.

Il sortit mon billet de son veston. Il avait revêtu un costume trois pièces bleu qu'il portait parfois à la cour mais jamais à la morgue. J'avais mis aussi mon habit des grands procès. Je savais qu'il ne sentirait pas le cadavre. Je le gardais dans un garde-robe à part.

Quand nous franchîmes les portes, une ouvreuse nous remit le programme. Nous pénétrâmes dans la salle de mille trois cents places. Je n'y avais encore jamais mis les pieds. Je levai des yeux émerveillés vers le haut. C'était vaste comme une cathédrale. Les murs s'unissaient au plafond par une ceinture voûtée. De chaque côté, l'architecte avait prévu de grandes fenêtres en ogive entre lesquelles s'élevaient des demi-colonnes qui montaient et couraient jusqu'au plafond pour former d'élégantes arches blanches. En descendant l'allée E, je pus constater la réputation de mon collègue. On se retournait à son passage et j'entendis de nombreux : « *Good evening, doctor Johnston.* » Nous nous faufilâmes jusqu'à nos sièges. Le piano à queue était droit devant nous.

Je consultai le programme. Le virtuose polonais se frottait à un répertoire presque uniquement romantique, à lire le choix des compositeurs : Chopin, *Nocturne en sol majeur, Opus 32 N° 2*, Mendelssohn, *Romances sans paroles*, Beethoven, *Sonate Opus 57*, Liszt, *Rhapsodie hongroise*, Schumann, *Fantaisie sur des thèmes de Paganini*...

Wyatt releva les yeux de son programme et me regarda par-dessus ses lunettes.

— Paderewski a perdu sa femme en couches à vingt et un ans, et de cet accouchement est né un enfant infirme. Il a été grandement affecté par cette tragédie. Il est un héros chez lui et il joue Chopin partout où il va.

Je soupirai ; la misère n'était pas l'apanage des Canadiens français. Les premières rangées étaient occupées par des curés. Les liens entre la Pologne et la religion catholique étaient forts.

— Tiens, le voilà !

Le légendaire virtuose entrait sur scène. Je consultai ma montre à gousset : il était 8 h 02. Il fut chaudement applaudi et il salua les spectateurs. Il avait trente-quatre ans. Depuis le début des années 1890, il faisait des tournées triomphales en Amérique. On disait de

Paderewski qu'il était d'une grande beauté ; ses traits délicats en faisaient foi. Il portait la moustache, le bouc et des sourcils bien garnis. Il avait un port de tête échevelé de musicien romantique avec cette tignasse rebelle parsemée de quelques cheveux blancs comme du crin. Les applaudissements cessèrent. Droit et fier, il balaya des yeux la foule en la remerciant une autre fois.

Les lustres baissèrent en intensité. Le pianiste prit place sur le banc, qu'il ajusta. Il se concentra et approcha ses mains lentement du clavier pour amorcer sans partition le nocturne de son compatriote. Chaque phrase de la mélodie était appuyée par un jeu de doigts tout en nuances. J'étais impressionné par ces virtuoses qui, au milieu d'une foule de mille personnes, pouvaient se retrancher dans un espace qu'eux seuls semblaient habiter. Paderewski était spectaculaire. Il vivait de tout son corps la musique, comme s'il dansait assis seul avec son piano. Son jeu ne servait pas uniquement la virtuosité mais la musique et les émotions.

Le nocturne me rappela que j'avais trente-deux ans et que j'étais encore célibataire, alors que tout le monde autour de moi accumulait les noces.

Les *Romances sans paroles* me ramenèrent à Emma. Lorsque les officiers de notre bataillon avaient été invités à la résidence des Royal à Winnipeg, elle avait interprété une de ces pièces de Mendelssohn. J'en fus tout chamboulé et j'eus envie de la revoir. Pendant tout le reste de la pièce, j'écrivis une lettre imaginaire à celle qui depuis plusieurs années étudiait et enseignait à New York tout en menant une carrière de concertiste. Son beau visage s'intercala entre la musique et moi et je pensai à sa venue dans la métropole.

À mes côtés, Wyatt écoutait avec grande attention. Je me demandais bien si un esprit comme le sien parvenait à faire le vide. Même dans l'immobilité, il semblait toujours réfléchir à quelque chose.

Les doigts du pianiste couraient sur le clavier à une vitesse folle. Les mains frappaient les notes de haut en bas avec fracas.

Plusieurs spectateurs oublièrent qu'il était de mise de ne pas applaudir entre les morceaux. Le virtuose s'en amusa après la dernière note de la sonate de Beethoven. À la blague, il invita le public à applaudir. Les mélomanes étaient sous le charme du beau Polonais. Liszt et Schumann complétèrent la première partie de son programme.

Wyatt se tourna vers moi.

— Il est acclamé par son public, alors que nous, nous avons été applaudis poliment comme des gens qui dérangent.

— C'est la différence entre donner quelque chose et demander. Nous offrons de la justice moyennant un prix, mais il eût mieux valu offrir le *statu quo*.

— Entre mendiant, praticien morgueur et virtuose du piano à l'échelle internationale, il y a tout un monde.

— J'aurais dû être pianiste… mais je sais à peine souffler dans une cornemuse.

Le reste de la soirée se passa sous une rafale de sons agréables et pleinement contrôlés. Le pianiste semblait par moments entrer dans des transes, les yeux fermés.

À la sortie, je remerciai Wyatt.

— C'est moi qui te remercie, répliqua-t-il. Si Julia était venue, elle m'aurait parlé de ce concert pendant des semaines. Elle connaît par cœur le répertoire, tandis que moi, je ne me rappelle jamais rien lorsqu'il est question de musique.

Il repartit vers l'ouest et je regagnai l'est de la ville à pied.

◆

Je n'avais que du papier à lettres avec l'en-tête de la morgue de Montréal. Je le humai. Pas d'odeur. Je m'en contenterais. Il était possible qu'elle ne veuille plus jamais me revoir après ce qui s'était passé dans cet appartement parisien, mais je voulais en avoir le cœur net. Je tenais à la revoir.

Chère Emma Royal,

Je tiens à vous féliciter pour votre prodigieuse carrière. J'ai eu l'occasion de voir votre nom dans les journaux et j'ai su que vous donnerez un concert à Montréal prochainement. Je serai heureux d'aller vous applaudir.

J'espère que la vie à New York est à la hauteur de vos attentes.

Je reviens d'entendre Ignace Paderewski. Ce fut un concert éblouissant. Quel virtuose ! Il m'a ramené à vous et à votre grand talent de pianiste.

Par l'en-tête de cette lettre – je vous écris de mon lieu de travail –, vous comprendrez que je suis maintenant médecin-expert à la morgue de Montréal. Je n'ai pas encore trouvé de place comme aliéniste, mais je me plais bien dans mes sombres tâches.

Un admirateur sincère,
Georges

5. Toujours la mort

L'étude des insectes me rattrapa. Je tenais de nouveau l'occasion d'appliquer cette science nouvelle. Le corps décomposé d'une femme âgée, gisant sur un terrain vague, avait été découvert par des enfants. On m'avait appelé comme expert médical.

Le convoi de la morgue, tiré par deux chevaux, m'avait livré le corps la veille en fin de journée. Le cadavre était dans un état très avancé de décomposition. Il n'y avait aucun signe visible me permettant de déterminer les causes du décès. À vue de nez, la mort pouvait remonter à plusieurs mois. Les insectes me permettraient d'être plus précis quant au moment où elle était survenue et d'éliminer les fausses pistes. La faune des cadavres allait être convoquée à la barre. Ma brigade ailée allait surprendre une fois de plus.

Puisque l'odeur était insoutenable, je ramassai les différentes espèces d'insectes et me retirai dans le laboratoire. Je plaçai mon ouvrage d'entomologie à mes côtés afin d'identifier les insectes à partir des dessins et de certaines spécifications. Je pris ma pince et saisis les diptères un à un. Ils appartenaient à plusieurs espèces que je déterminai en les comparant à celles qu'il y avait dans le livre de Mégnin : des *Calliphora erythrocephala*, des *Lucilia caesar* et des *Piophila casei*. Je les déposai sur un papier en inscrivant leur nom. Je recueillis ensuite des variétés de coléoptères aux noms singuliers : *Silpha noviboracensi*, *Omosita colon*, *Hister fœdatus*, *Trox unistratus*, *Saprinus assimilis*. Issus d'un monde microscopique, d'hideux acariens s'étaient joints à la brigade criminelle. De la première larve de diptère, pondue dans les vingt-quatre heures, à mes acariens en passant par les trox, il s'était écoulé cinq mois – je l'avais cru au premier abord.

Cette personne avait donc été vue vivante pour la dernière fois au début de mai.

La théorie de Mégnin confirmait ce que j'avais pu observer. Seule la périodicité, soit un intervalle plus rapide dans la succession des espèces, variait. Alors que chez Mégnin les acariens sont présents dans la sixième période, qui correspond au sixième mois d'état de décomposition, les nôtres étaient actifs dès le quatrième mois. Toutes sortes d'hypothèses pouvaient expliquer ce phénomène. Le cycle évolutif des insectes en raison du climat et de certaines espèces continentales justifiait-il à lui seul ces différences ? J'avais aussi répertorié deux insectes que Mégnin ne mentionnait pas : le trox et l'omosita. Je rédigeai mon rapport au coroner MacMahon à la lumière des insectes recueillis sur le cadavre.

◆

En fin d'avant-midi, après avoir remis mon rapport au coroner, j'entrepris d'ouvrir la pile d'enveloppes qui s'entassait sur le coin de mon bureau. J'y trouvai une lettre de l'Université Laval de Montréal que j'anticipais depuis longtemps.

Deux mois plus tôt, l'université avait annoncé un concours pour occuper la chaire de médecine légale. Déjà assistant dudit cours et médecin-expert à la morgue, j'étais le candidat tout désigné. Mais voilà, je n'étais pas seul à postuler à l'examen et je devais me battre contre deux autres médecins. La médecine nécessite un champ de connaissances si étendues qu'il ne faut jamais jurer de rien.

Je me laissai choir dans le gros divan rouge tout élimé et ouvris la lettre avec appréhension.

Le concours avait été divisé en trois parties : examen oral, examen écrit ainsi que présentation de ma thèse. À l'oral, je devais disserter sur le thème « De la mort par submersion », ce qui ne posait aucun problème. Les noyés transportés des eaux jusqu'à ma table d'autopsie étaient nombreux en été et ils me servaient déjà de sujets dans mon cours de médecine légale. À l'écrit, la première question liée à la médecine légale et mentale portait sur la paralysie générale. Après avoir passé un an à l'asile Sainte-Anne, j'avais vu de nombreux cas. C'était une question facile. Je vis que j'avais obtenu vingt-neuf sur trente pour cette question, et je devais ainsi devancer de loin les autres concurrents. Le contraire eût été gênant pour moi, qui avais eu Magnan et Charcot, deux grands spécialistes de cette maladie, comme professeurs. La seconde question, spécifique à la médecine et qui portait sur les complications de la fièvre typhoïde, m'avait mis dans l'embarras. Mes yeux tiquèrent en voyant la note : j'avais sauvé la mise avec un faible dix-sept sur trente. L'autre sujet, touchant l'hygiène, s'intitulait « De la nourriture qui convient à un enfant jusqu'à l'âge de neuf mois ». En voyant la note inscrite, je compris que je m'étais couvert de ridicule. J'avais lamentablement échoué à une question à laquelle toutes les mères auraient pu répondre. Mais j'étais célibataire et ne connaissais rien aux poupons. Cette lacune n'excusait pas le maigre dix sur trente obtenu. Je m'en voulus. J'étais embarrassé.

En voyant la tête que je faisais, Wyatt s'enquit de mon désarroi. En prenant connaissance de l'examen et de ma diète pour bébé, il pouffa de rire. Il ne pouvait plus s'arrêter.

— Cher Georges, je n'aurais pas voulu être le bébé qui aurait mangé cette pâtée. Son fragile estomac n'aurait pas résisté. C'eût été un homicide involontaire !

— Merci pour tes encouragements, Wyatt.

Je poursuivis la lecture de mes tests. Alors que j'avais accumulé cinquante-six points sur quatre-vingt-dix, mon principal concurrent, le docteur Moreau, en avait amassé cinquante-neuf. J'étais second, mais tout n'était pas perdu. Il me restait la présentation de ma thèse, qui comptait pour trente points encore.

Avant de sortir, Wyatt déposa sur la table une boîte sur laquelle était imprimé le nom Kodak.

— Wyatt, c'est formidable ! Tu sais que Bertillon a bien démontré combien un appareil photo pouvait servir la justice.

— C'est exact. Mais le coroner a émis une condition. L'appareil doit rester ici. On ne pourra pas le sortir. Je te laisse le soin de le faire fonctionner. Il y a les plaques à émulsion et tout ce qui est nécessaire.

— Je m'en occuperai.

— *Well*, je vais dîner. À tout à l'heure, Georges.

Je poursuivis la lecture de mon évaluation. Le docteur Moreau avait présenté une thèse intitulée *Assurance sur la vie et Société de bienfaisance*. Il avait obtenu vingt sur trente pour ce sujet cafardeux. Je regardai ma note. Ma thèse, qui m'avait demandé un travail colossal, s'intitulait : *La médecine légale des aliénés au Canada, responsabilité légale*. Je sentais mon cœur qui battait très fort. J'éclatai de joie en voyant mon résultat : la note hyperbolique de trente et un sur trente. Une note complètement folle pour une thèse sur les aliénés. Je me levai et sautai de joie.

J'aurais voulu annoncer ma victoire à Wyatt, mais il était déjà parti.

J'étais dorénavant professeur adjoint à la clinique des maladies mentales. Cela voulait dire que j'obtiendrais avant longtemps un poste à l'asile Saint-Jean-de-Dieu ! Il me faudrait fêter la nouvelle ce soir avec un bon cognac.

Au moment où je décrochais mon feutre de la patère près de la porte d'entrée, Bruno Lafontaine entra avec un visage d'épouvante et un gros hématome sur la joue.

— On a un autre cas d'opération criminelle, Georges. La femme est vivante, mais dans un état grave. Le docteur Rhéaume est en train de l'opérer. Suis-moi, MacCaskill nous attend dehors.

J'attrapai ma sacoche de médecin et le suivis toutes affaires cessantes.

Il nous fallait nous rendre en voiture au 28, rue Young, tout près de la rue Saint-Patrick où avait eu lieu la mort de Jane Doe. MacCaskill chercha un raccourci pour éviter de rouler dans Notre-Dame.

— Prends Berri à gauche et ensuite Saint-Paul, commanda Bruno, puis tu tourneras à gauche au Hay Market jusqu'à William, tu vas tomber sur Young.

À chaque indication, Mac faisait oui de la tête avec son air bourru. L'avantage avec les policiers, c'est qu'ils connaissent bien les dédales de la ville.

Même si l'été n'en avait plus que pour quelques heures, il faisait encore très chaud.

Pendant que nous roulions de nouveau vers Griffintown, je montrai le bleu que Bruno portait sur la pommette.

— J'ai eu la malchance de sortir d'une cordonnerie située entre un bar de soûlons et un club de boxe, le Young Men's Club. Un Irlandais qui sortait de la taverne a pensé que j'arrivais du club. Il m'a insulté et m'a frappé sans autre motif qu'il n'aimait pas ma bouille. Je le lui ai quand même bien rendu. Une de ses palettes est restée accrochée à ma main, dit-il en me montrant sa main tout enflée. Puis j'ai été chercher mes chums irlandais du poste 7 et notre ami soigne maintenant sa gencive en prison.

J'examinai la main de Bruno, dont l'enflure commençait à peine à diminuer. Il fallait se méfier de ce genre d'infection. Je sortis de l'alcool de ma sacoche, désinfectai correctement la plaie, ce qui le fit grincer, et lui mis un pansement.

— Ça m'a bien l'air que c'était le prix pour savoir que ces talons de rechange sont achetés surtout par des gens pauvres.

Je le regardai de biais, attendant qu'il développe son argumentaire.

— Oui, parce que les gens fortunés s'achètent des souliers neufs ou de meilleure qualité. En tout cas, c'est ce que m'a dit le cordonnier.

— Donc, notre avorteur serait quelqu'un de condition plutôt modeste.

— On peut le supposer. Même si on ne peut jurer de rien, ajouta-t-il prudemment. Il s'agit ici uniquement de la forme des crampons. Comme le cordonnier me l'a expliqué, il se peut que ce soient des souliers de marque européenne.

Il sortit de sa poche un morceau de papier ciré qu'il déplia. Des carrés de sucre à la crème apparurent.

— Tiens, prends-en.

Sa femme, Marie-Jeanne, faisait le meilleur sucre à la crème de Montréal. Elle savait que j'en étais fou et en donnait parfois à son mari pour qu'il m'en apporte. La brave épouse de Bruno attendait son huitième enfant et son état de santé préoccupait mon ami.

— Tu pourrais passer examiner Marie-Jeanne? Elle ne va pas bien. Je suis inquiet. Elle a des étourdissements, et c'est la première fois qu'elle a ça.

— Je pourrais la voir demain.

— Ce serait apprécié.

— Emma Royal s'en vient à Montréal pour donner un concert, dis-je de but en blanc.

— Tu veux la revoir?

— J'aimerais bien.

Bruno avait été présent chez le lieutenant-gouverneur, Joseph Royal, le soir où celui-ci m'avait présenté sa fille, et je lui avais parlé abondamment d'elle par après.

— J'aurais bien aimé qu'on me la présente, moi aussi... Cette fille était vraiment belle. Aussi agréable à voir qu'à entendre.

— Et moi, je n'ai rien vu ni entendu, persifla MacCaskill, qui conduisait toujours notre attelage.

— Et c'est tant mieux pour toi, répondit Bruno.

— Pourquoi ? rétorqua MacCaskill, surpris par le propos de Lafontaine.

— C'est ce soir-là que nous avons appris pour le massacre de Frog Lake et qu'on nous a annoncé que nous devions faire route vers l'Alberta pour rejoindre la Saskatchewan par le Nord.

— Quand je pense à ce qu'ils ont fait subir à Riel, dis-je. C'est injuste !

— Mais les Anglais, ce sont les Anglais, philosopha le républicain MacCaskill. Tant que t'as des œufs à casser, tu peux faire des omelettes.

À l'époque, comme la plupart des Canadiens français, nous étions des admirateurs de Riel. Et c'est en tant que soldats du 65e bataillon qu'on nous avait demandé de nous battre contre lui. Le gouvernement fédéral, craignant que nous ne désertions dans le camp ennemi, nous avait donc ordonné d'aller combattre de jeunes Cris qui avaient massacré des colons et pris une dizaine d'otages. Il fallait mettre un terme à leurs agissements.

— Je n'oublierai jamais le carnage de Frog Lake, conclut Bruno, pensif.

Notre amitié s'était soudée pendant cette guerre indienne, alors que j'étais capitaine de la cinquième compagnie, et lui, mon lieutenant.

Bruno avait ouvertement exprimé son écœurement face au comportement du gouvernement canadien et il avait souvent risqué la félonie. Je crois qu'il aurait pu aller se battre avec les Cris lors de la bataille de la Butte-au-Français, à laquelle nous avions participé. Le système des réserves indiennes mis en place par le gouvernement du Canada dans les années 50 et 60 le dégoûtait. J'avais appris plus tard que sa mère était une Abénaquise de Sorel, ce qu'il n'avait jamais osé nous avouer à l'époque, soit par honte, soit par crainte d'être rejeté par ses compagnons.

Durant notre voyage, il avait appris à tirer à l'arc, car nous ne pouvions chasser avec nos carabines. Grâce à lui, nous avions eu des repas de gibier mémorables. J'entends encore les cris de joie qui avaient fusé dans notre bataillon la fois où il était revenu avec sa première prise, un petit chevreuil qu'il portait sur son épaule. Je me rappelle qu'il avait réservé les meilleurs morceaux pour la cinquième compagnie. À la blague, il avait offert les abats aux Anglais de Winnipeg qui faisaient la vie dure aux Métis. « C'est tout ce qu'ils méritent, ces satanés orangistes ! » nous avait-il affirmé plus tard.

L'odeur sortant des ventilateurs d'une biscuiterie réveilla mon goût pour les sucreries et je pris un autre morceau des mains de Bruno. Vivre à proximité d'une telle entreprise aurait été un véritable supplice de Tantale pour moi, qui devais toujours me refréner pour ne pas sombrer dans ce péché mignon. J'imagine que plusieurs familles vivaient autrement cette cruelle situation, tout simplement incapables de s'offrir ces petites douceurs.

Griffintown portait le sceau de la misère. Les ouvriers gagnaient entre cinq et vingt piastres par semaine. Dans ces conditions, le tiers des enfants de onze à quatorze ans devaient travailler pour aider à subvenir aux besoins de la famille. La tuberculose et la variole frappaient fort ici, la première en raison de la présence constante de fumée de charbon, la seconde, des conditions sanitaires pitoyables du quartier – la moitié des maisons étaient dépourvues de toilettes. La faucheuse

aimait bien ce coin et nous étions souvent appelés à constater la mort dans ces rues. La prostitution y était aussi endémique.

Un des crimes les plus atroces des dernières années avait été commis ici en 1879. À l'époque, j'avais dix-sept ans et j'étudiais au Collège de Montréal. Ce meurtre m'avait profondément marqué. La crise économique sévissait. Deux prostituées, Susan Kennedy et Mary Gallagher, se disputaient un homme du nom de Michael Flanagan. Les deux femmes avaient beaucoup bu – Mary en était rendue à son troisième jour de cuite en continu. Elle avait ramené Flanagan chez Susan pour poursuivre la fête. Le client était visiblement plus attiré par Mary et Kennedy en avait été bouleversée. Comme elle voyait qu'elle n'allait pas avoir le dessus sur sa rivale, une violente querelle avait éclaté entre les deux femmes. Susan s'était emparée d'une hache et avait décapité son amie Mary. Elle lui avait aussi tranché la main droite. Le meurtre avait eu lieu au 242, William Street, au coin de Murray. Je m'y étais rendu par curiosité morbide avec des compagnons de classe. C'était comme si j'avais déjà su ce que je voulais faire dans la vie.

Le faubourg était peuplé d'immigrants irlandais, écossais, d'Anglais et de Canadiens français. Ces derniers habitaient plus au nord, près de la rue Notre-Dame. Les ouvriers vivaient dans des maisons, souvent mal construites, en bois et, plus rarement, en brique. Des cordes à linge à l'arrière des maisons allaient dans tous les sens et les fils des tramways passaient devant les fenêtres du deuxième étage. C'était plein de manufactures, d'usines, de petits commerces de quartier : des fabricants de sels, de biscuits, de piano et d'innombrables cours à bois.

À l'angle de Notre-Dame et Colborne, l'imposante brasserie Dow en briques rouges se détachait à l'horizon. Il y avait aussi la brasserie Imperial qui employait beaucoup d'ouvriers. Et des tavernes à chaque coin de rue, dont celle du célèbre Joe Beef, un peu plus bas dans la rue de La Commune. La bière ne manquait pas avec toutes ces brasseries locales.

On tourna dans William. Nous passâmes devant le 242. En voyant l'immeuble, je pensai à la pauvre Mary Gallagher, dont on disait que le fantôme avait été aperçu deux fois depuis sa mort, en 1886 puis à nouveau l'an dernier. MacCaskill tourna dans Young. Lafontaine montra du doigt le taudis situé entre une armurerie et une boulangerie, juste de biais avec l'école Sainte-Anne.

MacCaskill attacha le cheval à un poteau. Le crime avait eu lieu au dernier étage. Des policiers du poste numéro 7 étaient toujours sur place.

Je montai en compagnie de Bruno, tandis que MacCaskill s'occuperait d'interroger les voisins.

L'appartement était propre et bien rangé. Rien à voir avec la soue à cochon du dernier avortement. Les draps blancs du lit semblaient cependant avoir été teints en rouge tellement le sang de la victime les avait imbibés. Je me mis à quatre pattes et me déplaçai ainsi pour examiner le plancher sous le lit en soulevant la jupe du matelas.

Bruno m'instruisit du cas qui s'offrait à nous alors que je me mouvais dans cette position peu orthodoxe. Des voisins avaient entendu des gémissements. Inquiets, ils étaient entrés dans l'appartement. C'était affreux, avaient-ils précisé. Ils avaient appelé un médecin, qui avait accouru au chevet de la femme. Très vite, celui-ci avait constaté qu'on avait utilisé un cintre et qu'il se trouvait toujours coincé à l'intérieur de la jeune femme… Il n'avait pas été capable de le retirer. On avait dû faire venir une voiture-ambulance.

Une cascade de frissons me glaça l'échine quand j'entendis le récit de Bruno.

— À quel hôpital se trouve la victime ?

— Notre-Dame. Mais elle a perdu beaucoup de sang, comme tu peux le constater. Le doc Rhéaume ne sait pas si elle va survivre.

Je sortis les poudres afin de prendre les empreintes sur la poignée de porte, mais Bruno tempéra mon zèle.

— Perds pas ton temps avec ça, Georges, tout le monde l'a touchée.

— Il va falloir que les policiers qui entrent sur les lieux d'un crime s'avisent un jour de ne plus toucher aux poignées de porte. C'est essentiel ! On perd des preuves.

— C'est pas demain la veille, répliqua Bruno en secouant la tête.

Outré, je rangeai l'attirail que je m'étais procuré à grands frais. Tout le monde civilisé avait reconnu que les empreintes digitales étaient uniques. Ainsi, nous pouvions facilement prouver la présence d'un malfaiteur sur les lieux d'un crime. La preuve était solide et largement acceptée par les magistrats dans les cours de justice. Mais il semblait que les policiers de Montréal ne voulaient pas faire partie de ce monde civilisé en continuant, malgré nos avertissements répétés, de contaminer les scènes.

Des pas lourds tambourinèrent dans les marches d'escalier. MacCaskill apparut sous le chambranle, remplissant le cadre de porte à lui seul.

— Y a un marchand de glace qui a passé une bonne partie de sa matinée à livrer de la glace ici et il dit ne pas avoir vu de personnages louches.

— Avez-vous parlé aux voisins ? demandai-je.

— On n'a pas fini, répondit MacCaskill en me montrant une liste de noms où moins de la moitié était cochée.

Pendant que se poursuivait l'enquête de voisinage, je pris un petit char jusqu'à l'hôpital Notre-Dame. À défaut d'apprendre quelque chose d'utile sur les lieux, la victime, elle, pourrait peut-être nous aider.

Je ne sais combien de temps cela prit pour me rendre à destination, mais je grimpai les escaliers deux par deux jusqu'au bloc opératoire. En me voyant arriver dans la salle d'opération, le docteur Rhéaume me regarda d'un air grave. Son tablier, ses mains et son masque étaient ensanglantés. Une sœur-infirmière observait la patiente avec un regard miséricordieux. Elle plongeait un linge dans un bol de porcelaine, le tordait puis épongeait le front de la victime. La jeune femme semblait à un pas de la mort, son teint livide et bleuté, son pouls faible et sa fièvre montante faisaient craindre le pire.

Elle portait des ecchymoses sur les bras et les hanches.

Le docteur Rhéaume me regarda avec dépit.

— Je ne crois pas qu'elle survive, Villeneuve. Elle a tellement perdu de sang et l'infection s'est muée en septicémie. Et regardez ce que j'ai trouvé.

Il me montra l'utérus au fond d'un bol, dans lequel se trouvait toujours un cintre recourbé.

— Après l'avoir inséré par le col de l'utérus, il était resté coincé à l'intérieur de la matrice, dans laquelle il a causé des lésions graves. Je n'ai eu d'autre choix que de procéder à l'hystérectomie.

La méthode était très différente de la dernière opération criminelle, mais les blessures aux voies génitales étaient tout aussi mortelles.

La jeune femme se mit soudain à trembler, en proie au choc septique. Ses lèvres bougèrent, je m'approchai en espérant saisir un message.

— Dites-moi ce qui s'est produit… chuchotai-je à son oreille.

— *No, no, no…* geignit-elle, puis elle expira longuement un dernier souffle sur mon visage.

Ses yeux énigmatiques, restés ouverts, reflétaient la lumière du plafonnier parabolique.

Rhéaume prit son pouls. Elle était bel et bien morte. Le chirurgien baissa les paupières de la victime.

— J'aurai tout essayé.

La sœur se retira en emportant le bol de porcelaine.

Je demandai au docteur Rhéaume si je pouvais procéder tout de suite à une expertise avant que le corps soit atteint de *rigor mortis*.

— Allez-y, docteur.

J'enfilai des gants pour examiner le sac, le fœtus et la tige. Je mesurai cette dernière. Je décousis les points de suture que mon collègue venait de faire à sa patiente et replaçai l'utérus dans sa cavité. Je pris la main de la jeune femme et l'approchai jusqu'à ce qu'elle touche le cintre. Je vérifiais si elle avait été en mesure d'effectuer elle-même le curetage. La réponse me laissa songeur. Elle aurait pu s'auto-avorter. Cette méthode de dernier recours était souvent celle de femmes désespérées et pauvres.

Quelques minutes plus tard, Bruno Lafontaine entra dans la pièce accompagnée d'une énorme religieuse coiffée d'une sinistre cornette. Elle regarda la scène avec dédain, jugeant la pauvre fille sans connaître son histoire. Les ecchymoses sur son corps me laissaient perplexe. Aurait-elle pu être violée et battue, puis tenter par la suite de se débarrasser d'une grossesse ?

Dépité à la vue de la jeune morte, Bruno hocha la tête.

— Mac et moi avons passé en revue la pièce et nous n'avons rien trouvé. Les voisins connaissaient bien la victime. Elle se nommait Allison Bailey. Ils en parlent comme d'une fille sans histoire. Une fille bien. On ne l'a jamais vue avec un homme. Elle ne sortait pas depuis plusieurs semaines. La logeuse qui l'avait entrevue la veille dans le vestibule l'avait trouvée dépressive. D'aucuns croyaient qu'elle avait déménagé. C'est sa voisine de palier, miss Brown, qui a entendu des gémissements au retour de ses commissions. Elle a collé son oreille sur le mur et elle s'est rendu compte que sa voisine n'allait pas bien. Elle a frappé à la porte et Bailey a trouvé la force de demander de l'aide. En voyant la scène, miss Brown a crié.

— Bruno, je pense qu'Allison Bailey a essayé pendant plusieurs heures de dégager ce satané cintre. C'est pour cela qu'elle a perdu autant de sang et que l'utérus s'est infecté.

Lafontaine plissa la bouche en voyant le carnage. Il me regarda, incrédule.

— Si tu veux mon avis, Georges, c'est elle-même qui a tenté de provoquer son avortement. Ça n'a rien à voir avec le cas de la rue Saint-Patrick.

— Je le crois aussi.

— Bien. Je vais essayer de retrouver la famille…

◆

Je passai le début de la soirée à tenter de me détendre l'esprit. Le temps s'était un peu rafraîchi. Je marchai longuement dans les rues de la ville, croisai des confrères, m'arrêtai dans le parc Viger pour lire Montaigne, mais je fus incapable de me concentrer sur ses essais. Je sortis carnet et crayon et fis la liste de tous les médecins susceptibles de pratiquer des avortements et de ceux qui en avaient fait et qui avaient été bannis du Collège. Il y avait même dans ce lot un de mes anciens professeurs. À travers ces deux histoires macabres, je prenais conscience du nombre important d'opérations criminelles commises à Montréal. Ces affaires troublantes ouvraient la voie à une réflexion sur le sort des femmes laissées seules ou entre les mains d'apprentis bouchers. Nous pratiquions des avortements dans les hôpitaux quand la vie de la mère était menacée. Dans le cas contraire, seule la loi du Code criminel s'appliquait. Certains collègues avaient une opinion partagée sur le sujet, mais rares étaient ceux qui se confiaient à ce propos.

6. Rue de la nativité

Alors que je refermais la porte de ma maison pour me rendre à la morgue, la sonnerie du téléphone résonna. Je courus prendre l'appel. La voix grave et atone de Sansquartier m'avisa que le coroner MacMahon me priait de me rendre dans un appartement de la rue Ann. On y avait découvert le corps d'une autre femme. Je notai l'adresse sur un bout de papier.

— Vous voulez que je vous envoie une voiture?

— Non merci, ça ira plus vite en tramway.

— Laissez-moi regarder sur la carte… D'après ce que je peux voir, c'est entre Ottawa et William. Si vous prenez Notre-Dame tout le long ou une correspondance à McGill Street, c'est la même distance. Alors vous devriez prendre par Notre-Dame. Vous n'aurez pas à descendre et à attendre.

— Merci, mon ami.

Je montai jusqu'à la rue Notre-Dame pour prendre le tramway. Pendant le trajet, j'observai une jeune femme assise non loin de moi et qui jouait aussi à me regarder à la dérobée. Elle était jolie avec son chapeau à plumes. Je l'aurais bien invitée à me suivre mais, là où j'allais, elle n'aurait pas apprécié. Elle se leva tout de suite après McGill pour descendre rue Saint-Henri.

La belle inconnue me regarda avec un léger sourire et disparut pour toujours.

Je descendis dans la rue Inspector, que je foulai d'un bon pas jusqu'à William, puis traversai Ottawa pour rejoindre Ann Street.

Le plafond nuageux était gris et bas, et l'humidité prégnante. J'avais hâte que l'automne chasse l'été d'un bon coup de vent.

En route, je fus surpris par la mauvaise qualité de l'air. Le vent qui soufflait dans ma direction portait des odeurs de produits toxiques. Des odeurs d'acides et de peintures. Des guirlandes de fumée sortaient par dizaines du haut des cheminées des fonderies et des industries chimiques. Tout en marchant, je pouvais voir un train rempli de charbon qui arrivait en provenance des États-Unis par le pont Victoria.

L'immeuble de la rue Ann avait poussé dans l'ombre de la Montreal Gas Company. Nous n'étions qu'à quelques dizaines de mètres de la rue Young, là où la jeune Allison avait tenté de s'avorter.

Dans la rue, je vis plusieurs voitures de police ainsi que le corbillard des pompes funèbres tiré par un gros cheval blanc. MacCaskill fumait une cigarette sur le trottoir en parlant avec des confrères du poste 7. Son visage était livide. Il me résuma en quelques mots bien sentis la scène de crime : « *Another bloody bullshit.* C'est pas beau, docteur, pas beau du tout ! »

Des journalistes se trouvaient déjà sur les lieux. Je dus me faufiler parmi eux alors qu'ils me bombardaient de questions. Romain Girard, de *La Presse*, me saisit par la manche.

— Docteur, de quoi s'agit-il ?

— Je ne sais rien de plus que vous, Girard, je viens d'arriver, alors rendez-moi mon bras, lui ordonnai-je.

— Désolé, docteur, se confondit-il en excuses.

Je montai à l'étage. Il régnait une grande fébrilité dans l'appartement. J'entendais les cris d'un bébé. En entrant dans le salon, je vis Lafontaine qui tenait un poupon dans ses bras pour le garder au chaud, en lui tapotant le dos. Il s'agissait d'un bébé naissant. Sa propreté me surprit, mais il arrivait que des nourrissons viennent au monde ainsi.

— On a trouvé le bébé sur le lit près de la mère. Il est vivant, Georges. C'est un miracle.

Ce n'était pas le terme que j'aurais employé.

— Dépose-le... ici, dis-je en montrant le canapé troué.

Heureusement qu'il faisait chaud.

Bruno, qui avait beaucoup d'expérience avec les enfants, le déposa avec délicatesse. C'était un garçon gravement prématuré.

Je sortis mon stéthoscope et examinai l'enfant malingre. Son pouls était faible. Il souffrait de jaunisse. Il avait le nez aplati.

— Il ne doit pas faire plus de cinq livres, me dit Bruno.

— Trois et demie, plutôt. Allô, mon petit, chuchotai-je en le caressant.

J'écoutai les minuscules sacs pulmonaires. Le bébé avait des complications respiratoires. Je craignais pour sa vie. J'avais vu des cas de bébés abandonnés, mais des avortements aussi tardifs, c'était plus rare.

— Il faut trouver une nourrice et lui donner à boire, dis-je. Ce bébé est déshydraté. Il va mourir.

Bruno hurla des ordres à des policiers en uniforme.

— Vite, il faut l'amener à Pélagie. Les sœurs lui trouveront une nourrice.

— Emmitoufle-le.

— Ne vous inquiétez pas, docteur, on en prend soin, lança un jeune policier.

Puis Lafontaine se retourna et m'indiqua du doigt la chambre. Il y avait aux coins du lit des sangles en tissu mais pas de corps.

— Le corps sentait vraiment mauvais et le coroner a décidé de le laver.

— Pourquoi ?

— Les senteurs empêchaient de travailler. Tout le monde se plaignait.

— Sincèrement, ça m'étonne. Les pires odeurs ne doivent pas nous empêcher d'effectuer notre travail et de récolter les preuves nécessaires. On se bouche alors les narines ou l'on respire un baume à base de résine.

— Je sais, répondit Bruno. Il n'aurait pas dû. Je suis d'accord.

— Aucun outil ?

— Non. On n'a rien trouvé.

Le corps blanc rachitique se trouvait immergé dans le bain. Un faible voile sanguin remontait d'entre les jambes. Je remarquai une profonde entaille au cou, comme si la femme avait essayé de se suicider. La carotide avait été tranchée avec une lame mal aiguisée. Le corps était tiède et en début de *rigor mortis*. Du sang s'était logé dans les parties déclives. Le cadavre sentait toujours affreusement mauvais en raison de l'infection. Il était parsemé d'ulcères purulents. Voir un bain dans un appartement d'un quartier aussi miteux me surprit. Un bain en bois, qui plus est.

C'est alors que j'entendis des pas rapides dans l'escalier. Le jeune policier à qui j'avais remis le bébé était de retour.

— Docteur, docteur, le bébé a les yeux révulsés, il s'étouffe !

J'allai vers lui et pris l'enfant. Il était atteint de convulsions. Il n'y avait rien à faire. L'enfant mourut quelques secondes après.

Le gros MacCaskill regarda la scène, impuissant, ne sachant que faire de ses dix doigts.

— *Bloody hell, Holy Mary mother of God! I'd like to get my hands on that bastard.*

On se signa.

Je vis Wyatt sortir de la chambre, MacMahon derrière lui. Les deux avaient le faciès grave. Avant de me prier de les suivre dans la chambre à coucher, le coroner MacMahon demanda aux deux employés des pompes funèbres de transporter les corps à la morgue. Le bébé fut déposé dans le cercueil de sa mère.

— Georges, me dit Wyatt, nos pires craintes se réalisent.

— Quand nous sommes entrés, nous avons retrouvé le corps sur le lit, ajouta le coroner. Le drap était propre, le corps aussi. Aucune trace de sang.

Je regardai tout autour.

— Comment le meurtrier a-t-il pu nettoyer la scène pour que rien n'y paraisse ?

Mes deux collègues haussèrent les épaules.

— Et pourquoi prendrait-il le temps de nettoyer sa scène de crime ? insistai-je.

— Un mystère…

— Vous savez dans quelle rue nous sommes ? demanda le coroner.

— Ann Street.

— La rue Sainte-Anne, la mère de la Vierge, compléta Bruno, qui venait de se joindre à nous. Qui est située juste à côté de la rue Nazareth, la rue de la nativité.

Je compris ce qu'il laissait sous-entendre et en fus tout retourné.

— J'ai vu bien des pervers à Paris, des fétichistes, des assassins lubriques, et Garnier, dans son livre sur les fous de Paris, ne manque pas de spécimens, mais là…

L'hypothèse de Lafontaine nous laissa sans voix. Le comble du cynisme ou de la folie avait été atteint.

— Mais qui est ce monstre pour commettre un tel acte ? reprit le lieutenant.

— C'est ce qu'on va vous demander de découvrir très rapidement, sinon la situation va vite devenir scandaleuse, conclut MacMahon.

— Joli programme, ronchonna Lafontaine en secouant la tête de dépit.

Pendant que Bruno sortait de la pièce, Wyatt soupira.

— Ce sera effectivement une tâche difficile. Nous avons ici une jeune femme qui cachait sa grossesse, au dire des voisins. En milieu d'après-midi, des locataires ont entendu les cris persistants d'un bébé. Madame Nantel, une voisine, a alors fait la découverte. Laisse-moi t'expliquer, Georges, la scène de crime telle que je l'ai vue avant qu'Edmond ne prenne sa décision de la mettre dans un bain. Je n'étais pas d'accord, mais c'est lui le responsable de la scène de crime.

Wyatt se tut quelques secondes, le temps de reprendre ses esprits.

— On a tout d'abord pensé que la jeune femme s'était suicidée après avoir donné naissance à son enfant.

— Mais vous n'avez pas découvert l'arme qui lui a tranché la gorge.

— Exact. L'opérateur a incisé le périnée pour favoriser la sortie du bébé, en aidant à mettre au monde un enfant avant terme. Puis il a pris son couteau et a tranché la carotide de la femme. Cette fois-ci, le meurtrier est reparti avec ses instruments. Cette femme croyait sans doute pouvoir avorter, mais l'opérateur a décidé de donner vie à son bébé, sans toutefois l'épargner, elle. Il s'est joué de la mère tout en la punissant, comme ç'a été le cas pour la rouquine, qui a elle aussi payé de sa vie.

— Justement, le coupai-je, elle s'est vidée de son sang, mais il n'y a aucune trace de lutte.

Wyatt acquiesça :

— Les murs et le matelas devraient être maculés et la chambre sens dessus dessous. Je crois donc qu'il l'a sortie du lit avant de lui trancher la gorge.

— On s'est aussi demandé, enchaîna MacMahon, comment l'assassin a pu causer ces profondes blessures sans laisser quelques éclaboussures autour. Il lui a fallu tout nettoyer. Tu te rends compte, Georges ? Il a dû se donner la peine de tout torcher, avec le bébé à ses côtés.

— Il devait se sentir en toute sécurité pour agir de la sorte, répliquai-je.

Le coroner approuva en mordant sa lèvre inférieure. Wyatt me fixa dans les yeux.

— Toi qui as étudié la maladie mentale, me diras-tu ce qui peut amener quelqu'un à agir ainsi ?

À les entendre, je savais que nous avions affaire à un être dément qu'il fallait enfermer au plus vite.

— Dans mes cours de médecine mentale, j'ai lu sur des fous aux prises avec des délires mystiques qui avaient commis des meurtres atroces. Dans l'appartement où est morte Jane Doe, on a aussi retrouvé une illustration de la Vierge, ainsi qu'une rose noire. Ici, on abandonne un bébé naissant sur la rue Ann et on tue sa mère. Or, contrairement au premier homicide, l'endroit est le lieu d'habitation de la victime. Tant de ressemblances, mais trop de différences. Je ne suis pas vraiment en mesure d'en dire davantage.

Mes collègues, comprenant mes hésitations à conclure, hochèrent la tête. Je pris congé d'eux et me dirigeai vers la sortie.

Sur le palier inférieur, Bruno conversait avec une voisine qui portait une jaquette rose et des bigoudis. J'écoutai brièvement sa déposition en passant devant elle.

— Personne ne savait qu'Amélia Samson était enceinte, mais ça me surprend pas de l'apprendre. On ne lui connaissait pas de mari. Je crois qu'elle menait une mauvaise vie, même si je n'ai jamais vu un homme dans cette maison. Elle partait toujours travailler à la même heure le soir. Elle s'habillait comme une catin.

— Il faudra vérifier tout ça.

— En tout cas, nous autres, on en parlait, insista-t-elle.

— À part le bébé, avez-vous entendu crier ?

— Non. Mais j'ai entendu le gramophone jouer pendant longtemps la même chanson. Elle jouait sans cesse.

— Vous savez c'était quelle chanson ?

— Chais pas. Ça ressemblait à « Aaaalllllllez bon-soooooiiiiiir… »

Bizarre, pensai-je en descendant les escaliers. Sans doute l'assassin voulait-il couvrir le bruit de sa boucherie…

◆

Je ne voulais pas me présenter trop tard chez Bruno. Sa journée, comme la mienne, avait été difficile. J'imaginais bien tout le mouvement généré par sept enfants. Il habitait rue Papineau, près de Mont-Royal. Je fis la distance à pied entre chien et loup. Le ciel semblait peint en un camaïeu de bleus, de l'ardoise à l'encre de Chine. Nous en étions à la dernière journée de l'été. Cette constatation me rappela que le temps passait trop vite et que je n'en profitais pas assez. L'air était doux en cette veille automnale. Une bonne odeur de feu de poêle à bois effleura mes narines. Des chauves-souris tournoyaient au-dessus des arbres du parc Logan, l'une d'elles frôla ma tête. Un vagabond esseulé et bien aviné s'esclaffa en me voyant gesticuler pour éloigner le vampire.

C'était la première fois de ma vie que je devenais médecin de famille. J'avais apporté ce que je n'utilisais que très rarement dans mon métier : un stéthoscope et un tensiomètre. J'écoutais la mort et non la vie.

Je montai le long escalier sinueux qui menait au dernier étage de l'immeuble.

Il y avait une belle imposte à vitrail représentant des iris. Je frappai trois coups. La porte s'ouvrit sur trois petites mines réjouies, trois jeunes garçons de quatre à neuf ans avec des cheveux blonds comme de l'avoine et les joues picotées.

— Je viens voir votre papa et votre maman.

— Entrez, mon père est dans la cuisine, dit une belle grande adolescente aux cheveux bouclés en arrivant derrière ses frères.

Ce devait être Marie-Anne, leur aînée.

— Merci.

Je retirai mon paletot et mon chapeau.

— Suivez-moi.

Je traversai un long couloir qui menait à la cuisine, située à l'arrière de l'appartement, comme c'était souvent le cas à Montréal. Bruno était au bout de la table en train de hacher du tabac et sa femme, avec un ventre bien arrondi, donnait le bain dans l'évier à son plus jeune, qui n'avait pas plus de seize mois. Un autre enfant dessinait à côté de Bruno.

Bruno se leva pour me présenter à sa femme.

— Georges, tu te souviens de Marie-Jeanne ?

— Oui. Bonjour, madame.

La seule fois où je l'avais vue, c'était lorsque nous avions été décorés en 1885 sur l'île Sainte-Hélène pour notre participation à la campagne du Nord-Ouest.

— Bonjour, docteur Villeneuve.

— Bruno m'a dit que vous aviez quelques problèmes de santé. On va regarder ça. Vous en êtes à combien de semaines ?

— Vingt-six.

Je vis tout de suite à son état général que ce n'était pas la grande forme.

— Asseyez-vous que je vous examine.

Elle confia le bébé à Marie-Anne et s'installa sur la chaise en face de Bruno.

— Allez jouer dans le salon ! ordonna celui-ci aux enfants, qui s'étaient réunis autour de nous.

Les plus jeunes protestèrent, mais Marie-Anne les fit sortir de la cuisine pour laisser travailler « monsieur le docteur ».

Pendant que j'extrayais mes instruments de mon sac, je m'informai de la condition de santé de Marie-Jeanne.

— Comment vous sentez-vous ?

— Je suis fatiguée, j'ai mal à la tête, mes jambes et mes bras sont gonflés.

Je pris mon appareil pour mesurer sa pression arté-
rielle. Celle-ci était très élevée, cent soixante sur cent
dix. Ça n'annonçait rien de bon. Elle faisait de la ré-
tention d'eau, ce qui causait une enflure de ses membres.
Mon diagnostic ne tarda pas.

— Vous souffrez de prééclampsie.

Le couple se regarda, inquiet.

— Vous allez devoir diminuer le sel, et manger un
régime riche en protéines… et maigre. Pas de cretons,
de porc frais, de graisse de rôti ni de sucre à la crème,
dis-je en regardant Bruno. Et il va vous falloir du repos
d'ici votre accouchement. Avez-vous des parents ou une
sœur qui peut venir vous aider?

Marie-Jeanne regarda Bruno.

— Nos familles habitent à la campagne.

— Écoutez, c'est sérieux, la prééclampsie. Il va vous
falloir garder le lit, éviter les tâches ménagères. Vous
devez ménager vos nerfs.

— C'est quoi les risques, docteur?

— Les risques de complication sont graves: enfant
prématuré, vieillissement précoce ou décollement prématuré du placenta, risque d'insuffisance rénale, rupture
du foie, embolie pulmonaire…

Bruno avait cessé de couper son tabac, l'air ahuri.

— Je n'ai pas de médicaments pour ça, continuai-je.
Tout ce que je vous demande, c'est de vous reposer d'ici
à votre accouchement. Il vous reste quatorze semaines.

Marie-Jeanne, qui semblait plus sereine que son mari,
manifesta son inquiétude.

— Mais qui va s'occuper des enfants, des repas, du
ménage? demanda-t-elle. Je peux pas rester dans mon
lit pendant quatre mois à me tourner les pouces!

Marie-Anne, qui se tenait à l'entrée de la cuisine,
avait écouté la conversation. Elle se proposa pour prendre
la relève.

— Je vais m'occuper de tout, maman. Vous, vous
allez pouvoir vous reposer. C'est le docteur qui l'ordonne.

Eugénie, dix ans, vint en renfort.

— Moi aussi, je vais aider. Je peux faire le ménage et changer les couches de Roland.

— Tu vois, ça s'arrange, dit Bruno en posant une main sur le bras de sa femme. Et moi aussi, je vais en faire un peu plus.

— Mais mon homme, tu travailles déjà assez fort comme ça, protesta Marie-Jeanne en se relevant pour aller essuyer le comptoir.

— Je m'en occupe, dit rapidement Marie-Anne en lui prenant le chiffon des mains.

— Veux-tu un petit verre de cognac avant de repartir, Georges ?

— Non, merci, Bruno. Je vais rentrer.

— Combien je te dois ?

— Rien. Attrape-moi l'opérateur et je serai très heureux...

Bruno et sa femme m'accompagnèrent jusqu'à la porte avec la trâlée d'enfants à leur suite.

— Merci, docteur. Vous êtes trop bon ! me dit Marie-Jeanne en me serrant dans ses bras. Eugénie, va me chercher les sucres à la crème.

La jeune fille revint en courant et sa mère me remit une boîte en métal pleine de gâteries.

— Tenez, docteur. Essayez de pas les manger trop vite. J'en cuisinerai sûrement pas d'autres avant le jour de l'An.

7. L'Immaculée

Très vite, tout Montréal communia au drame d'Amélia Samson, même si sa situation de pénitente faisait dire à certains qu'elle avait été punie par Dieu ou par le diable. Les circonstances du crime – on lui avait tranché la gorge sous les yeux de son bébé naissant – amenaient les journalistes à comparer ce meurtre, mais aussi celui de la rue Saint-Patrick, aux sanguinaires homicides de Jack l'Éventreur, commis sept ans plus tôt à Whitechapel. Puisque mon métier m'avait appris à me méfier des scribes, j'attendais avant de porter un jugement.

Le tueur démontrait une obsession pour les femmes enceintes contre lesquelles il exerçait une haine meurtrière. Se sentait-il comme un dieu pouvant jeter son courroux sur tout ce qui ne représentait pas la droiture morale à ses yeux ? Je n'aimais pas la rumeur publique qui laissait entendre que le tueur voulait sauver les bébés en les vengeant de leur mère.

Entre-temps, Lafontaine avait pu confirmer les affirmations de la voisine : Amélia Samson faisait bien les trottoirs du quartier Saint-Antoine. La nouvelle fut corroborée par une autre source. L'enfant était, semble-t-il, le fruit noir de son vil métier.

Je refermai la porte au verre poli sur lequel était buriné : *Morgue/Laboratory*. J'ouvris les fenêtres pour atténuer les odeurs de décomposition.

Wyatt, tablier et ciseau à la main, m'accueillit avec sa bonhomie habituelle.

— *Hi, Georges!*

— *Good morning, Wyatt. What's going on?*

— La nuit a été trop brève. Pour m'amuser aux dépens de Shakespeare, je dirais que nous sommes dans *Midsummer's nightmare.*

— Nous sommes loin de Roméo et Juliette.

Les étudiants arrivèrent l'un après l'autre pour leur leçon-clinique. Ce ne serait pas la plus glorieuse, mais ils se la rappelleraient longtemps. En voyant le corps et en sentant les odeurs, l'étudiant Sicard vacilla. Il eut un haut-le-cœur et dut prendre appui sur une petite table pour s'empêcher de vomir.

— Respire… Respire… dit Leblanc pour se moquer. Respire comme la femme de tantôt qui accouchait à Pélagie.

— C'est toi qui vas payer la bière ce soir, conclut Sarrazin.

Incapable d'en supporter plus, Sicard sortit prendre l'air. Rhéaume regarda le corps avec flegme et indifférence. La réputation de son père le précédait. Reprenant son sérieux, Leblanc se signa. Ses collègues l'imitèrent. Les carabins échangèrent quelques mots puis nous regardèrent travailler, Wyatt et moi, pendant que je résumais l'affaire. Désy, le visage blanc d'émoi, rappliqua.

— Désolé pour le retard, dit-il en chancelant. Une religieuse de Pélagie m'a pris en affection…

— Dommage que tu sois déjà fiancé, argua Comtois, ce qui déclencha de grands rires.

Désy afficha une moue désenchantée puis nettoya ses petites lunettes rondes.

Je l'invitai à s'installer, puis je regardai mes étudiants, l'air grave.

— Les détails de ce que vous apprendrez aujourd'hui sont confidentiels. La police mène toujours son enquête. Je compte donc sur votre discrétion. Tout ce que vous allez entendre ici entre dans une oreille et ne doit pas en ressortir. Me suis-je bien fait comprendre ?

Ils hochèrent la tête. On pouvait lire de l'anxiété sur le visage de certains, Comtois, Rhéaume et Leblanc en l'occurrence. Le cours, à leurs yeux, venait de prendre une nouvelle direction.

Sicard entra dans la pièce sous le regard amusé de ses amis.

— Désolé, docteur.

Comme à chacune des leçons, je décrivis mes actions en détail aux carabins. Tout d'abord, à l'aide d'une règle, je mesurai la longueur et la profondeur des blessures au cou.

Je demandai à Désy, qui s'était intéressé à la photographie, de prendre des photos du cadavre avec notre nouvel appareil.

— Tout de suite, monsieur, dit-il fièrement.

Je proposai aux étudiants de se rapprocher pour examiner la plaie béante qui allait de l'oreille gauche jusqu'au milieu du cou. La blessure en coche – avait-on utilisé volontairement un couteau élimé ? – faisait trois pouces et demi de long. La veine jugulaire externe et l'artère carotide interne avaient été coupées.

Je remis à Comtois une tablette de feuilles et une règle.

— Vous allez dessiner le visage, la blessure et ses dimensions.

Je tâtai le cuir chevelu ramolli de la victime.

— Sicard, vous allez raser les cheveux de la malheureuse.

— Oui, docteur.

Il alla chercher une lame et, pendant qu'il s'activait, il chanta l'air du *Barbier de Séville*, ce qui amusa tout le monde.

Wyatt m'invita à regarder le crâne fraîchement rasé. Au sommet de l'occiput, un coup puissant avait été asséné avec un objet contondant. Je pus déterminer qu'elle avait subi un traumatisme crânien.

— Sait-on quel est le mobile du crime ? demanda Leblanc.

— La haine, répondis-je. Celle des femmes qui se font avorter ou qui ont des enfants avant le mariage. Le meurtrier nous indique clairement sa vision morale et surtout son propre système de justice parallèle.

Je lus dans les yeux des carabins l'incompréhension. En effet, il était difficile de saisir ce qui poussait une personne à commettre un acte d'une telle violence. Cela allait à l'encontre de toutes les valeurs nécessaires pour vivre en société.

— Poursuivons ! Il nous faut maintenant examiner le contenu de l'estomac.

Pendant que je me consacrais à cette tâche, Wyatt examina les objets que le coroner avait rapportés de chez la victime : ciseaux, couteaux, chaussures, chemises et poignées de porte.

Rhéaume leva la main.

— Est-ce vrai, docteur Johnston, qu'aucune tache de sang n'a été décelée chez elle ?

Wyatt et moi, nous échangeâmes un regard. Cette information – fort troublante, par ailleurs – n'avait pas été révélée aux journalistes. Soit Rhéaume avait eu vent d'une rumeur alimentée par les potins et les racontars, soit il avait eu accès à une véritable source d'information – peut-être un policier qui n'avait pas su tenir sa langue ou un membre de la profession médicale ayant parlé à son père, un chirurgien de l'hôpital Notre-Dame… Le secret ne resterait probablement pas gardé bien longtemps. Wyatt, qui en était venu à la même conclusion que moi, prit l'initiative de répondre.

— Pas une goutte de sang sur le plancher ou les murs. C'est le meurtrier le plus propre que j'aie vu dans ma carrière.

— Beau titre pour la une! lança Rhéaume.

— Garde-le pour toi! répliqua Wyatt, l'air grave.

— Un égorgeur aux mains propres, c'est du propre! dis-je.

Ma boutade ne sema pas l'hilarité comme celles habituellement lancées par mon collègue, mais elle détendit l'atmosphère tout de même. Je vis Wyatt se dérider un peu. Il n'y eut que Leblanc qui conserva un visage de marbre. Je crus un instant qu'il allait être malade.

— Ça va, Eugène?

— Oui, oui. Merci, docteur.

Puis, en observant les blessures autour du col de l'utérus, je remarquai des fibres de couleur grise à travers les poils du pubis. Je pris les pinces pour les retirer.

— Qu'est-ce que c'est, docteur? demanda Leblanc.

— Un indice.

— Sous-vêtement? Jaquette? demanda Comtois.

Je déposai les fibres entre une lame et la lamelle et les observai au microscope.

— Non, ce n'est pas du coton. La fibre de coton est aplatie et en spirale. Celles-ci sont d'une épaisseur variable et ondulée. C'est de la laine.

Un à un, les étudiants se penchèrent sur le microscope et chacun y alla de sa conjecture. L'expérience d'une mort violente était difficile, j'en conviens, mais ces étudiants étaient composés du bois dont sont faits les médecins – du moins l'espérais-je.

— En tant que futurs médecins légistes, vous n'êtes pas sans savoir que nous sommes au service de la justice. Il est de notre devoir de fournir aux policiers les éléments nécessaires à la complétion de leurs enquêtes, ainsi que des preuves scientifiques qui mèneront à la condamnation des criminels qu'ils auront arrêtés. En complément de la leçon d'aujourd'hui, vous devrez me proposer l'expérience la plus précise nous permettant de déterminer combien de temps a mis mademoiselle

Samson à se vider de son sang. De plus, comme vous êtes dans le secret des dieux, tentez d'évaluer approximativement le temps pris par le meurtrier pour nettoyer la scène. Vous pouvez utiliser du sang de cochon pour étayer votre affirmation.

Pour compléter ma leçon-clinique, j'abordai, en raison des circonstances, des questions liées au Code criminel. J'inscrivis au tableau les articles qui concernaient l'avortement criminel.

Art. 304 : Femme qui provoque son propre avortement. Est coupable d'un acte criminel et passible de 7 ans d'emprisonnement.

Art. 305 : Fournir les moyens de provoquer l'avortement. Est coupable d'un acte criminel et passible de 2 ans d'emprisonnement.

Art. 306 : Tuer un enfant non encore né. Est coupable d'un acte criminel et passible d'emprisonnement à perpétuité.

2) Réserve. Nul n'est coupable d'infraction si, par des moyens qu'il croit, de bonne foi, nécessaires pour sauver la vie de la mère de l'enfant, il cause la mort de cet enfant avant ou pendant l'accouchement.

L'auteur de l'avortement est coupable d'un meurtre si l'enfant meurt peu après l'expulsion de la matrice.

Je pris une dizaine de minutes pour discuter avec les étudiants de ces points de droit.

— Est-ce que ces avortements sont fréquents à Montréal ? demanda Leblanc.

— Oui, comme dans tous les pays civilisés, ils sont fréquents, mais peu de cas, ici comme ailleurs, sont traduits devant la justice.

— Est-ce que les peines sont appliquées avec autant de sévérité ? s'enquit Rhéaume.

— Lorsqu'on contrevient aux articles 305 et 306, elles le sont.

— Mais on n'inflige pas la peine de mort ? demanda Sicard.

— Non. Ces articles vous valent, par contre, plusieurs années d'emprisonnement. Cette réclusion est parfois pire que la peine capitale. Une petite cellule humide que vous parcourez en trois pas a de quoi vous faire payer pour les crimes que vous avez commis. C'est un châtiment terrible que de mourir lentement chaque jour dans un espace clos aussi restreint.

Sicard déglutit. En voilà un qui ne se risquerait sûrement pas à pratiquer des avortements. Sicard était l'image même de la droiture, toujours à l'heure, respectant à la lettre les consignes, jamais un mot plus haut que l'autre. J'avais remarqué que la présence de Lafontaine et de MacCaskill provoquait chez lui une certaine nervosité. Même sans rien à se reprocher, il voulait rentrer dans les rangs. Non, Sicard avait bien trop peur de l'autorité pour oser la défier.

— Notre rôle n'est pas de juger de la justesse de la peine de mort ni même des conditions de réclusion de nos détenus. Laissons cette réflexion aux politiciens. Ce sera tout pour aujourd'hui, messieurs.

Je déposai la craie sur la tablette du tableau noir et saluai les étudiants. Quant à moi, j'étais impatient de retourner sur la scène de crime.

Lorsqu'ils eurent quitté la salle d'autopsie, Wyatt me demanda :

— Comment penses-tu déterminer le temps qu'il a fallu à cette femme pour se vider de son sang ?

— Je dirais tout d'abord qu'une visite à la fourrière s'impose.

— *And I'd say you already have an idea.*

◆

Trois heures plus tard, Bruno et MacCaskill m'attendaient dans l'appartement de la rue Ann. Il m'était impossible de penser que nous ne pouvions trouver de traces de sang alors que quatre ou cinq litres – voire six dans le cas d'une femme enceinte – avaient coulé quelque part dans cet appartement. Quand j'entrai dans la chambre, je vis MacCaskill à genoux en train d'examiner le plancher près d'un mur.

— Docteur, je crois que vous avez eu raison.

Il m'invita à regarder le plancher tout au long des murs.

— Il y avait bien un tapis à cet endroit. On l'a arraché. Regardez, on voit encore de la fibre sur les têtes de certains clous.

Bruno s'approcha pour se pencher à son tour.

— Intéressant! Le sang a coulé sur le tapis, qui s'est imbibé comme une éponge. C'est facile à enrouler et à jeter.

MacCaskill se leva comme un chien en chasse. Il ouvrit avec fébrilité les garde-robes. Bruno se dirigea vers la cuisine tandis que j'examinais s'il n'y avait pas une trappe au plafond. Mais je n'en vis point. Une minute plus tard, Bruno cria de venir dans le tambour à l'arrière. S'y trouvaient des pelles, de vieux meubles et du bois de chauffage. Un tapis enroulé avait été déposé sur une pile de boîtes, près du plafond.

Bruno aida Pat à le descendre.

— Il est encore tout humide et il pue sans bon sens.

La fibre me parut identique à celle trouvée sur le pubis d'Amélia Samson. On le sortit pour le transporter dans le salon. On commença à le dérouler et chaque tour expliquait un peu plus le mystère de « l'Immaculée ». La moquette grise contenait plusieurs couvertures, serviettes, draps et vêtements féminins. Tous imbibés de sang. En poursuivant le déroulement, on découvrit un rectangle de papier, lui aussi abondamment taché.

MacCaskill le ramassa.

— Tiens, tiens! Une image sainte de l'Immaculée Conception. Pareille à celle retrouvée rue Saint-Patrick.

MacCaskill, un fervent catholique irlandais, nous regardait avec un point d'interrogation dans les yeux.

— Que deux femmes mortes en plein avortement aient eu chacune en leur possession une image identique de la Vierge évoquant l'Immaculée Conception m'apparaît très improbable, intervint Bruno. À moins qu'elle leur ait été remise par la même personne.

— Je suis d'accord avec toi. Il faut croire que le meurtrier a une fixation sur des notions comme le péché originel. L'image sainte est là pour exprimer le pouvoir de Dieu sur la femme. La femme qui craint Dieu sera louée, celle qui lui désobéira sera tuée. Ce qu'il nous dit, c'est qu'il se prend pour Dieu. Il peut sauver l'enfant du péché originel, mais pas la mère qui est indigne de Marie. Ici, au lieu d'accéder au désir de la mère et de la débarrasser de son fruit, il garde celui-ci en vie mais tue la génitrice. Croyait-il vraiment que l'enfant avait des chances de survie ? À cinq mois à peine ?

On déroula finalement toute la moquette. Le gâchis écarlate provoqué par les litres de sang d'Amélia Samson nous coupa le souffle. Sur la bordure, les traces des petits clous étaient visibles. Une étiquette indiquait que le tapis avait été acheté chez Dupuis.

C'est en soulevant différentes pièces de tissu que Bruno découvrit un linge blanc souillé avec des traces de semelles.

— Il faudra vérifier si ce sont les mêmes.

Puis nous mesurâmes la moquette pour constater qu'elle avait exactement la superficie du plancher de la chambre.

— Il a déposé le corps sur tout ça et il l'a laissé se vider, dis-je.

— Aussi simple que ça ! endossa MacCaskill en grinçant des dents.

◆

Je retournai en vitesse à la morgue et montai à l'étage. Le chien que la fourrière avait amené ne cessait de japper, un gros bâtard de quatre-vingts livres, juste un peu moins que le poids d'Amélia Samson. On l'avait confiné dans une cellule du sous-sol.

Je croisai madame Jos avec sa vadrouille dans l'escalier. Elle était à bout de nerfs.

— Docteur, pouvez-vous faire quelque chose pour le chien ?

— Justement, ça ne devrait pas tarder.

— Un journaliste est passé vous voir tout à l'heure et il est très curieux à l'idée qu'un chien puisse habiter la morgue.

— On a des dizaines de rats…

— Les chiens ne mangent pas les rats.

— Les chiens ratiers existent pourtant, madame Jos.

Sansquartier, qui avait surgi entre-temps par l'escalier abrupt menant aux salles mortuaires, se mêla à la conversation.

— Ce journaliste, docteur, c'est Vallier Marceau, de *La Patrie*. Il avait des questions à poser sur la mort de mademoiselle Samson. Puis le chien s'est mis à japper. Il a voulu savoir ce qu'un chien faisait ici.

— Qu'avez-vous répondu ?

— Que c'était en relation avec le meurtre de madame Samson. Cela a semblé piquer sa curiosité au plus haut point. Je suis désolé si j'ai trop parlé.

— Ce n'est pas grave.

Cette histoire me laissa songeur. Probable que le journaliste me relancerait avant longtemps.

— En passant, le tapis que vous avez acheté chez Dupuis est arrivé, me dit madame Jos.

Ce n'est pas de gaieté de cœur que je m'étais résigné à faire subir un horrible sort au molosse. Il fallait démontrer, en prévision d'un éventuel procès, qu'une moquette pouvait absorber autant de sang humain. Je me consolai en me disant que la pauvre bête serait morte de toute manière et qu'elle allait ici servir à éclairer un mystère. Nous allions en plus mesurer le temps qu'il avait fallu à l'opérateur sadique pour vider la victime de son sang, et combien de minutes avait pris le tissu pour absorber tout ce liquide.

Avant de procéder, j'administrai un puissant sédatif au chien pour qu'il ne se rende compte de rien. Je passerai les détails de notre expérience, mais elle étaya point par point ce qui s'était passé. Il fut même relativement facile après, pour Sansquartier, de disposer du tapis – et des restes de notre expérience – sans avoir à trop nettoyer la pièce.

En fin de journée, je reçus un appel qui ne me surprit point.

— Bonjour, docteur, Vallier Marceau de *La Patrie*. La morgue est-elle devenue une fourrière?

— Non, pourquoi?

— Alors pourquoi y gardez-vous un chien?

— C'est que nous avons eu la visite d'un détrousseur de cadavres récemment.

— Ah, je comprends... Oui, oui, oui...

— Veuillez m'excuser, monsieur Marceau, je ne peux vous parler plus longtemps. Au revoir.

— Mais...

Je raccrochai. Devant le poêle de mon bureau, il y avait une corde à laquelle, à l'aide d'une épingle, était retenue l'image maculée de sang de l'Immaculée Conception. Elle était maintenant bien sèche. Je la détachai et la posai sur mon bureau, à côté de l'autre. Elles étaient, à première vue, parfaitement identiques. Je les mesurai. Chacune faisait exactement deux pouces sur trois. Elles provenaient du même imprimeur: Beauchemin, celui-là même qui avait publié mon *Traité de médecine légale des aliénés*. Il devait s'imprimer des centaines de milliers d'images semblables dans la province de Québec.

À la suite des découvertes que nous avions faites aujourd'hui, j'étais de plus en plus convaincu que l'opérateur remettait cette image à ses victimes avant de les charcuter. C'était ma thèse. J'avais déjà vu des femmes tenant un chapelet, une médaille ou un petit crucifix, mais jamais une telle image religieuse.

J'inscrivis ces informations dans mon rapport et replaçai les images saintes dans leur sachet respectif. J'irais plus tard les porter dans la salle d'enquête du coroner et les déposer dans l'armoire verrouillée où nous gardions les pièces à conviction.

Par contre, en ce qui concerne les empreintes de chaussure, Lafontaine avait découvert qu'elles ne correspondaient pas à celles déjà relevées. Ce qui ne voulait pas dire que le meurtrier ne portait pas une autre paire de chaussures ce jour-là.

8. Peau de chien

J'adore les dimanches gorgés de lumière, les vastes toiles de ciel bleu. Je prends le temps de rêvasser dans mon lit pour capter le silence de la ville et le clapotement du fleuve sur les quais. J'aime la tranquillité des matins dominicaux sans cris de charretiers, ni sabots sur les pavés, ni crissements d'essieux ; le silence des dimanches est universel sans doute, à part les cloches tintant au cœur des villes et le rugissement du gros Casavant que je peux entendre quand on ouvre la porte de l'église. Ailleurs, c'est l'appel de la prière musulmane au minaret. L'air pur qui me manque tant au travail entre ici par la grande fenêtre. Pas de corps calciné ou brisé par des traumatismes ou encore troué par une balle. Partout où j'ai résidé, Londres, Paris, Berlin, j'ai ressenti le même apaisement le dimanche. Le septième jour m'est sacré, même si les tueurs et la Faucheuse ne chôment pas, eux, et qu'il me faut parfois me rendre d'urgence rue Perthuis.

Depuis la fenêtre de ma chambre, je pouvais voir sur le bord du quai des pêcheurs en rang qui lançaient leur ligne à l'eau. L'un d'eux tira sur sa ligne et décrocha de son hameçon un doré agité sous le regard envieux de ses amis. Il déposa le poisson dans son panier, fier jets même. Nous croyions, Wyatt et moi, qu'Amélia Samson, déjà affaiblie par son accouchement, avait été jetée sur le tapis et que le meurtrier l'avait froidement exécutée, enroulée dans le tapis et maintenue par terre pendant qu'elle se vidait de son sang. Elle était morte lentement et de la façon la plus cruelle qui soit. Nous ne souhaitions rien de moins que de mettre la main sur le monstre capable d'une telle ignominie.

Des trois cadavres qui nous avaient mis sur le qui-vive la semaine dernière, deux étaient des homicides. Dans le cas de la rue Saint-Patrick, il était évident que l'inconnue – Jane Doe – avait été la victime d'un opérateur. Dans celui de la rue Young, Allison Bailey avait tenté de s'auto-avorter, probablement à la suite d'un viol. Dans le dernier cas, celui de la rue Ann, la main criminelle avait clairement attribué une connotation religieuse à son crime en laissant près d'Amélia Samson l'image de la Vierge. Mais pouvions-nous affirmer avec certitude que c'était le même meurtrier que celui de la rue Saint-Patrick ? Pour ma part, je penchais pour l'affirmative.

Un opérateur criminel est difficile à repérer. Tout comme il est difficile de traquer un animal en forêt la nuit. Montréal devenait la botte de foin dans laquelle il nous faudrait chercher l'aiguille maudite.

◆

Après dîner, je me rendis à la faculté de médecine. Il me fallait signer mon contrat d'engagement de professeur à la chaire de médecine légale. Dans le long corridor, je croisai plusieurs collègues, qui me félicitèrent. Plusieurs étudiants, me connaissant de réputation, me saluèrent. Voir votre nom associé aux meurtriers vous conférait un certain prestige, que cela soit justifié ou non. Mais je craignais qu'on me parle de l'article véhément qui jetait l'opprobre sur la morgue.

coups de couteau. Ils réclament une morgue
moderne mais agissent avec barbarie…

— Mon Dieu! m'écriai-je.

En ce début de semaine, le titre et les sous-titres avaient de quoi nous réduire à d'affreux docteurs Frankenstein. Deux fous criminels! Je souhaitai que cette nouvelle s'éteigne vite. Marceau avait eu des doutes. Il avait fouillé dans nos poubelles et avait retrouvé le chien ainsi que la moquette. Le lien avait été facile à établir. L'article laissait sous-entendre que nous avions poignardé tout un chenil. C'était faux, archifaux! Pour le reste, son papier résumait assez bien notre expérience.

Je sais qu'il est cruel de tuer les animaux, mais c'est pratique courante dans les laboratoires. Pasteur le faisait pour le bien de l'humanité, nous pour les besoins de la justice. Nous tentions, comme le mentionnait ce grattepapier de *La Patrie*, d'apporter un nouvel éclairage à ce crime. Puisqu'il était important de déterminer l'heure précise de la mort d'Amélia Samson, il nous fallait, Johnston et moi, constater le temps écoulé à partir de l'acte criminel jusqu'à la mort de la victime. Toutes les données recueillies allaient de plus pouvoir servir dans d'autres causes du même genre.

J'ai toujours aimé le récit de l'arche de Noé. Ce fut l'une des premières histoires à meubler mon imaginaire. Combien de fois me suis-je imaginé, au cœur des nuits de mon enfance, naviguant dans cette étable flottante, blotti contre les bêtes, avec les odeurs de foin, d'algues et d'iode? Mais je souhaitais maintenant que nos expertises judiciaires ne soient pas mal perçues. Il en allait de même lorsque nous empoisonnions des lapins pour des tests toxicologiques.

Nos conclusions donnaient néanmoins froid dans le dos quant à l'exécution d'Amélia Samson. Car une fois égorgé, le chien s'était débattu. Plus il bougeait, plus le sang s'écoulait rapidement de la plaie, à grands jets même. Nous croyions, Wyatt et moi, qu'Amélia Samson, déjà affaiblie par son accouchement, avait été jetée sur le tapis et que le meurtrier l'avait froidement exécutée, enroulée dans le tapis et maintenue par terre pendant qu'elle se vidait de son sang. Elle était morte lentement et de la façon la plus cruelle qui soit. Nous ne souhaitions rien de moins que de mettre la main sur le monstre capable d'une telle ignominie.

Des trois cadavres qui nous avaient mis sur le qui-vive la semaine dernière, deux étaient des homicides. Dans le cas de la rue Saint-Patrick, il était évident que l'inconnue – Jane Doe – avait été la victime d'un opérateur. Dans celui de la rue Young, Allison Bailey avait tenté de s'auto-avorter, probablement à la suite d'un viol. Dans le dernier cas, celui de la rue Ann, la main criminelle avait clairement attribué une connotation religieuse à son crime en laissant près d'Amélia Samson l'image de la Vierge. Mais pouvions-nous affirmer avec certitude que c'était le même meurtrier que celui de la rue Saint-Patrick ? Pour ma part, je penchais pour l'affirmative.

Un opérateur criminel est difficile à repérer. Tout comme il est difficile de traquer un animal en forêt la nuit. Montréal devenait la botte de foin dans laquelle il nous faudrait chercher l'aiguille maudite.

◆

Après dîner, je me rendis à la faculté de médecine. Il me fallait signer mon contrat d'engagement de professeur à la chaire de médecine légale. Dans le long corridor, je croisai plusieurs collègues, qui me félicitèrent. Plusieurs étudiants, me connaissant de réputation, me saluèrent. Voir votre nom associé aux meurtriers vous conférait un certain prestige, que cela soit justifié ou non. Mais je craignais qu'on me parle de l'article véhément qui jetait l'opprobre sur la morgue.

8. Peau de chien

J'adore les dimanches gorgés de lumière, les vastes toiles de ciel bleu. Je prends le temps de rêvasser dans mon lit pour capter le silence de la ville et le clapotement du fleuve sur les quais. J'aime la tranquillité des matins dominicaux sans cris de charretiers, ni sabots sur les pavés, ni crissements d'essieux ; le silence des dimanches est universel sans doute, à part les cloches tintant au cœur des villes et le rugissement du gros Casavant que je peux entendre quand on ouvre la porte de l'église. Ailleurs, c'est l'appel de la prière musulmane au minaret. L'air pur qui me manque tant au travail entre ici par la grande fenêtre. Pas de corps calciné ou brisé par des traumatismes ou encore troué par une balle. Partout où j'ai résidé, Londres, Paris, Berlin, j'ai ressenti le même apaisement le dimanche. Le septième jour m'est sacré, même si les tueurs et la Faucheuse ne chôment pas, eux, et qu'il me faut parfois me rendre d'urgence rue Perthuis.

Depuis la fenêtre de ma chambre, je pouvais voir sur le bord du quai des pêcheurs en rang qui lançaient leur ligne à l'eau. L'un d'eux tira sur sa ligne et décrocha de son hameçon un doré agité sous le regard envieux de ses amis. Il déposa le poisson dans son panier, fier de lui. Il coupa ensuite un ver de terre en deux, piqua celui-ci à l'hameçon et relança sa ligne à l'eau. Cette scène ainsi que les rires cristallins des enfants sur le quai me plongeaient dans une belle nostalgie. Ils me rappelaient les moments passés avec mon frère Alphonse près du fleuve : l'éblouissement de voir apparaître au printemps les premiers trois-mâts en provenance des vieux pays, de regarder les grues descendre les barils de mélasse que l'on déchargeait dans le port, d'entendre les voix et d'observer les visages des marins étrangers, de suivre mon père, douanier, qui allait examiner les cales, d'imiter les cornes de brume s'élevant dans le ciel et rompant la monotonie du jour. Une succession de matins apaisants à l'ombre de la maison familiale. Et que dire de ces dimanches coulés dans la salle d'étude du Collège de Montréal, mon *alma mater* !

Après cette grasse matinée, j'irais à la messe de midi et je ferais une longue marche sur le mont Royal. Je penserais à Emma et souhaiterais la revoir.

Lundi, 24 septembre 1894

En entrant à la morgue, je retrouvai Sansquartier dans le petit atelier de maintenance. Il aiguisait nos couteaux sur la meule. Les étincelles fusaient de toutes parts. Il me désigna du menton la première page de *La Patrie* sur le comptoir.

— Lisez l'article de Vallier Marceau, docteur.

Je demeurai figé un instant en voyant le titre. Il présageait le pire pour Wyatt et moi.

Affaire Samson : chien égorgé trouvé
dans les poubelles de la morgue

*Les docteurs Johnston et Villeneuve font
des expériences. Ils égorgent des chiens à*

Je vis s'avancer vers moi Leblanc et Sicard. Ils portaient chacun une pile de livres sous le bras. Ils s'arrêtèrent pour me féliciter à leur tour.

— Merci, messieurs.

— Est-ce que cette nomination va changer quoi que ce soit au cours ?

— Non. Les cours ne changeront pas, mais je vais brandir ma nomination pour tenter d'obtenir des crédits afin de mieux équiper la morgue.

Sicard me regarda avec cette admiration non feinte que l'on peut sentir chez certains de nos étudiants.

— Nous n'endossons pas ce qui est écrit dans *La Patrie*, ajouta-t-il.

Leblanc acquiesça du bonnet.

— N'y prêtez pas attention, ajouta-t-il.

— Merci, c'est agréable de l'entendre, messieurs.

— Avez-vous des pistes sérieuses, docteur, pour mettre fin aux activités de l'opérateur ?

— Nous avons quelques pistes.

— Il est vraiment étonnant de penser qu'une vague de sympathie puisse exister pour cette infâme créature, affirma Leblanc.

— En effet. La nature humaine m'étonnera toujours.

— Comme on dit, il y aura toujours quelqu'un pour applaudir au malheur de l'autre, résuma Sicard.

— C'est bien conclu, cher ami. Merci pour votre soutien.

— À bientôt, docteur.

Je les saluai et gagnai le bureau de la faculté pour apposer ma griffe sur le contrat.

◆

De retour à la morgue, je restai enfermé pratiquement tout l'après-midi dans mon bureau. L'article pernicieux de Marceau exigeait une réponse de notre part. Nous ne pouvions laisser courir de tels ragots sur nos réputations. Il nous fallait protéger la morgue et son rôle essentiel dans le développement d'une science judiciaire à Montréal. *La Patrie* était un journal conservateur, l'organe du pouvoir en place à Québec. Il y avait une intention politique délibérée derrière cet article. Qui nous en voulait au point de nous mettre dans l'embarras ? Je savais que les ultramontains, comme on aimait les appeler, éprouvaient de la rancune envers les positivistes. La science n'était qu'un leurre dans leur conception étroite de l'univers.

Je ne cessais de ressasser les deux plus récents meurtres. Quelque chose m'échappait, un élément fuyant, une vraie couleuvre, comme une image que l'on aperçoit du coin de l'œil et qui disparaît lorsqu'on tourne la tête pour la regarder. Je n'arrivais pas à mettre le doigt sur ce qui causait mon malaise.

Heureusement, j'eus enfin droit à une bonne nouvelle en fin d'après-midi ! Je reçus un appel du docteur Évariste Duquette, le nouveau surintendant de l'asile de Saint-Jean-de-Dieu. Il m'annonça que j'avais été choisi pour remplacer le docteur Perreault et ainsi devenir assistant-surintendant de l'asile. La nouvelle m'emporta. Il m'invita à visiter dès le lendemain mon nouveau lieu de travail.

Après avoir raccroché, je laissai exploser ma joie.

Alors que mon agenda était compartimenté comme le coffre d'un calligraphe, il me faudrait assumer de nouvelles responsabilités. Cela ne voulait pas dire que j'allais délaisser mon travail de médecin-expert à la cour du coroner et devant les tribunaux, loin de là. Comme plusieurs de mes confrères, je tenais à assumer plusieurs postes dans la mesure du possible.

Ainsi donc, un peu plus de quatre ans après avoir terminé mes études à l'asile Sainte-Anne de Paris pour devenir aliéniste, j'étais enfin un spécialiste de la médecine légale des aliénés et j'allais dorénavant gagner ma vie en soulageant la folie et en plaidant devant les tribunaux.

9. En poste à l'asile

Je pris la voiture hippomobile pour me rendre à Longue-Pointe, un village situé à l'autre bout de l'île de Montréal. Nous étions six passagers à aller dans l'est, dont un curé. Le village se trouvait à une demi-douzaine de milles de ma résidence, en pleine campagne. Il avait plu durant la nuit. C'était une journée grise et venteuse. Les lourds nuages étaient menaçants. Des rafales arrachaient les feuilles des arbres, cassaient des branches. Mais c'était un matin spécial : je venais d'être nommé assistant-surintendant de l'asile Saint-Jean-de-Dieu.

Je sortis de ma sacoche le roman de Robert Louis Stevenson, *L'Étrange Cas du docteur Jekyll et de M. Hyde*. Les derniers événements m'avaient incité à acheter le livre, même si les œuvres de fiction qui abordaient la question de la folie me laissaient habituellement sur ma faim. Le docteur Magnan à Paris ne sous-estimait pas les romans dont le sujet portait sur la folie et l'impact négatif qu'ils avaient sur les malades. Il avait fait retirer de la bibliothèque de l'asile Sainte-Anne des œuvres qui auraient pu affecter le tempérament des malades. Poe et Sue avaient été mis sur la liste noire.

Le chauffeur de la voiture s'arrêta pour permettre à un homme et une femme de monter. Avec ce nouvel emploi à l'asile, et d'ici à ce que le tramway se rende au bout de l'île, il me faudrait acheter un cheval et une voiture. Il y avait une petite écurie derrière ma maison et je pourrais y loger mon poulain.

La pluie se remit à tomber dru comme des cordes. De larges ornières boueuses se gorgèrent d'eau. Un chevreuil traversa d'un bond la rue Notre-Dame. Passé la cité de Maisonneuve, les longues bandes de terres rectangulaires se prolongeaient jusque sur les deux rives de l'île. Le chemin de campagne menant à Longue-Pointe et à Pointe-aux-Trembles, au bout de l'île, était bucolique. De beaux peupliers s'élevaient de chaque côté de la route. Malgré la pluie, les cultivateurs s'affairaient autour des fermes et sur les terres agricoles. Mais les faux avaient été rangées et le foin engrangé. La saison avait été chaude et le foin serait de qualité. On nettoyait l'étable, réparait la machinerie et les clôtures de bois, préparait la nourriture des animaux en prévision du dur hiver.

Comme il est recommandé pour ces lieux de repos, l'asile se trouvait dans un écrin de verdure. On pouvait contempler au loin les îles de Boucherville qui fendaient le fleuve en deux. Le paysage me distrayait de mon livre, de même que le regard soutenu du jeune curé, qui ne cessait de regarder la page couverture de mon roman et de me toiser avec reproche.

Pendant que j'appréciais l'horizon vert, comme autant de scènes pastorales de la littérature canadienne, mon esprit revint progressivement vers mon enquête. Et si les archives de l'asile me conduisaient à la rencontre de l'opérateur ? Aurait-il pu séjourner à Saint-Jean-de-Dieu ? Il me faudrait vérifier cette hypothèse.

Le cocher me laissa, ainsi que deux visiteurs, devant l'imposant portail noir avant de poursuivre son chemin vers Pointe-aux-Trembles. Un long mur de pierre surmonté d'une grille en fer empêchait les patients de s'échapper et les protégeait des regards indiscrets. Le gardien sortit de sa guérite. Il s'assura de mon identité et de celle des visiteurs. Les portes de cet antre de la folie s'ouvrirent en grinçant.

Devant moi s'étalait une large et longue allée bordée d'une rangée d'arbres. Elle servait de démarcation entre le quartier des hommes et celui des femmes.

Quatorze pavillons à deux étages, de longueur et de largeur identiques, avaient été érigés : sept bâtiments d'un côté pour les hommes, sept de l'autre pour les femmes. Tout était d'une parfaite symétrie. La raison et l'ordre imposaient leurs lois dans le monde chaotique de l'esprit. Un long couloir reliait chaque pavillon sans compter, à l'extrémité nord, les bâtiments de service. Un revêtement en tôle rouge servait de coupe-feu. Autour des constructions, il y avait les terres agricoles de la communauté. Le bâtiment d'admission se trouvait du côté sud.

L'asile n'avait malheureusement plus sa splendeur d'antan. Il avait été rasé par les flammes quatre ans plus tôt, le 6 mai 1890. Le feu s'était déclaré dans une salle voisine de la chapelle durant la nuit. Le chapelain avait eu le temps de sauver le Sacré-Cœur et de sonner l'alarme. Mais les pompiers n'avaient rien pu faire. Quatre-vingt-six personnes avaient été tuées, dont quatre-vingt-une femmes. Certains fous, fascinés par les flammes et ayant refusé de sortir, s'étaient laissé encercler par un mur de feu. Les vociférations et les lamentations en cette soirée restent, pour ceux qui l'ont vécue, une sorte de vision d'enfer. De braves religieuses étaient retournées dans le brasier pour les sauver et y avaient laissé leur vie. Le matin du 7 mai, il ne restait que des ruines. Sœur Thérèse avait réussi à faire reconstruire un asile temporaire en trois mois pour reloger mille deux cents patients. Un véritable exploit. C'était impressionnant de voir cette succession de pavillons rouges au beau milieu de la campagne. Après ce travail titanesque, Dieu avait rappelé à Lui, le 22 novembre 1891, sœur Thérèse-de-Jésus, née Cléophé Têtu.

L'asile avait très mauvaise réputation. Il courait à son propos toutes sortes de rumeurs. Selon l'une d'elles, les propriétaires refusaient d'élargir des patients afin de continuer à percevoir les allocations du gouvernement. En 1885, le rapport du docteur Tuke n'avait fait qu'ajouter à la mauvaise opinion que le public en avait. Tuke avait parcouru les asiles d'Amérique du Nord et le constat qu'il établissait de Saint-Jean-de-Dieu était dévastateur. Avec celui de Beauport, c'était le pire asile de tous.

Le gouvernement avait décidé de réagir aussitôt par décret. La loi qu'il avait adoptée – la loi Ross – donnait le droit au gouvernement d'instaurer un Bureau médical dans chacun des asiles de la province : soit un surintendant, un assistant-surintendant et des assistants-médecins. Le clergé avait refusé de se plier à ces actes relatifs aux asiles d'aliénés, puisque ces institutions avaient été, jusque-là, leur chasse gardée. En tant que médecin du gouvernement, j'entrais dans un territoire plutôt hostile, car les religieuses s'étaient toujours refusées, en raison d'une clause particulière, à respecter les prescriptions des législateurs. Nous étions l'œil de l'État dans les asiles, et seul celui de Dieu leur était acceptable.

Sans parapluie, je me hâtai d'atteindre le pavillon de service, où je pus me réfugier et enlever mon manteau, complètement détrempé. Il était neuf heures et des cantiques s'élevaient de la chapelle située au bout du bâtiment. Les hommes se rendaient à la messe du matin. Je passai devant les appartements de l'aumônier et des médecins résidents. Je jetai un œil à l'intérieur de la procure : des religieuses entraient des données dans de gros registres ; dans un cabinet, je reconnus le docteur Bourque qui examinait un patient. J'arrivai à la hauteur du laboratoire et de la pharmacie, avec ses belles armoires d'apothicaire. Les bureaux des médecins et ceux des religieuses étaient adjacents. Je frappai à la porte du surintendant, le docteur Duquette. Il s'approcha et ouvrit avec sa bonhomie habituelle. Duquette portait une longue barbe noire en pointe et une moustache touffue qui lui cachait la bouche. Ses traits fins, ses yeux vifs et scintillants, son front large et sa belle chevelure lui donnaient des airs de seigneur.

— Docteur Villeneuve! Quel plaisir de vous savoir parmi nous!

Duquette me fit entrer tout en me serrant chaleureusement la main. Au fond de son bureau se dressait une bibliothèque garnie de centaines de livres dont je reconnus instantanément le sujet commun: la maladie mentale.

Les docteurs Bourque, Chagnon et Prieur arrivèrent à leur tour peu de temps après. Ils vinrent à ma rencontre avec beaucoup d'enthousiasme. Tous me félicitèrent et me serrèrent la main.

— Le voilà de retour, lança fièrement Duquette, et il sera mon nouvel assistant! N'oublions pas que ce garçon est passé par l'école de Magnan et de Charcot.

— Ah! Comment oublier le Congrès de 1889, l'Exposition universelle, le Congrès des aliénistes, le deuxième Congrès d'anthropologie criminelle? se rappela Bourque, un gros barbu robuste souffrant de calvitie sur le dessus du crâne. Vous vous souvenez comment Magnan a mis en boîte les Italiens et les tenants du criminel-né?

— Nous avions un fort différend, se rappela Duquette en riant.

— Et il tient toujours! Je crois encore avoir raison, argua Bourque.

— Il n'y a que les fous qui ne changent pas d'idée, on est bien placés pour le savoir… répliqua Duquette.

La blague éculée n'en fit pas moins rire tous les gens présents. Duquette avait plaidé haut et fort pour que le gouvernement prenne en charge les asiles dans la province au détriment du privé. Il avait un esprit indépendant qui me plaisait. Ce serait avec grand plaisir que je deviendrais son assistant.

Il se tourna vers moi.

— Vous connaissez Bourque et Prieur, docteur Villeneuve, mais laissez-moi vous présenter le docteur Chagnon, avec qui vous aurez à travailler. Il est le médecin des sœurs.

Chagnon allongea le bras. La poignée de main était franche, le regard déterminé, et je vis des étincelles dans son regard. C'était un jeune homme frêle aux yeux vifs. Son visage doux, ses traits délicats, ses bonnes manières donnaient aussitôt l'envie de devenir son ami. Il avait mon âge.

J'étais heureux d'être médecin du gouvernement, même si ma vie de vieux garçon aurait été parfaitement adaptée à la vie de médecin des sœurs. De fait, les médecins internes des religieuses, comme le docteur Chagnon, devaient résider dans l'établissement. Il leur était interdit de se marier, ce qui leur conférait une vie de curé dans un milieu difficile, avec des heures ingrates.

Après quelques amabilités supplémentaires, j'accompagnai, comme il avait été prévu, le docteur Chagnon dans sa tournée. C'est avec lui que je ferais mon premier tour des bâtiments pour y rencontrer les patients et connaître la routine des médecins.

— J'ai beaucoup entendu parler de vous, docteur Villeneuve. Les meilleurs bruits courent à votre sujet, autant dans les journaux que chez les médecins que je connais.

— Je suis bien content de l'entendre, car j'ai aussi des ennemis.

— Si vous parlez des avocats de la défense, on n'y peut rien.

— J'avais plutôt en tête l'auteur du récent papier paru dans *La Patrie*.

— Marceau est un pisse-copie de la pire espèce. Selon lui, notre travail consiste à retirer des mains de la justice les criminels aliénés dont nous avons la charge. Si on l'écoutait, on les mènerait tous à l'échafaud d'ici la fin du mois. Il y a quelque temps, il a tenté de s'introduire dans l'asile par la plus vile des manœuvres, mais nous l'avons pris à temps puis expulsé par le fond de sa culotte.

Je souris en me représentant cette scène à laquelle j'aurais aimé participer.

— Rassurez-vous, poursuivait Chagnon, son article sera bien vite oublié. Dites-moi plutôt si vous allez conserver votre position de médecin à la cour du coroner.

— Oui, car j'adore la médecine légale.

— Est-ce que cette affaire d'opérateur meurtrier va bientôt se terminer, d'après vos informations ?

— Je ne puis vous l'affirmer avec certitude, mais je le souhaite vivement.

— Espérons qu'il ne s'agit pas d'un médecin. Vous vous imaginez la honte qui pèserait sur notre Collège ? Déjà que plusieurs collègues ont sévi dans le passé...

— Je sais. Nous avons envisagé cette possibilité.

Il me désigna l'escalier qui menait à l'étage.

— En haut se trouvent le dortoir des religieuses, la salle de la communauté et l'infirmerie. Elles nous ont bien à l'œil... lança-t-il d'un ton moqueur.

— Comment se passe la cohabitation ?

Il esquissa un sourire sardonique.

— Les révérendes nous mettent constamment des bâtons dans les roues. Elles ne tiennent toujours pas compte des engagements contractés auprès du gouvernement. Par contre, elles sont totalement dévouées à la cause. Je peux vous certifier que les ragots qui circulent à l'effet qu'elles refusent d'élargir des patients, soi-disant par cupidité, ne sont que pure calomnie. C'est par principe qu'elles tiennent tête au gouvernement. Des obstinées !

Je remis mon manteau, redevenu nécessaire pour atteindre le pavillon suivant sous la pluie battante. Nous marchâmes une bonne distance. Le vent nous obligea à doubler la cadence. Nous entrâmes enfin dans le nouveau bâtiment.

— Vous avez ici le pavillon des pensionnaires privés. Ils ont une salle de récréation, un fumoir, des ateliers.

Dans la salle de séjour, un patient jouait avec virtuosité une valse de Chopin et un autre dessinait au fusain une nature morte.

— Selon les revenus des parents, les patients ont une chambre privée ou partagent un dortoir à quatre ou six personnes.

Le docteur Chagnon me conduisit vers une autre salle dotée d'un poste d'observation.

— Pour ceux qui souffrent de la manie du suicide, nous avons prévu des dortoirs spéciaux, capitonnés, où la surveillance a lieu jour et nuit pour éviter le pire.

Il fallut à nouveau sortir pour gagner le bâtiment des patients du gouvernement.

— Voici le pavillon pour hommes. Chaque bâtiment héberge sa clientèle particulière.

Dans ce pavillon, les idiots étaient ensemble ; leur développement intellectuel s'était interrompu en bas âge. Un homme souffrant de microcéphalie me fixa d'un regard vide. Vêtu d'un élégant trois pièces, l'homme au physique imposant portait sur ses épaules une toute petite tête. Plus loin, un hydrocéphale se berçait sur une chaise. Sa tête était aussi imposante que sa poitrine et son abdomen.

Je vis rapidement que le docteur Chagnon était apprécié des malades. Certains d'entre eux l'accueillaient comme un père, d'autres s'accrochaient à lui, l'étreignaient. Il leur parlait doucement, blaguait avec un humour bon enfant.

— Avez-vous étudié à Sainte-Anne ? demandai-je.

— Non, je n'ai pas eu cette chance. Je vous envie d'avoir été l'élève de Magnan et de Charcot.

Nous allâmes ensuite dans le pavillon des délirants psychiques. Un malade s'approcha de nous avec un large sourire.

— Alors, quel temps fera-t-il demain, monsieur le directeur de la météo? s'enquit le docteur Chagnon auprès de lui.

— Malheureusement, ce sera très beau, docteur, avec un ciel sans nuages, mais heureusement des précipitations sont prévues pour le surlendemain.

L'homme m'observa d'un œil scrutateur, méfiant.

— Je vous présente le docteur Villeneuve, le nouvel assistant-surintendant. Docteur, voici le directeur de la météo.

Le large sourire réapparut alors que le patient me tendait la main.

— Vous devez savoir, docteur, que c'est moi qui fais tourner la Terre et décide de la marche du jour et de la nuit. Les jours s'allongent et s'éteignent selon ma volonté. Quand j'en ai assez du soleil, j'étends ma main pour le ramener derrière la montagne.

— Je suis heureux de le savoir, mentionnai-je d'un ton parfaitement contrôlé.

— Plusieurs ici sont de grands poètes qui s'ignorent, philosopha le docteur Chagnon tandis que nous nous éloignions du directeur de la météo.

Autour de nous, dans le long couloir du pavillon au parquet luisant, des patients marchaient, erratiques, sans but précis, certains seuls, d'autres en couple. Trois malades faisaient la queue devant le gardien pour qu'il allume leur pipe.

Je fus choqué de constater que des patients agités partageaient les lieux avec des malades non agités. Un homme se grattait la tête et la nuque jusqu'au sang. On aurait dit un chien aux prises avec des puces. Il était affligé d'un violent tic et semblait perdre le contrôle de sa main devenue folle. Dans un coin de la salle commune, un second patient agitait les bras de manière frénétique, en émettant parfois de brefs couinements. Un autre, visiblement atteint du syndrome de la Tourette, criait des obscénités. Les patients plus calmes devaient supporter quotidiennement ce chaos. C'était contre tous les principes que l'on m'avait enseignés à Paris.

Le docteur Chagnon remarqua mon désarroi.

— Vous comprendrez que nous ne disposons pas de l'espace nécessaire pour offrir le traitement approprié à chacun. Il nous faut nous arranger avec les salles que nous avons. On fait avec les moyens du bord, conclut-il.

Un vieil homme aux cheveux jaunis, les deux pouces accrochés à un plastron usé, s'avança. Il se présenta à nous comme l'homme le plus riche de la planète.

— Messhieurs, j'suis propréi... proïpr... pritaire de toutes les banques du monde, articula-t-il difficilement. La banque Molshon, des chemins de fer d'Amérique ausshi, tous les chemins de fer, chacun d'ichi et d'aill... du Grand Tronc au Pachific, echtséfera. Tout cha, chest à moi !

— Vous tombez à pic ! répondis-je du tac au tac. Nous aurons bientôt besoin d'un prêt pour reconstruire Saint-Jean-de-Dieu, je viendrai le négocier avec vous.

— Je vous ferai un hympotchèque raijonnable.

Puis il sourit, en découvrant ses gencives et leurs derniers chicots.

Le docteur Chagnon sourit lui aussi. Dans les cas où la folie est incurable, je crois qu'il est important d'intégrer le récit que nous livrent certains patients. Si le rire participe à leur bien-être, tant mieux. Je repensai à Magnan. Il avait une relation merveilleuse avec ses patients incurables, il blaguait et s'esclaffait avec eux sans arrêt.

Le p'tit vieux de Saint-Jean-de-Dieu nous salua, et nous lui rendîmes gentiment son salut. Ce jour-là, il devint à mes yeux l'homme le plus riche de la planète.

Alors que nous reprenions la visite de l'établissement, un patient arriva derrière nous en catimini, littéralement sur la pointe des pieds.

— Laissez-moi me présenter, chuchota-t-il. Je suis le Prince de Galles.

L'homme, qui avait un visage émacié prolongé d'une barbichette, regarda à gauche et à droite pour voir si on l'épiait. Comme un garde passait dans le couloir devant nous, il se cacha derrière Chagnon. J'interrogeai des yeux mon collègue, qui me fit signe que tout allait bien. Quelques secondes après que le garde fut passé, l'homme ressortit de sa cachette et s'avança vers moi pour me confier un secret.

— Voulez-vous voir mon or? J'ai des milliers de lingots... Mes chevaux, ce sont les meilleurs...

Il gloussa comme une petite fille.

Le docteur Chagnon me souffla à l'oreille:

— C'est aussi un des hommes les plus riches du monde. Il possède également la banque Molson.

J'avais été préparé à Paris au spectacle de la folie, comme certains la qualifient à tort. J'avais vu les mêmes délires à la Salpêtrière ou à l'asile Sainte-Anne. Des hommes qui se prenaient pour Dieu, Jeanne d'Arc ou Napoléon. Mais il est toujours étrange de voir un fou planter sa folie dans vos yeux, partager son délire avec vous, exposer ses manies. Ces histoires, j'allais les entendre à répétition, chaque jour, rengaines inextinguibles, au cours des années à venir. Elles sont parfois si drôles qu'il est impossible de ne pas sourire. Mais ces dérives permanentes de l'esprit sont en fait d'une tristesse infinie. Elles m'infligent un affreux mal à l'âme et me mettent face à une mission que la médecine seule ne peut emplir. Je me sentais impuissant devant cette calamité de l'esprit. Depuis 1890, je n'avais pas été en contact direct avec la folie. Cette visite était un dur retour à la réalité.

Un autre homme tira ma manche. Son visage était affligé d'un affreux rictus, la terreur y était imprimée en permanence.

— Mon sang, docteur! dit-il en prenant une voix de tragédien et en s'agrippant à mon veston. Ils m'ont vidé de mon sang pour y mettre celui d'un autre. Je veux mon sang d'avant.

Une religieuse s'interposa pour l'emmener plus loin.

— Ça va, ma sœur, laissez-le me dire ce qui l'incommode.

— J'allais gagner mes élections, il suffisait que j'aille voter pour mon candidat. Mais le docteur Zéphyrin m'a intoxiqué à la strychnine au lieu de me donner de la crème de tartre. Les étudiants en médecine veulent me disséquer avant même que mon autre poumon ne soit mort. Je ne les laisserai pas faire. Je me battrai. D'une journée à l'autre, l'honorable Ross viendra me chercher.

— Nous y voyons, mon cher, ne vous inquiétez pas, le rassura le docteur Chagnon en demandant à la sœur de prendre soin du pauvre homme.

Nous allions atteindre le corridor transversal qui reliait ce pavillon au suivant et n'avions pas encore tourné le coin quand j'aperçus la sœur supérieure venant vers nous.

— Tiens, préparez-vous à rencontrer la patronne… chuchota Chagnon.

Sœur Madeleine du Sacré-Cœur, le visage auréolé de sa capine, s'approchait d'un pas énergique. Elle me serra la main fermement, tout sourire, comme au-dessus de la folie qui régnait en ce lieu.

— Je suis contente de vous voir, docteur Villeneuve.

— Heureux de vous rencontrer, ma sœur.

— Notre bonne sœur Thérèse-de-Jésus nous avait beaucoup parlé de vous.

— J'avais une grande affection pour sœur Thérèse. J'ai traversé l'Atlantique en sa compagnie, vous savez. Elle a cru en moi.

— Invoquez-la, elle vous aidera dans vos tâches.

— Je n'y manquerai pas.

Sœur Madeleine avait de grands yeux un peu écartés, un visage austère mais qui devenait sympathique quand elle s'adressait à vous.

Un homme gigantesque, barbu et aux yeux exorbités s'approcha puis s'interposa entre nous, en allongeant sa main vers moi.

— Je suis le créateur de l'univers visible et invisible. J'ai quarante-cinq millions d'années. Je suis le patriarche du monde. J'ai été docteur comme vous, puis pape, puis Dieu, et voici que je suis revenu sur Terre.

Le malade s'exprimait à la façon d'un orateur. Il s'aperçut que la directrice ne pouvait retenir son rire.

— Ne riez pas, ma sœur, vous pourriez aussi attraper ce mal, martela-t-il sur un ton dramatique.

Je fus touché par ces paroles, car il est vrai que la maladie mentale peut frapper n'importe qui. Il y avait ici des patients de familles riches, mais toutes leurs richesses ne pouvaient les soustraire à leur souffrance.

Sœur Madeleine voulut dire quelque chose, mais déjà le regard du fou l'avait oubliée pour se tourner de nouveau vers moi.

— J'étais pape quand la reine Victoria et son mari sont venus à Montréal, vous savez. C'est moi qui les ai tués. Mais voilà que mon règne achève et que mon fils viendra sur Terre pour sauver l'humanité de ses pé...

— Il faut laisser le docteur Villeneuve poursuivre sa visite, intervint Chagnon en lui tapotant le bras.

L'homme se sauva aussitôt à la course. Sœur Madeleine le regarda aller quelques instants en secouant la tête, puis elle nous salua. Nous reprîmes nous aussi notre itinéraire et traversâmes le couloir menant au pavillon suivant.

Dans ce nouveau pavillon, des patients fragilisés par la dépression lisaient, d'autres discutaient. Le lieu était plus silencieux et moins agité que le précédent. Puis nous arrivâmes dans la section des enfants.

Il fallait être solide pour supporter la vue de ces gamins, parfois trop turbulents, parfois abandonnés, que des parents indignes avaient enfermés ici. Je savais que les gens abusaient et il fallait sévir contre le placement excessif. C'était émouvant de les voir jouer ensemble dans un atelier de bricolage. En voyant le docteur Chagnon, ils s'accrochèrent à lui.

L'un d'eux glissa doucement sa main dans la mienne et se serra contre moi.

— C'est le petit Cyrille, dit Chagnon en lui caressant les cheveux. Il est plein d'amour, sans malice, mais il ne parle pas.

Il se pencha vers le gamin.

— C'est le docteur Villeneuve. Il va travailler ici.

Mon collègue le taquina, lui exprima la plus vive affection tant du regard que par les caresses qu'il distribuait. Il le prit par la taille et le fit sauter dans les airs. Et là, chacun voulut son tour. Je leur fis faire moi aussi un tas de galipettes.

Mon estomac se serra. Je sus dès ce moment que je serais utile ici.

— Ils sont adorables! conclut le docteur Chagnon en donnant une petite fessée à l'un d'eux avant de le déposer par terre. Le petit blond, Alfred, a été déposé à la crèche. Il souffre d'un grave retard de la parole, mais il est plein d'affection. Nous l'apprécions beaucoup. L'autre, le petit noir à qui il manque un œil et dont le nez est aplati, se mutile constamment. Il faut souvent l'enfermer dans une pièce capitonnée pour sa sécurité.

Un garçon en crise se mit à pousser des cris transperçants. Ces plaintes avaient une charge de détresse émotive si intense!

Tout restait à faire ici. L'incendie de 1890 avait relégué le progrès aux calendes grecques. Mon premier diagnostic était sévère: il fallait se doter d'installations plus appropriées. L'encombrement des salles était intolérable. On ne pouvait pas soigner les patients dans ces conditions. C'était une « renfermerie », une prison, pas un lieu où il était possible d'assainir l'esprit. Il fallait introduire la science à Saint-Jean-de-Dieu, et vite! Mais je n'étais qu'assistant-surintendant. Je devais avancer prudemment. Pourtant, avoir été un fou délirant, ce jour-là, j'aurais renversé ces murs et construit un véritable hôpital à l'aide d'un djinn.

Le pavillon des gâteux offrait le triste spectacle de grabataires et de séniles en fauteuil roulant. Chagnon et moi ressentions la même révolte concernant le placement de personnes âgées qui auraient dû être sous la responsabilité de leurs proches. Aux déments séniles se mélangeaient plusieurs malades souffrant de paralysie générale, un des effets pervers de la syphilis. L'odeur affreuse des couches souillées levait le cœur.

— Trop de gens nous amènent un parent, certificat d'un médecin en main, pour se dispenser de s'occuper de lui. Ils nous mentent sur l'état de santé du malade ; ils nous disent que le vieux les a menacés. Pourtant, ils nous arrivent à moitié morts, incapables de bouger, inoffensifs.

— Le placement abusif basé sur des mensonges devrait être considéré comme un délit criminel, m'emportai-je. L'encombrement est un frein au traitement des malades.

— Je suis d'accord avec vous, docteur Villeneuve.

— Appelez-moi Georges.

— Eh bien, appelez-moi Éloi-Philippe, cher collègue.

Notre visite du quartier des hommes se termina par le pavillon des aliénés plus dangereux. Certains d'entre eux avaient commis, en proie à la folie, des crimes graves. Dans les prisons du Québec croupissaient plusieurs aliénés criminels, ce qui était contraire aux principes même de la justice et des soins à prodiguer aux malades de la folie.

— Je compte bien faire en sorte que les aliénés méconnus et condamnés puissent vivre à l'asile.

— C'est une noble intention, mais vous aurez les bleus contre vous. Vous devrez vous battre contre l'obscurantisme.

— Je sais.

Dans ces murs sous étroite surveillance, se côtoyaient meurtriers, sujets de scandales, maniaques sexuels.

Les bâtiments de service se trouvaient au bout des pavillons. Tout y était disproportionné. Les cuisines, la buanderie, l'atelier – sans oublier la ferme en tant que telle. Nourrir, nettoyer et réparer le plus gros asile de la province de Québec exigeaient des moyens hors du commun. Préparer mille deux cents repas trois fois par jour, vêtir les malades proprement, tout cela nécessitait une logistique titanesque. Nous étions dans le garde-manger de Gargantua.

L'asile offrait aux malades la possibilité de travailler. Travail et occupation sont des ennemis de la maladie mentale, car le malade échappe alors aux pensées qui le minent. Ferrus l'avait démontré à la ferme Sainte-Anne. Les travaux sur la terre étaient particulièrement appréciés des citadins, tandis que les campagnards préféraient la forge, les cuisines ou œuvrer dans les différents ateliers. Le printemps venu, les travaux sur la terre, le grand air et les efforts physiques redonnaient du moral à bien des malades.

Sœur Marie-Eudoxie, dont la beauté n'avait pas entamé le désir de se marier à Jésus, nous fit visiter le quartier des femmes. C'était du pareil au même. Je vis la femme-chien qui grognait et aboyait sans arrêt, toujours prête à vous mordre, discutai avec la célèbre reine de l'asile. Toute cérémonieuse, tenant les plis de sa robe, elle arborait une longue écharpe chargée de bijoux de pacotille. À chaque doigt, qu'elle agitait fébrilement, elle portait une bague composée de faïence incrustée dans du plomb qu'elle confectionnait. Son diadème tout de travers sur sa coiffure folle et son visage osseux et crochu lui donnaient des allures de reine du sabbat.

Voilà quelques-uns des personnages qui allaient m'entourer pendant toutes ces années. « Une galerie de portraits singuliers, originaux et détraqués », me dirait un jour Louis Fréchette, galerie qui ne cesserait de s'accroître avec le temps. J'allais aimer ces hommes et ces femmes. Vous ne vous doutez pas de l'amour que j'allais recevoir dans ces lieux. Un amour gratuit, total. J'eus bien sûr des ennemis au sein de l'asile, j'aurais même à me défendre pour sauver ma peau, mais cela fait partie des risques du métier.

Au retour de cette grande tournée, nous rencontrâmes le docteur Bourque. En nous apercevant, il s'approcha pour me montrer le journal où il était question de l'affaire Samson.

— C'est inqualifiable, cette barbarie !

— Dites-moi, docteur, auriez-vous récemment relaxé un individu qui se prenait pour un médecin ?

— Un charlatan ? On en a plein, hélas !

— Non. Plutôt quelqu'un qui avait des connaissances en médecine ou qui n'a jamais terminé ses études ?

— Habituellement, on les garde longtemps, ceux-là... Il faudrait vérifier dans les registres, mais je ne crois pas. De mémoire, non. Laissez-moi tout de même faire une vérification. Ce meurtre est terrible. Je ne voudrais pas être à votre place. Et parlant de votre place, Villeneuve, est-ce que le docteur Chagnon vous a montré l'emplacement de votre bureau ?

— Pas encore, répondit l'intéressé, nous nous y dirigions justement.

Une fois rendu, j'entrai dans ce qui serait mon espace de travail pour les années à venir et je ressentis une vague d'émotions intenses.

Comprenant mon état, Bourque et Chagnon me laissèrent seul. J'aurais voulu mettre de l'ordre dans cette pièce, mais les sœurs de la Providence étaient passées avant moi. Je contemplai la grande bibliothèque vitrée en acajou, la table en merisier, la vue sur un orme d'Amérique, qui ombrageait la pièce, et les champs agricoles à perte de vue... Il m'avait fallu toutes ces années d'études et de travail pour me rendre jusqu'ici.

Étreint par une puissante émotion, je pensai à mes parents, puis à Magnan, de qui j'avais tant appris.

10. La petite orpheline

Le calme de mon bureau de l'asile Saint-Jean-de-Dieu était relatif. Si je regardais par ma fenêtre, j'étais bel et bien à la campagne, avec une vue sur les terres agricoles de la communauté. Des terres qui se trouvaient en jachère avant le dur hiver. Un cadre pastoral, champêtre mais trompeur. Je n'avais qu'à sortir de mon bureau et à marcher vers les quatorze pavillons pour me rendre compte que des centaines de vies brisées s'agitaient autour de moi sur ce bout d'île. Des hommes et des femmes à la pensée décousue. J'avais l'impression d'être très loin de Montréal et de mes occupations à la morgue.

Quelques jours après l'assassinat d'Amélia Samson, l'affaire avait pris une étrange tournure. Une jeune vagabonde avait été arrêtée par la police de Montréal alors qu'elle errait rue Sainte-Catherine. L'affaire concernait à la fois mon travail sur l'enquête des opérations criminelles, mais aussi mon nouveau poste à Saint-Jean-de-Dieu, car la jeune femme se trouvait à l'asile depuis la veille. Elle avait déclaré à la police être la fille d'Amélia Samson. La petite se prénommait Louise. La pauvre fille, après son arrestation, avait été envoyée pendant six jours à l'école de réforme, où elle avait maintes fois séjourné. Le Bureau d'assistance sociale m'avait remis un document pour qu'elle soit internée à Saint-Jean-de-Dieu. Le docteur Chagnon avait examiné Louise et constaté qu'elle était saine d'esprit et ne nécessitait pas d'être internée suivant nos critères et le respect des lois. Son rapport était catégorique. Je lus l'historique de la jeune fille avant de la rencontrer.

Avant de se soustraire à l'école de réforme, elle avait fui l'orphelinat où elle avait été placée quelques mois plus tôt. Au dire du conseiller, elle errait jour et nuit. Un échevin zélé – ils sont nombreux – avait décidé de la placer à Saint-Jean-de-Dieu. J'étais contre les placements abusifs et prêt à me battre contre ces adeptes de l'internement. À la fois pour des raisons morales et pratiques, je ne pouvais supporter cette conduite. Mais telle était la triste réalité.

Je voulus vérifier par moi-même son état de santé, car je savais que l'affaire me pourrirait la vie. Pas question de signer une autorisation d'internement pour des raisons politiques ou de salubrité publique.

Éloi-Philippe Chagnon se présenta à l'heure convenue dans mon bureau avec la jeune Louise. Je vis qu'elle était enrhumée, congestionnée.

— Bonjour, mademoiselle.

Elle ne répondit pas.

— Comment tu t'appelles ?

Elle resta la bouche close.

— C'est Louise, répondit Éloi. À l'école, on l'appelait Ti-Ouise.

Il la fit s'asseoir.

Elle avait un air frondeur et rebelle. Ses longs cheveux noirs coiffés en boudin avec un toupet effiloché jusqu'aux sourcils lui cachaient les yeux, encore plus lorsqu'elle penchait la tête. Je m'avançai puis lui dégageai les cheveux des yeux.

— Tu ne devrais pas cacher d'aussi beaux yeux noisette.

Son visage était mignon avec un nez fin et de grands yeux accentués par de longs cils, mais je déplorai des dents affreuses, comme c'est souvent le cas chez les pauvres. Louise replaça d'un air malin son toupet devant ses yeux et un coin de phalange dans sa bouche. Elle avait la manie de se ronger les ongles jusqu'au sang et clignait des yeux. Elle portait une jupe cousue dans du jute et une chemise sale. Ses souliers de toile étaient troués. Jamais je n'avais vu une enfant aussi crasseuse ! Je lui donnais quatorze ans, peut-être quinze.

Elle ouvrit finalement la bouche, mais ce fut pour éternuer. Je reçus des postillons en plein visage.

— Tu ne parles pas, mais je sais que tu es bien enrhumée.

Je sortis mon mouchoir pour m'essuyer.

— J'ai tout essayé, dit Chagnon, mais elle a perdu sa langue. Elle est au courant de la mort de sa mère. Je n'ai rien pu tirer d'elle.

Elle n'était pas sourde, car elle gratifia mon collègue d'un regard courroucé. Sa moue toujours sur la défensive, son menton volontaire et les braises dans ses yeux ne laissaient aucun doute sur le caractère de la jeune fille.

— Je l'ai taquinée autant comme autant, je n'ai reçu ni un mot ni un sourire.

— Vous lui avez posé des questions sur les relations qu'elle entretenait avec sa mère ?

— Elle n'a pas eu de contacts avec elle depuis des mois. Il y a cinq ans, sa mère l'a placée dans un orphelinat. Puis, comme elle s'échappait tout le temps, on l'a mise à l'école de réforme. On sait que sa mère gardait un lien ténu avec elle.

— Est-elle au courant des « circonstances » entourant la mort de sa mère ?

— Oui.

— Où est son père ?

— Elle ne l'a jamais connu.

Je me penchai vers elle en essayant de l'amadouer.

— Louise, je te promets qu'on va arrêter celui qui a fait ça à ta mère. Nous y travaillons très fort. Mais pour l'instant, je dois te parler sérieusement d'un autre sujet qui te concerne. Je suis l'assistant-surintendant de cet asile. Rassure-toi, je ne veux pas te placer ici, mais il y a un échevin de la ville de Montréal que je n'aime pas qui, lui, aime faire la chasse aux enfants errant dans les rues de la cité. Il me faudra probablement te défendre en cour du recorder pour que tu puisses recouvrer ta liberté. D'ici là, nous allons t'héberger loin des malades, avec les membres du personnel. Nous te nourrirons et prendrons soin de toi. Tu pourras aller à l'école. Puis, lorsque tu auras un foyer, tu pourras quitter l'asile.

Elle demeurait droite comme un piquet à m'écouter. Je savais qu'elle comprenait tout ce que je lui disais. Cette jeune fille avait toutes ses facultés mentales.

Je pris mon stéthoscope et le lui mis dans ses oreilles pour qu'elle puisse entendre son cœur. Il y eut une amorce de sourire.

Je la fis s'asseoir sur la table d'examen. Je pris mon marteau et vérifiai l'état de ses réflexes. Je voulus la taquiner comme si elle était une enfant pour la faire réagir.

— Et oups, la jambe part toute seule! Puis oups, l'autre aussi! Comme une marionnette...

Cela l'amusa un peu, mais pas au point de la faire parler. Je repris le stéthoscope. À part des poumons un peu congestionnés, tout était normal.

Certes, la jeune fille avait des airs revêches, mais l'abandon et le manque d'affection avaient produit leurs méfaits habituels. J'écrivis que ce cas devait être référé à un organisme de charité.

Derrière la vitre givrée de la porte, je reconnus la silhouette unique de sœur Madeleine avec sa sombre capine cintrée de blanc. Elle frappa et je demandai à Chagnon de lui ouvrir.

Je lui présentai Louise dès qu'elle pénétra dans le bureau.

La supérieure vint vers la jeune fille, passa sa main sur sa chevelure avant de me faire signe qu'elle voulait me parler seule à seul. Nous nous déplaçâmes dans le coin de mon bureau, près de la fenêtre, et elle murmura ce qu'elle avait à me dire.

— Vous connaissez Onésime Dalpé ?

— Le nom me dit quelque chose.

— C'est un conseiller municipal qui en mène large au Conseil de ville. Nous subissons des pressions intenses de sa part.

Elle me brandit *La Patrie* du jour en plein visage. Je crois qu'elle aurait bien aimé assommer le conseiller de son bras puissant.

— Il y est justement question de cette jeune Louise. Comme nous avons refusé la mise en demeure de la garder, il veut nous y forcer devant la cour.

— Ma sœur, laissez-moi m'en occuper. C'est en cour du recorder que nous allons régler la question. Nous ne laisserons pas ce suppôt de l'enfermement nous dicter notre façon d'agir ici.

— On dit qu'il a beaucoup d'entrées au gouvernement, que c'est un ami de l'assistant-procureur.

— Je vais d'abord répondre à cet idiot. Je devrais pouvoir publier ma réplique d'ici demain.

— Merci, docteur. Vous avez toute ma confiance…

Je profitai du moment pour lui demander de loger la jeune fille loin de la vue des malades jusqu'au jour de sa comparution, puis la révérende s'approcha de Louise.

— Tu dois avoir faim, ma fille. Viens avec moi, je vais te préparer une beurrée de mélasse, puis on va te laver, t'habiller et te coiffer.

Louise accepta de suivre sœur Madeleine sans rechigner.

Mardi, 2 octobre 1894

Je ressentis en me levant une grosse fatigue musculaire, mais j'avais du retard et je ne pouvais manquer à ma tâche.

Je trouvai deux lettres et le journal *La Patrie* sur mon bureau de la morgue. Des nouvelles qui allaient influencer le cours de ma journée. La première me réjouit. Un proche conseiller du maire viendrait finalement visiter nos installations et entendre nos doléances. Ce message raviva mes espoirs de travailler dans une nouvelle morgue. Ensuite, un télégramme de sœur Madeleine me confirma que nous avions reçu une assignation d'Onésime Dalpé et de la Ville de Montréal afin que nous placions Louise, qui avait retrouvé sa langue auprès de la bonne sœur. Je vérifiai si mon article était paru dans *La Patrie*, mais non. Bonjour l'équité! Il y avait par contre une autre lettre d'Onésime Dalpé, qui me mit une sourde colère dans la gorge. La même lettre, publiée dans le journal, m'était envoyée par courrier recommandé. Il me réprimandait sévèrement, en s'adressant à moi sur un ton harcelant, me menaçant, exerçant sur moi des pressions inacceptables.

Je crois savoir que le docteur Villeneuve refuse par entêtement de placer Louise Samson à l'asile et de la soustraire aux regards des passants. Si elle reste dans les rues, cette jeune fille finira comme sa mère. Nous ne cherchons qu'à la protéger. Avec ce qui s'est passé, il est scandaleux et immoral de la laisser errer ainsi. Le docteur Villeneuve est l'exemple même du médecin laxiste pour qui la morale semble ne pas exister. Comment peut-on garder en poste un homme qui refuse l'hospitalité de son asile à une jeune fille aussi

*démunie? Pour ces raisons, je le convoque devant
la cour du recorder.*

Je devais donc m'y présenter le lundi suivant. Je
détestais les propos de ce politicien qui déformait la
réalité. L'asile n'était pas un lieu hospitalier pour une
jeune fille dont la santé mentale n'était pas affectée.
Ce paillasson véreux faisait de la politique sur mon
dos et sur celui des enfants miséreux.

Je m'armai à nouveau de ma plume afin de publier
une lettre ouverte. Je ne comptais plus sur *La Patrie*
pour me donner une voix alors que des plumes obscures
ne cessaient de m'attaquer par le biais de ce journal.
Je m'assurai tout d'abord que mon billet serait publié
dans *La Presse*, où je comptais quelques alliés. On me
confirma qu'il paraîtrait dans la première édition du lendemain. Je répliquai en traitant Dalpé de « *Boogeyman* »,
de « Bonhomme Sept-Heures » et de « thuriféraire dangereux » pour la jeunesse. Je me sentis sur le bord de
la crise de nerfs…

Le lendemain, j'apprécierais le titre et les sous-titres
choisis par le journal : « Le capitaine Villeneuve monte
au front. Un affrontement est imminent. L'échevin
Dalpé n'a qu'à bien se tenir. »

*Devant mon refus d'admettre Louise Samson à
Saint-Jean-de-Dieu, les esprits d'un échevin imbu
de son pouvoir municipal se sont échauffés. L'affaire a depuis rebondi à la mairie de Montréal, où
l'on n'apprécie pas mon obstination à appliquer
les règlements. Pourtant, « La loi, c'est la loi. »
Seule une ordonnance du Secrétaire de la province pourrait m'obliger à garder cette jeune
fille. Sa place n'est pas à l'asile, un endroit qui
ne convient pas à une personne non atteinte de
maladie mentale. Mon opiniâtreté passera pour
un affront, mais les pressions, les tractations
des fonctionnaires, rien n'y fera.*

Après avoir écrit cette lettre, je sentis la fièvre monter puis d'intenses frissons. En soirée, je me mis à tousser.

Le lendemain, je ne pus faire un pas. Une infection me clouait au lit. J'avais la gorge en feu. Wyatt me rassura en disant qu'il s'occuperait de mes responsabilités du jour à la cour du coroner.

Heureusement, j'avais le temps de me remettre sur pied pour ma citation à comparaître à la cour du recorder. Si Dalpé voulait mon scalp, comme le laissait entendre la rumeur, c'est sans doute qu'il ignorait que j'avais participé aux guerres indiennes. J'avais hâte d'être rétabli pour foncer sur lui comme un bison.

J'aurais aimé durant cette convalescence avoir une épouse pour me soigner; j'étais brûlant de fièvre et j'avais peine à la faire baisser. Entre deux frissons, je pensais à Emma, au fait qu'il me faudrait m'instruire en matière musicale… et au tueur de femmes toujours en liberté.

11. Les échevins

L'opérateur criminel ne semblait pas avoir récidivé depuis le meurtre d'Amélia Samson, mais l'affaire Louise Samson, sa fille, avait fait les manchettes chaque jour de la dernière semaine. Ce lundi, en entrant dans l'enceinte de la cour du recorder, j'étais un molosse prêt à mordre. Cette affaire impliquant une jeune orpheline que l'État devait prendre à sa charge dans les meilleures conditions faisait vibrer la corde chrétienne de nos paroissiens. Mais Dalpé, ce conseiller puritain que j'allais bientôt croiser, confondait vagabondage et libertinage, misère et scandale.

Pendant que j'attendais dans le hall de la cour, je vis Romain Girard, le calepin entrouvert. Devant l'ampleur que prenait la controverse, *La Presse* l'avait dépêché. Il m'interpella :

— Docteur, j'aurais une ou deux questions…

Comme j'avais quelques minutes avant d'entrer dans la salle d'audience, et puisque le dossier était désormais une affaire publique, j'acceptai de commenter.

— Avez-vous confiance de l'emporter, docteur Villeneuve ?

— Contre la bêtise, la victoire est souvent acquise.

— Croyez-vous que des gens veulent avoir votre peau, comme le prétend la rumeur ?

— Alors qu'ils viennent essayer de la prendre, ils verront que je ne me laisse pas tondre.

— Pourquoi cet acharnement de la part de Dalpé et de certains conseillers ?

— Ces gens-là, au nom d'une morale travestie, portent la croix sur la mauvaise épaule.

Girard avait les yeux écarquillés. Il se demandait sûrement s'il pouvait rapporter mes déclarations incendiaires dans son journal. Je le vis déglutir avant de poser la question suivante.

— Et si jamais le juge décide que vous devez prendre en charge la jeune fille... ?

— Monsieur Girard, la justice est intelligente. Je viens aujourd'hui défendre la dignité d'une enfant et interrompre l'assaut de zèle dont je suis victime de la part d'un échevin qui ressemble au Bonhomme Sept-Heures. Les examens que nous avons fait subir à Louise Samson démontrent qu'elle jouit d'une bonne santé mentale pour un être de sa condition et dont la mère vient de mourir dans des circonstances atroces. Que gagne la société à l'interner ? On se débarrasse d'une jeune fille qui cause scandale parce qu'elle n'a nulle part où aller. Vous savez comment sa mère est morte ? Son père est aussi disparu. Mais est-elle responsable de la vie qu'elle mène ? de la mort de ses parents ? Toute jeune fille de cet âge a des parents qui s'occupent d'elle, mais pas Louise.

Le journaliste acquiesçait à chacun de mes dires. Il était gagné à la cause. Ma voix résonnait dans la salle des pas perdus. Je lui mentionnai avec rage le cas de parents qui se débarrassaient de leurs proches en arguant les pires mensonges.

— À ma première semaine à Saint-Jean-de-Dieu, j'ai reçu deux demandes d'internement abusives. L'une provenait d'un autre échevin de la ville, muni d'un certificat en bonne et due forme. Il me demandait d'interner un vieillard, devenu idiot et objet de scandale, qui battait ses proches et menaçait de s'enlever la vie.

Je me suis rendu à l'adresse de ce vieux et quelle ne fut pas ma surprise de découvrir un homme perclus et dans l'incapacité même de se mouvoir. L'autre demande parlait d'un être malfaisant, dangereux, vicieux. Or, lors de mon enquête, j'ai découvert, stupéfait, un garçon de quatre ans des plus charmants, plein de douceur et manifestement sain d'esprit. Vous voyez, monsieur Girard : certaines familles veulent tout simplement se débarrasser d'êtres encombrants en les faisant passer pour fous.

Nous poursuivîmes l'interview pendant quelques minutes, puis le journaliste referma son carnet en produisant un claquement sec.

— Merci, docteur Villeneuve. Avec ceci, je crois bien que nous pourrons faire la une !

Je fus ravi en entendant ces mots et m'éloignai. Pendant que je répondais à ses questions, j'avais aperçu la pauvre Louise entrant à la cour accompagnée de sœur Marie-Eudoxie. Les sœurs avaient taillé son toupet et on l'avait revêtue d'une jupe et d'un chemisier blanc. Elle avait l'air d'une jeune fille tout ce qu'il y a de plus normal. Elle m'avait gratifié d'un mince sourire en voyant mon visage, qui était celui d'un homme d'attaque. Le capitaine de la cinquième compagnie montait au front. « *Nunquam retrorsum* », me dis-je tout bas en patientant dans le hall.

C'est à ce moment que je vis apparaître Dalpé, un homme tout petit et replet. Il cachait ses pouces dans son plastron pour se donner une quelconque assurance. Il me regarda avec un regard défiant en passant devant moi.

Je regardai ma montre : il me fallait entrer à la cour.

◆

Du haut de sa tribune, le juge Nantais écouta le *credo* de Dalpé. Cet antique dévot bafouillait à chaque phrase, en nous regardant de ses gros yeux chassieux de fumeur de cigares. On eût dit qu'il argumentait avec sa panse, sur laquelle ses gros doigts boudinés pianotaient fébrilement. Sa péroraison faisait pitié à entendre. Dans quelle étable à cochons avait-il appris la rhétorique ?

— … je le répète une fois, monsieur le Juge, il ne faut pas que notre morale publique, durement piquée comme la pomme par les vers, soit encore salie par les fruits pourris à la naissance. Ceci étant dit, j'ai l'appui de notre assistant-procureur général. La province de Québec, berceau du catholicisme en Amérique, doit montrer la voie. Je vous demande donc bien humblement et en définitive d'ordonner l'internement de Louise Samson à l'asile Saint-Jean-de-Dieu pour le bien de toute la Cité de Montréal et de la province de Québec. Merci, monsieur le Juge.

Le juge me regarda et je me levai avec détermination. Ma voix avait retrouvé tout son tonus après mon épisode de grippe.

— Les circonstances de la vie sont souvent mystérieuses et brutales. Cette jeune fille, que vous voyez ici, a grandi dans la rue, sans foyer, privée d'amour et d'un toit où s'épanouir. Son père est disparu à sa naissance, et sa mère est morte dans des circonstances encore troubles et cruelles. Monsieur le juge, il devrait exister une charte dans laquelle serait écrit que chaque enfant a droit à un foyer et à l'amour, comme l'ont inscrit les philosophes des Lumières dans la constitution française, où il est dit que chaque homme a droit au bonheur. Lorsque j'entends monsieur l'échevin Dalpé affirmer que cette jeune fille suivra les traces de sa mère, je crois entendre les thèses fumeuses des anthropologues criminels italiens – des théories qui ont été battues en brèche lors du second Congrès tenu à Paris. Je le sais car j'y étais.

Je me tournai délibérément vers le représentant de la ville pour bien montrer à qui j'adressais ma prochaine phrase.

— Sachez, monsieur, qu'on ne naît ni criminel, ni prostituée, ni voyou.

Je laissai passer quelques instants avant de reprendre.

— Monsieur le Juge, nous avons examiné cette jeune fille et elle ne serait pas si différente des enfants de son âge si elle avait eu la chance de grandir dans un milieu aimant. Rien, dans notre examen, ne permet de la garder à l'asile. Ce serait contre les clauses de la nouvelle loi, section 19, telles qu'on les retrouve à la page 132, et les statuts de 1892, section 1, page 117.

À voir la réaction du juge – j'avais souvent affaire à eux –, je savais que le compte était bon. Le visage dépité de Dalpé confirma ma perception.

— Si l'État doit être le tuteur de cette jeune fille, je ne tiens pas à la voir incarcérée au milieu de la folie.

Le juge annonça qu'il allait prendre l'affaire en délibéré et nous revenir avec une décision rapidement.

Avant de quitter la salle d'audience, j'allai saluer Louise et sœur Marie-Eudoxie.

— Félicitations, docteur Villeneuve, me dit la religieuse en me serrant chaudement la main. Dieu me dit que vous avez réussi.

Louise ne pipa mot, pas plus que lors de notre première rencontre. Je vis néanmoins dans ses yeux qu'elle était contente… contente mais anxieuse.

MARDI, 9 OCTOBRE 1894

Le lendemain, j'eus droit à deux bons moments. Mon entrevue parut à la une de *La Presse* sous le titre *Entrevue avec le Dr Villeneuve. Les abus que l'on cherche à faire tolérer. L'admission dans les asiles, le cas Louise Samson. Pourquoi elle n'a pas été internée.* Le message était passé. Le ton et le contenu de l'article me firent un bien énorme. Girard avait pris fait et cause pour moi. Je pus enfin dire à tous ce que je pensais de l'internement abusif : « Une personne influente a fait un jour des menaces au Dr Villeneuve parce qu'il refusait de signer l'admission d'une personne à l'asile. "Mais, répondit-il, s'il est un endroit où l'influence politique et municipale doit s'arrêter, c'est bien aux portes des asiles d'aliénés." »

Le juge avait rendu sa décision tard en après-midi. La jeune Louise devrait passer deux années à l'école de réforme. Cette institution n'a rien de réjouissant, mais c'était mieux qu'un placement à l'asile ou l'abandon d'une enfant à la rue. Je ne savais pas ce que deviendrait cette jeune fille, mais je savais qu'elle avait maintenant une meilleure chance.

Mes collègues se réjouirent de l'entrevue, qui fit grand bruit dans le milieu. On me félicita. Nous posions nos balises. Je tenais à préparer l'avenir.

Je me rendis au bureau d'Éloi-Philippe Chagnon. Il ne s'y trouvait pas. Une sœur de la Providence qui me vit repartir bredouille m'avisa :

— Il est dans la salle de jeux avec les garçons.

— Merci, ma sœur.

En arrivant dans la salle de jeux, je le vis en train de disputer une partie de tennis de table avec Alfred. Éloi lui envoyait la balle, mais le jeune ne parvenait jamais à la frapper correctement. En me voyant, Alfred s'approcha pour me prendre la main et je le soulevai dans les airs, le lançai pour mieux le rattraper. Il adora. Je le déposai et il alla s'asseoir sur une chaise berçante.

— Tu vas y arriver, l'encourageai-je.

Le docteur Chagnon remit sa palette à un autre garçon.

— Félicitations pour Louise, Georges ! Dalpé a mangé le savon qu'il voulait nous faire avaler.

— Merci. Mon cher collègue, j'ai une proposition pour toi.

— Je suis curieux de savoir de quoi il s'agit...

— Je souhaite créer un Bureau d'assistance municipale, où il serait possible de faire un premier tri avant d'envoyer de faux malades à l'asile. Et toi, tu serais le médecin responsable de ce Bureau.

— Je deviendrais médecin salarié de la Ville de Montréal?

— Exact.

— Je dois y penser, mais je suis intéressé.

— Tu serais notre œil à l'extérieur de l'asile. Je vais tenter d'approcher le maire pour lui en parler.

— Tiens-moi au courant, dit Éloi-Philippe avant de poursuivre sa tournée.

Ce poste à l'extérieur de l'asile permettrait d'alléger la tâche des médecins de l'hôpital et d'apaiser l'humeur des Dalpé de ce monde. Avec ce Bureau, nous aurions un filtre afin de contrer les excès des zélotes.

MERCREDI, 10 OCTOBRE 1894

Mon agenda quotidien ne restait jamais vierge longtemps : que de blancs remplis ! Témoignages au palais de Justice, exhumations au cimetière de la Côte-des-Neiges, enseignement... des colonnes de rendez-vous et d'obligations à respecter à la minute près. Le travail nous appelait sur tous les fronts. Nous étions submergés par les analyses et par les journalistes qui s'impatientaient d'en savoir plus sur ceci ou cela... et l'opérateur sadique. Car si ce dernier se tenait toujours tranquille, cela ne nous aidait pas à le capturer !

À l'horaire ce jour-là, nous avions entre autres la visite des conseillers Francœur et Trudel, à qui le maire de Montréal avait confié le dossier de la morgue.

Dès mon arrivée, Paul Sansquartier m'avisa qu'un policier venait d'apporter une caisse pleine d'ossements à mon intention.

— Je l'ai montée dans votre bureau.

Puisque le coroner MacMahon entendrait l'affaire en relation avec ces os suspects en début d'après-midi, il me fallait les examiner tout de suite.

Le policier avait laissé une note. « Des travailleurs qui creusaient sous le monastère des Carmélites, rue Notre-Dame, ont fait cette découverte. »

J'observai les os, puis emportai la boîte en haut. En montant l'escalier, j'entendis Wyatt qui fredonnait l'air de *La Veuve joyeuse*, de Franz Lehár. Je déposai le contenant sur la table d'analyse. On recevait souvent des ossements d'animaux, mais là, il s'agissait bel et bien d'ossements humains, inhumés depuis fort longtemps.

Les os étaient propres et bien polis. Le sacrum me sembla celui d'une femme en raison de sa largeur. Une fois le puzzle du squelette reconstitué sur la table, je sortis mon mètre à mesurer. La personne avait dû mesurer cinq pieds et deux pouces, ce qui me conforta dans mon hypothèse : c'était une femme, et aucune cassure ou marque suspecte ne laissait penser qu'il s'agissait d'un quelconque acte criminel. Enfin un dossier qui allait se régler sans traîner.

Wyatt entra dans la pièce. Il regarda ma reconstitution du squelette d'un œil amusé.

— *Oh Gosh !* Il date de l'époque de mon arrière-grand-père !

— En tout cas, s'il y avait eu homicide, on n'aurait pas pu faire témoigner l'assassin…

— Du travail en moins pour nous, mon cher Georges !

— Les Jésuites m'ont appris que les Amérindiens ensevelissaient leurs morts sur la montagne.

— C'est possible, mais je miserais sur une pauvre femme morte de vieillesse ou de maladie et enterrée en dehors d'un cimetière il y a plusieurs décennies. Ces vieux os retourneront à la terre sans livrer leur mystère.

Je notai mes observations dans un rapport que je portai aussitôt au coroner, puis je retrouvai Wyatt dans la salle d'autopsie.

Vers treize heures, je me présentai à la cour du coroner, qui se trouvait au premier étage de la morgue. Avec le poêle que Sansquartier avait allumé pour chasser l'humidité automnale, il y faisait une chaleur terrible. Le juge MacMahon me demanda mon avis sur la provenance de ces ossements.

— Comme je l'ai noté dans mon rapport, la dimension du squelette suggère que ce sont des ossements de femme, mais il est impossible de dire pourquoi les os se trouvaient à cet endroit ni, bien sûr, ce qui aurait entraîné le décès. Rien n'indique une mort violente. Une chose est certaine, ces os ont été enterrés il y a de nombreuses années.

— Je propose donc qu'on les retourne dans la fosse commune, conclut MacMahon.

Affaire classée.

Quelques minutes plus tard, en descendant de sa tribune, le coroner vint me rejoindre et m'accompagna jusqu'au rez-de-chaussée. Il se réjouissait que la Ville dépêche deux émissaires pour écouter nos demandes. Au même moment, Vallier Marceau eut le culot de s'approcher pour nous demander s'il était vrai qu'il y avait du neuf dans l'affaire de l'opérateur criminel. MacMahon lui répondit d'un ton sec et cassant :

— Ce qu'il y a de neuf, mon ami, c'est qu'il n'y a rien de neuf !

Je vis tomber la face du scribe et adorai aussitôt la formule, que j'allais retenir.

— Nous disions… poursuivait le coroner sans plus s'occuper du pisse-copie… ah oui, les émissaires de la Ville… mon cher, montrez-leur tout ce qu'il y a de pire. Ouvrez les fenêtres pour laisser entrer vos mouches. Ils vont juste avoir envie de décamper, de ne plus revenir et de demander séance tenante la construction d'un bâtiment plus adéquat.

Wyatt et moi avions publié un texte intitulé « Une nouvelle morgue pour la Ville de Montréal, *A new morgue for Montreal* » dans le *Montreal Medical Journal*, et nous avions hâte de pratiquer dans de meilleures conditions. Wyatt, qui avait visité de nombreuses morgues aux États-Unis, et moi, qui rapportais mon expérience européenne, nous voulions doter Montréal d'un établissement moderne. Des villes comme Saint-Louis, Boston, New York, Philadelphie, Chicago et Paris offraient des exemples intéressants. Dans notre modèle idéal, nous souhaitions intégrer la morgue à la cour du coroner et à une centrale de police, de façon qu'il soit possible de communiquer rapidement nos informations de l'un à l'autre des services pour une plus grande efficacité.

Je quittai MacMahon pour me préparer à cette rencontre. Derrière la porte entrebâillée de son bureau, je vis Wyatt replacer des lamelles puis planter ses yeux dans son microscope.

Je frappai.

— *Yes?*

— Tu es prêt?

— À quelle heure les fonctionnaires seront-ils ici?

— Dans une quinzaine de minutes.

— Je vais aller préparer le musée des horreurs pour la représentation.

— Cela ne devrait pas être trop difficile.

— Nos asticots maison seront en vedette!

— Sans compter notre ferme expérimentale de larves, si bien nourries par tes soins diligents…

Tel que prévu, quinze minutes plus tard, Sansquartier m'avisait que nos invités attendaient en bas, au rez-de-chaussée.

— Faites-les monter, mon cher.

Je passai prendre Wyatt. Il attachait autour de sa taille le pire de ses vieux tabliers de caoutchouc, comme nous avions convenu. Il était tout maculé de fluides corporels.

— Qu'est-ce que tu en dis?

— Il a beaucoup de vécu.

Nous allâmes rejoindre nos invités à mi-chemin de l'escalier. Si l'odeur était intenable au rez-de-chaussée, imaginez à l'étage, sous un toit mansardé où quatre petites fenêtres à pignon nous servaient de système d'aération ! S'ils avaient pu se boucher le nez et les yeux, ils l'auraient fait. À les voir, il était clair que cette ascension au pays des morts leur était pénible. Qu'est-ce que ce serait une fois sous les combles ?

J'y allai d'une franche poignée de main, mon collègue aussi.

— Messieurs Trudel et Francœur, bienvenue à la morgue de Montréal. C'est un honneur de vous recevoir !

Trudel portait un habit brun et de longs favoris tandis que Francœur, tout chétif, avait le crâne clairsemé. À voir leur regard, il était clair que la vue de nos sarraus les ébranlait.

— Chers docteurs, commença Trudel en tentant de retenir son souffle, nous avons entendu parler de vos demandes et nous sommes venus voir en quoi elles consistent.

— Vous allez vite le constater, c'est certain… répondis-je.

Puisque le français était ma langue maternelle, Wyatt et moi avions convenu que je prendrais le crachoir mais qu'il y jetterait aussi quelques graillons bien juteux.

— … et comme vous pouvez le sentir, les odeurs sont, disons-le, intolérables. Vous êtes ici à l'étage où l'on mène les enquêtes. Nous y avons nos bureaux et s'y trouvent aussi la salle de la cour du coroner et une salle d'examen. Si vous regardez autour de vous, vous constaterez que les conditions sanitaires et hygiéniques laissent totalement à désirer. Je ne voudrais pas être la femme de peine qui nettoie cet antre de la mort. Madame Jos est une sainte de travailler ici sans relâche et sans se plaindre. La première solution à notre problème, celle qu'on retrouve dans les grandes cités

américaines, sauf à Montréal, c'est la réfrigération.
Venez, je vais vous montrer notre glacière.

Je pointai l'escalier, pour ne pas dire l'échelle, qui
menait dans la mansarde.

— Qu'y a-t-il en haut ?

— Mais la glacière, bien sûr ! Ça nous évite d'avoir
à supporter les odeurs des corps en décomposition.
Enfin, la plupart du temps...

Je regardai Francœur changer de couleur et me
demandai s'il pourrait se rendre jusqu'au bout de la
visite. Même si nous étions en automne et que le temps
était plus frais, les odeurs étaient toujours insuppor-
tables.

J'ouvris le chemin et offris ma main aux conseillers
pour les aider à grimper sous les combles, ce qui me
permettait d'appuyer mes dires.

— ... car vous devez comprendre, messieurs, qu'il
est aberrant que nous devions monter ici à bras des
cadavres. Qui plus est... attention à votre tête, monsieur Trudel... la montée est si périlleuse qu'il nous
arrive souvent de les échapper.

L'ascension terminée, je leur montrai la glacière de
boucher dans laquelle nous entassions les cadavres.
J'ouvris brièvement la porte et les yeux de mes invités
s'écarquillèrent, glacés d'horreur à la vue des corps
saponifiés, putréfiés ou en position de *rigor mortis*.

— Attention, messieurs ! lança Johnston. Vous mar-
chez sur des *maggots*.

De fait, sur les planchers se tordaient, tels des grains
de riz vivants, des centaines de larves blanches. Le conseiller Francœur esquissa dans la seconde une danse
de Saint-Guy mémorable. Wyatt étouffa un gloussement
qui me rappela les rires contenus mais contagieux lors
de mes études au collège. Je dus faire un effort suprême
pour ne pas céder.

— Afin de résoudre le problème, reprit mon collègue
après avoir jugulé son hilarité, il existe des armoires
réfrigérées qui permettent de conserver les cadavres

dans un bon état pour des fins d'identification. Une bonne chambre de congélation coûte environ mille deux cents dollars.

Le conseiller Trudel, affligé d'un affreux rictus, sortit un mouchoir de sa poche et le posa sur sa bouche. Il s'était détourné pour ne pas voir l'intérieur de la glacière, un tableau que même Bosch n'aurait pu imaginer. Il réussit néanmoins à noter le montant. Au-dessus de son épaule, la tête de Wyatt suivait attentivement ce que Trudel inscrivait dans son calepin.

— Si je puis me permettre, monsieur, vous avez écrit douze mille dollars. C'est mille deux cents.

D'une main nerveuse, l'homme ratura un zéro. Mon collègue poursuivit son argumentaire.

— Cette chambre est composée de doubles murs en bois et le plafond comprend un réservoir en fer galvanisé rempli de saumure refroidie artificiellement ou avec un mélange de sel et de glace.

Je renchéris :

— Est-il nécessaire que mon collègue, membre du Conseil d'hygiène, vous explique pourquoi il est important de garder les corps au point de congélation ?

Les deux représentants de la Ville secouèrent unanimement la tête.

— Je sais que vous allez possiblement nous proposer la solution de la glace, enchaîna Wyatt, car elle se trouve en abondance dans ce pays froid et que c'est plus économique, mais laissez-nous plutôt vous informer sur un nouveau procédé : la distillation à l'ammoniac, qui est utilisée dans de nombreuses morgues. Si nous devions retenir cette option, il suffirait d'aménager un réseau de tuyauterie pour obtenir une solution permanente et efficace… en toute saison.

Il était temps d'étourdir nos invités et je repris la parole.

— Je lis beaucoup d'appréhension sur vos visages. Combien tout cela va-t-il coûter de plus ? Peu, par rapport au prix d'une autopsie entravée par un cadavre qui se décompose trop vite. En hiver, un système d'aération amènerait directement l'air froid du dehors vers le dedans et, à partir de mai, nous utiliserions la glace.

Je tendis de nouveau la main vers ce que j'appelais l'enfer de Dante.

— Bien. Maintenant que vous savez tout cela, il est temps de visiter notre actuelle glacière.

J'ouvris en grand la lourde porte. Un voile de brume, résultat de la condensation dans la chambre froide, enveloppait les cadavres.

— Veuillez me suivre, messieurs.

Résignés, les fonctionnaires s'engouffrèrent dans la chambre comme dans un cauchemar. Wyatt fermait la marche pour les garder entre nous. Se faufiler parmi les brancards n'était pas un moment agréable, mais je voulais justement qu'ils rapportent au maire de Montréal des images assez fortes pour que nous obtenions ce que nous demandions.

Je poursuivis mes explications.

— Sur ces tablettes-ci, nous conservons des organes que nous prélevons pour des examens, mais les ravages de la putréfaction, comme vous pouvez le constater, font en sorte que les tissus se dégradent et altèrent le résultat de nos analyses.

En apercevant un fœtus, le conseiller Trudel chancela.

Wyatt renchérit avec tout son flegme, comme s'il eût été dans un pré écossais :

— Comme vous le savez, le corps en putréfaction génère des alcaloïdes, ce qui peut induire une erreur grave dans le rapport d'un chimiste-expert, par exemple, qui aurait à trancher dans un cas d'empoisonnement à partir de substances alcaloïdes. Imaginez les manchettes si nous accusions par erreur quelqu'un pour un empoisonnement qu'il n'a jamais commis !

Les pauvres hommes hochaient la tête à tout ce que nous disions. S'ils avaient eu le carnet en main, nous aurions reçu un chèque en blanc.

Je fis enfin un geste pour indiquer qu'il nous fallait maintenant retraiter vers l'extérieur, moment qu'ils attendaient depuis longtemps.

Dès la porte de la glacière refermée, j'invitai nos hôtes à passer dans la salle d'autopsie. Le plancher grouillait de nouveau d'asticots. La table souillée ressemblait à un comptoir de boucherie.

— Comme vous le constatez, les combles où nous travaillons sont mal éclairés. Ces lucarnes et ce faible éclairage au gaz nous empêchent de voir clair, alors que la clarté est un élément clé de notre travail.

Wyatt prit sa voix de stentor.

— Le mot « autopsie », messieurs, vient du grec *autopsia* et signifie « voir clair ». Pourtant, nous nous arrachons les yeux ici. Combiner l'éclairage du jour à un éclairage électrique serait, selon nous, essentiel. Puisque des étudiants suivent aussi dans ces lieux une formation clinique, il nous faut de la place, de la lumière et des conditions favorables.

Les deux hommes avaient tellement envie de sortir de là qu'ils griffonnaient maintenant tous deux à la hâte.

— Il est vrai, enchaînai-je, que nous avons déjà investi dans l'achat d'un Kodak. Vous savez, j'en suis certain, que la morgue de Paris compte sur un grand photographe appelé Bertillon pour des fins d'identification judiciaire. Il nous faudrait maintenant avoir l'aide d'un photographe pour conserver sur pellicule, entre autres, des images des vêtements de la victime sur la scène du crime, ce qui aiderait à retrouver des personnes disparues et à établir des recoupements. De plus, prises avant que soient inhumés des corps inconnus, ces photographies serviraient ultérieurement à identifier ces disparus sans nom.

De retour à l'étage des bureaux, je remis à messieurs Francœur et Trudel l'article que j'avais signé avec Wyatt, puis les avisai de prendre une bonne douche en arrivant chez eux, sans oublier de laver leurs vêtements, sinon ils allaient porter longtemps cette odeur de cadavre qui s'imprègne dans les tissus.

Nous nous serrâmes finalement la main et ils nous assurèrent, avant de s'éclipser comme des voleurs, que le dossier allait suivre son cours.

Une fois la porte refermée, Wyatt s'épancha du rire le plus intense jamais entendu dans une morgue, qui fut aussitôt accompagné du mien. Nous étions pliés en deux, littéralement « morts » de rire, si le lecteur me permet ce jeu de mots facile. Je serrai la main de mon collègue et pariai que notre demande allait être traitée sans délai. Le pragmatisme de mon collègue refroidit quelque peu mon enthousiasme.

— Attendons de voir, Georges... et d'ici là, tu auras de quoi t'occuper, car je pars demain en fin de journée pour New York où j'irai magasiner de l'équipement pour le service d'hygiène.

12. *Fœtus volatis*

L'air humide modifie les fragrances les plus exquises. Il peut transformer les odeurs agréables en une horrible exhalaison. Quand je vis notre commis sentir l'enveloppe bleu pâle qu'il tenait en roulant des yeux et en hochant la tête, je compris qu'il m'apportait une lettre pas ordinaire.

— C'est pour vous, docteur.

— Merci.

J'attendis qu'il tourne les talons pour la porter à mes narines. En effet, elle dégageait un parfum capiteux. Je reconnus sitôt l'auteur par les hampes élancées des majuscules et je pris une décharge au cœur : Emma. Elle avait mis près d'un mois pour me répondre. Je décachetai l'enveloppe.

New York, vendredi 5 octobre 1894

Cher Georges,

Votre lettre m'a fait beaucoup plaisir. Je vous envie d'avoir vu le grand Paderewski. Sa gloire et son talent sont immenses. Je serai en effet à Montréal pour un concert de bienfaisance qui aura lieu au nouveau Monument-National le 20 octobre. Je souhaite vous rencontrer après le

concert. Auriez-vous l'amabilité de me répondre
rapidement pour que je puisse ajuster mes autres
engagements ? Nous pourrions nous retrouver à
la sortie des artistes. Une amie de Montréal m'a
écrit dans sa lettre que vos services étaient requis
dans une affaire de crimes infâmes. Soyez pru-
dent. Nous vivons à une époque dangereuse.

Votre amie,
Emma Royal

Cela faisait plus de quatre ans – depuis mes études
à Paris – que je n'avais pas vu la belle Manitobaine.
J'étais fébrile de la revoir, même si je l'avais laissée
sur une très mauvaise impression. Elle avait appris que
j'avais consommé de l'absinthe, fréquenté une prostituée et, pire encore, que j'avais mis sa vie en danger. En
effet, je lui avais présenté bien malgré moi Guillaume
Dietrich, un réputé chanteur d'opéra que je soupçonnais
d'être le coupeur de nattes, un meurtrier terrorisant
Paris. Leur passion pour la musique les avait réunis un
soir sans que je puisse la mettre en garde contre lui.
La pudeur et la vie d'Emma avaient été souillées lors
de cette soirée funeste, et elle porterait à tout jamais
les stigmates de cette rencontre.

J'étais, pour toutes ces raisons, surpris qu'elle réagisse
à ma lettre et souhaite me revoir. Je me croyais *persona*
non grata à jamais. Cette fois, j'allais lui répondre dans
l'intimité de mon appartement et en choisissant un
papier plus convenable.

Il me fallut sortir marcher pour absorber ma surprise.
L'air du fleuve me rasséréna. Il faisait un temps splendide pour être heureux. Le dôme du marché Bonsecours
était éclatant sous le soleil matinal. Je sifflais gaillar-
dement et ma dégaine enjouée ne passa pas inaperçue.
La joie est une vérité qui transpire de soi. Je récoltai sourires et regards de la part des marchands et des cochers.

Je retournai au travail l'esprit en liesse. À l'étage
supérieur, un premier cadavre m'attendait. Le corps

d'un ivrogne, qui avait été battu à mort à la sortie d'une taverne, reposait sur la table d'autopsie. Je passai ma main sur la calotte crânienne toute ramollie et ensanglantée. Sur une petite table, on avait déposé l'arme du crime : une barre de fer que j'examinai avec soin. Il y avait du sang et des cheveux collés à l'extrémité. Pas beau ! Nul doute qu'elle avait servi à tuer l'homme.

Malgré l'horreur qui s'étalait sous mes yeux, je continuais de chanter. C'était une belle journée. La sonnerie du téléphone me sortit de ma rêverie. Je décrochai le cornet.

— Georges, on a besoin de toi.

C'était Bruno. Le lieutenant n'était pas connu pour s'éterniser au bout du fil. Il allait droit au but, une caractéristique qui l'avait toujours bien servi jusqu'ici.

— Les restes d'un fœtus viennent d'être retrouvés sur le bord du fleuve près de la Rubber Co., passé le chemin de fer. Une scène bizarre, tu vas voir.

Il ne voulut pas m'en dire plus, pour m'inciter à me présenter au plus tôt.

En temps normal, cette découverte n'aurait pas revêtu autant d'importance, mais, dans le contexte, tout ce qui pouvait concerner des opérations criminelles accaparait nos services. Un fœtus mort n'annonçait rien de bon.

Avant de partir, je m'arrêtai devant le comptoir. Sansquartier discutait avec un couple venu identifier un proche.

— Paul, j'ai une urgence. Il faudrait replacer le corps dans la glacière.

— Je m'en occupe, docteur.

Je marchai d'un bon pas jusqu'à la rue Notre-Dame. En tournant le coin de rue, je vis un passager se hisser dans le tramway, qui repartit aussitôt. Je courus derrière et réussis à monter à bord de justesse.

Le trajet prit une bonne vingtaine de minutes, durant lesquelles les gens me dévisagèrent. Ce n'était pas mon visage qui était reconnaissable, mais l'odeur de la mort que je traînais avec moi, une odeur tenace et inélégante, surtout dans un tramway bondé. Quelques minutes plus tard, ce fut la fétidité de levure de la brasserie Molson qui mit à mal les narines des voyageurs, mais tel était le lot des Montréalais. Il me tardait que cette ville entre dans le vingtième siècle.

Je descendis près de l'avenue De Lorimier. Derrière moi se trouvait la prison du Pied-du-Courant. Chaque fois que je voyais la cour, je ne pouvais m'empêcher de m'imaginer les Patriotes exécutés froidement et Chevalier de Lorimier s'écrier : « Liberté ! » Ceux qui s'étaient battus pour l'indépendance du Bas-Canada avaient été pendus ou déportés en Australie par les Anglais. Une autre révolte légitime qui avait été écrasée par la botte des tyrans. Quatorze hommes pendus l'un à la suite de l'autre.

Il me fallut descendre avec précaution un talus à pic. Au milieu du fleuve se trouvait l'île Ronde, juste à côté de la grande île Sainte-Hélène, qui cachait la petite île Verte, un peu plus à l'ouest. Le fœtus avait été découvert entre la prison de Montréal et la Canadian Rubber Co., dont les hautes cheminées dégageaient une odeur incommodante. Une locomotive de la CP s'attela à ses wagons et ce fut comme un coup de tonnerre. J'aperçus des hommes sur la grève, sans doute mes collègues. Je traversai la voie ferrée. Leur physionomie se dessina peu à peu. MacCaskill, Lafontaine et deux policiers en uniforme discutaient en fumant. L'air frais du fleuve portait jusqu'à moi la fumée de leurs cigarettes. Leur regard fixait quelque chose à leurs pieds. Lafontaine me repéra et m'envoya la main.

— Bonjour, messieurs.

— Ça continue, Georges…

Ils s'écartèrent pour que je puisse voir à mon tour. Je me retins de déglutir. Un goéland mort avait dans la gueule un fœtus à moitié avalé. Je me penchai et, je ne sais pourquoi, ma nausée s'accrut un peu plus. J'avais

vu des horreurs dans ma vie, mais cette combinaison
insolite me déstabilisait au plus haut point. Je me tournai
pour vomir. Ce fut contagieux. Le constable Lebrun
ne put lui non plus se retenir. Je crachai finalement un
long filet de bave suspendu à mes lèvres.

— Nous avons eu la même réaction, dit Lafontaine
en désignant une flaque quelconque pas très loin.

— Tenez, prenez ça, dit MacCaskill en me tendant
une flasque.

C'était du whisky écossais, un véritable tord-boyaux.
Je pris une gorgée pour me rincer la bouche et recrachai
le tout sous l'œil étonné du gros enquêteur. Gaspiller
ainsi de la bonne gnôle était un blasphème pour Mac.
Il s'en remettrait.

Une fois ressaisi, j'examinai la chose. Le torse, le
cou et la tête du fœtus sortaient du bec de l'animal.

Bruno spécula sur la possibilité qu'un opérateur ait
manigancé cette farce macabre pour nous provoquer.
Le policier Lebrun renchérit :

— Seul un fou peut faire une chose pareille !

— Pas de déductions hâtives, messieurs, leur répétai-
je, laissez la science éclairer la situation.

Je savais qu'éventuellement la leçon porterait des
fruits, et d'ailleurs Lafontaine et MacCaskill étaient
attentifs à mes conseils, mais les mauvaises habitudes
dont ils avaient hérité étaient bien ancrées.

Bruno se gratta la tête.

— Qui a fait la découverte ? demandai-je.

Il m'indiqua le plus jeune des deux policiers.

— C'est moi, docteur. Roy, Adolphe Roy.

— Avez-vous déplacé le… corps ?

Je compris à sa mimique qu'il lui aurait été impossible de toucher au fœtus. Roy avait rapporté l'incident
et, malgré son dégoût, il avait protégé la scène d'une
éventuelle contamination en attendant patiemment non
loin.

— Merci, monsieur Roy. Vous pourrez passer par
la morgue tantôt ?

Le policier hocha la tête. Je repris mon examen.

— Deux hypothèses me viennent à l'esprit : soit le fœtus a été arraché quelque part par le goéland et apporté ici, soit le charognard l'a aperçu ici et il a eu l'appétit plus grand que la panse. D'une manière ou de l'autre, il aura essayé de l'avaler mais seulement réussi à s'asphyxier. Je vais autopsier le goéland pour voir si c'est le cas. En examinant ses poumons, la position du fœtus et la couleur du sang, je saurai rapidement s'il s'agit d'une mise en scène ou non. À ce stade, rien ne permet de penser que ce mystérieux amalgame soit l'œuvre d'un faiseur d'anges. Oubliez ça.

À première vue, le minuscule cadavre avait séjourné un peu de temps à l'abri de la marée. Il y avait une pléthore de mouches grises et bleues tournoyant autour des cadavres. Les mouches étaient venues pondre leurs œufs dans la bouche, les narines et les oreilles du fœtus. Des larves de diptères pullulaient, sautillaient, creusaient la chair, cisailles implacables. L'oiseau n'échappait pas au carnage des vermisseaux.

Je sortis immédiatement une feuille pour inventorier la faune présente et ainsi dater le moment du décès. Je notai un duvet sur la peau du fœtus, là où les insectes n'étaient pas encore passés. Je ne pouvais voir si les jambes étaient plus longues que les bras, mais les doigts de mains étaient développés. Le sexe du bébé était aussi déterminé : un garçon.

— Je dirais que le fœtus a dix-huit semaines... et qu'il a été avorté il y a plus ou moins neuf jours.

Les policiers me toisèrent avec étonnement. Mac-Caskill résuma bien leur sentiment en lançant :

— Ça parle au diable !

— Et pourtant, je ne m'entretiens jamais avec lui.

— C'est tout comme, docteur ! argua-t-il.

— Mais non, c'est uniquement le fruit de la science. Observez, MacCaskill : ces larves sont très grosses et à maturité. Elles pourront s'envoler d'ici trois ou quatre jours. C'est leur développement qui m'indique le moment de la mort. L'escouade de mouches à viande, *Sarcophaga lucilia,* ne devrait pas tarder.

MacCaskill me regarda avec son air bourru.

— Vous osez appeler ça une escouade ?

— C'est le docteur Mégnin qui m'a appris à utiliser cette image.

— Ah bon, grommela-t-il, si le docteur Machin le dit...

Je n'ajoutai rien. Mon travail sur le terrain étant terminé, je demandai aux policiers d'apporter les cadavres imbriqués tels quels à la morgue. Personne ne me dit qui se chargea de ramasser l'horreur.

◆

Dans la salle d'examen, j'avais sorti la charte de la faune des cadavres. Le processus de décomposition respectait bel et bien les données de mon ancien professeur. Les mouches à viande et les coléoptères n'avaient pas encore pénétré dans la chair. Je confirmai la date approximative de l'avortement.

Avec ma pince, je ramassai une multitude de pupes vides. Je les étendis sur une planchette. Une à une, je les identifiai. Derrière ma table d'autopsie, tout en repensant aux supputations sans fondement de Bruno et du constable Lebrun, je me concentrai sur le récit de mes témoins muets. Plus bavards que l'on ne croit, ils me contaient une tout autre version.

Wyatt arriva dans la salle et prit quelques minutes pour contre-vérifier mes premières conclusions.

Le goéland avec sa funeste prise gisait sur la table blanche. Après l'histoire du chien égorgé, le volatile insolite allait probablement faire la manchette des journaux. Je retirai le fœtus avec délicatesse de l'œsophage du goéland et le déposai sur la table afin de prendre quelques mesures. Il faisait dix-neuf centimètres, ses jambes et ses orteils étaient aussi bien développés que ses bras et ses mains. Je le mis ensuite dans la balance : deux cent vingt-cinq grammes.

Le coroner MacMahon entra à ce moment et il regarda, stupéfait, le goéland qui gisait sur la table d'autopsie.

— *Is it a bad joke ?* lança-t-il à Johnston. Le dernier animal que j'ai disséqué, à part le bipède humain, était une grenouille.

— Ahhh ! *frogs*, rétorqua Wyatt. Au Collège de Montréal, je me rappelle en avoir disséqué une. J'avais bien failli m'évanouir.

Le coroner s'apprêtait à sourire quand il aperçut le fœtus que je rapportais sur la table. J'entrepris de lui résumer l'histoire pendant que je m'occupais de l'oiseau : il s'était bel et bien asphyxié en essayant d'avaler le fœtus, car son sang était noir.

— Croyez-vous que cela a un lien avec notre opérateur criminel ? demanda MacMahon quand il connut l'ensemble de la situation.

— Rien ne le prouve. Il se pratique des dizaines d'avortements à Montréal chaque année. Non, le faucheur de mères et d'enfants n'a probablement rien à voir avec tout ça. Si nous avions trouvé une rose dans la gueule du volatile, peut-être, mais là…

— Voilà un examen et des conclusions solides qui devraient clouer le bec de nos détracteurs, lança Wyatt.

— J'espère que l'assistant-procureur sera fier de nous, s'écria MacMahon en adoptant un ton pontifiant : un goéland meurtrier est arrêté à Montréal après avoir avalé un bébé… Il comparaîtra à la cour du coroner MacMahon et sera écroué dans une cage d'oiseaux jusqu'à la fin de ses jours après qu'on lui aura coupé les ailes.

Nous éclatâmes de rire. L'humour du coroner, si nécessaire dans notre labeur quotidien, soulignait d'un trait de lumière la noirceur du monde.

Je déposai le fœtus dans un vase rempli de formol et utilisai le goéland aux fins de mes recherches entomologiques. Plus tard, seul à mon bureau, je rédigeai au propre un rapport d'une pleine page.

◆

J'adore la vieille cité. Au moment de cette histoire, j'y habitais un vaste sept pièces sur deux étages. J'aimais rentrer à la maison rue de la Commune. Les trois grandes fenêtres à carreaux me donnaient une vue spectaculaire sur le fleuve Saint-Laurent. Je pouvais voir les voiliers à trois mâts et les vapeurs qui entraient dans le port ou en sortaient. Les trains passaient de l'autre côté de la rue sous ma fenêtre, ce qui ne manquait pas de laisser une trace de suie sur les vitres. Le salon avait un haut plafond à caissons et de belles poutres en bois. La salle à dîner prolongeait le salon. Le précédent propriétaire, qui avait dû retourner en Angleterre, m'avait vendu tous ses meubles, de véritables joyaux qui dataient du Régime français. J'étais très fier de mon acquisition.

Je montai par le bel escalier ouvragé jusqu'à l'étage où se trouvaient mon bureau, à l'avant, et ma chambre, à l'arrière. J'enlevai mon linge, qui sentait affreusement mauvais, et le déposai dans la corbeille en osier.

Assis sur le canapé, je pensai à Emma, que je verrais bientôt. Après toutes ces années de célibat, j'avais le cœur disposé à la romance. Par la fenêtre, je voyais une forêt de mâts et des grandes roues le long des vapeurs. Je pris la lettre d'Emma et la sentis à nouveau pour m'imprégner de sa présence. Après quelques moments de rêverie, je m'installai à mon secrétaire pour lui écrire. Je trempai ma plume dans l'encrier et me lançai, les mots épousant mes sentiments à l'idée de la revoir.

Montréal, 11 octobre 1894

Chère Emma,

Quelle joie de vous lire et de savoir que j'aurai le privilège de vous entendre jouer et de vous rencontrer. Ce sera pour moi un grand honneur que d'être à vos côtés. Pas besoin de vous dire que tous les billets ont été vendus. Les sœurs de la Charité et monsieur Joseph Vincent sont ravis. Les fruits de votre talent exceptionnel apporteront beaucoup de réconfort dans une ville qui en a tant besoin. Aurez-vous l'amabilité d'accepter mon invitation à souper au restaurant? Laissez-moi être votre hôte et vous faire découvrir Montréal, la ville qui m'a vu naître et grandir. Le parc Sohmer est magnifique en cette période de l'année. Aurez-vous le loisir de m'y accompagner?

Je vois que vous avez entendu parler de la difficile enquête que nous menons. Elle fait jaser dans tout l'est de l'Amérique. Sachez que je me passerais de toute cette attention. Je déteste les feux de la rampe. Tout ce que je peux vous dire, c'est que nous avançons à pas de tortue et que, dans ces affaires, les opérateurs criminels, à l'instar des rats, ont beaucoup d'endroits où se terrer à l'abri de la justice.

Je vous envoie toute mon admiration et je vous prie d'agréer mes sentiments les meilleurs.

Votre tout dévoué,
Dr Georges Villeneuve

13. Courte nuit

Je fus tiré du sommeil en pleine nuit par la sonnerie du téléphone. Bruno Lafontaine, d'une voix assurée, m'annonça une nouvelle qui me réveilla d'un coup :

— Georges, on a une affaire qui implique à nouveau un enfant.

— Une opération ?...

— Non. Une mère qui accuse un médecin d'avoir tué son enfant. Le corps est probablement déjà arrivé à la morgue.

La mort d'un enfant est profondément bouleversante. Cela m'atteignait toujours. Célibataire et privé d'une vie familiale – en aurais-je eu le temps ? –, j'étais sensible au deuil des parents. Mais il est ardu de s'extirper du lit la nuit après une longue journée de travail. La mort de jour ou la mort de nuit est une compagne insensible.

Je marchai jusqu'à la rue Perthuis. Il faisait froid, l'humidité sciait les os. Ce parcours de nuit me plongea dans une vaste solitude et une profonde rêverie. Enfant de la vieille cité, je regardais Montréal, si riche et si misérable à la fois, se transformer. Les immeubles prenaient d'assaut le ciel, désormais. L'édifice de la New York Insurance Life Company de la place d'Armes avait généré une poussée de croissance tout autour ; des édifices de huit étages défiaient la cathédrale Notre-Dame. Des sièges sociaux prestigieux s'installaient à Montréal, comme celui de la Sun Life Insurance Company, ou de prestigieux hôtels, comme le Queen's. De nouvelles gares magnifiques, Bonaventure et bientôt Viger, embellissaient la ville tout en la connectant aux autres grandes cités d'Amérique. Nous allions bientôt inaugurer le nouveau bâtiment de l'Université Laval à Montréal, rue Saint-Denis, et le tout récent théâtre du Monument-National devenait un foyer culturel et artistique essentiel pour les Canadiens français.

La population de Montréal s'accroissait sans cesse, grâce à la fertilité des mères canadiennes, à l'exode rural et à l'immigration. L'arrivée dans le port de Montréal d'immigrants italiens, juifs, d'Europe de l'Est changeait la couleur de la métropole. La grande prospérité économique et la croissance de Montréal semblaient paradoxales par rapport à ses nids de misère. Les grandes fortunes anglo-écossaises s'érigeaient au-dessus de la majorité pauvre et docile. Dans la métropole du Canada, les enfants mouraient autant que dans les pays les plus pauvres de la planète. Dans certains quartiers, le nombre des décès surpassait le nombre des naissances. Les résidences insalubres, le manque d'hygiène, le lait contaminé et l'eau non traitée endeuillaient les familles canadiennes-françaises. Heureusement que des hommes comme Wyatt Johnston s'activaient dans l'ombre pour contrer la Faucheuse dans sa moisson infantile. Henri Julien venait d'ailleurs d'illustrer, dans le *Canadian illustrated*, le carrosse de la mort et sa grande faux rôdant dans la nuit pour ramasser les victimes des épidémies : fièvres, choléra, variole, gastro-entérites. Mes concitoyens étaient dans la misère, tellement habitués à la pauvreté qu'ils ne se rendaient pas compte de l'aberration de la situation, asservis comme jamais qu'ils étaient. Personne ne montait sur la montagne pour voir les résidences des patrons, de somptueux manoirs gagnés à la sueur du front des travailleurs canadiens-français. C'était pour venir en aide aux plus pauvres de ceux-là que les sœurs de la Charité de Montréal, l'homme d'affaires Joseph Vincent et le sulpicien René Rousseau, à qui l'on devait l'hospice Saint-Charles, voulaient mettre sur pied un dépôt de vêtements et de denrées alimentaires.

Ma situation était bonne. Je n'avais pas à me plaindre. Rien à voir avec celle de mes compatriotes. Personne n'enviait mon travail, mais certains en avaient une vision par trop littéraire. Ai-je besoin de répéter que la vie de médecin-autopsiste et d'aliéniste n'a rien à voir avec celle du héros de roman policier ? Ces romanciers donnent l'impression que nous travaillons sur une seule affaire à la fois, alors que la réalité est tout autre. Ce métier ressemble à une fugue à cinq voix de Bach, chacune étant un meurtre à résoudre ou un accident dont il faut déterminer la cause dans un fastidieux rapport. Sincèrement, j'aurais bien aimé vivre les aventures du Chevalier Dupin ou de Sherlock Holmes. De vraies sinécures ! En réalité, les autopsistes et les aliénistes sont accaparés de tous bords tous côtés par les analyses, les enquêtes, les témoignages, les interrogatoires, sans compter le travail d'administration et toute cette correspondance qu'exige sans arrêt l'État. De fait, nous étions, Wyatt et moi, continuellement sollicités. Les affaires s'entrecroisaient à un rythme soutenu et il fallait être constamment à jour dans nos procédures. De la morgue à la cour en passant par les scènes de crime, nous étions projetés à plusieurs endroits en peu de temps. Rien de linéaire dans ce métier, et la présente année noire en donnait la preuve toutes les semaines.

En entendant ma clé dans la serrure, Genest, le gardien de nuit, vint m'ouvrir.

— Bonsoir, docteur.

— Bonsoir, mon brave.

— Le bébé est en haut. Il semble qu'une autopsie non réglementaire ait été faite par un médecin sur ce pauvre petit.

— J'ai ouï dire cela.

— J'ai allumé l'éclairage.

Je montai l'escalier. À mi-chemin, deux gros rats passèrent en panique. Je tentai, en vain, de leur donner un coup de pied. C'est à peine si je les effrayai. Je détestais ces bestioles de nuit qui envahissaient la morgue. Nous pourrions sûrement les contrôler mieux lorsque nous aurions une nouvelle morgue. Celle-ci était une vraie passoire !

La veilleuse rouge de la sortie de secours était allumée au bout du corridor et je pus me diriger jusqu'à mon bureau. Une morgue la nuit, c'est tranquille. On entend les planchers craquer et le bruit des rongeurs dans les murs.

Nouvelle montée jusqu'en haut, puis droit sur la chambre froide. Le petit corps entre six planches m'y attendait. Je le portai dans mes bras jusqu'à la table. J'ouvris le cercueil en retirant la planche du haut, qui n'avait pas été clouée. Le petit avait déjà subi une autopsie sans que le coroner MacMahon ne l'ait autorisée. De petites taches noires couvraient son corps. Il en avait aussi sous les yeux. Lafontaine m'avait laissé une note :

Georges, le médecin, Jonathan Jack, soupçonnant la mère d'avoir administré à son enfant une poudre qui aurait pu causer un empoisonnement du sang, aurait refusé d'émettre un certificat de décès et l'aurait menacée d'aviser le coroner si elle ne le laissait pas faire une autopsie. De son côté, la mère accuse ce médecin d'avoir tué son enfant en le maltraitant, puis d'avoir caché son crime en pratiquant une autopsie. On ne sait pas qui croire.
Laf

Je délaçai délicatement le fil qui avait servi à fermer l'ouverture ménagée par le médecin sur le poupon, en prenant soin de ne pas abîmer les chairs.

Je tranchai les intestins aux extrémités puis détachai l'estomac. Je ne vis aucune irritation qui aurait pu être causée par un poison. Tout était en règle. Il me fallut me résoudre à trépaner le bébé pour en avoir le cœur net. Je forai la calotte crânienne, retirai le petit cerveau. Je compris tout de suite : hémorragie du cerveau. Les vaisseaux sanguins, fins et fragiles, avaient cédé après un ou plusieurs chocs, ce qui expliquait les taches sur son corps. L'enfant avait été frappé. C'était là la cause de sa mort. En peaufinant mon examen, je notai des ecchymoses à de nombreux endroits et une côte cassée que le médecin n'avait pas remarquées. Je doutais qu'une poudre ait pu causer ce genre de dommages. Qu'il fallait être bête ! Je fouillai tout de même dans ma documentation, mais n'y trouvai rien qui pût mettre en cause une quelconque substance.

Je m'approchai du petit escalier à pic.

— Monsieur Genest ! criai-je pour qu'il m'entende du rez-de-chaussée. Le policier a-t-il laissé d'autres éléments de preuve ?

— Non, docteur ! me répondit le gardien.

De toute manière, il était rare qu'un poison cause une hémorragie du cerveau. Il était possible, toutefois, qu'un médicament sans ordonnance ait nui à la santé de l'enfant.

Par acquit de conscience, je prélevai du sang pour écarter tout soupçon d'empoisonnement. Le verdict fut négatif. Je rédigeai mon rapport. L'enfant avait été maltraité, frappé ou secoué. J'avais hâte de rencontrer ce négligent docteur Jack !

Je regagnai ma résidence alors que la barre du jour soulignait l'horizon d'orange et de pourpre.

La température était plus fraîche et l'humidité se jouait de mon manteau. Les rues étaient toujours sans vie, ou presque. Un ivrogne clopinait d'une poubelle à l'autre avec un chien aussi malingre que lui. Un cheval passa en tirant un chariot rempli de fruits et de légumes en direction du marché de la place Jacques-Cartier. Le fermier, coiffé d'un chapeau de paille, avait l'air affreusement fatigué, pour ne pas dire endormi, sur son banc. Heureusement que son bon cheval canadien semblait bien connaître le chemin.

Je voulus entrer au bureau de poste de la rue Saint-Paul afin d'affranchir ma lettre pour Emma, mais il était encore fermé.

J'entendis au coin de la rue un crieur qui lançait sa journée.

« Un oiseau mangeur de fœtus ! » hurlait le vendeur de *La Patrie*, le genre de titre qui allait nourrir l'hystérie publique. En soupirant, je sortis un peu de monnaie et achetai le journal. À la dernière page, on rappelait la présentation du concert d'Emma Royal le 20 octobre. Je me félicitai d'avoir déjà acheté des billets.

Je m'endormis sur le vieux récamier rouge dans mon bureau. Deux heures plus tard, je me levai pour retourner au travail.

14. Un malheur n'arrive jamais seul

En entrant dans mon bureau à la morgue, j'entendis des bruits étranges à l'étage, où je montai aussitôt. J'y découvris mon collègue Johnston de retour de son voyage à New York. Il ne s'y était pas éternisé ! Il était juché, tournevis à la main, sur l'avant-dernier échelon d'un escabeau dans la salle d'autopsie. Paul l'assistait en lui refilant des outils. Je m'approchai. Les deux étaient à installer un ventilateur au plafond. C'était la première fois que j'en voyais un, à part ceux que l'on dessinait dans les réclames des journaux.

— Je ne savais pas que tu avais des connaissances en électricité, Wyatt !

— *Good morning, Georges !* Non, je n'y connais rien. Mais j'adore cette nouvelle invention. Avec tous les achats de filtres que j'ai faits, la compagnie m'a offert un cadeau. Je leur ai dit que je voulais un ventilateur. Et je l'ai eu ! On devrait pouvoir chasser un peu les odeurs.

Wyatt se tourna vers Paul.

— Tu peux allumer.

Sansquartier actionna l'interrupteur. Une pluie d'étincelles fusa du plafond, puis plus rien. Wyatt demeura imperturbable.

— J'ai dû inverser la polarité. Je crois que nous avons aussi fait sauter un fusible.

— Eh bien, je vous laisse à vos travaux. Je dois témoigner.

Avant de sortir, je me tournai de nouveau vers mon collègue qui dévissait l'attache du ventilateur.

— Au fait, Wyatt, est-ce que tu connaîtrais un certain docteur Jack, Jonathan Jack?

— Oui. Je l'ai eu comme étudiant à McGill.

— Et qu'en penses-tu?

— Un bon élève, qui est sans doute devenu un bon médecin. Pourquoi? Il effectue des opérations criminelles?

— Non, non. C'est juste que j'ai entendu parler de lui récemment.

J'allais partir quand je me rappelai que j'avais des cadeaux à remettre. Je sortis une enveloppe de la poche de mon veston.

— Je t'ai déjà parlé d'Emma Royal, Wyatt?

— La pianiste manitobaine que tu as côtoyée à Paris?

— Celle-là, exactement. Eh bien, elle donne un concert la semaine prochaine pour la création d'un dépôt de denrées alimentaires destinées aux indigents. J'ai acheté des billets, si tu veux bien m'accompagner.

— Merci, Georges. J'accepte.

Je lui tendis deux billets, qu'il saisit du haut de l'échelle en haussant un sourcil.

— Le deuxième est pour Julia, bien entendu.

— Elle sera contente.

Je me retournai vers le morgueur.

— J'ai aussi une paire de billets pour vous, Paul.

— Merci beaucoup, docteur Villeneuve, répondit Sansquartier. Il nous fera grand plaisir de nous y rendre, ma femme et moi, si je ne suis pas au travail…

— Ne vous inquiétez pas pour ça, mon ami. On vous fera remplacer si nécessaire.

Je retournai me réfugier en bas dans mon bureau. J'avisai au passage quelques personnes, dont un homme que je soupçonnai d'être le docteur Jack, qui patientaient dans la salle d'attente du bureau du coroner. Sur le dessus d'une des piles qui encombraient ma table de travail, je trouvai le rapport détaillé que Bruno avait rédigé dans la nuit en commettant une quantité phénoménale de fautes d'orthographe et d'accord. Le coroner MacMahon passa dans le couloir en fredonnant un plain-chant grégorien.

Je regardai ma montre. Il ne me restait que cinq minutes pour lire le rapport. En le parcourant, je me dis que le malheur a un frère jumeau, qui s'appelle l'infortune. L'un et l'autre n'aiment pas frapper en solitaire. Ils cognent de front, toujours ensemble. Le père de l'enfant commençait tout juste à purger une peine de prison, après avoir été condamné pour vol, que la mère était soupçonnée d'avoir battu son enfant à mort! Quant à moi, je croyais que le jeune docteur Jonathan Jack avait mal interprété les symptômes dont avait souffert cet enfant. Bref, tout le monde se retrouvait dans de beaux draps.

On frappa à ma porte. Le visage de Bruno apparut dans l'embrasure.

— Es-tu prêt?

— Oui, oui, j'arrive. Mais attends, j'ai quelque chose pour toi.

Je sortis une paire de billets.

— Pour toi et Marie-Jeanne. C'est pour une bonne cause.

Il regarda les billets, un point d'interrogation dans le regard, puis un sourire illumina son visage.

— Emma Royal. Je vois. Tu veux dire une bonne cause amoureuse, si je comprends bien.

— Une cause assez bonne pour te déplacer avec ton épouse. Ça lui fera du bien d'oublier les enfants pendant une soirée.

— Tu n'as pas tort, Georges. Merci, nous y serons. Bon, je te laisse, je dois aller revoir mon témoignage.

Quelques minutes plus tard, je prenais moi aussi le chemin de la salle de cour du coroner. Une brise froide et humide s'y infiltrait par les fenêtres. Heureusement, Sansquartier vint déposer une bûche dans le poêle.

La mère, une dame Doyle, était une petite femme corpulente qui avait les cheveux tirés en chignon. Elle me parut très nerveuse, à voir la façon dont elle se tordait les mains. Le docteur Jonathan Jack, lui, paraissait serein. Dans la salle se trouvaient aussi les reporters Vallier Marceau et Romain Girard, les deux habitués des affaires de la morgue.

Le greffier annonça que le coroner allait entrer. Tout le monde se leva. De sa tribune, MacMahon appela tout d'abord Bruno, qui rappela les circonstances de son intervention. Ensuite, ce fut au tour de madame Doyle. Elle répéta sa déposition antérieure à grand-peine et en bafouillant.

— Mon enfant, y avait la diarrhée. Pis j'ai acheté un médicament dans une pharmacie de la rue Notre-Dame.

— Quelle sorte de poudre ? demanda MacMahon.

— Une poudre blanche.

Il me regarda.

— Docteur Villeneuve ?

— Certainement du tartre, monsieur le coroner.

— Ensuite, madame…

— Ça a empiré ben plus. Pis là, des taches noires sont apparues sur le corps du bébé.

Ces taches étaient en réalité des ecchymoses et des hématomes encore frais.

— Là, j'chus allée au Montreal Dispensary pour que le docteur voie ce qui se passe. Pis le docteur qui est là, après l'examen, y a pensé que j'avais empoisonné mon fils.

Le coroner lut par la suite à voix haute la lettre du mari, écrite sous serment en prison. L'homme jurait que sa femme aimait son enfant tendrement et que jamais elle n'aurait songé à lui causer du tort.

Depuis le début des procédures, j'avais remarqué que le docteur Jack et madame Doyle s'évitaient du regard. Le docteur le faisait en affichant une attitude que l'on aurait pu qualifier de hautaine, tandis que, de son côté, madame Doyle cachait ses yeux rougis, comme si le docteur avait pu en tirer une quelconque information à son avantage. Les tribunaux sont des lieux d'intimidation. Les cours de justice ont tout pour déstabiliser les citoyens, même lorsque ceux-ci sont innocents, qu'ils soient dans leur bon droit ou non. Lorsqu'un doute plane, il y a lieu d'être terrifié. Je me dis que le premier craignait sans doute de perdre sa licence, la seconde, sa liberté. Le procureur appela enfin le docteur Jonathan Jack à la barre.

D'une voix posée, le docteur raconta que la femme lui avait paru suspecte d'emblée et qu'il avait cru qu'elle avait empoisonné son bébé. Il jura qu'il l'avait avisée que son enfant ne survivrait sans doute pas, diagnostic qui s'était confirmé quelques heures plus tard. Le coroner posa quelques questions pour approfondir certains points du témoignage du médecin, puis je fus appelé à mon tour. À la barre, je déclinai mes compétences et témoignai de ce que j'avais constaté.

— Aucun toxique, à ma connaissance, ne peut produire une hémorragie cérébrale. Surtout pas le tartre. Une congestion cérébrale a mené à l'hémorragie. Cet enfant a été frappé à la tête d'une façon ou d'une autre.

Je résumai ensuite les blessures de l'enfant.

Le coroner donna l'absolution au jeune médecin, non sans l'inviter à pousser plus loin ses diagnostics. Madame Doyle fut, quant à elle, reconnue responsable de la mort de son enfant, ce qui impliquait qu'elle aurait à subir un procès. Le long calvaire allait se poursuivre dans son cas, mais à un palier supérieur du système de justice de la province de Québec.

Deuxième partie

Vous êtes bénie entre toutes les femmes

15. Les instruments

Lundi, 15 octobre 1894

Sansquartier, notre homme-orchestre à la mine patibulaire, nous était de mille utilités à la morgue : commis, messager, porteur de cadavres, chauffeur occasionnel. En matinée, je découvris une autre facette de ses talents : taxidermiste. Il entra avec le goéland et le fœtus soudés l'un à l'autre pour toujours, et bien fixés sur un socle en bois.

— Bon travail, Paul ! On jurerait que l'oiseau est vivant.

— En effet, docteur, mais on ne peut pas en dire autant de l'enfant, malheureusement.

Nous tenions à conserver la pièce à conviction, qui deviendrait un objet de curiosité sur les rapports étranges entre les mondes animal et humain. Il déposa le sinistre volatile et sa funeste béquée sur la tablette avec les autres objets exposés liés aux opérateurs criminels.

J'appréciais beaucoup Sansquartier et sa discrétion. Il était peu loquace et se montrait efficace dans toutes les tâches qu'il accomplissait. Il manifestait une infinie compassion envers ceux qui venaient identifier leur proche. Il leur disait comment procéder pour les funérailles sans faire la promotion d'une compagnie funéraire en particulier. Sa face de Bonhomme Sept-Heures avait cependant de quoi glacer le sang. Quiconque venait à la morgue le regardait avec une certaine crainte, comme s'il était né ici et qu'il s'agissait pour lui d'une résidence toute naturelle. Et quand il affichait son large sourire aux dents éparses et pointues, personne ne pouvait s'empêcher de fixer cette bouche fascinante.

En consultant ma montre à gousset, je vis que j'avais encore le temps de me rendre à pied au Château Ramezay, où était située la faculté de médecine. S'y tenait ce matin-là une réunion des professeurs du Conseil de la faculté, dont j'avais à peine regardé l'ordre du jour. Je savais seulement que l'on devait souligner mon entrée comme assistant-surintendant à l'asile.

— Si on me cherche, Paul, je suis à la faculté. Après, je vais me rendre à l'asile.

— J'en prends bonne note.

Je sortis et me retrouvai dans un nuage de bran de scie que je tentai vainement de chasser de la main.

Je ne m'étais pas éloigné beaucoup de la morgue quand j'entendis crier mon nom derrière moi. Je me retournai pour voir Sansquartier courir dans ma direction.

— Appel pour vous, docteur. Le lieutenant Lafontaine. Ça semble important.

Nous retournâmes au pas de course. Dans le cornet, la voix de Bruno, bien que lointaine, ne laissait aucun doute sur l'urgence de la situation.

— Georges, nous avons une autre boucherie juste à côté du premier carnage, au 27, rue de Condé. Cette fois, un témoin aurait vu l'opérateur sortir à la course.

— J'arrive.

Je raccrochai, notai l'adresse.

— Paul, veuillez préparer le fourgon.

— Je m'en occupe... Et qui me remplacera ?

— Demandez à madame Jos.

— D'accord.

Je grimpai à l'étage avertir Wyatt.

— Nous avons un nouveau cas. Il semble que l'opérateur ait été aperçu. C'est peut-être ce qui nous manquait pour avancer.

— *Really? Criminals never stop to think about our workload. Oh well... I guess I'll go with you.*

Je téléphonai à la faculté puis à l'asile pour justifier mon absence. J'attrapai ma trousse et mon parapluie. Wyatt me rejoignit à la course au milieu de l'escalier. Nous attendîmes devant la porte cochère. Les deux chevaux attelés au fourgon noir sortirent de l'écurie et nous montâmes dans le fiacre conduit par Sansquartier.

— 27, rue de Condé, Paul.

— C'est parti.

Sansquartier prit Notre-Dame, tourna dans Berri et descendit à toute vapeur en direction du fleuve jusqu'à la rue des Commissaires. Il contournait habilement les charrettes remplies de cargaisons quittant le port pour sillonner la ville tout en criant aux passants de dégager le chemin.

— *No need to run over anyone, Paul*, dit Wyatt. *The body won't go anywhere.*

Je ne pus m'empêcher de m'esclaffer.

Sansquartier conserva néanmoins l'allure. Nous rejoignîmes rapidement le canal. Nous en étions à deux cents mètres quand Wyatt déclara:

— *Boats, Paul...*

— Pardon, docteur?

— Regardez! Les bateaux, le pont va tourner.

Il avait raison. Des barges attendaient en file sur le canal. Il n'y avait qu'une lourde charrette qui traversait le pont. Wyatt se leva pour encourager Sansquartier.

— *Faster, Paul. Go faster!* cria-t-il.

Sansquartier fouetta de plus belle les chevaux pendant que Wyatt et moi criions et agitions nos bras pour indiquer au contrôleur de nous laisser passer. C'est à toute épouvante que notre équipage s'engagea sur le pont Wellington avant qu'il ne pivote.

— *Good job, Paul!* le félicita Wyatt en se rasseyant, et je joignis mon appréciation à la sienne.

Nous étions presque arrivés. Les chevaux purent ralentir le pas et souffler un peu.

Le long des rives, les eaux noires du canal s'irisaient. Une barge vidait sa cargaison de charbon dans un bassin de la Coal Society, en répandant un nuage de poussière noire.

L'attelage tourna à droite dans la rue Saint-Patrick, là où avait eu lieu le premier meurtre. Nous prîmes la troisième rue à gauche. De Condé. Encore une fois, les journalistes et les illustrateurs étaient sur place avant nous. Il est vrai que les bureaux de plusieurs journaux étaient situés plus près que nous de la scène du crime.

— Qu'est-ce qui se passe? me demanda Romain Girard dès que je mis pied à terre.

— Aucune idée. Nous sommes ici pour l'apprendre.

— *Doctor Johnston… Is it Doctor Death?* lança Bob Reynolds, de la *Gazette*.

— *Who's Doctor Death?* demanda Wyatt sans même se retourner.

Je pestai intérieurement en me dirigeant vers l'entrée de l'édifice. Ces journalistes et leurs funestes images!

Le meurtre avait eu lieu au cinquième et dernier étage. La cage d'escalier dégageait une odeur de vieux plâtre humide qui puait le chou pourri. J'arrivai détrempé et en sueur sur le palier. Heureusement, cette fois-ci, le lieu du crime avait été préservé par MacCaskill, qui gardait précieusement l'accès à l'appartement.

— Messieurs les docteurs, nous salua-t-il tout en nous ouvrant la porte.

L'appartement était semi-meublé et semblait vide de prime abord. Une odeur de renfermé et de vermine me sauta aux narines. Des excréments de rats étaient visibles à plusieurs endroits.

Lafontaine consultait le carnet dans lequel il avait consigné les dépositions. En nous voyant, il coinça son

crayon derrière son oreille droite. De manière métho-
dique, Bruno nous relata calmement ce qu'il avait vu
à son arrivée.

— Les voisins de palier ont entendu des cris. Ils ont
voulu entrer dans l'appartement, qui n'était pas loué
depuis des semaines, mais la porte était verrouillée. Ils
ont insisté. Les cris se sont amplifiés. Ils ont entendu
un bruit qui leur a fait penser à une soufflerie. Ils ont
été chercher le concierge pour avoir le double, mais
l'homme n'était pas chez lui. Puis une femme du
deuxième étage, qui était dans la cuisine de son appartement, a entendu du vacarme. La pesée de l'escalier en
accordéon qui sert d'escalier de secours s'est actionnée.
Elle a vu descendre à toute vitesse un homme entièrement vêtu de noir, coiffé d'un chapeau de type « tuyau
de poêle », pour reprendre son expression, et avec un
foulard noir autour du cou. À la vitesse où il allait et à
ses pas lourds, il détalait certainement du lieu du crime.
Les voisins d'en haut ont appelé la police du district et,
comme il s'agissait d'un cas d'opérateur criminel, le
coroner nous a tout de suite mis sur l'affaire.

Bruno nous invita à entrer dans la chambre. Une
femme blonde de moins de vingt-cinq ans gisait, morte,
sur un matelas maculé de sang. Le corps était encore
chaud. Si les locataires avaient pu entrer plus tôt, la
victime aurait peut-être eu la vie sauve.

Wyatt se pencha pour examiner l'intérieur du vagin.
Je jetai un coup d'œil par-dessus son épaule. L'opérateur n'avait pu compléter son travail. Le fœtus était à
demi sorti du corps de la femme, sévèrement mutilé par
la manœuvre criminelle… L'image de cette vie naissante
trop vite retournée à la mort me répugna.

Johnston se releva en secouant la tête, manifestement
secoué lui aussi. Nous retraitâmes dans le salon.

— La question, Georges, est de savoir si c'est notre
homme ou un autre boucher…

Je me tournai vers Bruno.

— Y a-t-il quelque chose de spécial à signaler dans ce cas-ci ?

— On n'a pas découvert le sac à main de la victime, lança MacCaskill en entrant dans la pièce. Comme dans le cas de la rue Saint-Patrick.

Impatient de nature, Mac s'était trouvé un piquet de la sûreté municipale pour le remplacer devant la porte.

— Fou et voleur, enchaîna Bruno d'une voix pensive. Sa cupidité le pousse à prendre l'argent de ses victimes après les avoir tuées.

— Vraiment ? dis-je. Pourtant, moi, je ne crois pas que l'argent joue le moindre rôle dans cette affaire.

Je sentis les deux policiers me dévisager, en attendant que je développe mes arguments.

— Voyons, regardez où on est ! Les trois meurtres que nous croyons reliés ont été perpétrés dans des taudis empestant la moisissure. L'identité de la première femme nous échappe toujours, Amélia Samson était une prostituée connue du quartier, et nous avons maintenant une nouvelle Jane Doe, comme le dirait Johnston.

— Et… ? questionna Lafontaine.

— Ces trois femmes sont pauvres. Elles ont probablement donné toutes leurs économies pour payer l'opération. C'est pourquoi je crois que l'argent n'est pas un mobile et que le sac de cette femme a été volé simplement pour nous empêcher de l'identifier, et donc de le retrouver, lui.

Les deux policiers grognèrent à l'unisson. L'opérateur avait une longueur d'avance sur nous. Il brouillait sciemment les pistes – il était intelligent – et réussissait à se soustraire à la justice.

Wyatt, qui avait semblé perdu dans ses pensées pendant nos échanges, lança soudain :

— Monsieur Lafontaine, avez-vous procédé à la fouille intensive de cet appartement ?

— Pas encore, docteur Johnston.

— *So do it now!* exigea-t-il d'une voix forte.

Bruno lança des ordres et, avec MacCaskill et deux autres constables, ils se mirent à l'œuvre.

Je regardai mon collègue d'un air interrogatif.

— L'opérateur a pris la fuite alors qu'il était en pleine action, Georges…

— Tu crois donc qu'il y a une chance que…

Un cri de MacCaskill me coupa la parole.

— Venez voir !

Nous nous précipitâmes tous dans la chambre, où MacCaskill pointait un doigt triomphal vers le tiroir médian de la commode. Sidéré, j'y vis plusieurs instruments chirurgicaux que l'opérateur nous avait généreusement laissés comme preuves.

— Il vient de commettre là sa première erreur, déclara Lafontaine.

Il tendit la main pour saisir un des outils.

— *Don't!* s'exclama Wyatt. Les empreintes.

— Damnation ! Vous avez raison. Désolé, doc.

Je reconnaissais les instruments habituels du domaine de l'obstétrique : forceps ensanglantés, cathéters, mandrins métalliques, loupes, mais je montrai mon étonnement devant un instrument cylindrique muni d'un tuyau qui pouvait avoir produit le bruit de soufflerie que les voisins avaient entendu.

— Qu'y a-t-il, Georges ? demanda Bruno en voyant ma surprise.

— L'instrument… la pompe que vous voyez là… J'ai lu quelque chose à son propos. Elle est de fabrication récente. Sa principale utilité est de vérifier l'étanchéité des trompes de Fallope pour éviter les grossesses extra-utérines. Mais je crois qu'elle pourrait aussi servir à décoller l'œuf si, en y accumulant une très forte pression, on relâchait cette dernière d'un coup à l'intérieur du corps de la femme. Imaginez le dégât sur l'utérus et le fœtus : ce serait comme subir une tempête, ou un fort séisme, dans un si petit espace.

Wyatt me regarda dans les yeux avec grand intérêt.

— Si je te comprends bien, notre opérateur a de très bonnes connaissances en médecine.

— Et des moyens. Le prix de cet équipement n'est pas une bagatelle !

— Il serait donc médecin ou, à tout le moins, il pourrait avoir accès à des instruments médicaux dans un hôpital ou à l'université… conclut Lafontaine.

— Pas nécessairement, dis-je. Mais il est étonnant de le voir utiliser un tel outil. C'est une bonne piste à explorer.

Bruno nota le nom de la compagnie figurant sur l'appareil : Miles Medical Inc., Chicago, Illinois, USA. Il chercha un numéro de série mais n'en trouva pas.

— Je vais contacter cette compagnie dès ce soir. Je veux savoir qui sont les clients de Miles Medical Inc. Où as-tu entendu parler de cet instrument ? me demanda-t-il.

— Le docteur Pierre Rousseau, l'un des plus brillants gynécologues de la province, a écrit un article sur le décollement utérin par une méthode d'insufflation.

— Tu te souviens quand cet article a été publié ? demanda Bruno.

— L'an dernier, je crois, dans *L'Union médicale du Canada*. Je me rappelle l'avoir lu parce que j'ai beaucoup de respect pour Pierre, qui est un de mes collègues à l'Université Laval de Montréal.

MacCaskill et Lafontaine se regardèrent. Je devinai à leur regard qu'ils se voyaient déjà prêts à courir chez mon brillant collègue pour une petite entrevue.

— Un instant ! dis-je. Ce n'est pas parce qu'il a rédigé un article sur cette machine qu'il devient un suspect. Cet homme est intègre et au-dessus de tout soupçon. Il a dû accoucher tout un quartier de Montréal à lui seul. Je ne crois pas qu'il aurait utilisé cet appareil d'une manière aussi barbare. C'est une sommité dans son domaine.

Bruno arbora une moue sceptique.

— J'ai vu de supposés hommes intègres se désintégrer sous mes yeux, Georges. Avant la crise des Métis, j'admirais Chapleau. Mais il s'est vendu comme tant d'autres aux conservateurs en épousant la cause des bourreaux de Riel.

Ses soupçons sur Rousseau me laissaient perplexe.

— Je comprends que la police doit faire son travail, mais je doute que vous couriez après le bon lièvre, leur dis-je.

Bruno fit la moue, impatient d'aller interroger Rousseau.

— Une dernière chose, ajoutai-je.

— Quoi, Georges ? s'impatienta Bruno.

— Essayez d'être discrets. Sa femme est mourante, et Rousseau n'est encore accusé de rien.

Bruno accepta. Tandis que l'on glissait le corps sur une civière, il me demanda de le suivre.

— Allons voir le chemin qu'il a pris. Après toi.

Je sortis sur le palier de l'escalier de secours en fer grillagé. L'appartement se trouvait en plein cœur de Sainte-Anne. D'ici, on avait une vue privilégiée sur les quartiers Saint-Gabriel au sud et Sainte-Cunéconde à l'ouest – un paysage de manufactures, de minoteries et d'usines. La misère s'étendait tout autour de nous – la moitié des maisons n'avaient pas de sanitaires et il fallait voir la quantité de bécosses derrière les immeubles. Un peu plus au nord, nous apercevions la verdure du Golden Square Mile et ses résidences bourgeoises trônant au-dessus de la ville.

L'opérateur avait dû emprunter une des nombreuses ruelles afin de prendre le large. Je vérifiai le mécanisme de l'escalier. Un système de poulie avec une pesée servait à l'activer. Le dernier tronçon de l'escalier était relevé. Lafontaine allait faire demi-tour quand j'aperçus une tache louche sur la peinture noire. Je foulai la première marche et mon poids inclina l'escalier, qui grinça à m'en déchirer les tympans. Arrivé à mi-chemin du premier niveau, je sentis mon cœur s'emballer. Une image de l'Immaculée Conception, comme celle que nous avions déjà trouvée, était prise dans le treillis métallique de l'avant-dernière marche.

Je sortis mon mouchoir pour la saisir et la montrer à Lafontaine.

— C'est notre homme !

— Un détraqué, Georges. Un méchant détraqué ! dit Bruno en donnant un coup de pied dans le garde-corps de l'escalier.

Nous remontâmes à l'appartement, où la fouille intensive avait repris. Wyatt, qui marchait à quatre pattes près du lit avec une lampe, venait de faire une nouvelle découverte importante. Mouchoir à la main, il épongeait son front couvert de sueur. La moiteur de l'air minait peu à peu le corps et l'esprit.

— Venez voir, nous dit-il en désignant le plancher.

Je pris la lampe de ses mains pour l'approcher. Le matelas était imbibé de sang, mais sa faible épaisseur avait permis au sang de goutter sous le sommier. Il y avait une empreinte de semelle.

— C'est le même talon ! s'écria Lafontaine, penché à côté de moi.

Les marques semblaient effectivement identiques à celles de la rue Saint-Patrick. Je sortis une règle de ma trousse pour en mesurer la taille.

— Et la même pointure, exulta-t-il en voyant le résultat.

Dans le cas du meurtre d'Amélie Samson, nous avions une image religieuse, mais les empreintes ne correspondaient pas. Là, la correspondance était parfaite.

Pendant que Bruno découpait la partie du prélart où se trouvait l'empreinte de la semelle, Wyatt déposait les instruments de l'opérateur dans une boîte de savon que lui avait remise MacCaskill en prenant bien soin de ne pas les contaminer.

16. *Vade retro mortis*

En arrivant à la morgue, je me précipitai dans la petite pièce près de la cour du coroner qui nous servait de bibliothèque, une chambrette avec des étagères vitrées et une table de travail au centre de la pièce. Je repérai sur les tablettes *L'Union médicale du Canada*. J'allai à l'index et trouvai rapidement l'article du docteur Pierre Rousseau. J'eus un coup de sang dans la tête en voyant le dessin de l'appareil. L'instrument que nous avions trouvé dans l'appartement de la rue Condé était identique à celui qui était devant moi.

Bien assis à la table de travail, je lus l'article. Je ne pouvais m'imaginer que l'on puisse croire le docteur Rousseau lié de quelque façon à ces sauvages homicides. Il devait s'agir d'une fâcheuse coïncidence.

Wyatt entra pour me dire qu'il avait prélevé plusieurs empreintes sur les différents instruments.

— À première vue, elles appartiennent à une seule et même personne.

Je lui montrai l'article. Il s'approcha pour regarder la revue et parut tout aussi déconcerté que moi.

— Qu'un médecin pratique des avortements n'a rien d'étonnant de nos jours, mais qu'un médecin charcute à ce point ses patientes jusqu'à les tuer constitue plus qu'un bris du serment d'Hippocrate. Cela relève de la folie ou du sadisme.

Wyatt se laissa choir sur le divan rouge et passa sa main dans ses cheveux. Mon partenaire dans la mort était exténué.

— Que penses-tu réellement de la possibilité que le docteur Rousseau soit impliqué directement ou indirectement dans cette affaire ? me demanda-t-il après un moment.

— C'est comme si tu me disais que le pape était en réalité un protestant.

— Ce qui me désenchanterait grandement, Georges… Je vous laisse le pape et toute l'admiration que vous lui portez.

Sansquartier monta bientôt avec une théière et deux tasses propres. Il versa d'abord un peu de lait dans la tasse de Wyatt, ajouta le thé et une cuillerée de sucre. Il me servit le mien sans lait ni sucre. C'est à peine si nous prîmes le temps de savourer l'instant. Il nous fallait examiner ces preuves. Le thé encore brûlant, nous montâmes à la salle d'autopsie.

Je sortis la pompe de la boîte, que je déposai dans un coin, puis tournai mon regard vers le cadavre qui nous attendait.

— *Revolting! Isn't it?* Cette pauvre femme, on dirait Ophelia. « La mort, ce gendarme féroce, est inflexible dans ses arrêts… »

Ne voulant pas être en reste, je tirai moi aussi une salve de Shakespeare.

— « Des mouches aux mains d'enfants espiègles, voilà ce que nous sommes pour les dieux, ils nous tuent pour s'amuser… »

Il porta un doigt à sa tempe, réfléchit :

— *King Lear* ! Vous êtes bien fataliste, cher collègue. Nous avons un fou qui semble tuer pour le plaisir de tuer, mais s'il faut en plus inculper les dieux, nous risquons d'embourber les tribunaux.

Je lui retournai un grand sourire. J'aimais cet esprit léger et savant.

— Et maintenant, Wyatt, comme le disait le grand William, jouons le rôle qui est le nôtre.

Nous nous approchâmes de la table et, à deux, nous retirâmes les vêtements de la victime.

Pendant que Wyatt pratiquait l'ouverture en Y, j'examinai les vêtements de notre Ophelia. La blonde jeune femme n'avait évidemment pas de pièces d'identité sur elle. Je trouvai cependant un cheveu suspect sur la robe de la victime.

— Un cheveu noir… Eh bien, on est sûrs qu'il n'est pas à elle.

Je l'enfermai dans un sachet.

Wyatt m'exposa l'état des poumons :

— Le poumon droit est pâle, exsangue et son volume rétréci, tandis que le gauche est congestionné et couvert de taches argentées qui se déplacent sous l'action du doigt.

Il fit deux incisions aux extrémités des viscères. Il plongea ensuite ses mains dans la cavité abdominale pour sortir les intestins luisants, poisseux et glissants comme un serpent. Alors que Wyatt avait les deux mains dans le ventre de la femme, un long souffle, tel un bruit d'air comprimé, s'échappa du col de l'utérus.

— Tu as entendu ça ? me demanda-t-il en déposant les viscères dans une bassine qu'il dut approcher de la fenêtre pour les examiner sous la lumière.

— Ce n'étaient pas des gaz, remarquai-je en indiquant notre pièce à conviction. En raison de l'intégrité du sac amniotique, une fois l'air entré, il n'a pas pu ressortir, venant obstruer à la sortie de l'instrument l'orifice interne du col, conjecturai-je.

— C'est bien possible, et même fort logique.

La thèse voulant qu'un jet d'air ait pu servir à décoller le fœtus fut d'autant renforcée. À notre connaissance, seul un professionnel pouvait avoir en main un tel appareil. J'inscrivis cette hypothèse dans mon rapport à l'intention du coroner pendant que Wyatt lavait le sang de ses mains.

Le faciès barbu et maussade du coroner MacMahon
apparut dans l'embrasure de la porte. Sa voix de basse
tonna avec l'assurance qu'on lui connaissait.

— Deux nouvelles, messieurs. La première : l'assistant-
procureur général de la province, Rochon, souhaite nous
voir dans les plus brefs délais. Comme c'est un bleu et
que nous sommes des rouges, il menace de nous con-
gédier si nous n'arrivons pas à plus de résultats. Si vous
trouvez que ça sent mauvais à la morgue, ça va sentir le
fumier quand cet agriculteur va mettre ses pieds bouseux ici. Il est furieux comme la femme d'un mari qui
rentre à la maison après deux jours de brosse. Je préfère
vous prévenir. Ça va chauffer !

Il observa Johnston qui griffonnait sur un bout de
papier et se gratta le pavillon de l'oreille de façon frénétique.

— Je suis certain que vos damnées bestioles me
causent des démangeaisons.

Je l'assurai qu'il n'en était rien. Il n'y avait pas de
poux ni de puces dans notre armada.

MacMahon me jeta un regard dubitatif.

— Lafontaine a convoqué le docteur Rousseau pour
un entretien.

— Quand ?

— Demain.

J'imaginais la bombe que cela créerait à la faculté
de médecine et dans tout le milieu médical si l'on apprenait que des soupçons pesaient sur Rousseau.

— Georges, dit le coroner en me regardant dans les
yeux, vous êtes un aliéniste. Vous avez vu des fous criminels à Paris. À qui avons-nous affaire dans le cas qui
nous intéresse ?

— À un individu très étonnant. Je décrirais cet homme
comme étant un dépravé instruit. Il a des moyens financiers non négligeables et des ressources à sa disposition.
Il aime la médecine, mais ne peut pas la pratiquer pour
une raison que nous ignorons toujours. Peut-être a-t-il

été rayé du Collège des médecins ? Il faudra vérifier toutes ces hypothèses.

Wyatt et MacMahon semblaient endosser cette hypothèse.

— Et que savez-vous de l'esprit qui guide cette main meurtrière ?

— Il considère l'avortement comme un crime grave, mais juge que le châtiment envers les femmes qui se font avorter ne suffit pas. Il exerce son courroux directement sur elles au cours d'opérations criminelles. C'est aussi fou que ça. Il est fétichiste. Il conserve probablement des souvenirs de ses actes barbares. Il rassure ses victimes en leur remettant une image de Marie. L'image de la Vierge laisse supposer qu'il est très croyant, pieux, une sorte de dévot implacable qui, en plus de vivre un appel mystique et religieux, est prêt à tuer. Il se croit près de Dieu, voire en contact avec lui. Voilà une des raisons pour lesquelles je n'imagine pas le docteur Rousseau agissant de la sorte.

— Mais certains fous ignorent leur double personnalité. Serait-ce le cas du docteur Rousseau ?

— Écoutez, Edmond, je sais que le livre de Stevenson est très populaire, mais ne l'agitez pas sous mes yeux. Je ne connais qu'une seule et unique face à la personnalité du bon docteur Rousseau : la probité. Demandez aux administrateurs, aux médecins, aux infirmières avec qui il a travaillé, aux femmes qu'il a assistées lors d'accouchements. Tous vous diront la même chose. C'est un modèle.

— Vous avez mentionné que sa femme se mourait à petit feu...

— Oui.

— D'après vous, est-ce que cela pourrait le conduire à commettre des actes de folie, à faire naître une personnalité autre, meurtrière, mais ignorée de sa première identité ?

— Je ne vois pas le lien de cause à effet, et de toute façon, cette hypothèse me paraît prématurée.

— Puisque les deux femmes inconnues n'ont pas été portées disparues et que leurs corps n'ont pas été réclamés, on peut penser qu'elles proviennent très certainement de l'extérieur de la province, ajouta Wyatt en relevant la tête de son dessin.

— Maintenant, ma deuxième nouvelle, annonça soudain Edmond. Sur la première scène de crime, quelqu'un dit avoir entendu parler anglais. Je crois que ces jeunes femmes sont toutes les deux anglophones. Elles avaient le teint blanc et la complexion des Canadiens d'origine britannique. Je penche donc pour l'existence d'un réseau.

Il apportait un point pertinent.

— Alors prenons une photo de cette victime avec le Kodak, proposa Wyatt. On pourra l'expédier aux autorités policières ontariennes et américaines. Comme notre première Jane Doe est déjà en état de putréfaction, nous allons faire un masque de plâtre, lui donner l'apparence du visage quand il était en vie et le photographier.

— Bonne idée !

— Trouvez-vous, Edmond, demanda Wyatt, que cette pauvre femme ressemble à la fameuse Ophelia de Shakespeare ?

— Oui, peut-être. Mais Ophelia est un être de fiction sorti de la tête du plus célèbre Anglais après vous, Wyatt, rétorqua MacMahon.

— *Gosh !* Je ne supporte pas la comparaison, même s'il existe autant de boucheries dans mon métier que dans les finales du dramaturge de Stratford-upon-Avon.

Le coroner s'esclaffa.

— Elle est bien bonne ! Nous avons la morgue la plus moche d'Amérique, mais certes la plus vivante au point de vue de l'humour et de l'esprit. Et il nous en faudra beaucoup quand ce cul-terreux d'assistant-procureur général viendra nous faire la leçon.

Wyatt leva l'index en l'air.

— Une morgue vivante! *Coroner, I love this oxymoron!* s'esclaffa-t-il.

MacMahon nous souhaita une bonne nuit. Wyatt se leva de sa chaise et me souhaita à son tour de bons moments dans les bras de Morphée. Avant de partir, il me remit le croquis qu'il avait dessiné : un homme élégant, longiligne, chapeau haut-de-forme, vêtu de noir et portant un foulard lui cachant le visage. J'épinglai la feuille sur mon babillard pour l'observer. Voilà l'homme qui terrorisait la ville.

Après cette harassante journée, j'avais désespérément besoin d'une douche. Je sentais la mort à plein nez. Et dire que, le lendemain matin, j'allais agir en tant que médecin lors d'une pendaison à la prison de Montréal.

La mort me suivait pas à pas. De jour comme de nuit. *Vade retro mortis.*

17. Un gynécologue dans de beaux draps

Mardi, 16 octobre 1894

J'ai vu des centaines de cadavres. J'ai pratiqué presque autant d'autopsies à ce jour. Mais je ne vois jamais mourir les gens. Ce matin-là, peu après le glas de cinq heures, un dénommé Alfred Turbide est monté sur la potence dans la cour de la prison de Montréal. Le bourreau lui a passé la cagoule puis la corde autour du cou, en ajustant le nœud. Le prêtre était au côté de Turbide. Il a récité le Notre Père. Ensuite, sur l'ordre du directeur de la prison, le bourreau a abaissé le levier ouvrant les trappes. Le corps de Turbide a été retenu par sa tête. Nous avons entendu son cou casser sec. Puis son corps s'est balancé. Les gardes ont transporté le cadavre dans une cellule. J'ai signé le certificat d'exécution et suis immédiatement parti sans regarder le drapeau noir sur le mât de la tour de la prison. J'avais besoin d'air.

Derrière le comptoir de la réception, Sansquartier redonnait vie à la victime de la rue Saint-Patrick. Il trempait délicatement le pinceau dans le beige couleur peau et il l'appliquait avec soin sur le visage. La scène avait beau être funeste, elle m'amusa tout de même. La morgue était devenue une galerie d'art avec d'étranges modèles. Il rinça le pinceau dans l'eau puis il étala un rouge carmin sur les lèvres. Il était troublant de voir les yeux grands ouverts des victimes vous regarder. Ils semblaient vivants. Pour reproduire la couleur exacte des cheveux, il avait coupé une mèche.

— J'ai proposé au lieutenant Lafontaine d'effectuer le travail. J'adore l'aquarelle et j'aurais aimé faire mes Beaux-Arts.

— Eh bien, Paul, vous êtes notre artiste en résidence.

— Une corde de plus à mon arc, monsieur.

Avant l'arrivée de mes collègues, je devais procéder à un inventaire de la glacière. Elle était pleine, et il fallait décider qui restait et qui s'en allait à la fosse commune. La lourde porte rouge grinça en s'ouvrant. Le voile de condensation s'échappa tel un spectre nauséabond me glaçant le visage. Devant l'étalage de cadavres aux bras tendus, de bouches ouvertes et de ventres recousus, j'enviais les docteurs de la nativité, comme je les appelais. Il faudrait aviser la faculté de prendre quelques macchabées aux fins d'études ou sinon payer pour les ensevelir à même un budget de la Ville. Après avoir fait le tour, je déposai des cartes sur les quatre cadavres désignés pour être retirés de là.

Je descendis ensuite à l'étage, où j'entendis à la réception les voix fortes de MacCaskill et de Lafontaine.

Je les trouvai en train de boire leur thé adossés au comptoir. Ils attendaient l'arrivée du docteur Rousseau. Je rappelai à Lafontaine l'importance de traiter l'éminent médecin avec respect. J'avais déjà discuté avec les deux enquêteurs des conséquences qu'aurait une arrestation précipitée sur sa réputation.

MacCaskill afficha un sourire sardonique.

— S'il est coupable, me prévint Bruno, il devra faire face à la justice et à la presse. Mais là, on ne cherche qu'à en savoir plus sur cette machine. Personne n'est au courant de sa venue.

Il me le jura. Il avait lui-même procédé à sa convocation.

— Si ça ne te dérange pas, j'aimerais être présent pour entendre la version de Rousseau.

Lafontaine accepta d'un bref hochement de la tête.

Je remontai à mon bureau pour accueillir mes étudiants.

◆

À la queue leu leu, ils entraient en marmonnant, l'oreiller encore imprimé sur le visage. Les yeux dans le cirage, ils ouvraient lentement leur livre. J'y allai comme il m'arrivait parfois en demandant un récapitulatif.

— Monsieur Comtois, pouvez-vous me résumer la thèse de Galton que nous avons vue à la dernière leçon ?

Comtois me récita par cœur mes notes de cours.

— Nous avons vu comment Francis Galton, dans son ouvrage *Finger Prints*, paru il y a deux ans, a démontré que les patrons formés par le sillonnage papillaire sur le bout des doigts étaient immuables, à moins d'être altérés par des brûlures. On peut trouver dans la population soixante pour cent de boucles, trente pour cent de spirales ou de tourbillons et cinq pour cent de tentes. Les bifurcations, les îles, les deltas restent les mêmes tout au long de la vie des gens. Galton a calculé qu'il existe une chance sur soixante-quatre milliards pour que deux individus possèdent les mêmes empreintes.

— Excellente réponse ! Vous feriez un bon coroner et un excellent perroquet de foire, Comtois.

Ses collègues s'esclaffèrent pendant que Comtois roulait des yeux et levait les bras comme s'il était le Christ souffrant sur la croix.

— Aujourd'hui, nous allons étudier un autre moyen pour identifier un suspect.

Puisque la veille j'avais trouvé un cheveu sur la robe de la victime, j'avais eu l'idée de faire porter ma leçon du jour sur ce sujet. J'avais pensé à un exercice amusant qui inciterait les étudiants à une démarche scientifique et à un examen comparatif.

Je m'approchai du tableau noir pour y inscrire en lettres majuscules :

DE L'UTILITÉ DES CHEVEUX ET DE L'EXAMEN DES POILS DANS LA PREUVE

J'avais réuni dans la pièce le microscope de Wyatt, le mien et celui de la salle d'autopsie. Je les avais alignés sur la grande table devant le mur.

— Pour cette leçon, j'aurai besoin d'une douzaine de cheveux de chacun d'entre vous. Je m'en excuse d'avance auprès de vos fiancées. Et de vous, car il me faudra les arracher.

Les étudiants se tinrent au garde-à-vous pendant que je procédais. Je déposais chacune des mèches dans des enveloppes distinctes, que je marquai d'un code correspondant à une lettre de l'alphabet. En m'attaquant au scalp de Thomas Rhéaume, qui souffrait d'un début de calvitie, j'eus droit à quelques remarques.

— Épargnez-le, docteur, il n'en a déjà presque plus, lança Comtois.

— Est-ce vraiment nécessaire, docteur ? demanda Leblanc.

— Oui, car il est impossible de dire à partir de l'étude d'un cheveu si le criminel est très chevelu ou très chauve.

Un grand éclat de rire accueillit ma remarque.

— Quelqu'un saurait-il dire pourquoi il me faut plusieurs cheveux ?

Mes étudiants se regardèrent, mais aucun n'osa se mouiller.

— C'est que la chevelure n'est pas uniforme. Nous avons tous une couleur dominante, mais avec une variété de teintes.

Tout le monde se retourna vers Sicard qui, malgré un visage angélique, avait déjà les cheveux blancs.

— Pauvre Antoine, tu es démasqué ! lança Comtois, ce qui déclencha un nouveau fou rire.

— En effet, Sicard, ne transgressez jamais le huitième commandement, car vos cheveux pourraient se retourner contre vous.

Ma remarque n'atténua en rien l'hilarité générale.

— Bien. Je vais choisir parmi ces enveloppes quelques cheveux que nous supposerons découverts dans les mains d'une victime. Ne regardez pas !... Voilà. Lorsque vient le temps d'analyser les poils ou les cheveux, il est préférable, avant de les observer au microscope, de respecter les étapes suivantes : les laver à l'eau chaude – ce qui ne sera pas un luxe pour certains !

S'il est toujours pertinent de dire la vérité dans un contexte amusant, il était malheureusement vrai que l'hygiène de mes jeunes laissait parfois à désirer. J'expliquai ensuite aux étudiants qu'il fallait sécher les cheveux à l'étuve, puis les tremper soit dans l'alcool absolu, soit dans la térébenthine.

— Pour l'alcool, c'est déjà fait, lança Comtois, ce qui déclencha encore l'hilarité générale, au point que je sentis que j'allais perdre l'attention de mes élèves.

— S'il vous plaît, messieurs. Tentez de vous contrôler. Nous ne sommes pas au théâtre burlesque, et n'oubliez pas que le coroner siège en bas.

Je montrai les cheveux que j'avais sélectionnés à leur insu.

— Voici ce qu'on a trouvé sur le lieu du crime. Vous observerez ces cheveux avec les microscopes. Je remettrai ensuite à chacun un assortiment. À vous de découvrir à qui appartiennent les cheveux fatidiques.

Je me replaçai devant le tableau.

— Attention. Pour réaliser votre montage entre la lame et la lamelle, servez-vous du baume du Canada ou de la gélatine à un millième. Pour ceux d'entre vous qui auraient à examiner des cheveux plus longs, comme c'est la mode aujourd'hui, vous devrez les enrouler pour qu'ils soient visibles sur l'ensemble de la lame.

Une bonne odeur de gomme de sapin se répandit dans la pièce.

Pendant que les étudiants s'activaient, je dessinai un cheveu au tableau en indiquant chaque caractéristique microscopique.

— Le poil comporte deux parties : une tige et sa racine. Les extrémités du poil se remarquent par un rétrécissement, alors que la tige est souple. La racine prise dans le derme comporte un petit renflement, appelé le bulbe, qui est relié et nourri par les vaisseaux sanguins. La racine peut être pleine ou creuse.

Les carabins étaient tous attentifs.

— D'un point de vue histologique, le cheveu est composé de trois couches de cellules d'épithélium. Premièrement, la partie externe, appelée cuticule, est formée de couches de cellules minces insérées les unes dans les autres. Au centre, vous avez le canal médullaire. Il peut être continu, discontinu, voire absent. Il vous fournira des informations importantes sur la provenance du cheveu. Il est possible que vous vous trouviez en présence de poils d'origine animale. Pour différencier ceux-ci du cheveu humain, observez le canal médullaire qui, chez l'homme, ne dépassera jamais le quart du diamètre, alors qu'il peut dépasser le tiers chez l'animal. Il y a finalement la couche moyenne, qui fournit la pigmentation et donne la coloration. Elle est d'une importance capitale quant à la provenance du poil. Enfin, l'extrémité du cheveu peut être en pointe, arrondie, brisée, en biseau ou en pinceau.

Je marquai une pause pour leur permettre de finir leurs manipulations, puis :

— À partir de maintenant, vous avez dix minutes pour déterminer qui est le meurtrier.

La moitié du temps n'était pas écoulée que les doigts de Sarrazin et de Comtois se pointèrent en direction de Charles Désy.

— Tu es cuit! lança le gros Théodore Sarrazin.

— Charlie, tu payes la bière, ce soir, exigea Comtois.

— *Hey!* Je vous rappelle que je n'ai rien fait de mal!

— Messieurs Sarrazin et Comtois, dis-je en déposant la craie, vous gagnez le prix Holmes et Watson. Toutes mes félicitations, votre excellent travail a permis aux forces de la police de Montréal d'appréhender ce dangereux criminel.

Je résumai ensuite les renseignements que nous livraient les cheveux de Charles Désy.

— Le bout de la tige est coupé en biseau. Notre homme est passé récemment chez le coiffeur…

Désy approuva de la tête.

— … il a une chevelure brune qui comporte une variété de teintes et des reflets roux. Un seul cheveu aurait été insuffisant pour établir notre preuve. La racine, si on l'observe bien, est creuse, tandis que le canal médullaire est discontinu. Vous voyez comment le cheveu peut livrer des informations importantes sur un suspect, dans la mesure où vous l'avez entre les mains? On en trouve fréquemment dans les cas d'agressions sexuelles.

Je terminai la leçon par l'observation des poils pubiens, ce qui amusa mes jeunes hommes.

◆

À dix heures, Rousseau ne s'était toujours pas présenté. Lafontaine et MacCaskill pestaient sans arrêt. Comme ils n'avaient pas remis de *subpœna* au docteur, ce dernier ne pouvait être accusé d'outrage.

— Le prochain coup, ce sera avec un mandat, postillonna Bruno qui avait grimpé jusqu'à mon bureau pour déverser sa frustration, et s'il ne vient pas, je lui fais passer la nuit dans la cellule de la cour du coroner.

MacMahon, qui avait entendu ces paroles alors qu'il sortait de son bureau, avisa Bruno que cela, c'était son travail à lui et non le sien. Bruno s'excusa de s'être emporté, mais il était évident que cette affaire l'obsédait.

Curieux de savoir pourquoi mon collègue de l'université ne s'était pas présenté, je pris la décision de me rendre à l'hôpital Notre-Dame. Je me dirigeai tout de suite vers la section d'obstétrique. Dans un hôpital, l'état d'un patient nous indique rapidement dans quel département nous sommes. À l'admission, ce sont les éclopés avec leurs faciès simiesques de douleur. En obstétrique, les femmes enceintes, leurs hurlements et les cris des nouveau-nés.

Au comptoir, on m'informa que le docteur Rousseau était en train d'accoucher une patiente, un cas difficile qui se prolongeait depuis des heures. Je sus dès lors pourquoi il n'avait pas pu se présenter à la morgue. Je m'installai sur une chaise dans le couloir près de son bureau et demandai à la sœur grise de l'aviser de ma présence.

Une heure plus tard, je le vis surgir de la salle d'opération, les traits tirés, visiblement exténué. Son sarrau vert et ses mains étaient ensanglantés. Il s'arrêta devant une femme qui avait reçu son congé de l'hôpital et qui voulait le remercier. Il lui recommanda fortement « une fois de plus » l'allaitement naturel, le meilleur moyen de contrer la Faucheuse qui faisait de Montréal la Calcutta d'Amérique. Il salua sa patiente, sortit un étui, s'alluma une cigarette et m'aperçut du coin de l'œil.

— Docteur Villeneuve, que faites-vous ici ?

— J'avais à vous voir quelques instants.

— J'ai appris que vous aviez été nommé assistant-surintendant de l'asile Saint-Jean-de-Dieu. En voilà de grandes responsabilités à un si jeune âge !

— Merci. Je suis prêt pour ce genre de défi.

— Qu'est-ce que je peux faire pour vous ?

— Vous deviez passer à la morgue ce matin et…

— Comme vous voyez, un cas urgent m'a retenu pendant de longues heures. Allons dans mon bureau, voulez-vous ?

En plus d'être une personne de référence, cultivée et respectée par ses pairs, Rousseau avait une prestance naturelle qui lui conférait une certaine autorité avec ses collègues et le personnel infirmier. Rares sont les hommes comme lui qui s'élèvent à six pieds et trois pouces de terre. Ses complets étaient taillés sur mesure et je n'ai jamais vu de souliers aussi luisants que les siens. Il avait des cheveux blonds très fins séparés par une raie au milieu du crâne. Son nez crochu et ses yeux minces inclinés vers le bas lui donnaient un visage d'oiseau. Sur ce long nez étaient posées de petites lunettes ovales à monture métallique. Sa peau soyeuse et bien rasée avait un léger teint rosé. La chaînette d'une montre à gousset était accrochée au-dessus d'une pochette de son veston. S'il affichait des airs d'aristocrate, voire de grand seigneur de la médecine, les apparences étaient trompeuses, car il était resté simple. Il n'avait rien à prouver, ce qui n'est pas le lot des fats. Il bougeait sa cigarette de façon maniérée entre ses lèvres minces. Je remarquai aussi sa grande fatigue. Ses yeux rouges vitreux, soulignés de cernes, étaient ceux d'un homme épuisé par le dur labeur, mais aussi par l'épreuve personnelle qui l'accablait.

Il marcha jusqu'au lavabo, où il se débarrassa de son sarrau souillé, roula les manches de sa chemise et passa ses mains sous le jet d'eau. L'eau et le sang rougeoyaient sur l'émail blanc de l'évier. Il secoua ses mains et les essuya sur une serviette. Il baissa ses manches et sortit de nouveau son étui à cigarettes. Il en prit une et l'alluma aussitôt. Il adorait fumer, tout comme il adorait le scotch. Son visage baignait constamment dans la brume de ses Buckingham, qui me faisait tousser.

— Comment va Florence ?

— Elle est toujours au sanatorium Bruchesi.

Il tira sur sa cigarette en prenant un air grave, hocha la tête.

— Elle n'en sortira pas vivante.

Je le savais bien, mais je fus surpris qu'il me le dise d'une façon aussi brutale.

— La mort a décidé de frapper un grand coup dans ma demeure.

Cette dernière phrase me laissa perplexe.

— Vous venez me voir pour cette histoire d'avortement? Les journaux ne parlent que de ça.

— C'est vrai.

— Alors... que puis-je pour votre enquête? dit-il en aspirant une grande bouffée de fumée qu'il expira longuement par la bouche et les narines.

Je lui tendis la copie de *L'Union médicale du Canada* que j'avais apportée avec moi.

— Sur le lieu du dernier avortement criminel, nous avons découvert un appareil pareil à celui dont vous avez parlé dans un article paru il y a un an.

— Quoi! Mais cette pompe ne sert pas à pratiquer des avortements...

— L'opérateur l'a néanmoins utilisée.

— Vous me voyez consterné d'entendre ça, murmura-t-il en secouant la tête, dépité.

Il expira une longue colonne de fumée vers le haut. Je repris:

— Connaissez-vous quelqu'un que vous suspecteriez de s'être intéressé à cette technique et à cet appareil à des fins criminelles?

Il réfléchit un instant, regarda le mur vert pâle et expira une nouvelle bouffée de fumée.

— Non, je ne vois pas... Vous savez, Georges, il faut vraiment un esprit dérangé pour se servir ainsi de cet instrument.

— Je sais, hélas! Outre dans cet article, en avez-vous parlé ailleurs?

— Bien sûr. Lors du Congrès international des médecins français d'Amérique du Nord, par exemple.

— Quand?

— L'an dernier, un peu après la parution de l'article. Et j'en ai très certainement parlé aussi dans mes cours.

— Merci, Pierre. Avant que je vous laisse, dites-moi : comment s'est passée la réunion à la Faculté ? Je n'ai pu y être pour les raisons que vous savez...

Rousseau parut décontenancé.

— Je n'y étais pas non plus. Je me trouvais au chevet de Florence. Elle a toute mon attention, vous comprenez...

— Je comprends très bien.

Une infirmière entra pour lui dire que la salle d'opération était prête. Il lui répondit par un signe de tête, écrasa son mégot dans le cendrier.

— Docteur Villeneuve, si je peux vous aider d'une façon ou d'une autre dans cette enquête, avertissez-moi.

Nous nous serrâmes la main. En quittant l'hôpital, j'avais la certitude qu'il n'avait rien à voir avec cette affaire et que Lafontaine faisait fausse route.

18. La presse s'enflamme

Mercredi, 17 octobre 1894

En me rendant à Saint-Jean-de-Dieu, je vis que la nouvelle était sortie à la une des journaux. Je jurai au fond de moi-même : l'histoire de l'opérateur utilisant une pompe à air comprimé pour décoller le fruit de la vie créerait une vive sensation, à n'en pas douter. Toutes sortes de rumeurs et de spéculations se mettraient à circuler. Les noms d'anciens membres du Collège des médecins bannis pour avoir commis des opérations criminelles réapparaîtraient dans les journaux. Ce serait une vraie chasse aux sorcières, à laquelle le nom du docteur Rousseau échapperait peut-être.

J'étais à peine installé à mon bureau après ma tournée du matin que je recevais un appel. Trefflé Berthiaume, le propriétaire de *La Presse,* me téléphonait en personne. Nous étions amis, mais qu'il me téléphone sur mon lieu de travail me surprit grandement.

— Bonjour, Georges, Trefflé à l'appareil. On m'a dit à la morgue que tu étais à l'asile cet avant-midi. Georges, avec l'ampleur que prend l'affaire de l'opérateur criminel, je t'appelle pour te demander d'écrire un article étoffé sur la question de l'avortement provoqué par rapport au Code criminel. Nos lecteurs sont inquiets. Ils veulent savoir quelles sont les sanctions encourues par les opérateurs criminels, et si les limbes existent pour ces bébés.

— Compte sur moi pour les inquiéter un peu plus...

J'entendis son rire rauque de fumeur de cigare éclater au bout du fil.

— Tu veux ça pour quand ? repris-je.

— Si je l'ai cet après-midi, il pourra paraître dès demain.

Avec les attaques dont j'étais victime dans *La Patrie*, j'étais chanceux de compter sur Berthiaume et son journal pour rétablir les faits. Je n'allais certainement pas m'en priver.

— Parfait ! Mais je ne veux pas qu'on coupe mon texte.

— C'est promis, Georges. L'illustrateur va passer à la morgue à trois heures pour faire quelques croquis d'ambiance. Tu n'auras qu'à lui remettre l'article. Et, bien sûr, tu seras payé royalement pour chaque mot, comme d'habitude.

— Pourrais-tu, à la place de mes émoluments, envoyer un don pour le concert de bienfaisance que fera mademoiselle Emma Royal au Monument-National ?

— *La Presse* comptait déjà en faire un.

— Voilà qui est bien, mais je suis persuadé que vous avez les moyens de donner davantage. Je compte sur toi...

— Je ferai de mon mieux... En passant, nos lecteurs aimeraient bien te relire en feuilleton, tu sais.

— Un jour, peut-être. Mais je ne vois pas quand j'aurai suffisamment de temps pour m'y remettre. Au revoir.

Je raccrochai. J'entrepris aussitôt de rassembler les documents nécessaires pour écrire l'article. Je regardai le vieil orme balancer ses feuilles, puis j'ouvris le Code criminel aux articles relatifs à l'interruption volontaire de grossesse. Je glissai une feuille de papier dans la machine à écrire.

Les lois criminalisant l'avortement s'étaient durcies au fil du siècle. C'est en 1803, presque un siècle plus tôt, que les pays de l'empire britannique s'étaient dotés de telles lois. Si l'avortement était pratiqué dans les cinq premiers mois, le délit était vu comme mineur, alors que la peine capitale s'appliquait passé cette étape.

Il fallait aussi mentionner les considérations philosophiques et religieuses qui entraient en jeu. À cette époque, des délibérations du Conseil du Vatican avaient visé notamment à déterminer à quel moment l'âme entrait dans le fœtus. Au dire des cardinaux et du pontife, elle arrivait plus vite dans le fœtus masculin.

En 1869, deux ans après la Confédération, le Parlement canadien avait adopté une loi interdisant l'avortement. Les articles 59 et 60 stipulaient que toute femme qui pratiquait sur elle un avortement ou toute autre personne qui l'assistait était coupable de félonie et passible d'une peine de prison à vie. Celle qui fournissait les outils servant à pratiquer l'avortement encourait deux années d'emprisonnement.

Depuis trois ans, le nouveau Code criminel canadien ajoutait des restrictions importantes en matière d'avortement. À l'interdiction de pratiquer des avortements s'ajoutait celle de vendre, de distribuer ou de publiciser des contraceptifs.

Inutile de rappeler que la loi était on ne peut plus claire à propos des médecins qui pratiquaient des opérations criminelles. On se souvenait du cas suivant...

En 1879, le docteur Emily Stowe, la première femme médecin au Canada, avait été accusée d'avoir pratiqué un avortement sur l'une de ses patientes, Sarah Lovell, une servante. Au départ, le docteur Stowe avait refusé d'avorter la servante, qui avait alors menacé de se suicider. Par compassion, Stowe lui avait prescrit un abortif à très petites doses, des doses si faibles, en réalité, que cela avait pu être considéré comme un placebo. Hélas, la patiente avec finalement succombé – mais d'une complication pulmonaire –, en emportant le bébé avec elle dans la tombe. Le procès avait été long et difficile pour le docteur Stowe, mais elle avait été acquittée. On avait retenu la thèse selon laquelle Lovell avait été responsable de sa propre mort. Les qualités et compétences du docteur Stowe avaient cependant été maintes fois remises en question, d'autant plus qu'elle était une femme, et accoucheuse de surcroît. Le juge avait même critiqué l'idée que des femmes puissent être médecin. Avec le recul, toute cette charge contre les femmes avait joué en faveur d'Emily Stowe.

Le journal voulait aussi mon avis sur la question des limbes (*limbus pueorum*), ce lieu aux marges de l'enfer et apparemment réservé aux enfants morts avant d'avoir reçu le baptême, selon le concile de Carthage. Comme je ne savais strictement rien sur ces lieux hypothétiques, que je doutais même de leur existence, je me refusai à prendre position sur cette question, d'autant plus que je voulais m'éviter l'inquisition locale des ultramontains. Je me contenterais de fournir les informations que je possédais.

Je me remémorai mes cours de philosophie et de religion. Que de discussions arides ! D'après les enseignements que j'avais reçus, les limbes pour enfants sont une conséquence du péché originel. Les enfants ne vont pas en enfer, ne brûlent pas, ne souffrent pas, mais ils sont exclus du paradis, selon les premiers Pères de l'Église, et ne peuvent donc voir le Tout-Puissant. Par contre, Augustin d'Hippone tient à ce qu'on baptise sans retard les enfants pour leur éviter l'enfer, car il ne croit pas à cette zone intermédiaire entre le paradis et l'enfer. Selon lui, l'ondoiement seul permet de laver l'enfant du péché originel et de le soustraire à la damnation. Par ailleurs, on disait que les enfants ne souffrent pas dans les limbes, bien qu'ils soient privés de cet état de béatitude propre au paradis. Mais Thomas d'Aquin réfute cette dernière idée en affirmant que les âmes de ces enfants sons privées de béatitude, certes, mais qu'elles peuvent néanmoins ressentir du bonheur.

J'abordai en terminant la question des messes de relevailles à des fins purificatrices. Une messe qui ne réunissait que des femmes. Mais les pénitentes, les femmes pécheresses, ne pouvaient assister à ces messes.

Satisfait du résultat, je déposai mes feuillets dans ma valise et quittai prestement l'asile.

◆

— Jean-Arthur Beauchamp, l'illustrateur de *La Presse,* vient d'arriver, docteur Villeneuve.

— Faites-le monter, Paul.

C'était un jeune homme mince aux cheveux blonds et avec une longue barbe. J'allai l'accueillir en haut de l'escalier. Je l'avais souvent vu en compagnie de Girard.

Il me tendit une main blanche et fine.

— Je viens documenter l'article qu'on vous a commandé.

Je lui tendis l'enveloppe.

— Le voici, en passant.

— Merci, dit-il en le déposant dans sa mallette.

— Suivez-moi. Attention en montant, c'est à pic. Et en haut, il y aura encore plus d'odeurs.

Comme tous les curieux qui venaient à la morgue, il aurait bien aimé entrer dans toutes les pièces, pour voir des macchabées, mais je l'amenai directement à la salle des objets exposés. C'était la plus petite pièce de la morgue, tout au bout du corridor. Les articles étaient posés sur des tablettes qui montaient jusqu'au plafond et dans deux comptoirs vitrés au milieu de la salle. Nous en gardions tellement qu'il fallait aussi en placer dans la salle d'enquête. Je sortis ma clé pour ouvrir la porte.

— Les pièces les plus intéressantes pour votre article sont ici. Elles me servent pour l'enseignement. C'est, pourrait-on dire, une bibliothèque de référence.

Je désignai d'abord la tablette sur le mur devant la fenêtre, où Beauchamp put observer les instruments des opérateurs : cintres, aiguilles à tricoter et à chapeaux, tiges de luminaire, sondes, cathéters, plumes d'oie, mèches de gaze, forceps. Je lui montrai ensuite les substances : plomb, mercure, arsenic, iodure, acide salicylique et purgatifs de toutes sortes.

— Et vous avez ici des fœtus que nous conservons à des fins pédagogiques.

Il fut très impressionné par les bocaux remplis de formol et préservant les minuscules corps. Il y avait aussi quelques bébés entre sept et douze mois. Ils semblaient encore vivants, comme s'ils flottaient à jamais dans le liquide amniotique. Son regard fut attiré par les crânes humains, puis il eut un hoquet de surprise mélangé de dégoût. Il venait d'apercevoir le goéland de Sansquartier et sa prise. Je le sentis chanceler.

— C'est une pièce récente. Mais elle n'a rien à voir avec l'opérateur que nous recherchons, le rassurai-je.

— Je... je... d'accord.

En le voyant aussi pâle, je lui offris un verre d'eau.

— Mettez-vous à l'aise. Si vous avez besoin de quoi que ce soit, je suis à côté.

Il me remercia avant de sortir de sa mallette une tablette à dessin et ses crayons.

Cet article allait peut-être réussir à délier des langues. Montrer l'appareillage de la mort aussi.

Une heure plus tard, Beauchamp frappa à ma porte. Il avait terminé son travail. Il me montra les esquisses qu'il allait fignoler au journal.

— C'est criant de vérité, félicitations !

Je l'aidai à retrouver son chemin jusqu'à la porte. Une fois dehors, il me remercia puis s'éclipsa avec son cahier sous le bras. En le regardant s'en aller, je remarquai qu'il prenait de grandes, de très grandes respirations.

◆

En fin de journée, Wyatt vint me trouver avec une théière pleine et deux tasses. Nous venions à peine de nous installer dans mon bureau quand Sansquartier ombragea de sa longue silhouette le plancher sous la porte entrebâillée.

— Oui, Paul?

— Des journalistes de Boston et de New York veulent vous rencontrer pour parler de cette histoire d'opérateur. Vous avez aussi reçu un télégramme. Le *Daily Times* de Londres est prêt à dépêcher un journaliste pour suivre cette affaire.

La sordide affaire de l'opérateur – que les Anglo-Saxons appelaient « *Doctor Death* » – commençait à passionner les lecteurs un peu partout.

— Dites-leur, *my dear* Paul, que nous ne parlons pas l'anglais, ironisa Johnston.

— Avec ton accent, ils te croiront volontiers, m'esclaffai-je.

Sansquartier, qui riait rarement, esquissa un petit sourire. Il apprécia d'un coup de tête positif la suggestion et redescendit à la réception.

Tout en versant le thé, Wyatt m'observa avec un air amusé.

— Tu me sembles rêveur.

Je souris. Il avait misé juste. Je songeais à Emma.

— « Elle » sera ici dans deux jours, Wyatt.

— Je comprends mieux maintenant pourquoi j'ai retrouvé un scalpel dans ma tasse à thé.

— Vraiment?…

— Oui, et le trépan sur une tablette dans la glacière… *Indeed*, je dirais même que tu es fort préoccupé par cette visite.

— Hélas! tu as bien raison.

◆

L'horloge de parquet de la salle d'enquête jouxtant la cour du coroner marqua sept coups. Nous attendîmes que le petit oiseau retourne dans son nid et la discussion put reprendre. Autour de la table se trouvaient Carpenter, MacMahon, Lafontaine et MacCaskill. Je finis de leur narrer mon entretien de la veille avec Rousseau.

Tout en époussetant nonchalamment sa manche gauche avec le revers de sa main droite, le coroner écoutait avec scepticisme le compte-rendu de ma rencontre. Carpenter se grattait l'oreille, tout aussi sceptique. Bruno, perplexe, écrasa longuement son mégot dans le cendrier pendant que MacCaskill, pareil à lui-même, me regardait avec sa face de bovin.

— Je trouve toujours suspect qu'il ne soit pas venu à son rendez-vous, commenta MacCaskill dès que j'eus fini de parler.

— Vous… mais il était en train de sauver une vie. Je l'ai vu, il accouchait une femme.

— Il aurait pu avoir le décence de téléphoner *you*, se plaignit Carpenter.

MacCaskill baissa la tête.

— Je ne lui fais pas confiance, grogna-t-il, plus pour lui-même.

Je pestai intérieurement contre l'intransigeance des policiers, mais n'en laissai rien paraître.

Lafontaine nous résuma ensuite les résultats après l'envoi des photos de nos deux inconnues aux corps de police ontariens.

— Il est impossible d'obtenir de l'information sur les jeunes femmes portées disparues en Ontario. Il n'existe pas de registre unique, et les journaux ne mentionnent pas ces événements. Je crois qu'en plus on n'aime pas mon accent ou le fait que je viens du Québec. Peut-être les deux à la fois. Bref, nos bons amis orangistes, avec leur air supérieur et paternaliste, ne nous ont rien appris.

— Un peu de retenue, lieutenant, *please*, protesta Carpenter, qui était né en Ontario.

— C'est la réalité, chef, se défendit son lieutenant.

— Tout est pas aussi *black*, Lafontaine ! Il y a des pommes et des bananes à travers ces oranges ontariennes.

— Si c'est de vous que vous parlez, glissa Mac-Mahon, je dirais que vous êtes une bonne poire !

La réplique amusa Silas, dont le rire commençait par un long râle.

Lafontaine donna un petit coup de coude dans les flancs gras de MacCaskill. Les deux partirent sur un simple signe de tête. Je savais où ils mettaient le cap. Pendant que nous discutions, une équipe de constables s'affairait à glaner de nouvelles informations auprès des propriétaires, des locataires et des concierges des pâtés de maisons où avaient eu lieu les avortements criminels afin de tenter d'établir des recoupements.

Je me retrouvai seul avec le coroner et Carpenter. Ce dernier nous remit des documents, à Edmond et moi.

— Tenez, ça vous intéresser grandement.

Il avait fait compiler des statistiques sur les opérations criminelles commises à Montréal dans les deux dernières années.

— *Here you have* les dates des délits, les adresses des médecins suspects, les noms de ceux arrêtés...

Pendant que je feuilletais le dossier, MacMahon se leva et pianota sur la table en ravalant un rot. La journée avait été longue, et il mangeait vite et gras.

— Comme je l'ai déjà mentionné à Georges, l'assistant-procureur Gaudias Rochon va intervenir bientôt. Cela pourrait mettre en danger nos emplois, le sort de la morgue que l'on veut construire, et même ton nouveau Bureau d'enquête, Silas. Il faut se méfier de Rochon. C'est un sournois, un rustre qui cultive le mépris de ceux qui ne pensent pas comme lui. C'est bête à dire, mais il souffre du complexe du Canadien français sans diplôme.

— Je peux pas faire beaucoup plus, commença Carpenter. Tous mes hommes déjà être en chasse pour trouver le *bloody hell* qui fait les atrocités !

— Nous le savons, Silas, mais Ed a raison, il faut nous préparer à l'affronter.

— *You want* plan B ?

— Silas, le plan B, c'est comme le plan A : il faut prendre à tout prix l'opérateur criminel sur le fait !

— Et avec Rochon, dis-je, il ne faudra pas se montrer trop arrogants. On lui servira une grosse pointe de tarte à farlouche…

— Avec de la crème directement sortie du pis de la vache, ajouta Edmond en retenant un nouveau renvoi.

En reprenant son sérieux, MacMahon pointa le doigt vers les journaux de la journée qui traînaient sur la table.

— Vous avez lu les articles d'aujourd'hui. Rochon pourrait s'en servir pour affirmer qu'il a tout en main pour nous virer…

— Je sais, répondis-je, tandis que Silas Carpenter approuvait lui aussi en hochant la tête.

La Patrie et *La Presse* de mon « ami » Berthiaume tiraient sur nous à boulets rouges – ou bleus – dans leurs éditoriaux. L'affaire prenait des proportions énormes dans l'opinion publique, nourries par l'indignation des journalistes et du clergé. Les mots qui revenaient le plus souvent dans les articles faisaient mal à lire : « incompétence », « honte », « des renforts, s'il vous plaît ». Les deux rivaux s'étaient donné le mot pour nous mettre sur la sellette. Notre incapacité à résoudre l'affaire remettait même en question les réformes que nous proposions. *Avant les réformes, des résultats, messieurs les experts!* titrait l'éditorialiste de *La Presse*. Il y avait aussi une nouvelle rumeur publique, fraîche du matin, qui faisait passer l'opérateur pour un héros, une sorte de Robin des bois. Cette sympathie envers le monstre n'était encore qu'une petite brise, mais la suite m'inquiétait.

J'espérais que mon article à venir dans *La Presse*, que j'avais mentionné à mes collègues, ferait tourner le vent en notre faveur, mais rien n'était moins sûr. Ce n'était qu'un maigre papier sur les peines qu'encourait l'opérateur, un article noyé parmi toutes les attaques rangées des éditorialistes.

19. Un ultramontain à la morgue

Après avoir dîné d'une côtelette de veau dans un restaurant de la rue Notre-Dame, je retournai à la morgue pour notre rencontre avec le député de Lotbinière et assistant-procureur de la couronne du Québec, le conservateur Gaudias Rochon, un cultivateur bouseux indigne de ce poste. En marchant, je constatais que, pris dans le tourbillon des affaires courantes de l'asile et de la morgue, je n'avais littéralement pas vu passer les deux derniers jours, qui n'avaient apporté rien de plus au moulin de l'affaire de l'opérateur, si ce n'est d'autres articles incendiaires. Puis je pensai à Emma qui arriverait en soirée, un baume sur mes soucis. J'avais très hâte de la voir...

MacMahon, Carpenter, Wyatt – qui avait tenu à assister à la réunion – et moi attendions l'arrivée de l'assistant-procureur.

À une heure pile, Sansquartier passa son visage dans l'encoignure et frappa discrètement. Il hocha la tête pour nous signaler que notre homme était arrivé.

— Un air de beu ! ajouta-t-il tout bas.

— Un air de bleu, tu veux dire, résuma Wyatt.

Cette blague nous soulagea énormément de notre tension.

MacMahon alla à la rencontre du politicien et il fit les présentations. Rochon était court sur pattes, ventru et avec des cheveux clairsemés. Il portait un pantalon brun et des bretelles pour garder son pantalon à marée haute. Comme j'avais été assistant-greffier au Conseil législatif à mon retour de Paris et que je m'étais lié avec des libéraux, il me gratifia d'un regard mauvais. Je n'étais pas du bon bord, pour reprendre l'expression entendue.

— Je vous reconnais, docteur Villeneuve. Vous vous êtes fait des amis qui sont en fait nos adversaires. Vous venez, je crois, d'être nommé assistant-surintendant de l'asile de Longue-Pointe ?

— Oui, en effet. Je viens tout juste d'entrer en fonction.

— J'espère que vous aurez une longue carrière…

Ces paroles sibyllines me fâchèrent. Elles reflétaient trop les mœurs politiques de la province de Québec. Chaque fois que des élections amenaient un nouveau gouvernement, un changement de garde avait lieu et pouvait vous renvoyer au chômage. Nous étions à la merci du ressort électoral.

MacMahon se chargea de résumer où en était notre enquête et pourquoi elle était difficile.

— Trois femmes ont été tuées par l'opérateur.

— Trois enfants aussi… ajouta Rochon.

— J'allais le préciser, dit poliment le coroner. Tous ces meurtres se sont produits dans le quartier Sainte-Anne.

Carpenter leva le doigt pour ajouter une information.

— Et vous savoir combien être difficile pour nous de prendre ces *bastards* sur le fait.

Rochon écoutait la bouche pincée. Il attendait le moment propice pour nous sermonner et nous clouer au pilori. Je sentais l'assistant-procureur prêt à dégainer son trop-plein de hargne. Ses grosses mains calleuses aux doigts boudinés pianotaient déjà sur la table. Je le trouvai pathétique dans son trois-pièces brun à carreaux.

Le coroner repassa toute l'enquête en faisant un grand effort de diplomatie. Je savais à quel point Edmond MacMahon pouvait varloper un avocat à la cour. Sa patience avait des limites et je me demandais quand les tendons de son cou allaient se tendre et sa voix se muer en un rugissement.

— Monsieur Rochon, nous avons de nouveaux indices. Des pistes sérieuses : des empreintes de soulier, un cheveu incriminant, des instruments chirurgicaux, des objets qu'il...

L'autre le regardait avec un sourire baveux quand il lui coupa la parole :

— Tout ça, c'est de la petite bière, MacMahon.

Je sentis le coroner déglutir avec difficulté. La salive passait mal. Pour une rare fois, nous vîmes le brave MacMahon chercher ses mots. Le regard de l'assistant-procureur me toisa. Je le regardai s'agiter et j'avais l'impression qu'il était atteint de démangeaisons au derrière tellement il se trémoussait sur sa chaise.

— Nous avons déterminé avec certitude que les trois meurtres sont l'œuvre d'un même opérateur. Nous savons qu'il...

— « Nous avons déterminé que... Nous savons qu'il... » ironisa l'assistant-procureur. Vous me dites que c'est ceci ou que c'est cela. Dans les faits, vous ne savez rien. Rien, rien, rien ! Ça ne peut pas continuer comme ça !

Après une pause de cinq secondes, Rochon se leva pour arpenter la pièce. Il marcha autour de la table, puis s'arrêta en pointant le doigt vers nous, un geste que les Jésuites m'avaient enseigné comme étant impoli. Je serrai les dents pour ne pas répliquer.

Allions-nous tous être renvoyés sur-le-champ et remplacés par des ultramontains qui invoqueraient Léon XIII pour mettre fin aux meurtres ? Même si

j'avais du respect pour l'auteur du *Rerum novarum –
Des choses nouvelles –*, les papistes hystériques me
causaient de l'urticaire. Ces brigades de zouaves avec
leurs costumes de mascarade donnaient à notre religion un air de foire. À force de bêtises, on devient
bête et on régresse à ce stade de l'animalité où la
parole vaut moins qu'un aboiement.

Rochon laissa finalement éclater sa colère en pos-
tillonnant son mépris à dix pieds au moins.

— Vous êtes tous des incapables! On rit de vous dans
les journaux. À cause de votre incompétence, l'opposition me harcèle de questions. Je n'en peux plus. Je
suis incapable de piloter mes autres dossiers. Je suis dans
la fosse aux lions chaque fois que la damnée opposition
libérale ouvre sa trappe à malices. J'exige que vous
régliez vite cette histoire, parce que le premier ministre
aussi est à bout de patience, et c'est à lui que vous
aurez à rendre des comptes la prochaine fois. Laissez-
moi vous dire que si vous ne vous bougez pas le train,
vous irez pratiquer la médecine au diable vauvert. Je
veux des résultats, vous m'entendez? Et vite!

— Je voulais vous dire… commençai-je.

— Taisez-vous, Villeneuve! Je ne veux rien entendre
de vous.

Le poing de Wyatt s'abattit sur la table.

— *Asshole! I just can't stand it anymore*, cria-t-il en
sortant. *I won't let myself be mocked by this idiot!*

Nous restâmes sans voix. Jamais nous ne voyions
Wyatt courroucé. Je n'avais jamais entendu de telles
expressions dans sa bouche. Heureusement que notre
cultivateur ne comprenait pas l'anglais!

Le coroner MacMahon se frotta la barbe. J'aurais
bien aimé rire dans la mienne. Carpenter, lui, enfonça
son index dans son oreille et en cura le pavillon avec
nervosité pour en extirper un bouchon de cire.

Impoli, l'assistant-procureur tourna les talons sans
nous saluer et prit la porte à son tour.

Il fallut de longues minutes pour que nous reprenions nos esprits. MacMahon bouillait, rouge de colère.

— Mais quel idiot! J'aurais donc aimé lui mettre
mon poing sur la gueule.

Ce qui résumait bien l'opinion de tous. Puis Carpenter déclara :

— Georges, le charge de travail de toi et Johnston
must be modifiée. Je propose toi seul t'occupes de
l'affaire de l'opérateur. Docteur Johnston pourra s'occuper des autres cas d'homicides ou morts violentes.

Je le regardai, surpris par la proposition.

— Mais...

— Il n'y a pas de mais, Georges, me coupa Mac-
Mahon. Silas a raison. Il faut cesser de s'éparpiller.
Les morts s'empilent, la peur aussi, nous affichons du
retard et le bouseux exige des résultats, parce qu'il veut
être réélu. Depuis que vous avez votre poste d'assistant-
surintendant à l'asile – et là, ce n'est pas un reproche,
mon cher –, vous êtes bien trop occupé. Johnston en a
beaucoup lui aussi, mais il pourra s'occuper du reste
pendant que vous vous consacrerez aux cas qui re-
lèvent de l'opérateur criminel.

— Je comprends votre position, messieurs. Et si
Wyatt est d'accord, je ne dirai pas non.

20. L'étau se resserre

Je soupai à la morgue, à la demande de Lafontaine, qui voulait absolument me voir dans la soirée. C'est seulement à dix heures trente que je compris, en voyant entrer dans la salle d'enquête de la cour du coroner, menottes aux poignets et bien encadré par Bruno Lafontaine et Patrick MacCaskill, le docteur Pierre Rousseau. Je fus pris d'un profond malaise. Il paraissait abattu, il avait le dessous des yeux sombre, des demi-lunes charbonneuses. Il me regarda comme un condamné son geôlier. Mon collègue était dévasté. Compte tenu du drame qu'il vivait avec sa femme, je ne pouvais que ressentir de la compassion. Je toisai Lafontaine, qui me prit à part.

— Depuis qu'il nous a fait faux bond, j'ai ordonné qu'il soit surveillé, me dit Bruno. Et ce soir, il a refusé de nous expliquer pourquoi il se trouvait dans un quartier que ne fréquentent pas habituellement les gens de sa condition, là où on trouve plein de dames sur les trottoirs. On connaît sa clientèle, les putains ! Je suis certain que notre accoucheur s'est rendu faire son sale travail.

— C'est faux ! répondit Rousseau qui avait entendu la conversation.

— Il avait plusieurs gros billets dans ses poches, ajouta MacCaskill.

— Je gagne bien ma vie, messieurs, c'est normal. Vous m'accusez sans preuve et à partir de fausses prémisses.

Bruno s'avança à un pouce du visage du gynécologue.

— Je suis sûr qu'il a eu le temps de commettre une opération. Moi, je vais l'obliger à cracher le morceau. Quitte à y passer la nuit !

J'éloignai Bruno avant que l'altercation ne dégénère.

— Est-ce que je peux lui parler ?

— Pas plus de cinq minutes.

— Suivez-moi dans mon bureau, docteur Rousseau.

Il marcha comme un condamné vers mon cagibi vitré. Je le priai de s'asseoir. Son long corps s'affaissa sur la chaise. Cet homme n'était plus que l'ombre de lui-même. Puisque je n'avais que cinq minutes, je posai directement ma question.

— Pourquoi n'avez-vous pas dit la vérité à mes collègues ?

Il fixa ses grandes mains fines et blanches comme de la porcelaine puis me regarda droit dans les yeux.

— Parce que ce que j'ai fait aujourd'hui ne se dit pas.

— Pourquoi ?

— Je risquerais de perdre ma réputation !

— Ayez confiance, je suis votre ami. Je garderai le silence.

Il me jaugea d'un air indécis, puis il posa ses deux mains sur son visage, frotta ses yeux fatigués avec ses index. Il retira ses mains et soupira en me regardant droit dans les yeux.

— Comme vous le savez, Florence, mon épouse, n'en a plus pour très longtemps, et depuis quelques soirs, je me rends dans le *Red Light* pour… enfin, vous comprenez. Ce soir, j'ai enfin osé, mais une fois dans la chambre, je… je n'ai pas pu m'exécuter, n'ayant en tête que ma pauvre femme qui se meurt au sanatorium. C'est la vérité, Georges.

La nouvelle m'assomma, mais je n'avais pas de leçon à donner à mon collègue. Le souvenir de Viviane me revint à l'esprit. Une fille formidable qui vivait des fruits de la prostitution, que j'avais aimée de tout mon cœur et à qui je devais mon premier grand chagrin d'amour. Elle était disparue du jour au lendemain, me laissant sans adresse. Je pensais parfois encore à elle avec un goût amer de nostalgie. Mais je ne me voyais pas réconforter Rousseau en lui révélant ce pan caché de ma vie.

Comme je ne disais rien, il se défendit du mieux qu'il put, honteux.

— L'esprit est ardent et la chair est faible, comme le disait Mathieu dans son évangile.

— Et il avait parfaitement raison. Écoutez, docteur Rousseau, avouez la vérité à mes collègues et je ferai tout pour vous protéger.

— Tout ça est ridicule. Je sauve des vies. Je mets des enfants au monde. Je ne suis pas un faiseur d'anges.

— Nous pourrions demander à cette femme de témoigner à huis clos. Si elle confirme votre version, vous serez libéré des soupçons qui pèsent sur vous.

— Je ne...

— Vous pouvez me faire confiance, Pierre. Parlez, ça vous soulagera.

— Je ne vous ai pas tout dit encore, docteur Villeneuve. Vos collègues policiers ont une autre carte contre moi. Voyez-vous, après être sorti de cette maison de débauche, je me suis rendu dans une... buanderie.

— Quoi ! Vous fumez de l'opium ?

— Oui, cela m'aide à oublier mes tourments. Voilà. Vous savez tout.

Son corps ploya et il se cacha de nouveau le visage dans les mains. Il pleurait et ses épaules tressautaient.

J'étais atterré. Qu'un médecin puisse recourir à l'opium et procéder le lendemain à des opérations me laissait pour le moins perplexe. Qui aurait envie d'être accouchée par un opiomane ? Un grave scandale se dessinait dans notre corps médical. En apprenant cela, la presse ne tarderait pas à en faire son docteur Jekyll. Tout le monde penserait que ce médecin drogué et débauché devait être celui qui commettait ces opérations meurtrières. Une prostituée, Amélia Samson, avait déjà été assassinée, et Griffintown était connu comme étant un quartier chaud en la matière. Le public ne ferait pas de distinction entre les bordels de la rue de La Gauchetière et ceux de Griffintown.

Je promis encore une fois au docteur Rousseau de tâcher d'éteindre l'affaire dans la mesure du possible. Mais il lui fallait redevenir l'homme qu'il avait été. Il me le jura. Montréal ne pouvait pas se passer du docteur Rousseau.

Bruno ouvrit la porte avec un air revêche. Il dévisagea Rousseau. Avant qu'il puisse entrer, je lui chuchotai à l'oreille :

— Il a confiance en moi, il va parler.

Depuis le cadre de la porte, Bruno fit signe à Rousseau de nous suivre. Nous retournâmes en silence dans la salle d'enquête, où nous attendait MacCaskill.

Bruno invita le docteur à se rasseoir au bout de la table. Il lui lut le rapport de filature. Rousseau ne chercha pas à nier les faits.

— Avez-vous frayé avec une de ces femmes qu'on appelle « putain » ? questionna Lafontaine.

Rousseau redressa la tête et fixa le lieutenant droit dans les yeux.

— Non. Je suis entré et je suis ressorti aussitôt. Regardez l'heure. On ne fait pas ces choses en cinq minutes.

— Encore drôle ! commenta MacCaskill.

— Plusieurs prostituées font appel à des opérateurs criminels, est-ce qu'il vous arrive de leur offrir vos services ? Étiez-vous là justement pour vous faire une nouvelle cliente ?

— Non ! Voici ce qui est arrivé…

Rousseau avoua ce qu'il m'avait déjà dit. Il avait été sollicité par une prostituée et son maquereau, mais il avait finalement refusé les avances de la femme.

— Vous accepteriez d'être confronté à cette personne ? lançai-je rapidement.

Bruno me regarda avec de gros yeux.

— Si ma parole ne suffit pas à vous convaincre, oui.

— Docteur Villeneuve, je veux être seul avec le docteur Rousseau !

— Excusez-moi, lieutenant Lafontaine, dis-je en employant mon ton le plus contrit.

— Si vous étiez sollicité, docteur Rousseau, seriez-vous disposé à pratiquer des avortements ?

— Pour sauver une femme en danger, bien sûr que oui. La loi me le permet. Il m'est arrivé d'en faire même à l'hôpital. Le serment d'Hippocrate m'y oblige.

— Autrement ?

— Je respecte les lois.

— … dit l'opiomane qui traîne dans le *Red Light*, ironisa MacCaskill.

La réplique cinglante cloua Rousseau sur sa chaise.

— J'ai lu que vous avez déjà mentionné que le fœtus n'est pas un être humain, lança Lafontaine.

— Les lois le considèrent comme tel.

— Trouvez-vous les lois en matière d'avortement trop sévères ?

Rousseau hésita avant de répondre.

— Il est vrai que j'ai déjà écrit que la loi était trop rigide, ce qui ne veut pas dire que je sois d'accord avec les avortements pratiqués par des criminels.

— Et par des médecins ?

— Un crime est un crime aux yeux de la loi.

— Dans quel cas souhaiteriez-vous faire des avortements en dehors de ceux qui sont prescrits par le Code criminel ?

— Ce sujet est trop complexe et philosophique pour que j'en discute intelligemment avec un policier.

MacCaskill s'approcha pour frapper Rousseau et je m'interposai en le rabattant sur le mur.

— Georges, qu'est-ce que tu fais? cria Bruno en nous séparant.

— Je ne laisserai pas MacCaskill frapper le docteur Rousseau.

MacCaskill fulminait tellement qu'il était à un cheveu de m'expédier son poing dans le visage.

— Tout le monde se calme et on reprend! tonna Bruno. D'accord?

Je n'appréciais pas la pression que mettaient les policiers sur les épaules du docteur Rousseau. Mais les bons enquêteurs sont de cette race: harcelants et tenaces.

— Répondez à ma question, reprit Lafontaine. En quoi la loi est-elle trop restrictive?

— Je veux bien répondre à votre question, mais je ne veux pas que cela serve de preuve contre moi.

— D'accord.

— Avez-vous des enfants, lieutenant? demanda Rousseau.

— Plusieurs.

— Des filles?

— Oui. Cinq.

— Admettons qu'une de vos filles soit violée et qu'elle se retrouve enceinte à la suite de ce crime, souhaiteriez-vous qu'elle soit contrainte de vivre avec le fruit de ce crime pour le reste de ses jours?

Visiblement embarrassé, Lafontaine hésita. Rousseau l'avait piégé avec un cas tout simple, un cas que Lafontaine n'avait vraisemblablement jamais envisagé. La loi est sévère, mais nous exigeons sa clémence lorsque nous ou nos proches nous retrouvons pris dans une situation délicate.

— Je... heu... Voilà un cas où la loi est trop restrictive, conclut Bruno simplement. Mais je ne suis pas législateur.

— Considérez-vous qu'une relation sexuelle pratiquée dans un bordel et qui aboutit à la grossesse soit aussi un cas trop restrictif aux yeux du Code criminel en matière d'avortement ? reprit Rousseau.

— Non. C'est totalement différent. Mais dites-nous donc, docteur Rousseau, pourquoi fréquentez-vous ces lieux infâmes ?

— Ma femme va mourir, lieutenant. Quand je ne travaille pas, j'ai besoin d'oublier ma douleur. Depuis quelques jours, j'avais envie d'être réconforté. Je croyais trouver la chaleur dans les bras d'une autre femme. Mais ce soir, j'en ai été incapable. Notez bien que cela ne m'a pas empêché aujourd'hui de sauver la vie d'une patiente qui était victime d'une hémorragie, d'en aider deux autres à donner naissance à de charmants poupons, de replacer un cordon qui allait étrangler le bébé à la sortie. Je mange peu, je dors encore moins. Je reste éveillé toute la nuit en pensant à Florence ou en la veillant. Tous les jours, je guéris, je soigne, je traite, j'accompagne mes patients dans leurs douleurs comme dans leurs bonheurs. Et pourtant, je suis incapable de soigner ma propre femme. Pouvez-vous m'expliquer ça ?

MacCaskill et Lafontaine me regardèrent avec l'air d'être dépassés par les événements. Allaient-ils se laisser attendrir ?

Je me trouvais dans une position épouvantable.

— Bruno, Patrick, écoutez-moi, commençai-je. Vous avez entendu la confession du docteur Rousseau. Pensez-y à deux fois avant de tuer une carrière comme la sienne. Je sais que ce n'est pas bien de fréquenter les buanderies, mais ce médecin sera beaucoup plus utile à la maternité qu'en prison. On a tous des périodes de faiblesse. Je vous demande de lui accorder une chance de plus. J'en prends la responsabilité.

Bruno regarda son collègue, qui semblait aux prises avec le même dilemme. Finalement, c'est MacCaskill qui, d'une moue approbatrice, donna son aval.

— Ouais, mais si jamais je le reprends en train de fréquenter des lieux du genre, je lui colle de telles charges qu'il va être des années sans voir la lumière du dehors, et les seuls accouchements qu'il fera auront lieu à la prison des femmes...

On entendit un grand soupir de soulagement.

— Merci, messieurs. Je voudrais cependant... commença Rousseau.

Les regards noirs des deux policiers le stoppèrent dans son élan. Le médecin leva les deux mains pour leur demander de le laisser continuer.

— En fait, je veux vous transmettre une information qui m'est revenue en mémoire ce matin...

MacCaskill eut une moue invitant fortement le docteur à aboutir.

— C'est à propos de l'insufflateur, cet instrument nouveau que vous avez découvert dernièrement. Je pratiquais une opération où il m'a fallu recourir à cette machine quand je me suis rappelé un incident qui s'est produit lors du dernier Congrès international des médecins de langue française d'Amérique du Nord.

— De quoi s'agit-il?

— Une personne m'a longuement questionné sur l'usage de cet appareil. Mais je ne me rappelle plus de qui il s'agissait.

— Où avait lieu cette conférence?

— À Québec.

— Pourquoi parlez-vous d'un incident?

— Parce que cette personne se demandait si l'usage de l'insufflateur, qui sert à vérifier l'imperméabilité des trompes de Fallope, pouvait aussi servir dans des cas d'avortement. Il va sans dire que la question avait créé une certaine surprise. L'intervenant avait justifié sa question en disant craindre qu'on puisse utiliser cet appareil à d'autres fins que celles envisagées. Voilà!

— Pourriez-vous reconnaître cette personne? demanda Bruno.

— J'en doute. Il y a un moment que c'est arrivé.

— Son nom serait-il inscrit sur une liste de participants ?

— C'est possible. Mais il y a aussi des gens qui peuvent assister aux conférences en auditeurs libres. Ce n'était pas un invité. Je ne sais même pas s'il était médecin.

— Pourriez-vous nous remettre les actes de cette conférence ? demandai-je à mon collègue.

— Oui. Bien sûr. Je dois en avoir une copie à mon bureau de l'université.

En raison des menottes, il sortit laborieusement sa montre à gousset pour regarder l'heure. Il était impatient de recouvrer sa liberté. Bruno s'approcha du gynécologue et s'assit sur le coin du bureau.

— Docteur Rousseau, une dernière chose. Nous aimerions vérifier vos chaussures et prendre vos empreintes digitales.

Rousseau eut un air de surprise. Je vis de l'inquiétude dans son regard. Je cherchai à le rassurer.

— Cela pourrait permettre de vous disculper entièrement, Pierre.

— C'est quand même me traiter comme un criminel, ce que je ne suis pas ! Si on écrit dans les journaux que la police a pris mes empreintes, ma réputation sera entachée à tout jamais.

— Je pourrais vous y obliger, dit Bruno en revenant à la charge.

Rousseau tendit les mains, résigné.

— Alors allez-y, je n'ai rien à cacher !

Bruno me regarda pour que je procède au prélèvement, mais voyant que cela m'incommodait – et pour cause –, il proposa de me remplacer.

— Suivez-moi, je vous prie. Vous aurez de l'encre d'imprimerie sur les doigts, mais ça disparaîtra d'ici quelques jours. Ne vous inquiétez pas.

21. Le *pimp* et la prostituée

SAMEDI, 20 OCTOBRE 1894

Je me serais volontiers passé de travailler en ce jour où j'allais revoir Emma, mais le samedi est une journée de travail comme une autre. En début d'après-midi, les policiers procédèrent à l'arrestation dans le *Red Light* de la prostituée qui avait proposé ses services au docteur Rousseau et de son maquereau. Moi qui pensais pouvoir quitter le bureau plus tôt, je fus bien déçu. Bruno me téléphona pour me dire qu'il allait procéder à l'interrogatoire. Il m'invita à y assister.

Le poste de police de la ville de Montréal était situé rue Saint-Gabriel, près du palais de Justice.

Je marchai les quelques centaines de mètres qui me séparaient de cette belle rue. Il faisait un temps splendide. Une journée d'été indien. Pas un nuage et un mercure plus haut que la normale saisonnière. Ce serait merveilleux de pouvoir profiter de ce temps doux avec Emma.

Je passai la porte tournante, croisai un essaim de policiers qui allaient et venaient. Je montai à l'étage rejoindre Bruno et Patrick. Je les trouvai dans la petite salle d'interrogatoire.

— Entre, Georges, on a des gens bien à te présenter, blagua Patrick.

À côté du maquereau, était assise une femme aux joues fardées et aux cils beurrés de rimmel. Elle se nommait Marie Gourdeau, alias Mary Gordon. Elle portait une robe noire à pois blancs et des bottes lacées au goût du jour. Ses longs cheveux roux retombaient sur ses frêles épaules. Son proxénète, Rollie Grant, de son vrai nom Roland Garant, portait un trois-pièces rayé mal ajusté, un chapeau mou beige et des souliers noirs bien astiqués, mais aux semelles usées par les allers-retours sur les trottoirs. Il avait la moustache en guidon très bien roulé. Son nez de boxeur et ses deux cicatrices au visage, dont l'une qui partait de la jugulaire et finissait sur la lèvre inférieure, indiquaient son appartenance au milieu criminel. Toutes sortes de tics lui déformaient la bouche, on aurait dit un rictus en variation continue. Sans doute des grimaces qu'il avait développées pour avoir plus l'air d'un voyou.

MacCaskill demanda à Grant d'enlever son feutre. Il avait le dessus du crâne chauve et luisant. À le voir nous regarder avec arrogance, il semblait avoir une très haute estime de lui-même.

Grant reconnut avoir vu le docteur Rousseau le soir du dernier homicide et que celui-ci avait bel et bien changé d'idée en cours de route.

— Y était nerveux. Ça paraissait qu'il avait jamais fait ça avant. Y savait pas trop ce qui voulait. Y a branlé dans le manche un peu avec Mary, je pensais qu'elle l'avait appâté mais, finalement, y est sorti de la chambre sans qui s'passe rien.

— Quelle heure était-il ?

Grant agitait les mains fébrilement.

— Ch'sais pas trop. Aux alentours de huit heures, p't'être.

Bruno consulta ses notes. Ça concordait.

— Êtes-vous avisé lorsqu'une de vos filles tombe enceinte ? demanda soudain Lafontaine.

La question parut décontenancer le maquereau, à voir sa bouche reprise de tics. Il fixa ses chaussures, en refusant de répondre. Lafontaine haussa le ton.

— Avez-vous compris la question ou dois-je la répéter?

— Ben… on finit toujours par le savoir, dit-il en gardant la bouche pincée.

— Fournissez-vous des noms d'opérateurs à vos prostituées?

Grant regarda longuement Mary. Par son regard, il l'accusait d'avoir déjà déballé son sac à la police.

— J'te jure que je leur ai rien raconté, Rollie, se défendit-elle.

— C'est facile de trouver un médecin ou un *baggage man* pour un avortement, avoua enfin Grant.

— Où?

— Un peu partout à Montréal, répondit Grant d'un air suffisant.

Je sentis MacCaskill se braquer dangereusement. Ses mâchoires se serraient. La veine de sa tempe droite battait de plus en plus vite.

— Ne me prends pas pour une valise, le *smart*, parce que je vais te boucler une semaine à la prison de Montréal et tu vas t'en rappeler longtemps, menaça Lafontaine.

— Les filles se refilent des noms de médecins prêts à faire le travail. Elles les connaissent.

Lafontaine se tourna vers Gourdeau.

— Toi, t'aurais pas quelques noms pour nous?

Mary secoua la tête.

— *Come on*, Mary. Joue pas avec moi. Crache le morceau, qu'on en finisse.

— Non, non. Je sais rien. J'en ai jamais eu besoin.

— Mais tes amies pourraient en avoir.

MacCaskill mit plus de pression.

— Qu'est-ce que je dois te faire pour que tu retrouves ta langue? Et toi, le *pimp*, cesse de grimacer avec ta bouche, ça m'énerve! Alors, la Rougette, j'attendrai pas longtemps…

— Les… les filles ont parlé de ce qui est arrivé à Amélia Samson, et… et aussi à la petite jeune des États qui a disparu.

— Une fille qui serait disparue, tu dis ? Comment elles peuvent savoir ça, tes copines ?

— Elles ne savent pas. La fille devait revenir travailler, mais elle s'est pas présentée.

— Et pourquoi elle n'est pas revenue ?

— Aucune idée.

— « Aucune idée » ? s'embruma Patrick.

— C'est tout ce que je sais. Elles ont peur...

MacCaskill se tourna vers Grant.

— Pis toi, tu dis quoi ?

— Moi, je veux retourner sur la *Main*. J'ai rien à voir avec tout ça.

MacCaskill l'agrippa par l'épaule.

— Ben moi, le *pimp*, je pense le contraire...

Grant voulut se défaire de Patrick, mais ce dernier l'attrapa de l'autre main par le cou et exerça une pression sur la carotide du maquereau, qui ne tarda pas à faiblir. Il nous fallut intervenir, Bruno et moi, pour les séparer avant que Grant ne tombe dans les pommes.

Loin de MacCaskill, le proxénète se tint à carreau, en passant nerveusement une main sur son cou marqué de rouge.

— Ce sera tout pour ici, dit Bruno, mais il reste un dernier détail. Veuillez me suivre tous les deux.

— Où on va ? demanda Grant, inquiet.

— Faire une petite séance d'identification.

— *Come on*, on a rien à voir...

— Fais pas le fou, Rollie, le coupa Marie Gourdeau, on va avoir du trouble si on refuse d'y aller.

— Bien dit, madame, conclut Bruno.

◆

Une voiture de service nous emmena tous les cinq à la morgue. Je regardai l'heure. Je ne voulais pas rater le concert. On monta dans la salle de conservation des corps. Le *pimp* et la fille étaient terrorisés par l'endroit, et je fis en sorte qu'ils aperçoivent bien, dans la salle d'ensevelissement, les cercueils de fortune empilés les uns sur les autres. Gourdeau grimaçait alors que Grant, au contraire, ne le faisait plus du tout. On entra dans la pièce. J'ouvris la porte rouge de la glacière et montrai le visage de la dernière victime de la rue de Condé, une femme blonde dans la vingtaine mesurant cinq pieds et trois pouces. Le maquereau recula, tout livide, le revers de la main sur la bouche.

— Alors, tu la connais ? lança Bruno.

Les lèvres serrées et le cœur dans la gorge, il fit signe que non, puis il dégobilla sur le plancher. Plié en deux, il avait peine à reprendre son souffle.

Je fis appeler madame Jos pour qu'elle vienne ramasser le dégât.

— Pis toi, la Rougette, tu dis quoi ? lança MacCaskill.

Gourdeau se contenta de secouer la tête en signe de dénégation. Elle n'en menait pas large.

On entra un peu plus dans la glacière.

— Et celle-là, tu la connais ? C'est Amélia Samson, avortée puis égorgée dans son appartement. Est-ce qu'elle travaillait pour toi ?

— Non.

— T'es sûr ? insista MacCaskill.

— Y a juste une couple de filles qui travaillent pour moi, pas la ville au grand complet. J'vous dis que j'la connais pas elle non plus.

Marie Gourdeau fit les mêmes gestes de dénégation.

Je les entraînai un peu plus loin dans la glacière pour leur montrer la victime de la rue Saint-Patrick. Même si son état de conservation laissait grandement à désirer, les cheveux roux de la jeune victime n'avaient rien perdu de leur éclat dans la mort.

Immédiatement, je sus que nous faisions mouche. Grant hoqueta puis vomit à nouveau un bon coup, tandis que Gourdeau se mettait à chigner puis à pleurer pour de bon à gros sanglots.

— Elle… elle s'appelait Debbie Parker, comprit-on au travers de ses pleurs. Elle disait venir des États.

— D'où, aux États ? demanda Lafontaine.

— Elle ne me l'avait pas dit. Quelque part sur la côte est. Elle disait que c'était trop *tough* pour elle dans les manufactures de coton.

— Quelqu'un que vous connaissez saurait d'où elle venait ?

— Non.

Je m'approchai de la prostituée.

— À votre avis, comment se sentait-elle ? Paraissait-elle heureuse ou tourmentée ?

— Elle avait l'air pas mal perdue. Elle cassait son français, se mêlait pas aux autres filles. Elle m'a dit qu'elle voulait arrêter de travailler pendant quelque temps.

— Pourquoi ?

— Elle devait retourner dans sa famille. Pis après ça, elle reviendrait à Montréal.

— Moi, je dis que c'était parce qu'elle était enceinte, intervint Bruno. Es-tu sûre que Debbie Parker n'a jamais rencontré le docteur Rousseau ?

— Je sais pas. J'me tenais pas vraiment avec elle. Je la croisais de temps en temps sur le trottoir. On se saluait. « *Hey. How are you ?* » *That's it, that's all.*

— C'était qui, son *pimp* ?

Mary et Grant haussèrent les épaules en même temps, mais quelque chose dans la posture du maquereau sentait mauvais. MacCaskill le prit par le collet, mais l'autre continua de regarder par terre, en évitant les yeux de l'armoire à glace.

— Tu le connais, n'est-ce pas ?

— Non, je vous l'jure ! se défendit Grant en protégeant faiblement son visage des claques que MacCaskill commençait à lui asséner.

Bruno intervint pour apaiser son collègue.

— On le connaît pas, son *pimp* ! cria soudain Gourdeau. C'est-tu clair, bout de viarge ?

Les deux policiers se regardèrent. Ils ne tireraient rien de plus de ces deux-là pour l'instant.

De toute façon, Grant n'en menait pas large. Il était blême et il avait une haleine presque aussi fétide que la glacière dans son ensemble et un coulis de vomi sur son beau veston.

Sans un mot, on redescendit les deux étages. À la porte d'entrée, le maquereau remit son feutre beige sur sa tête chauve pour se redonner une contenance.

— Il faut que j'aille travailler, déclara-t-il.

— T'as pas à te presser, Grant, le trottoir va être ouvert toute la nuit, répliqua Bruno, cinglant.

La remarque amusa MacCaskill.

Bruno leur ordonna de rester encore quelques instants sur les lieux, le temps qu'on prenne leur déposition écrite.

Avant de remonter à mon bureau, je m'approchai de Bruno.

— Tu viens toujours au concert ce soir ?

— Oui, mais je devrai revenir au poste après pour préparer nos envois pour les corps de police de la côte est des États-Unis.

— Pourquoi pas demain ?

— Voyons, Georges. Demain, c'est dimanche. Je ne travaille pas.

En montant l'escalier, je me répétais un nom, qui n'était pas celui d'Emma Royal mais celui de Debbie Parker. Nous avions maintenant un nom à mettre sur le visage de notre première Jane Doe.

◆

J'allai d'abord annoncer la bonne nouvelle à Wyatt. Il était assis à son bureau, loupe à la main, sous une lumière vive. Il complétait des examens dactylographiques. À mon sourire, il fut confondu.

— C'est le grand soir !

— Oui, mais ce n'est pas pour cette raison que je viens te parler. On a identifié la première victime de l'opérateur, la petite rousse de la rue Saint-Patrick.

— *It's wonderful! We need to drink to this.*

Il sortit la bouteille de scotch de son tiroir et deux verres.

— Comment s'appelle cette jeune femme?

— Debbie Parker. C'est une Américaine.

— Les parents de cette jeune femme pourront retrouver leur enfant et faire leur deuil.

Il me tendit un verre. Nous portâmes un toast et fîmes cul sec. Dès que j'eus déposé mon verre, il le remplit à nouveau. La tempérance n'était pas une vertu pour mon ami. La vie était trop courte, disait-il. Sur ce, nous levâmes nos verres avant de les vider derechef.

— Moi aussi, je peux me réjouir en cette journée.

Il me montra les fiches dactylographiques sur son bureau.

— Les empreintes du docteur Rousseau sont en forme de boucles, comme celles trouvées sur les tiges.

Je me sentis défaillir.

— Mais les points de comparaison ne concordent pas. Les bifurcations dans les sillons papillaires, les lacs et les deltas sont différents. Les crêtes que l'on trouvait sur les phalanges ne correspondent pas à celles du docteur Rousseau.

Je poussai un grand soupir de soulagement. Je décidai de téléphoner tout de suite à mon collègue pour le rassurer.

J'eus la chance de le joindre à son bureau de l'université.

— Docteur Rousseau, c'est Georges. J'ai de bonnes nouvelles pour vous. Vous êtes innocent! C'est confirmé, comme j'en étais persuadé: les empreintes digitales retrouvées sur les appareils ne concordent pas. Ce ne sont pas les vôtres.

Il y eut un long soupir de soulagement à l'autre bout du fil.

— Je n'aurais jamais pu imaginer que ma liberté dépendrait de quelques sillons papillaires.

◆

Je n'avais que quinze minutes avant la fermeture du magasin. Je marchai d'un bon pas jusqu'à la mercerie de la rue Saint-Jacques pour chercher le complet que j'avais commandé en dressant le bilan de l'enquête, qui venait de progresser d'un pas de géant.

Nous avions trois meurtres dans un quartier bien délimité, le nom de deux de ses victimes et leurs origines. Nous avions un portrait moral de l'opérateur qui parvenait à disparaître sans être inquiété, ainsi qu'une description partielle de la part d'un témoin oculaire. Nous avions aussi un échantillon de la semelle des souliers qu'il portait lors de deux des actes criminels. Les outils laissés sur le lieu du troisième pouvaient nous laisser croire que l'accoucheur était un médecin, comme c'était souvent le cas avec les opérations criminelles, ou à tout le moins quelqu'un qui se prenait pour tel. Nous savions qu'il rassurait ses victimes en leur remettant une image sainte de la Vierge liée à l'Immaculée Conception et que… Étrangement, je perdis le fil de mes pensées et ressentis un grand frisson : j'allais voir Emma dans quelques heures. J'oubliai tout.

Monsieur Jacob, de la Mercerie Jacob et fils, parut heureux d'entendre la petite cloche de la porte d'entrée et de me voir apparaître. Lui qui avait le nez si fin sentit tout de suite les effluves âcres et sucrés de mes vêtements.

— Je vais chercher votre costume, docteur Villeneuve.

Il passa à travers les rideaux de l'arrière-boutique et réapparut moins de dix secondes plus tard avec mon costume noir.

— Le voici. J'en suis très fier.

Il m'indiqua la cabine d'essayage.

— Passez ici.

Une fois à l'intérieur, j'enfilai la chemise à col dur, le gilet boutonné, la redingote coupée dans un tissu uni et appréciai la douceur et la brillance de l'étoffe. Le pantalon avec un galon en soie sur le côté épousait étroitement la jambe.

Je sortis pour me regarder dans le miroir. Il était parfaitement ajusté. Le pantalon tombait juste en haut du talon.

— Il vous va à merveille, docteur! Vous avez l'air d'un homme qui se prépare pour une grande occasion.

Il faut du temps pour se convaincre de porter du cachemire quand on vient d'un milieu populaire, mais j'aimais beaucoup l'image que le miroir me renvoyait.

Je me rechangeai dans la cabine et payai les trente-deux dollars.

Je rentrai chez moi pour me préparer. Je me fis couler un bain. Une vapeur intense se dégageait de la baignoire. Je trempai mes orteils dans l'eau chaude puis, lentement, tout le pied et le reste du corps. Couché dans mon grand bain sur pattes, je me livrai à un intense savonnage pour éliminer toute trace du parfum de la mort. Je me préparais mentalement à nos retrouvailles. Il y avait si longtemps que nous ne nous étions pas vus. Avait-elle changé? M'en voulait-elle encore d'avoir mis sa vie en péril? Pensait-elle à moi chaque fois qu'elle voyait la cicatrice dans son cou? La tête me tournait, et ce n'était pas en raison de la chaleur de l'eau.

Je sortis du bain. Devant le miroir à moitié embué, je taillai soigneusement ma barbe. Puis j'appliquai une bonne dose d'eau de Cologne et de poudre de talc. Je sortis mon nouveau costume. Je serais sur mon trente et un pour revoir Emma.

22. Sous le charme

En cette soirée d'été indien du 20 octobre, le Montréal mondain se pressait aux portes du tout nouveau Monument-National de la rue Saint-Laurent. La température frisait les soixante-cinq degrés. L'air était doux et parfumé. On descendait des tramways, des voitures et des bogheis pour aller entendre Emma Royal. Construit avec une armature en pierre de taille grise de Montréal, l'édifice portait bien son nom. L'immense fenêtre en demi-lune au-dessus de la marquise était magnifique.

En entrant dans le hall, je croisai Romain Girard au bras de sa femme. Il s'approcha de moi pour me saluer et me serrer la pince.

— Docteur Villeneuve, quel bonheur de vous croiser ici! Laissez-moi vous présenter mon épouse, Catherine. Catherine, le docteur Georges Villeneuve.

— Docteur, c'est un honneur.

— Enchanté, madame, dis-je en serrant la main de madame Girard.

— Catherine est une grande admiratrice de votre travail, vous savez?

— Lequel en particulier?

— Celui que vous accomplissez à la morgue. J'ai grandi dans un salon mortuaire et la mort m'a toujours fascinée.

— Docteur, ce n'est probablement pas le meilleur moment pour vous adresser cette requête, interrompit Girard, mais puisque je vous ai sous la main, est-ce que ce serait possible de réaliser un grand reportage sur l'asile Saint-Jean-de-Dieu?

— Non. Pas pour le moment. De toute façon, il faudrait demander la permission à sœur Madeleine et je ne suis pas sûr qu'elle veuille voir des reporters à l'asile.

— Oui, je comprends. Mais je vous ai écrit un bon papier avec la petite Louise Samson.

— Je sais. Malheureusement, je ne peux pas prendre la décision seul.

— Bien entendu.

— Par contre, j'ai une primeur pour vous. Nous avons identifié la jeune victime de la rue Saint-Patrick.

— Ah oui! Et elle s'appelle…?

— Je ne vous donnerai pas immédiatement son nom parce que nous n'avons pas joint sa famille. En fait, il reste encore à localiser précisément d'où elle vient. Mais on pense qu'elle était originaire des États-Unis.

— Merci, docteur. Je vous suis très reconnaissant, dit-il en entraînant sa femme avec lui. Passez une bonne soirée.

Un peu plus loin, je croisai le gros conseiller Dalpé, qui fit semblant de ne pas me voir, mais je sentis la fureur dans ses yeux. Puis je tombai sur Bruno. Il était avec Marie-Jeanne, qui était assise en attendant que s'ouvrent les portes de la salle de concert. Elle semblait fatiguée de sa grossesse, beaucoup plus qu'elle n'aurait dû l'être pour une femme enceinte de sept mois. En m'apercevant, Marie-Jeanne me sourit, mais son sourire me parut sans entrain.

— Je vous remercie pour les billets, docteur, me dit-elle. Il est rare que nous ayons l'occasion de sortir dans le grand monde.

— Tout le plaisir est pour moi.

Je m'enquis de sa situation. Marie-Jeanne trouvait le temps long. Au moins, Marie-Anne et Eugénie étaient là pour accomplir les nombreuses tâches domestiques. Et elles le faisaient sans rechigner. Marie-Jeanne en ressentait de la culpabilité. Et les plus jeunes trouvaient difficile ce régime sans sucreries. C'était plus simple de respecter mon ordonnance en éliminant la tentation pour l'ensemble de la maisonnée. Toute la famille faisait son bout de chemin pour que Marie-Jeanne se repose et passe au travers de cette épreuve.

Je l'encourageai en lui soutirant la promesse qu'elle m'appellerait si son état empirait. Je saluai Bruno et sa femme et leur souhaitai un bon concert, puis cherchai du regard dans la foule le père d'Emma, Joseph Royal, ex-député et fondateur du journal *Le Métis*, mais ne le vis pas. C'était mieux ainsi. J'aurais été embarrassé de le rencontrer après ce que sa fille avait vécu à Paris.

La bonne société montréalaise se pressait aux portes de la salle. Plusieurs de mes collègues de la faculté étaient présents au bras de leur charmante épouse. Le maire Villeneuve et, à ma grande surprise, notre brillant cul-terreux d'assistant-procureur, dans un complet marron, assistaient aussi au concert. Je doutais que Rochon fût capable de différencier music-hall, rigodon et valse viennoise ! Dans la salle, j'aperçus Wyatt et Julia, assis à cinq rangées de moi. Mon collègue regardait son épouse comme s'il lui faisait la cour. Elle était splendide. Julia ressemblait à ces femmes dans les tableaux de John Everett Millais. La chevelure longue et noire soulignait un visage blanc avec des lèvres ourlées, sanguines et de grands yeux verts.

Quand Emma arriva sur les planches, elle fut chaudement applaudie. Je ressentis de grands frissons en la redécouvrant après toutes ces années. Ma gorge se serra. Elle était radieuse dans sa robe noire de concert. Encore plus belle qu'il y a quatre ans. Éblouissante ! Dans ses cheveux blonds comme ces champs de l'Ouest d'où elle était native, de petites fleurs blanches avaient été essaimées ; son visage était d'une grâce et d'une finesse exceptionnelles ; elle était un traité de lignes parfaites des pieds à la tête. Elle salua la foule avec élégance, puis elle s'assit devant le clavier.

Dès les premières mesures, les mains d'Emma semblaient contrôlées par une attraction divine qui les élevait et les rabattait avec fracas, virtuosité et expression sur le clavier. Le plafond du Monument-National était secoué par de violentes bourrasques sonores. Comment d'aussi petites mains pouvaient-elles créer un tel tonnerre ? Dans les *forte* et les *crescendo*, c'était comme si elle cassait de la glace sur le clavier, alors que dans les passages *pianissimo*, son doigté avait la douceur de la soie. La *Fantaisie opus 17* de Schumann émanait tel un orage ou une nuit douce sur la rive d'un lac.

La dernière fois que je l'avais entendue jouer, c'était dans l'appartement du chanteur-meurtrier Guillaume Dietrich, un des pires désaxés de l'histoire de la médecine mentale. C'est là que le drame avait eu lieu. Une immense tristesse m'envahit lorsque je réalisai qu'Emma portait autour du cou un foulard de soie blanc, sans doute pour cacher la blessure que lui avait infligée Dietrich. Je revis la lame entamer la peau et marquer à tout jamais ce cou élancé. Par chance, nous avions pu sauver Emma. Elle avait tout de même dû passer plusieurs jours à l'Hôtel-Dieu de Paris.

Entre le second et le troisième mouvement, quelqu'un – l'assistant-procureur Rochon – se mit à applaudir bruyamment, ce qui généra un malaise et quelques petits rires. Notre habitant avait ignoré le protocole qui limitait les applaudissements à la finale d'un morceau musical.

Le dernier mouvement me porta comme une longue vague. La cadence endiablée prit fin sur un accord qui résonna longuement dans la salle. Il y eut un silence. Puis des applaudissements frénétiques. La foule se leva d'un bond pour ovationner la belle Manitobaine.

Lorsque la foule se fut rassise, Emma joua la sonate *Appassionata* de Beethoven. Dans les passages agités, je crus que les lustres allaient s'abattre sur le plancher. Il y avait une telle colère ! J'espérais qu'elle ne m'était pas destinée.

Seule sur scène, Emma dégageait un magnétisme fou, pas juste en raison de sa beauté naturelle, mais par les mouvements de son corps qui portaient cette musique. C'était comme si elle dansait. Parfois son corps se figeait lorsqu'elle s'arrêtait sur une note qu'elle semblait caresser. Puis ses bras, ses mains, ses doigts et tout son être étaient mus par des mouvements frénétiques.

Elle enfila les trois mouvements de la sonate, capturant l'auditoire dans son univers sonore. Une fois le dernier accord plaqué, nous n'eûmes d'autre choix que de l'ovationner à nouveau. Cela dura cinq minutes. Cinq minutes intenses pendant lesquelles la foule applaudit à s'en faire rougir les mains, où les hommes crièrent « bravo ! », où leurs femmes décidèrent que leurs filles aussi apprendraient à jouer de cet instrument divin. Cinq minutes pendant lesquelles Emma, lumineuse et souriante, salua et remercia la foule conquise, en l'invitant à se rasseoir. Lorsque enfin les gens reprirent place, Emma nous offrit en rappel deux études de Chopin.

Et les applaudissements reprirent. Et des hourras et des bravos. Il y avait une telle énergie dans l'air ! Une artiste était de passage ce soir-là à Montréal.

Une dame patronnesse entra sur scène avec un bouquet de roses. Emma annonça que les fonds du concert iraient à la création de l'organisme de distribution de vêtements et de nourriture de monsieur Joseph Vincent, ce qui, naturellement, redoubla les applaudissements.

Emma salua encore une fois et prit le chemin des coulisses, le port altier. Mais à la grande joie des mélomanes, elle revint aussitôt sur la scène afin d'interpréter une dernière pièce, une surprise qu'elle avait prévue pour l'occasion.

— Mesdames et messieurs, j'ai appris que le coroner Edmond MacMahon, qui dirige la meilleure chorale de Montréal, est une excellente basse, alors si vous le voulez bien, j'aimerais interpréter avec lui le merveilleux *An die Musik*, l'hymne à la musique de Schubert.

Sous les applaudissements, Edmond entra sur scène avec l'assurance de celui qui connaît la musique. Pour l'occasion, il avait revêtu sa redingote des grands jours. Il s'installa près du piano. Emma et lui se regardèrent et elle égrena les premières notes. Nous eûmes droit à un moment d'une très grande intensité. Un de ces instants où l'âme se nourrit. Je n'avais jamais entendu le coroner chanter ailleurs qu'à la morgue, et il me transporta dans les plus hautes sphères.

> *Ô toi, art tout de noblesse,*
> *que de fois, en ces tristes heures*
> *où la vie resserrait son étau,*
> *m'as-tu réchauffé le cœur,*
> *m'as-tu transporté dans un monde plus clément !*
>
> *Souvent, un soupir échappé de ta harpe,*
> *un doux accord céleste*
> *m'a ouvert d'autres cieux.*
> *Ô toi, art tout de noblesse, sois-en remercié !*

L'ovation du public dura une bonne minute. Emma et Edmond sortirent de scène comme s'ils marchaient sur un nuage. Longtemps encore, l'air du *An die Musik* resta dans ma tête.

Je m'agglutinai au public qui sortait. Je n'entendais que de beaux commentaires que j'allais rapporter à Emma. Les hommes en pâlissaient d'envie. Une femme jalouse lança à sa voisine : « Elle a tout pour elle ! Ce n'est pas juste. »

Une fois libéré de la foule, je me rendis, soudainement nerveux, à la sortie des artistes à l'arrière du bâtiment. Je n'étais pas seul à l'attendre. Plusieurs admirateurs faisaient le pied de grue, attendant leur idole avec le programme à la main.

La porte s'ouvrit. Emma apparut comme une lumière du matin. Il y eut une clameur dans la foule.

— Vous avez été formidable ! lança un admirateur.

— Je vous remercie, cher ami.

— Revenez à Montréal quand vous voulez, madame Royal.

— J'adore votre ville, répondit-elle.

— Nous vous aimons, dit un autre avec maniérisme.

— Je vous aime tous, moi aussi, dit-elle en embrassant la foule des bras, ce qui déclencha un rire général.

Des journalistes traînaient dans sa foulée. Elle était comme une reine. Puis elle bougea la tête à gauche et à droite. Elle finit par me voir entre les têtes et elle m'adressa un signe de la main. Elle s'avança vers moi.

— Accepterez-vous de signer mon programme, madame Royal ? dis-je d'une voix que je maîtrisais à grand-peine.

— Avec plaisir, docteur Villeneuve.

Plusieurs programmes furent brandis vers elle. Emma les signa tous avec le sourire. Elle avait un charisme rare. Avec ce recul, je pouvais voir l'attrait qu'elle exerçait sur les gens. Elle leur répondait tous, leur accordait son attention. Chacun d'entre eux pouvait avoir le sentiment d'être privilégié.

— Je vous remercie encore. Ce n'est qu'un au revoir ! Merci de tout cœur !

Les admirateurs s'en retournèrent, à la fois conquis et déçu de ne pouvoir passer plus de temps avec elle.

En me retrouvant, son visage s'anima d'un sourire. Après les actes de fétichisme de l'opérateur fou, j'avais pris la décision de ne pas lui offrir de fleurs. Je lui baisai la main, la regardai droit dans les yeux.

— Georges !

— Emma ! Quelle joie de vous revoir !

— Pour moi de même !

— Vous avez été formidable. C'était grandiose !
Comment peut-on maîtriser toutes ces notes pour les
transformer en une musique aussi céleste ? Je suis tellement ravi, Emma. Vous êtes radieuse.

À ces mots, ses yeux brillèrent comme le quartz au
soleil.

Quand je vis qu'elle était approchée par une nouvelle
horde d'admirateurs, je l'invitai à traverser la rue, sinon
elle n'en finirait pas de répondre à des questions et de
signer des programmes.

Emma portait de longs gants en peau de chevreau à
quatre boutons, une chemise en soie à collerette avec
une cravate windsor pour dame et une jupe noire. Elle
attacha son imperméable en tweed et elle enroula son
boa en plumes autour de son cou.

— Georges, soupira-t-elle, comme vous avez l'air
bien ! Je suis heureuse d'être ici à Montréal avec vous.
J'ai lu plusieurs articles élogieux à votre sujet. Il paraît
que votre thèse de doctorat a été encensée jusqu'à
Londres. N'est-ce pas formidable ? Je vous en félicite.
Tout comme pour votre nomination à l'asile Saint-
Jean-de-Dieu. Et cette enquête dont tout le monde
parle et qui vous accapare depuis des mois. Avez-vous
le don d'ubiquité ? Comment vous y prenez-vous ?
demanda-t-elle en levant les bras.

Sa candeur me fit sourire.

— Chère Emma, allons prendre un petit remontant
dans un établissement respectable et je vous expliquerai
comment vivre deux vies en une.

Je hélai un fiacre. Alors que nous allions monter
dans l'habitacle, des voix s'élevèrent dans notre dos.

— Regardez, ma chère, c'est Villeneuve, le morgueur
dont on parle tant dans les journaux. Il paraît que c'est
le plus beau parti de Montréal.

— Mieux vaudrait qu'il travaille à arrêter l'opérateur
criminel qui terrorise la ville plutôt que de courir les
premières.

Les deux bourgeoises ricanèrent comme des hyènes.

— N'écoutez pas ces langues de vipère, me chuchota Emma en prenant mon bras pour gravir la marche.

Je la suivis, mortifié dans mon orgueil.

Le conducteur claqua la langue sur son palais et le cheval s'ébranla. Je résolus de me laisser charmer par Emma. Ses longs cheveux blonds étaient attachés en chignon surmonté d'un chapeau anglais. Derrière ses lèvres charnues, ses dents éclatantes rendaient son sourire irrésistible. Ses yeux bleu clair avaient une telle profondeur qu'ils me troublaient quand je les regardais trop longtemps. C'était une beauté intimidante, d'autant plus qu'elle venait de la haute bourgeoisie et que j'étais le fils d'un modeste douanier. Bourgeois et prolétaires sont des espèces animales par trop distinctes. Même en haut de l'échelle, on ne perd jamais tout à fait ses origines populaires.

Elle se tourna pour me regarder comme un ami que l'on revoit après tant d'années.

— Ainsi donc, Georges, vous seriez le plus beau parti de Montréal ?

Elle éclata de son rire cristallin. Ses dents étaient splendides, blanches et parfaitement droites.

— Emma, soyez indulgente à mon égard. Vous venez d'avoir un aperçu de ce que certaines personnes me réservent ces jours-ci à Montréal, alors que je n'ai eu d'yeux, au cours de la dernière année, que pour mes sujets à la morgue.

Son rire se poursuivit tandis qu'elle plaçait une main sur sa bouche.

— Georges, je reconnais votre drôle d'humour…

La nuit était douce comme un soir de mai. Le cocher tourna à gauche dans la rue Sainte-Catherine tout illuminée. Les rails des petits chars scintillaient en reflétant la lumière des commerces. Des kilomètres de fils électriques s'étendaient dans les airs. Notre conducteur dut ralentir pour laisser passer une voiture à cheval de

la Redpath remplie de poches de sucre. La percussion
d'un tramway sur le pavé m'obligea à parler plus fort.
Montréal vivait autant la nuit que le jour.

Emma posa une main sur la manche de mon paletot
et mon cœur s'emballa.

— On vous dit aux prises avec un tueur fou qui
sème la mort dans le quartier Sainte-Anne et Pointe-
Saint-Charles. C'est tout simplement horrible, on dirait
une… une boucherie…

— Le terme est juste, Emma. Mais nous avançons
dans notre enquête. Aujourd'hui, nous avons découvert
l'identité d'une des victimes et prouvé l'innocence d'un
suspect grâce à une analyse de ses empreintes digitales.

Je n'avais pas envie de parler du travail, surtout
lorsqu'il concernait des jeunes filles assassinées avec
leurs bébés. Je voulais seulement respirer le parfum
délicat d'Emma, contempler sa beauté et la vie qui se
dégageait de son regard pétillant.

Le chauffeur tourna dans la rue Peel en direction
sud. Le trajet était long et il nous donna le temps de
casser la glace allégrement.

C'est devant l'hôtel Windsor que le fiacre s'immobilisa. Le portier nous ouvrit et je sortis prestement
afin de tendre ma main pour aider Emma à descendre.
On nous conduisit à l'entrée. En arrivant dans le hall,
j'entendis de grands éclats de rire. Je me retournai pour
apercevoir trois de mes étudiants, cigare au bec, très
éméchés et le rire facile. Comtois, Sicard et Leblanc
s'approchèrent de moi avec un air canaille.

— Docteur Villeneuve, bonsoir, que faites-vous ici ?
demanda Sicard, surpris.

— Ce serait plutôt à moi de vous demander ce que
vous faites ici, messieurs, rétorquai-je.

— Un de nous a perdu son pari. Nous tairons son
nom, mais il lui a fallu payer le repas.

Emma parut amusée par ce jeune étudiant aux traits
fins et à la chevelure déjà blanche. J'entendis sa petite
cascade de rires.

— Comment des étudiants en médecine peuvent-ils se permettre de manger à l'hôtel Windsor ? demanda-t-elle.

— C'est un grand mystère, chère madame ! répondit Comtois et les trois mousquetaires s'esclaffèrent.

— Docteur, madame, dit Leblanc dont les lèvres étaient si rouges qu'on eût dit qu'il les maquillait, nous n'allons pas vous importuner davantage, bonne soirée.

— Très bonne soirée, ajoutèrent les deux autres en prenant le chemin de la sortie.

Sur le trottoir, je les entendis chanter *Alouette, gentille alouette, Alouette, je te plumerai*. Ce qui fit sourire Emma.

— Ah, les études, c'est le meilleur moment de notre vie... N'est-ce pas, Georges ?

Je n'allais pas lui dire que ma vie d'étudiant à Paris comptait parmi mes plus beaux souvenirs. Cela n'eût pas été à propos. Il n'en avait pas été de même pour Emma, avec cette agression dont elle avait été victime.

— Vous avez raison, ma chère. J'ai beaucoup aimé le Collège de Montréal.

Le restaurant rivalisait de beauté avec les autres salles de l'établissement. Le luxe s'étalait en hauteur et sur tous les espaces : que ce soit la grande salle de bal, le *concert hall*, la salle dite Versailles et la grandiose rotonde ainsi que le belvédère.

Quatre colonnes massives en marbre séparaient la salle en deux. Les hautes fenêtres étaient parées de magnifiques tentures. De grands chandeliers étaient suspendus au plafond à caissons orné de mascarons en plâtre comme une immense meringue. Les tables rondes avec leurs nappes d'une blancheur immaculée n'étaient pas trop rapprochées, ce qui laissait beaucoup d'intimité aux convives. La coutellerie et les verres de cristal brillaient sous les feux des lustres étincelants. Sans compter tous les bijoux dispendieux suspendus aux oreilles, au cou et aux poignets de ces dames. On parlait surtout anglais autour de nous – la langue de la richesse et des possédants. Je me trouvais chanceux, moi, le jeune Canadien français, de pouvoir nous offrir un repas au Windsor. J'étais en quelque sorte un privilégié, étranger à la condition de la majorité des miens, un nanti sorti de la misère.

Un garçon nous accompagna jusqu'à notre table. Il tira la chaise d'Emma et ensuite la mienne.

— Comme c'est étrange de vous retrouver ici à Montréal, Georges.

— Il en va de même pour moi. Nous nous sommes d'abord vus à Winnipeg, Paris et maintenant Montréal.

— New York est aussi très agréable ! lança-t-elle comme pour m'y inviter.

J'allais lui demander si elle préférait cette ville à Paris, mais je réussis de justesse à retenir ma langue.

— Allez-vous vous installer dans la métropole américaine ?

— Je ne sais pas encore. La ville me plaît beaucoup et il y a de nombreuses salles de concert aux États-Unis. Cette année, je jouerai mon premier concerto avec l'orchestre de Boston, l'un des meilleurs aux États-Unis.

— C'est formidable tout ce qui vous arrive.

— Oui, la vie me gâte.

Le foulard de soie glissa légèrement et je vis furtivement le début de sa longue cicatrice.

— Quand devez-vous repartir ?

— Je prends le train lundi pour Ottawa, puis je retournerai à New York pour un concert la semaine prochaine.

— Puis-je vous inviter demain au parc Sohmer ? C'est un endroit magnifique. On peut souvent y entendre l'orchestre de Montréal. Et il y a des manèges…

— Eh bien, je n'ai pas d'autres engagements. Je pensais me reposer, me dit-elle avec l'œil moqueur, mais j'accepte votre invitation avec plaisir !

— Si vous le désirez, nous pourrons monter dans la grande roue.

— Quand j'ai joué à Chicago, l'an dernier, pour le festival, je suis montée dans la Ferris Wheel. Saviez-vous qu'elle fait dix étages de haut et peut contenir mille huit cents personnes ?

— Que de sensations ! La nôtre est plus modeste, mais vous découvrirez la ville autrement.

Je pris une longue respiration avant de poser ma question.

— Emma, êtes-vous fiancée ? demandai-je avec une assurance feinte.

— Je l'ai été, Georges. Avec un jeune chef d'orchestre français, mais j'ai rompu mes fiançailles. Vous connaissez les Français. Ils ne peuvent résister à l'attrait des femmes. Ce sont d'incorrigibles butineurs…

Un silence suivit cette révélation. Emma savait que j'avais préféré offrir mon cœur à Viviane lors de mon séjour d'études à Paris.

Je donnais l'impression d'être léger et volage, mais cette perception était fausse. Viviane avait tout simplement gravi mon cœur comme un sommet que l'on gagne. Elle y avait fait pousser des fleurs.

— Et vous ? reprit-elle. Je suppose qu'avec votre réputation toutes les jeunes femmes de Montréal veulent se jeter au cou du bel aliéniste médecin de la morgue, dit-elle en se moquant de moi.

— Hélas ! ma vie ne m'en laisse pas le temps. Et mon métier fait peur… La mort dans sa finalité la plus atroce. Elle ne s'imprime pas dans la rétine, comme le croyait à tort un médecin français, mais j'ai l'impression que beaucoup de gens la cherchent à travers mon regard.

Emma marqua une longue pause avant de reprendre. Le timbre de sa voix avait baissé d'un cran.

— Georges, je tiens à vous dire que je ne vous garde pas rancune pour ce qui est survenu à Paris. Je sais que vous avez cherché à me protéger tout au long de cette soirée. Vous saviez que j'étais en danger, mais j'avais tenu à me rendre chez Dietrich plus tôt, il me fascinait. J'étais sous son charme venimeux.

J'approuvai de la tête. Les femmes se laissent facilement séduire par les beaux parleurs, d'autant qu'ils occupent une place enviable dans la société. Dietrich était un chanteur très en vue de l'Opéra de Paris, mais les planches sur lesquelles il aurait dû chanter étaient celles de l'asile.

— Il m'arrive souvent de rêver à cette terrifiante soirée, poursuivait Emma. Je suis seule avec lui. Vous êtes évanoui. Je me réveille en sursaut, en sueur, bouleversée.

— Je comprends très bien que cette soirée ait laissé ses traces.

— J'aimerais tellement qu'elle puisse s'effacer de nos mémoires, Georges.

Je ne savais que répondre, et c'est à ce moment que le garçon nous présenta le menu.

Je ne ressentais pas la faim, une intense fébrilité me coupant l'appétit. Mais les odeurs de rôti allaient bien finir par me mettre l'eau à la bouche. Les serveurs passaient dans la salle avec des plateaux levés remplis de plats fumants et succulents. Le chaos harmonieux des ustensiles et des verres entrechoqués se mêlait au crescendo des conversations animées.

Un quatuor à cordes, coincé entre deux colonnes, se mit à jouer.

— Tiens, tiens, du Schubert, remarqua Emma. *La Jeune Fille et la Mort*...

Je ressentis des frissons. Éprouvait-elle la même chose que moi? L'âme de ce vampire meurtrier planait-elle sur Montréal? Emma et Dietrich avaient interprété un lied de Schubert ce soir-là, et le chanteur avait connu un franc succès avec *Le Voyage d'hiver* du même compositeur.

Je préférai chasser de mon esprit tout ce qui pouvait nous ramener à Dietrich. Je plongeai dans le menu.

◆

Après le repas, Emma voulut marcher. Nous avions très peu parlé de Paris, comme si le sujet était tabou. Puisque le cachet du concert auquel elle avait renoncé allait servir à acheter du lait à des familles qui n'en avaient pas les moyens, je lui proposai de contempler le visage pauvre de Montréal.

— Oui, Georges, c'est une bonne idée. J'aimerais bien voir cette misère. Voulez-vous me montrer où ont eu lieu ces meurtres que vous essayez d'élucider ?

— Je suis votre guide, mais je ne vous montrerai pas tous ces endroits. Certaines de ces rues sont de véritables coupe-gorge.

Nous descendîmes à pied la rue Wellington jusqu'au pont et passâmes devant la caserne de pompiers numéro cinq. La porte de garage était ouverte. S'y trouvaient deux rutilantes voitures avec la pompe au milieu et les harnais qui restaient attachés à la voiture et accrochés au plafond.

Un sapeur qui fumait sa pipe dans la caserne nous salua :

— *Hi, Madam. Hi, Sir.*

— Il y a beaucoup d'incendies dans ces quartiers ? me demanda ingénument Emma.

— Oui ! Ce sont surtout des constructions en bois. Il y a aussi beaucoup d'incendies dans les usines, car on y utilise une grande variété de produits chimiques inflammables.

On entendit hennir à l'intérieur de la caserne.

— Saviez-vous, Emma, que les chevaux dans les casernes sont si bien dressés qu'ils viennent s'installer d'eux-mêmes sous les harnais au son de la cloche d'alarme ?

— Vraiment ?

Comme il y avait des gangs de rue chez les Irlandais et que ces quartiers étaient dangereux la nuit comme le jour, je hélai un fiacre pour la suite du trajet. Nous traversâmes le pont. Les rues de l'autre côté étaient encore boueuses de la pluie du matin et jonchées d'ornières. Nous entendîmes un ménage se quereller en anglais.

— Le quartier Sainte-Anne est le plus pauvre de Montréal. Sa population se compose surtout d'Irlandais et d'Écossais, mais des Canadiens français y vivent aussi dans la misère.

Notre équipage passa devant une taverne d'où sortait une joyeuse clameur. Un coin de rue plus loin, nous passions devant un autre pub. Un artiste y poussait une chanson sur un reel de violoneux. Le refrain fut repris en chœur par ce que je crus être des piliers de bar échauffés par l'alcool.

Je désignai une maison à toit versant dont la toiture s'affaissait.

— L'hygiène est lamentable dans ces quartiers. Il y a des épidémies de choléra, de typhus et de variole. La Faucheuse n'y chôme pas.

Emma était tout yeux et hochait la tête de dépit. C'était un monde qu'elle ne connaissait pas.

Trois ivrognes couverts de haillons sifflèrent Emma alors que, après avoir fait un détour par quelques rues, nous nous engagions enfin dans Saint-Patrick.

Je montrai le logement où avait eu lieu le premier meurtre, puis, quelques minutes plus tard, je demandai au cocher de tourner à gauche dans la rue de Condé.

— Le lieu du dernier meurtre...

Je ne voulus ajouter aucun détail scabreux. Le taudis parlait de lui-même.

Nous retournâmes de l'autre côté du canal pour aller vers Griffintown et revenir vers la vieille cité. J'en profitai pour montrer à Emma l'appartement où avait été tuée Amélia Samson, et ma pensée me ramena à la jeune Louise.

— Cette femme qui se prostituait a laissé derrière elle une petite orpheline.

Au coin de la rue de la Commune et de celle des Commissaires, j'indiquai la taverne Joe Beef's, avec sa belle devanture verte et son enseigne ornée d'un trèfle. Wyatt m'y amenait de temps à autre pour goûter aux bières irlandaises et écossaises. Le nom amusa beaucoup Emma.

— Ne riez pas, c'était un homme important.

— Il a bel et bien existé ?

— Oui, et il est mort il y a tout juste cinq ans. Cinq mille personnes ont assisté à ses funérailles. C'était dans tous les journaux. C'était un héros dans sa communauté. Sa taverne a donné à manger gratuitement aux pauvres. Il payait de sa poche pour nourrir les miséreux de son quartier. Il a fait des collectes de fonds pour les hôpitaux de Montréal, supporté les ouvriers en grève chargés de creuser le canal. Pour égayer sa clientèle, il avait un ours, un cygne et bien d'autres animaux exotiques.

— Vraiment !

— S'il y a des hommes et des femmes pour organiser de grandes œuvres comme l'hospice Saint-Charles et des Wyatt Johnston pour tenter d'assainir nos aqueducs, il existe aussi d'humbles citoyens pour prendre soin de leur communauté. Beef était l'un d'eux, même s'il a vécu toute sa vie dans ce nid de misère.

— Et vous, Georges, où avez-vous grandi ? Je ne sais rien de votre enfance.

— J'ai grandi un peu plus loin, là-bas, vers la douane.

— Je comprends que vous soyez sensible à cette misère.

— C'est comme les quartiers qu'a décrits Dickens dans ses romans. C'est plein de petits Oliver Twist ici.

Je demandai au cocher de passer par les rues King, Queen et George.

Emma fut surprise par le contraste.

— Mais les habitations sont beaucoup plus belles ici.

— Cette partie de Griffintown est plus aisée. On y trouve surtout des Anglais, mais aussi plusieurs Écossais et Irlandais qui sont ingénieurs, contremaîtres et ouvriers qualifiés.

Nous passâmes devant une fonderie où le feu des chaudières et du métal en fusion rougeoyait derrière les carreaux malgré l'heure tardive.

Mais je sentais que la fatigue s'installait progressivement dans les yeux d'Emma. Elle retenait de temps à autre un bâillement. Vers minuit quinze, je la raccompagnai jusqu'à son hôtel de la rue Saint-Jacques.

— Georges...

Vit-elle dans mes yeux le désir qui m'embrasait? Elle me regarda longuement.

— ... ce fut une soirée mémorable.

— Nous voyons-nous toujours demain?

— Après le dîner seulement, car je dois pratiquer mes œuvres pour le concert de New York.

— Je viendrai vous chercher à l'hôtel à une heure trente, si cela vous convient.

— Cela me convient parfaitement.

Je tins sa main alors qu'elle descendait du fiacre. Puis je la regardai s'éloigner vers son hôtel. Le portier lui ouvrit et elle disparut à l'intérieur.

Je rentrai à la maison en état de fièvre. Je ne pensais qu'au lendemain. En pénétrant dans ma demeure, je me rappelai que c'était déjà dimanche. Je me réjouis: c'était ce jour même que je retrouverais Emma.

23. Soirée d'été indien au parc Sohmer

Cette sortie au parc Sohmer emballait Emma comme une petite fille. Assise dans le fiacre qui nous emmenait, elle me parlait du plaisir qu'ont les adultes à retrouver les joies de l'enfance.

— Nous ne devrions jamais devenir des adultes trop vite. Vous ne trouvez pas, Georges ?

— Imaginez toutes ces filles et tous ces garçons qui n'ont pas d'enfance et qui doivent sacrifier leur vie dans les usines.

— Georges, c'est épouvantable. Nous ne devrions pas parler de ça.

— C'est pourtant la réalité… sans oublier ceux pour qui vous avez joué hier soir et qui viennent grossir la population des hospices.

Le parc était situé entre les rues de Salaberry, Water, Panet et Notre-Dame, sur la rive du fleuve. Il ressemblait à un fortin blanc avec ses murs hauts ponctués de quatre tourelles à pignon. Au-dessus de l'enceinte se déployait le gigantesque toit parabolique de l'amphithéâtre.

L'après-midi sans vent était doux et animé. Quelques feuilles valsaient dans les airs avant de se poser sur le sol. Les belles dames avec leurs chapeaux à ruban rehaussés de plumes faisaient tourner les têtes des messieurs à canotiers ou chapeaux mous.

Près de la rue Notre-Dame, un forain proposait une ascension en ballon et je me remémorai celle que j'avais faite à Paris durant l'Exposition universelle de 1889.

Sous les arbres, de belles lanternes triangulaires éclairaient une aire de restauration en y projetant des ombres singulières. Des dizaines de fanions multicolores délimitaient la terrasse, où l'on discutait fort.

Je payai les vingt sous que coûtait l'entrée.

Le parc attirait les amateurs de burlesque et de fêtes foraines. Au programme du jour, il y avait madame Valdi, qui allait effectuer un saut périlleux du haut d'un trapèze de soixante pieds, et les Braatz Brothers, les meilleurs acrobates du monde. Devant nous, Lucien Tantal, l'homme-serpent, se contorsionnait à en faire grimacer les spectateurs, qui se demandaient comment il réussirait à se remettre à l'endroit. Il y avait aussi des nains, des géants, d'autres acrobates et des magiciens. Les numéros d'hommes forts et les combats de boxe captivaient beaucoup de spectateurs.

— Je ne savais pas qu'il existait un tel parc à Montréal. J'adore cet endroit, Georges.

— Eh bien, dans ce cas, nous reviendrons chaque fois que vous le voudrez !

Une mélodie lointaine parvint jusqu'à nos oreilles. La musique occupait une place importante au parc Sohmer. Les musiciens qui s'y étaient réunis avaient fini par former l'Orchestre symphonique de Montréal sous la baguette d'Ernest Lavigne, le créateur du parc. Des musiciens professionnels s'y produisaient dans des spectacles variés : opéras, opérettes, marches militaires.

J'adorais le pavillon de musique avec sa grande arche en bois au-dessus de la scène. Les drapeaux des provinces coloraient la structure. En dessous, un orchestre entraînait les spectateurs sur des valses de Strauss. Les musiciens en costume-cravate étaient disposés sur des gradins. Des spectateurs dansaient devant la scène.

En entendant les archets marquer les trois temps de la valse, Emma esquissa quelques pas de danse. Elle me prit la main pour m'entraîner sur la piste de danse.

— Je ne danse pas très bien, objectai-je.

— Laissez-moi vous guider. Je vous ferai ressentir ce rythme à trois temps.

Pour la première fois, je sentis son corps contre le mien ; ma main autour de sa taille, la sienne autour de la mienne, son autre main dans la mienne. Je sentis de près son parfum, ses fragrances naturelles, et elle dansait à un rythme effréné, me faisant tournoyer et tourbillonner. J'avais un peu le tournis, mais surtout le vertige de l'amour. Je plantai mes yeux dans ses yeux et je sentis une grande émotion l'étreindre, comme si elle entendait le langage muet de mon regard. Je vis au-dessus de la soie blanche qui entourait son cou la cicatrice que lui avait laissée Dietrich. La danse prit fin et Emma, enthousiaste, applaudit bien fort les musiciens.

Nous déambulâmes ensuite dans les allées parmi les spectateurs de la fête foraine. Quand je pris sa main, elle se tourna vers moi et, pour la première fois, nos lèvres devenues magnétiques se touchèrent. Ce jour-là livrait sa magie, comme si tout m'eût été possible. Mes yeux se perdirent dans les siens.

— Est-ce que nous allons à la grande roue, Georges ?

— Vous avez envie d'y monter ?

— Beaucoup. Allons-y ! me répondit-elle, excitée comme une enfant.

— Et que diriez-vous, ma chère, d'une barbe à papa ?

Elle égraina son petit rire cristallin rempli de trilles et de cascades. Je la trouvais belle et désirable.

Je me rendis au kiosque tout illuminé pour payer les billets. Le préposé au manège ouvrit la porte et je pris la main d'Emma pour l'inviter à monter. Je me plaçai devant elle. Puis la grosse roue lumineuse tourna dans le ciel de Montréal, nous permettant de découvrir ma ville : le Vieux-Montréal, le dôme du marché Bonsecours, les quais, la cathédrale Notre-Dame, les édifices de la place Jacques-Cartier, la raie du fleuve et ses nombreux bateaux… En tournant la tête, je vis la montagne, le Montréal industriel juste à côté avec les installations du Canadian Pacific qui s'étendaient sur plusieurs milles, les élévateurs à grains et, au loin, le canal Lachine. Lorsque nous atteignîmes le sommet, nous pûmes contempler le village de Longueuil de l'autre côté du fleuve. Nous arrivions même à voir les monts Saint-Bruno et Saint-Hilaire se découper sur le ciel. Puis la roue amorça sa première descente au son du *Danube bleu*.

— Oh, ça donne le vertige.

— Fermez vos yeux, alors. Car moi, c'est vous qui m'étourdissez avec votre grande beauté.

Elle les ferma. Ses cheveux flottaient dans l'air. Ce moment me rappela ma montée de la tour Eiffel avec Viviane. Mon grand amour parisien s'était volatilisé à la fin de mes études. J'en payais encore le solde d'une immense peine. Et voilà qu'une main gantée de velours frôlait la mienne jusqu'à la prendre. Je sentais en moi des nuées de papillons.

Quand Emma ouvrit les yeux, mon visage était près du sien. Elle sourit. Je posai de nouveau mes lèvres sur les siennes pour l'embrasser.

Je ne sais pas combien de temps nous tournâmes, mais nous nous embrassâmes jusqu'au moment où le préposé ouvrit la porte de notre nacelle. Il se racla la gorge et nous nous mîmes à rire comme des adolescents pris sur le fait. Une fois les pieds sur terre, nous ressentîmes une certaine gêne. Devais-je lui prendre la main ? Elle se chargea de répondre à ma question en cueillant la mienne.

Notre promenade nous mena dans l'allée le long de la rue Notre-Dame, qui offrait une belle perspective sur le fleuve. L'air était moite, avec une douce brise chaude qui soufflait du sud.

Je l'amenai au Grand Vatel, un restaurant français plein d'élégance de la rue Saint-Jacques. On se serait cru de nouveau à Paris. L'établissement proposait de fines liqueurs, des vins français, et le menu avait de quoi combler les appétits les plus voraces et les palais les plus délicats avec ses terrines, confits, foies gras de canard, paupiettes, coquilles Saint-Jacques, pot-au-feu, bouillabaisses, cailles, gratins dauphinois, coqs au vin…

Je demandai au serveur une table tranquille loin des regards. Comme il s'apprêtait à nous inviter à le suivre, un gros homme qui venait vers nous en tirant sur un cigare qui semblait soudé à ses lippes brunes m'apostropha.

— Vous êtes l'aliéniste qui travaille sur cette affaire d'opérateur criminel, n'est-ce pas ? L'affreux Docteur Death ?

— Oui. Et vous êtes ?… dis-je en tendant une main qu'il refusa de prendre.

— Adélard Sicotte, propriétaire de la compagnie de cabotage Sicotte Steamship.

Je haussai les épaules. Je n'avais jamais entendu parler de lui.

— Cette enquête traîne, monsieur. Si vous étiez dans mon entreprise, je vous aurais viré il y a longtemps.

— Justement, je n'ai pas de comptes à vous rendre et j'en suis fort aise. En conséquence, je vous prierais d'éloigner votre fétide odeur de notre entourage.

Emma le toisa d'un regard hostile.

— Jeune effronté ! Vous entendrez parler de moi.

— J'en doute, laissai-je tomber.

Le serveur voulut intervenir, mais l'importun avait déjà tourné les talons. Je fis signe au serveur de nous mener à notre table.

— Vous lui avez bien répondu, Georges. Avec flegme et fermeté.

— L'enquête nous met de plus en plus de pression.

— Vous savez, Georges, durant mon séjour à Chicago, j'ai appris qu'ils ont eu là-bas aussi un meurtrier qui a assassiné des dizaines de femmes. Un pharmacien propriétaire d'un hôtel. Il avait profité de l'effervescence créée par l'exposition. Des milliers de jeunes filles venaient à Chicago pour y travailler. Il les engageait puis les séquestrait dans un donjon-incinérateur qu'il avait fait construire dans son sous-sol. Il a tué des dizaines de jeunes femmes.

— Oui, je connais ce cas : le docteur H. H. Holmes. Un tueur sadique pire que l'éventreur de Londres. On en a discuté lors du dernier Congrès de médecine mentale. C'est horrible !

La petite table avec vue sur la rue Saint-Jacques était parfaite. Mais il me fallut quelques instants avant de retrouver ma contenance, car ce malpoli de Sicotte avait suscité en moi une bile noire qui m'était montée dans l'œsophage. Le garçon alluma les chandelles et nous remit le menu. Après quelques minutes de réflexion, j'optai pour les asperges à la sauce mousseline en entrée, des cailles servies à la Souvarov et des pêches Melba au dessert. Emma m'imita, mais choisit la dinde truffée.

Je n'en revenais pas à quel point elle était belle et, me semblait-il, inaccessible pour un vulgaire médecin de mon espèce. Ses cheveux lui paraient la tête tel un casque d'or. J'aimais aussi la coiffe turquoise avec une plume rose dont la soie blanche lui allait à ravir. Sans artifice, elle soulignait à peine ses yeux. Sa peau laiteuse et lisse donnait envie d'y poser la main.

Deux exquises heures plus tard, en sortant du Grand Vatel, je fis héler un cocher. J'étais attristé de voir Emma me quitter. Elle partait dès le lendemain pour Ottawa. J'aurais bien aimé qu'elle reste une journée de plus.

— Georges, il me tarde de revenir à Montréal.

— Il n'en tient qu'à vous, ma chère. Je serai chaque fois votre hôte obligé et bien plus.

— J'ai passé une merveilleuse journée avec vous, mon ami.

— Et moi de même.

— Vous m'écrirez ?

— Avec grand plaisir.

Je la serrai contre moi et l'embrassai. À la blague, le cocher se mit à siffler une complainte amoureuse qui, loin de nous offusquer, nous fit tous deux rire. Je tins les mains d'Emma, les serrai une dernière fois. J'ouvris finalement à regret la porte du fiacre.

— À bientôt, Emma.

— À bientôt, Georges.

Je regardai la voiture s'éloigner, ne voulant pas me libérer de l'emprise d'Emma. Quel bonheur d'être tout imprégné de son parfum, moi qui exhalais si souvent la mort.

24. Espiègleries asilaires

Le redoux se poursuivit. Dans l'après-midi, je participai à une sortie pour les malades dans un des magnifiques préaux récemment aménagés à l'asile Saint-Jean-de-Dieu.

Je ne sais de quelle façon elle en avait eu vent, mais la jolie sœur Marie-Eudoxie parlait à tous mes collègues du portrait qu'un journaliste, Léon Ledieu, avait fait de moi dans *Le Monde illustré*.

— Cher docteur Villeneuve, me demanda mon collègue Charron, un large sourire accroché à ses lèvres, est-il vrai que vous seriez aussi résistant au mariage que certaines bactéries ?

Je demeurai interdit un instant, ne sachant de quoi il parlait.

— Écoutez donc ceci : « Bien des mamans l'ont regardé avec complaisance, pensant qu'il ferait un excellent gendre, et plus d'une fille lui a souri d'une manière assez encourageante, mais jusqu'à présent, œillades et sourires n'ont pas eu de prise sur ce lutteur qui n'a qu'une grande passion, une amante qui ne trompe personne, qui console et fait espérer, la science. »

Je pestai intérieurement contre tous les journalistes, mais gardai le silence.

Sœur Madeleine du Sacré-Cœur, qui avait tout entendu, intervint.

— Mais Dieu fait mieux que la science. Il console, ne trompe personne et donne de l'amour, ce que ne peut la science. N'est-ce pas, docteur Villeneuve ?

— Sans doute, répondis-je enfin, mais la science soulage la douleur et éclaire l'homme d'une autre lumière.

— Une lumière qui n'est pas divine.

— Certes non, bien qu'elle soit porteuse de la connaissance.

La sœur supérieure secoua la tête tout en souriant. Notre jeu d'escrime oratoire amusait les jeunes sœurs qui nous accompagnaient.

— La science n'apporte pas l'amour, poursuivait la supérieure.

— Si, ma sœur. Il existe un lien d'amour entre le scientifique et sa discipline, entre le chercheur et son sujet, entre le chimiste et ses bactéries.

— Vous avez trop étudié la rhétorique, docteur Villeneuve ! Vous êtes un positiviste. Je vous parle d'amour et vous me parlez de microbes…

— Ne vous inquiétez pas, ma révérende, tout vient à point à qui sait attendre. Je finirai bien par me marier un jour.

Par ce bel après-midi d'automne, je repensai à ma douce Emma alors que, tout autour de nous, s'ébattaient sous notre vigilance une vingtaine de patients.

— En passant, docteur Villeneuve, reprit sœur Madeleine, vous savez que l'homme aux médailles poursuit son jeûne ? Vous êtes certain que quelques tours de gavage ne pourraient dompter ce zèle intempestif ?

— Non, pas de gavage, ma sœur. Vous connaissez mon avis à ce sujet.

Je considérais le gavage, à l'instar de Magnan, comme un acte inhumain qui devait être réservé à la volaille. Voilà pourquoi j'interdisais cette pratique. Sœur

Madeleine n'était pas d'accord avec mon approche, mais elle la respectait tout de même, en espérant secrètement que je change mon fusil d'épaule un jour ou l'autre.

Il y eut soudain un peu de brouhaha. Un des patients s'était mis à courir comme un dératé, en tentant peut-être de fuir à tout jamais sa triste condition. Deux infirmiers se lancèrent à sa poursuite et, quelques minutes plus tard, ils revenaient avec notre fugitif. Le docteur Chagnon s'empressa d'aller lui parler afin de le calmer un peu.

Je ne sais trop pourquoi, mais cette petite escapade me rappela l'incendie de l'asile en 1890. Une centaine de patients en avaient profité pour s'enfuir. Se pouvait-il, me dis-je tout à coup, que parmi ces fous se trouve celui qui sème la terreur à Montréal ? Comme la supérieure était toujours à mes côtés, je lui demandai si je pouvais consulter les archives de l'asile. Quand elle comprit mon objectif, elle accepta sur-le-champ et me mena elle-même dans les catacombes du bâtiment, où se trouvaient les voûtes à l'épreuve du feu et les dossiers des patients qui avaient survécu au brasier.

— Si ces dossiers peuvent vous aider dans votre enquête, docteur Villeneuve, j'en serai très heureuse.

Je pris le restant de l'après-midi pour analyser les dossiers des patients souffrant de délires mystiques qui s'étaient alors évanouis dans la nature. Mais j'épuisai la pile sans trouver un profil apparenté à celui du maniaque que nous recherchions.

Toutefois, j'avais déjà une autre idée en tête. Comme nous n'avions pas de quartier sécuritaire pour garder les aliénés criminels, certains réussissaient à prendre le large. J'allai voir le docteur Duquette pour savoir si, selon son expérience, l'un d'eux aurait pu...

— Non, je ne vois pas... quoique... Vous avez feuilleté le dossier de Raoul Melançon, qui nous a échappé voici un an ?

Je répondis par la négative.

— Melançon était un imposteur qui incarnait avec brio des rôles très différents : tantôt médecin, tantôt avocat ou curé, ramancheur, médium, etc. Il parvenait souvent à leurrer des gens bien plus futés que lui. Melançon souffre d'un grave trouble de personnalité. Cependant, je ne crois pas qu'il se fasse passer pour ce qu'il n'est pas avec une intention criminelle. C'est plutôt un simple – mais irrépressible – désir de se voir autre qui l'y pousse. Il est évident que, de la sorte, il a parfois risqué la vie de ses victimes. Ainsi, nous savons que, dans son rôle de médecin, il a pratiqué des actes médicaux qui auraient pu mettre en danger ses « patients » : saignées, purges, administration de médicaments douteux…

— A-t-il déjà offert ses services comme médecin accoucheur ? demandai-je.

— Je ne crois pas. Mais il se prétendait thaumaturge quand il a abouti ici, me répondit Duquette. Se qualifiant de « Raspoutine canadien », il affirmait posséder le pouvoir de guérir avec ses mains, ce qui l'avait amené à abuser de quelques patientes avec des doigts un peu trop baladeurs.

— Je pourrais emprunter son dossier, docteur Duquette ?

— Sans problème.

Plus tard, en revenant chez moi, je me dis que, à défaut de piste plus précise, je trouverais peut-être là quelque chose pour Bruno.

25. Une soirée à l'Opéra français

MARDI, 23 OCTOBRE 1894

Cela faisait quelques jours que l'opérateur ne donnait pas signe de vie. Personne ne s'en plaignait. Mais nous étions sur le qui-vive. Ce soir, cependant, je me dirigeais le cœur léger vers l'Opéra français. Depuis un mois, les étudiants carabins préparaient leurs numéros. Mon métier offrait parfois de belles échappatoires à la folie.

Un ciel automnal déployait au-dessus de moi ses rougeurs. Il était sept heures et les joues des passants rosissaient, les feuilles virevoltaient dans les airs, grattaient le pavé, poussées par le vent. La pénombre tombait peu à peu sur Montréal comme un grand crêpe noir. À travers la fenêtre de mon salon, juste avant de partir, j'avais vu les mâts des navires qui s'entrecroisaient comme une étrange forêt montant et redescendant.

La paranoïa qui avait été entretenue par les journaux disparaissait d'elle-même. Les journalistes avaient trouvé d'autres chats à fouetter, les éditorialistes, d'autres boucs émissaires pour leurs chroniques. Et le procureur de la province n'avait pas donné suite à ses menaces. Le quotidien avait retrouvé ses droits et les affaires politiques avaient fait tomber l'opérateur criminel quasi dans l'oubli. Quant à notre demande de modernisation de la morgue, elle demeurait lettre morte. La visite des émissaires de la mairie n'avait pas donné les résultats espérés.

Dès que je lui avais parlé de Melançon, Lafontaine avait investigué pour retrouver notre homme, en vain. L'imposteur semblait s'être évaporé dans la nature. Les vérifications dans les fichiers de l'État civil ne mentionnaient aucun décès d'un Raoul Melançon. S'il était vivant, nous ignorions où il se cachait. Dans son dossier, il n'y avait aucune adresse d'un quelconque domicile.

En ce qui concernait Debbie Parker, nous ne savions toujours pas d'où elle venait exactement. Les photos envoyées aux différents corps de police de la Nouvelle-Angleterre n'avaient rien donné, et nous nous doutions bien que ce nom était un pseudonyme. Force était de constater que l'enquête piétinait. Nous étions dans un cul-de-sac et l'opérateur se terrait tranquille en préparant sans doute son prochain carnage.

Le matin, mes étudiants m'avaient montré la lettre de désapprobation qu'ils avaient reçue de monseigneur Racicot, vice-recteur de la Faculté : « Le vice-recteur désapprouve la démonstration que les étudiants doivent faire à l'Opéra français ce soir. » Malgré cette admonition, ils avaient décidé à l'unanimité d'offrir leur spectacle comme prévu, dont le clou se tiendrait durant l'entracte du *Voyage en Chine*, de Bazin. Je les avais assurés que j'y serais.

Nos étudiants en médecine avaient eu la brillante idée d'inviter leurs confrères de la Faculté de droit à se joindre à leur parade, et c'est vers sept heures quinze, devant le futur site de l'Université, rue Saint-Denis, que tous ces jeunes gens se réunirent derrière leur drapeau respectif. Quinze minutes plus tard, mené par une fanfare, le défilé se mettait en branle en direction de l'Opéra français. Le cortège tourna vers l'ouest dans la rue Sainte-Catherine, avec ses enseignes, ses auvents colorés et ses étalages attirants. Les passants, qui faisaient leurs emplettes, s'arrêtèrent pour regarder passer la parade. La plupart des étudiants s'étaient affublés d'un déguisement. Leurs farces et leurs chansons paillardes ne manquèrent pas d'attirer les commentaires. Les étudiants devaient se ranger vers les trottoirs pour éviter d'être frappés par les tramways électriques et les charretiers. Le défilé arriva rapidement à la hauteur de Saint-Dominique, qui était située à moins de cinq cents verges de Saint-Denis.

On les entendit mener un vacarme du diable dans le hall du théâtre. Une vraie ambiance de foire, de carnaval vénitien.

J'occupais l'une des corbeilles à l'avant-scène, décorée avec les armes universitaires. Avec moi se trouvaient les docteurs Brosseau, Demers, Foucher, Hervieux, Fafard, Archambault et Rhéaume père. Je dois dire que ce sont surtout les jeunes professeurs de la Faculté de médecine qui assistaient à l'événement. La salle entière grouillait des invités et des officiers des étudiants en médecine, sans oublier des représentants des universités McGill et Bishop, ainsi que des officiers de la Faculté de génie, du Collège en médecine vétérinaire, de pharmacie.

J'aperçus au parterre l'avocat et journaliste controversé Hector Berthelot, dit le Père Ladébauche, un escogriffe bien vêtu et d'apparence honorable. Ses journaux satiriques comme *Le Canard* et *Le Grognard* avaient fait un malheur quand j'étais au collège. Ses personnages de Ladébauche et de l'abbé Tise avaient obtenu beaucoup de succès.

Les étudiants entrèrent dans la salle, acclamés par une foule aux rires contagieux. Certains s'étaient vêtus de costumes de la *commedia dell'arte*. Le futur docteur Comtois, à la tête de la joyeuse ribambelle, se détacha pour entonner *Le drapeau rouge et noir*. Derrière lui, une vingtaine d'étudiants en rang simulait une marche révolutionnaire.

Les révoltés du Moyen Âge
L'ont arboré sur maints beffrois.
Emblème éclatant du courage,
Toujours il fit pâlir les rois.

Ils faisaient claquer leurs talons. On aurait dit qu'ils montaient aux barricades. Mes collègues et moi-même nous regardâmes, interloqués. Rhéaume reconnut son fils juste derrière Comtois.

— Je crois que nous allons en entendre parler, me confia à l'oreille le docteur Rhéaume en riant dans sa barbe.

— Rions ce soir, nous pleurerons demain, ajoutai-je.

L'hymne anarchiste et syndicaliste, chanté avec aplomb par le jeune ténor, ne manquait pas d'audace.

Le voilà, le voilà, regardez !
Il flotte et fièrement il bouge
Ses longs plis au combat préparés
Osez, osez le défier,
Notre superbe drapeau rouge,
Rouge du sang de l'ouvrier
Puis planté sur les barricades
Par les héros de février
Il devint pour les camarades
Le drapeau du peuple ouvrier.

Derrière lui, ses collègues reprenaient vigoureusement en chœur le refrain. Non seulement ils ne tenaient aucun compte de la lettre du chanoine, mais c'était un véritable pied de nez qu'ils lui faisaient. Ses oreilles devaient tinter, dans sa résidence de l'archevêché, alors que moi-même je commençais à m'inquiéter. Toute la salle vibrait au refrain. La foule autour de nous chantait. Quelles seraient les conséquences de leur geste ? J'espérais qu'aucune taupe du clergé ou grenouille de bénitier ne soit dans la salle. L'hymne se termina par un poing brandi dans les airs.

La foule applaudit à tout rompre. Je vis Berthelot se lever pour hurler toute son admiration.

Après une accalmie, le spectacle débuta. La prestation des chanteurs dans *Le Voyage de Chine* eut beaucoup de succès.

À l'entracte, les étudiants exécutèrent à tour de rôle des numéros musicaux. Le chœur des Buveurs sema l'hilarité avec ses hoquets, ses glouglous sonores et sa pantomime dignes d'un excellent vaudeville. La salle était acquise aux étudiants et tout leur semblait permis. Le programme que l'on nous avait remis dans le hall et qui tenait sur une seule page annonçait trois de mes étudiants. Il me tardait de voir ce qu'ils avaient préparé pour l'occasion.

Sicard entra en scène pour interpréter une chanson anticléricale comique. *Le père Lanctoire* faisait une fois de plus un pied de nez au clergé. Je craignais que le tout ne dégénère en scandale, mais Charles Désy ramena le spectacle dans le droit chemin avec une belle interprétation de *La Capricieuse*.

Après ce numéro, les étudiants offrirent des fleurs à trois jolies dames de l'opéra en multipliant les courbettes et les gestes de galanterie. S'ensuivirent de multiples demandes en mariage, chacun rivalisant d'audace. Je me tapais sur les cuisses. C'était hilarant. Chaque année amène une nouvelle cohorte d'étudiants, chacune ayant sa personnalité propre. C'est comme les vendanges : certaines récoltes sont meilleures que d'autres et vous fournissent des vins inoubliables. J'adorais cette cuvée.

— Anticléricalisme et anarchisme ! Je me demande bien ce que la soirée nous réserve d'autre, dis-je en m'adressant à Rhéaume.

— Il ne manque plus qu'un discours patriotique et antimonarchiste. Mon fils en serait bien capable.

Le dernier numéro arriva. Un étudiant, grimé d'un fard épais, se présenta sur scène vêtu d'une soutane, le crucifix de travers à la ceinture et le chapelet à la main. Je reconnus Eugène Leblanc. Le voyant ainsi accoutré, tout le monde retint son souffle. Il marcha de long en large sur la scène en priant puis se tourna vers les spectateurs. Leblanc dégageait une irrésistible aura. Était-ce sa grandeur, sa chevelure noire, son visage blafard ?

Il pointa vers la salle un index menaçant.

— Beau parterre d'impies, de dégénérés, d'apôtres du vice ! lança-t-il. Et pourtant, vous êtes si instruits. Vain savoir. Ici germent tous les vices de la ville. Je vous écoute profaner depuis des heures la sainte Église et j'en suis tout ébaubi.

Autour de nous, chacun se demandait s'il devait rire ou non. Quelqu'un dans la foule ne put se retenir. Ce fut contagieux. Une véritable explosion !

— Je vous vois dans le cours d'obstétrique plonger vos mains lubriques dans les chairs des parturientes. Votre concupiscence est tout aussi apparente dans la salle d'autopsie du docteur Villeneuve, quand vos regards lascifs parcourent l'intimité de ces jeunes femmes assassinées par des brutes. La luxure est votre code moral, le péché, votre sceau et le libéralisme, votre tare.

Les étudiants riaient à gorge déployée, adorant l'ironie de Leblanc. Qui maintenait un ton grave, pince-sans-rire. Son numéro d'ultramontain obtus et zélé était parfait.

— Vous n'avez pas signé le serment d'Hippocrate mais plutôt celui d'hypocrites, cracha-t-il. Regardez-vous, pécheurs, et demandez-vous si vous embrassez cette merveilleuse profession par conviction ou par perversion. Certains d'entre vous ne valent pas le pire des bouchers. Il en va de même quand nous nous rendons à l'asile. D'aucuns commentent la beauté ou la laideur de certaines patientes, toutes des créatures de Dieu. À Pélagie, je vous ai vus fourrer vos yeux concupiscents dans les replis des pénitentes, de celles qui n'ont aucune pudeur, qui offrent leur intimité à la vue de tous. La médecine est pour vous le prolongement des Folies Bergère, brebis égarées sans berger dans vos sarraus blancs. Que ferez-vous quand vous poursuivrez vos études à Paris ? Passerez-vous plus de temps au Moulin rouge qu'à l'Hôtel-Dieu ? Vous êtes la honte de notre profession ! Pardonnez-leur, mon Pieu, car ils ne savent ce qu'ils font.

Le calembour fit mouche et la salle rit de plus belle. Certains étudiants pleuraient de rire en répétant : « Pardonnez-leur, mon Pieu ! »

— Mon Dieu, la vue de tels impies me fait fourcher la langue.

Je sentais autour de moi, surtout chez mes collègues, un malaise certain. Le clergé pouvait tolérer quelques blagues à son encontre. Mais tant de numéros moqueurs s'en prenant à ses membres... Voilà qui n'avait rien pour rassurer. Je sentis que les étudiants avaient peut-être franchi la limite et qu'on en subirait le contrecoup très tôt.

Leblanc balaya la salle d'un doigt menaçant.

— Je ne vais pas vous laisser partir sans vous bénir : au nom du Père et du Fils et du saint Esprit. Amen.

L'Amen fut repris par la salle comme si c'était un bravo.

Quelqu'un siffla, un autre applaudit. Les applaudissements furent repris en écho et la salle lui décerna une véritable ovation.

— Je crois que je vais rentrer en me faufilant par les petites rues, m'annonça Hervieux.

— Et moi, je vais prendre la sortie de secours !

La dernière partie du *Voyage de Chine* se déroula sans anicroche et, vers minuit, les derniers fêtards quittèrent le théâtre, la fanfare à la proue, en chantant à pleins poumons dans les rues du Quartier latin jusqu'à l'Université. Je me joignis à la parade. Plusieurs étudiants entrèrent dans des buvettes et je me retrouvai progressivement seul. J'eus soudain la nostalgie de mes années d'études à Montréal et à Paris. Je n'avais plus vingt ans. J'entamais ma trente-troisième année. Je choisis de rentrer sagement chez moi. Il importe de conserver une distance avec ses étudiants. Trop d'intimité finit par entamer le respect échafaudé entre eux et nous.

Après les difficultés des dernières semaines, cette soirée rabelaisienne m'avait procuré de beaux moments.

Le lendemain, *La Presse* encensa l'initiative des étudiants. Le journaliste qui avait été dépêché décrivit élogieusement les performances. Monseigneur Racicot, mis au parfum du scandale, déplora vertement l'événement et l'attitude des étudiants, sans oublier de condamner les professeurs qui les avaient accompagnés. Je ne fus pas surpris de voir mon nom mentionné. En cette année 1894, il semblait que le scandale me collait à la peau. Quant à l'intervention de Leblanc, elle avait un tant soit peu racheté cette soirée rouge, au dire de l'Archevêché qui l'avait prise au premier degré – une chance pour nous tous !

Aucun étudiant ne fut puni pour la soirée, mais elle n'en avait pas moins entaché la réputation de la Faculté de médecine. Le clergé nous reprochait tacitement d'avoir laissé à nos élèves une trop grande liberté et nous sentîmes au cours des semaines suivantes qu'il nous avait désormais à l'œil.

26. Le cousin de Boston

En fin d'avant-midi, le mercredi, des pas vifs et lourds avaient retenti dans l'escalier de la morgue. Bruno Lafontaine était apparu dans le cadre de la porte de mon bureau, tout essoufflé.

— Eurêka !

Les démarches qu'il avait entreprises en vue de découvrir la véritable identité de Debbie Parker avaient enfin porté leurs fruits. À la suite d'un article inespéré d'un journaliste du *Boston Globe*, qui avait non seulement relaté l'affaire du mystérieux Docteur Death de Montréal, mais publié la photo de notre Debbie Parker, un inspecteur franco-américain de la police de Boston, Joe Valiquette, avait appelé Lafontaine pour l'aviser qu'il était sur une piste sérieuse.

Quand j'avais demandé à Bruno en quoi elle consistait, sa bonne humeur s'était un peu calmée.

— En fait, Valiquette n'a pas voulu m'en dire davantage.

— Pourquoi ?

— Parce qu'il juge que c'est prématuré. Par contre, j'ai bien aimé notre conversation. Il veut vraiment nous aider.

— J'espère que c'est du sérieux.

— Et puis j'ai aussi eu des nouvelles de la Miles Medical, la compagnie qui fabrique l'insufflateur, avait repris Bruno. Quelqu'un là-bas a épluché leurs commandes et m'a certifié que toutes, sans exception, proviennent d'institutions médicales, et qu'aucun hôpital n'a commandé un nouvel appareil pour en remplacer un qui aurait été volé.

Puis, en fin de journée, l'arrivée d'un télégramme nous avait réjouis.

VERMONT AND BOSTON TELEGRAPH CO.
October 24th, 1894
Will be at Bonaventure Station, tomorrow morning at 7AM.
Ltn. Joe Valiquette, Boston police.

◆

Patrick MacCaskill et Bruno Lafontaine étaient allés accueillir le lieutenant Valiquette à la gare Bonaventure. Le policier avait la stature d'un colosse. Grand et fort, il avait de larges poignets, des biceps proéminents et des épaules taillées dans un vieux chêne. Il donnait l'impression d'être tout droit sorti d'un camp de bûcherons. Même Patrick avait l'air d'un gentil pitou à ses côtés. Quand il me serra la main, je vis à quel point il était costaud. Sa main faisait deux fois la mienne.

— Content de vous rencontrer, *doctor*.

— Vous avez fait un bon voyage, monsieur Valiquette?

— J'ai rien vu, j'ai dormi toute le long, dit-il avec un accent américain et en cassant un peu son français. Pis tu peux m'appeler Joe, *you know*. C'est Joseph, mais toute le monde m'appelle Joe.

Le Franco-Américain portait un complet gris, un long manteau de laine bleu foncé et un chapeau noir qu'il accrocha au portemanteau. Il avait un élégant nœud papillon noir à pois blancs et un plastron en daim. Je lui donnai le début de la trentaine.

Nous allâmes nous asseoir autour de la grande table de la salle de documentation.

Valiquette avait la lèvre inférieure marquée par une cicatrice et des dents noires. Il fourra sa main dans la poche de son veston et en sortit son tabac à chiquer. Il nous en offrit, mais trois têtes déclinèrent à l'unisson. Lafontaine alla chercher dans la cour du coroner le seau qui servait à recevoir les affreuses chiques brunâtres et baveuses – MacMahon aimait mâchouiller du tabac de temps à autre. Valiquette fourra deux doigts dans sa blague à tabac.

— Ça m'aide pour la concentration, précisa-t-il en déposant dans sa bouche une boule de tabac qu'il entreprit de mastiquer avec la ferveur d'un ruminant.

Joseph Valiquette nous apprit qu'il était né en 1864 dans une maison sur le bord du fleuve à Châteauguay. Ses parents avaient émigré dix ans plus tard à Lowell, au Massachusetts, pour profiter des emplois dans l'industrie du textile. Comme il s'exprimait dans un bon français, il était fortement sollicité pour conduire des enquêtes et des interrogatoires auprès des Franco-Américains, plusieurs ne parlant pas l'anglais – surtout dans la vieille génération. Il était devenu indispensable dans son service, qui comptait plusieurs autres francophones.

Après que Sansquartier nous eut servi du thé, Valiquette exposa son enquête de sa bouche brune puante.

— J'ai des *news* pour vous autres. Debbie Parker s'appelait Normande Marcoux. Elle vivait à Lynn, Mass. Une Franco-Américaine. Orpheline de son père pis de sa mère. Son popa s'est tué dans un accident de travail au port de Boston. Deux ans plus tard, sa mère, a mourait de la tuberculose. Elle a été prise par sa tante Raymonde, la sœur de sa mère, qui l'a élevée, mais qui avait plus de contacts avec elle depuis des années. Fatiguée de vivre aux États et de travailler de longues heures dans la manufacture, est revenue vivre à Montréal, là où elle avait passé les six premières années de sa vie. Sa tante savait que sa fille adoptive était venue vivre à Montréal, mais c'est par la photo dans le *Boston Globe* qu'elle a appris sa mort. C'est la tante Raymonde qui nous a contactés. Elle nous a dit aussi que Normande avait lâché en partant son ami de cœur, Amédée Belleau, dit Eddy Bellows, un grand slack pas de cœur, pis que lui était venu icitte à Montréal pour tenter de recoller les pots, mais que ç'avait pas marché.

Un crachat précis dans le seau termina son exposé.

— Est-ce que la tante savait que Normande était enceinte ? demandai-je.

— *No*.

— Pensez-vous que ce Belleau serait le père ?

— Pour sûr qu'on lui a posé la question, mais y dit que non.

— Est-ce que Belleau a un passé criminel ?

— Des petits délits : fabrication de *moonshine*, paris illégaux, *pimp*.

— Est-ce que c'est lui qui a incité Normande à venir se prostituer à Montréal ?

— Y dit que non, le torrieu, mais je le crée pas. Il a des airs nonos, mais y faut pas se fier à ça. Y faut que je lui parle encore, à ce grand flanc mou là.

Il se pencha et expectora un gros graillon qui atterrit dans le fond du seau. Il était d'une précision maniaque et, à l'évidence, il devait rarement rater la cible.

— Pis vous aut' ? Avez-vous du neuf ? demanda-t-il de but en blanc à Bruno avant de déposer une autre chique dans sa bouche.

La question avait de quoi nous embarrasser alors que Valiquette, qui vivait à deux cent cinquante milles d'ici, apportait à l'enquête le seul élément nouveau depuis des semaines. Mais sans l'initiative de Bruno, qui avait eu l'idée d'envoyer les photos à la police et aux journaux américains, Valiquette ne serait pas ici aujourd'hui. Lafontaine préféra poser une autre question :

— Est-ce qu'Amédée Belleau aurait eu des contacts qui auraient permis à Debbie…

— Normande, corrigea Valiquette.

Un filet de salive restait suspendu entre ses lèvres quand il ouvrait la bouche.

— … à Normande de se faire avorter ?

— Ça fa' partie des questions que je me pose. Et pis, votre enquête ?

Il continuait de chiquer en nous regardant du coin de l'œil.

— Est-ce que vous repartez aujourd'hui ? demandai-je.

— Non, moi, j'repars demain après-midi.

Je regardai mes deux collègues, qui paraissaient fort embarrassés.

— Si on allait discuter de tout ça chez Ti-Pit ? On y sert un excellent pâté à la viande.

— Là tu parles ! conclut Valiquette en dépliant ses longues jambes. J'ai faim.

Alors qu'on descendait l'escalier, je me pris à espérer que Valiquette ne chiquait pas en mangeant.

◆

La binerie de la rue Saint-Jacques était toujours achalandée. Devant une assiette fumante de ragoût de pattes de cochon et une grosse pointe de pâté à la viande, l'inspecteur Valiquette se délectait. Piquant les betteraves ou les boulettes de viande qu'il sauçait dans le ketchup aux tomates, trempant son quignon de pain dans la sauce à base de farine brunie, il nous parla encore un peu de sa famille. Il hochait la tête tout en ingérant avec un plaisir intense son repas.

— Avez-vous des nouvelles du grand Louis Cyr ? nous demanda-t-il à brûle-pourpoint.

— Y fait encore des shows d'homme fort, répondit Bruno. Mais il a fermé sa taverne rue Notre-Dame il y a une couple d'années.

— Dommage. Je serais allé le saluer. J'ai *fighté* contre Cyr, dans le temps. J'ai été lutteur dans les foires, précisa-t-il devant nos visages ébaubis.

Nous étions tous fascinés à l'idée que l'homme qui se trouvait devant nous ait combattu contre le géant de Saint-Cyprien.

— C'est arrivé il y a une dizaine d'années. J'étais fantasque, comme disait ma mère. Je me créyais ben fort. Faut dire que personne n'avait réussi à me coucher au tir au poignet et que personne de Boston et des alentours pouvait me battre quand venait le temps de bûcher un arbre.

Valiquette prononçait tantôt *Bosstonne* à l'anglaise ou Boston à la canadienne, ce qui nous amusait chaque fois.

— J'étais le meilleur *lumberjack* au Mass. Cyr, lui, il venait lutter à la foire à Lowell. Personne osait l'affronter. Moi, j'ai dit oui !

Valiquette éclata de rire.

— J'aurais pas dû. Créyez-le ou pas, j'ai touché le sol après deux menutes. Juste deux menutes ! répéta Valiquette en tapant du plat de la main sur la table. J'avais jamais été battu, pis lui, il me revirait à l'envers. Mais Cyr était un gentilhomme, un vrai Canayen français. Y m'a payé une bière et y m'a dit qu'y avait eu « un peu de misère » à me virer…

Ce qui nous fit rire.

— Avez-vous eu un bon cachet ? demanda Mac-Caskill.

— Pas de « vous » entre vous autres pis moé, OK ?

Nous hochâmes la tête. Valiquette reprit :

— Tu disais ? C'est quoi le mot ?

— Un cachet ? *Money ?*

— Ah ! J'ai reçu deux piasses ! C'était gênant, mais je me suis dit qu'il avait quand même mis deux menutes avant de me faire embrasser le plancher.

Joe repoussa son assiette en s'essuyant la bouche avec sa serviette. Il épongea ce qui restait de sauce brune et rougeoyante des betteraves sur son bout de pain, qu'il enfourna. Il but ensuite d'un trait sa bière d'épinette.

— Jamais mangé un aussi bon ragoût, madame, lança-t-il à l'intention des cuisines. Il faudra que vous me donniez votre recette pour qu'on puisse m'en faire un pareil à Boston.

Madame Pit, coiffée d'un foulard bleu à pois blancs, releva la tête derrière son fourneau. Les bajoues rouges de la grosse femme dégoulinaient de sueur. Elle accueillit le compliment avec un sourire béat.

— Celui de ma femme, madame, y est pas bon comme le vôtre.

— Je vais copier la recette et la remettre au lieutenant Lafontaine, lança madame Pit par-dessus le brouhaha. Il vient souvent manger ici avec le lieutenant MacCaskill. C'est une question d'épices pis de farine brune. Et il faut trois sortes de viande : du veau, du porc et du bœuf… et ben entendu de la patte de cochon. C'est jusse ça !

— Ah ben ! Merci ben, ma bonne dame.

Valiquette n'avait pas que l'air d'un bûcheron, il en avait aussi les manières simples qui faisaient de lui un bonhomme sympathique que l'on appréciait rapidement.

En attendant le dessert, Lafontaine, MacCaskill et moi ramenâmes la conversation sur notre affaire. Nous relatâmes en long et en large au policier de Boston notre enquête. Valiquette prit quelques instants pour réfléchir après notre exposé, avant de demander :

— Avec cette histoire de prostituées et d'opium, le docteur Rousseau aurait pas eu dans le passé des démêlés avec la justice ?

Je regardai Bruno. Jamais je ne m'étais arrêté à me poser cette question, car, dans mon esprit, elle ne se posait pas.

Bruno sortit pourtant son carnet.

— J'ai enquêté un peu sur lui. J'ai noté qu'à l'époque de ses études Rousseau avait volé un cadavre à la morgue pour un cours d'anatomie.

Je pris aussitôt sa défense.

— Ce n'est pas un crime grave, Bruno. En fait, il s'agit d'un délit mineur. Encore aujourd'hui, il arrive que des étudiants soient pris à transporter un corps de la crypte d'un cimetière à la salle de dissection. Ce n'est pas par malice qu'ils le font, mais parce qu'ils ont peu de moyens financiers.

Valiquette me regardait en roulant des doigts un bout de sa moustache. Lafontaine se fit l'avocat du diable.

— Mais Rousseau vient d'une bonne famille. Il aurait pu facilement acheter un cadavre...

— Il a peut-être volé ce corps pour aider aussi un camarade moins fortuné, arguai-je. Même Berlioz, le compositeur, raconte dans ses mémoires qu'il a volé un cadavre avec un étudiant pendant ses études de médecine.

Bruno consulta de nouveau son carnet.

— Le rapport indiquait effectivement que Rousseau avait admis avoir commis ce vol pour aider un ami. À part cette infraction, je n'ai rien trouvé d'autre le concernant.

— Et pour l'enquête actuelle, les empreintes relevées sur les instruments de l'opérateur ont disculpé le docteur Rousseau... Quant aux vols de cadavre, complétai-je, ça ne risque pas de se produire ces temps-ci : notre morgue déborde. J'ai écrit dernièrement à la Faculté pour qu'elle vienne chercher des corps non réclamés. Nous ne savons plus quoi en faire.

Valiquette me regarda franchement.

— J'ai rarement vu une morgue aussi en débranle que la vôtre, *doctor* !

Je ne savais trop quoi répondre, mal à l'aise.

— Vous devriez voir nos installations de Boston. C'est propre. C'est grand, renchérit-il.

— On... on espère avoir une nouvelle morgue bientôt, mais ça ne bouge pas vite, ici, dis-je, penaud.

Madame Pit s'approcha de notre table avec pour tous une généreuse portion de son « pouding au chômeur » ainsi qu'un grand verre de lait. Valiquette la gratifia d'un sourire charmeur puis attaqua le gâteau, tout en l'imbibant de sirop à base de cassonade.

— Entéka, de mon côté, je va' essayer de voir s'il y aurait des liens entre Normande, alias Debbie, et d'autres filles qui auraient pu disparaître dans notre région. Peut-être que ce serait une bonne idée de mouler le visage des autres femmes inconnues que vous avez à la morgue ?

— On a une seule autre « inconnue » en relation avec l'opérateur criminel. Je pourrai vous fournir une photographie de son visage.

Valiquette cala son verre de lait d'un trait. Il étouffa un rot sonore qui lui remonta l'œsophage en se cachant la bouche d'un poing, puis il déposa bruyamment ses ustensiles.

— *Good!* Maintenant, j'ai entendu à la gare qu'on offre un french cancan endiablé aux Folies Bergère ce soir. Quelqu'un pour m'accompagner ?

Bruno éclata de rire.

— Le spécialiste du french cancan, c'est Georges. Il a passé un an à Paris et il a bien connu le Moulin rouge, les froufrous et tout le reste qu'on ne peut pas dire…

— Paris ! Quelle chance ! J'ai jamais été plus loin que New York. Alors ? demanda-t-il des étoiles dans les yeux. Qui m'accompagne ce soir ?

Bruno s'offrit.

— Au nom de la police de Montréal, tint-il à préciser, je serai ton guide.

Avant de sortir du restaurant, Valiquette complimenta à nouveau plusieurs fois madame Pit, que l'on vit rougir davantage devant ses fourneaux.

Sur le trottoir, il exprima un autre souhait.

— Si ça vous dérange pas, avant de reprendre le travail, j'aimerais que vous m'indiquiez où se trouve un grand magasin. Ma femme veut que je lui rapporte un cadeau. Pis comme Noël approche, je veux trouver de quoi aussi pour les enfants.

— Sur Sainte-Catherine, tu vas en avoir plein, des grands magasins, dit MacCaskill en riant.

— Sainte-Catherine ? C'est par où, ça ? J'connais pas pantoute *Montreal*.

Les deux policiers offrirent de l'accompagner puisque c'était sur leur chemin. Malgré mon horaire serré, je décidai de les suivre. Il me fallait bouger pour digérer ce dîner. J'avais l'habitude de manger plutôt maigre le midi.

Nous prîmes un tramway en direction du square Phillips. La distance était grande, mais elle se faisait bien en petit train.

— Es-tu marié, Bruno ?

— Marié et sept enfants. Ma femme attend le huitième. Elle en a perdu un en couches.

Impressionné, Joe tapa amicalement l'épaule de Bruno en le complimentant sur sa nombreuse descendance.

— Moé, c'est cinq ! Pis toé, Patrick ?

— Six, répondit MacCaskill, le regard dans le vide.

— Et toi, Georges ?

— Non, toujours célibataire.

— T'as décidé de demeurer vieux garçon ?

— Non. C'est plutôt que la vie me donne peu de temps pour penser au mariage.

— As-tu une fiancée, au moins ?

— Pas de fiancée…

— Je te plains, doc. Je te plains…

— Pas besoin. Et puis disons que j'ai un début de… relation avec une jolie dame.

Dix minutes plus tard, le tramway s'immobilisait au square Phillips. Je descendis avec Valiquette, pendant que Bruno et Patrick restaient à bord pour filer jusqu'au poste.

Plusieurs grands magasins se livraient une chaude concurrence dans le quartier. Une fois sur le trottoir, je montrai un magasin avec sa devanture luxueuse.

— Va chez Henry Morgan and company. C'est un magasin à rayons. C'est tellement grand qu'on peut s'y perdre.

— Tu entres pas avec moi ?

— Non, non, je te laisse regarder en paix. Et puis tu auras juste à prendre le même tramway pour revenir vers la morgue.

— OK. Merci, doc. *See you later*.

Je regardai Valiquette se perdre dans la foule, puis pris la direction de la maison.

◆

Le lendemain, Bruno arriva à la morgue en milieu d'après-midi.

Il semblait de belle humeur. J'entendis de mon bureau sa grosse voix pleine d'entrain s'adresser à Sansquartier. Était-ce sa femme qui allait mieux, avait-il reçu une promotion ou avait-il eu une soirée agréable avec Joe Valiquette, de la police de Boston ?

— Écoute celle-là, Paul. C'est l'histoire d'un reporter qui observe un homme se faire battre à mort et qui, pour justifier sa non-assistance à une personne en danger, s'écrie : « Je travaillais, messieurs les policiers, je ne voulais pas briser l'objectivité de mon reportage. J'ai respecté tous les critères de ma profession. C'est ce que vous retrouverez ce soir dans le journal. »

Sansquartier éclata de rire.

— Il faut la conter au docteur. Il aime tellement la presse judiciaire.

J'entendis grimper les marches quatre à quatre.

— Salut, Georges. Il faut que je te raconte une blague que MacCaskill m'a contée ce matin.

— Je viens de l'entendre. Elle est pas mal. Alors, comment s'est passée la soirée avec Valiquette ?

— Une soirée mémorable ! Valiquette adore le french cancan et le bourbon. Il a insisté pour qu'on s'assoie dans la première rangée pour profiter de plus près du spectacle. Il a tapé dans ses mains toute la soirée, chanté *Frou-frou, La vie parisienne*, sifflé les danseuses, je ne savais plus où me mettre.

Je riais à gorge déployée en imaginant la scène.

— J'hésite à mettre cette soirée sur mon compte de dépenses, poursuivit Bruno. Tu t'imagines la face que ferait notre cul-terreux d'assistant-procureur général s'il apprenait que je fréquente les Folies Bergère avec un inspecteur franco-américain ?

— Il n'est pas avec toi, Valiquette ?

— Non, il est allé à la gare porter tout ce qu'il a acheté hier. Il reprend le train pour « Bosstonne » à trois heures, dit Bruno en riant. Je passais prendre la photo avant de l'y rejoindre avec la recette de madame Pit. Il faudrait pas que je manque son départ.

27. Carnage à Pélagie

L'urgence de l'appel ne faisait aucun doute.

Comme l'hospice des sœurs de la Miséricorde était situé tout près de chez moi, dans le quartier Saint-Laurent, il serait plus rapide de m'y rendre à pied que de faire atteler. Je courus de la rue Saint-André jusqu'à De La Gauchetière.

En me pressant, je pensai à l'une de mes tantes qui avait été religieuse à l'hospice de Sainte-Pélagie. Elle nous avait tellement vanté sa communauté. Les sœurs de la Miséricorde recevaient depuis longtemps des filles-mères qui désiraient donner naissance à leur enfant. Que ce dernier fût le fruit de la dépravation, d'une passion mal assumée ou d'un faux pas avant le mariage, les sœurs donnaient à ces jeunes femmes un refuge où elles étaient à l'abri des regards et du rejet. Une fois qu'elles avaient donné naissance à leur bébé, celui-ci était ensuite adopté par des familles qui n'arrivaient pas à procréer.

Je traversai la rue De La Gauchetière en passant entre deux tramways. J'avais le souffle court – l'entraînement d'un aliéniste n'avait rien à voir avec celui que j'avais enduré dans le 65e bataillon –, mais je tenais bon. J'étais déjà en mesure de voir les murs de l'hospice, qui faisait tout le quadrilatère De La Gauchetière et Dorchester, Saint-Hubert et Saint-André.

Sœur Rosalie Cadron-Jetté, une sage-femme qui avait eu plusieurs enfants avant d'entrer dans les Ordres, mais qui en avait aussi beaucoup perdu dans des circonstances tragiques, était l'une des fondatrices de cette œuvre parrainée par monseigneur Bourget. Les annales judiciaires rapportaient que, dans les années 1830, des bébés fraîchement accouchés, voire des jumeaux et des triplets, étaient abandonnés dans la rue, certains piétinés par des chevaux, d'autres mourant de froid, de faim ou par manque de soins. Le dévouement de cette femme de Lavaltrie avait sauvé plusieurs nouveau-nés, sans compter les mères qui étaient tombées entre les mains d'opérateurs criminels. Mais les sœurs subissaient de l'ostracisme de la part de la population et du clergé. Il n'était pas rare que celles qui se rendent faire baptiser les enfants à la cathédrale soient houspillées, insultées et qu'elles se fassent cracher dessus. Aider les pénitentes en dérangeait plusieurs. Je dois confesser que les rapports entre les sages-femmes et notre corps médical n'étaient pas très enthousiastes non plus. Heureusement, nos étudiants en médecine se rendaient désormais à Pélagie pour leur cours d'obstétrique.

Je tournai à gauche dans Dorchester. L'entrée du bâtiment, avec ses fenêtres en ogives et une belle rosace au second étage, était en grosses pierres de taille grises de Montréal. Le pavillon d'entrée, de forme rectangulaire, avait un toit en pente et les longues ailes qui y étaient rattachées s'étendaient sur tout le quadrilatère.

Quand j'arrivai enfin sur les lieux, je vis que l'on avait évacué des gens à l'extérieur. Plusieurs vieillards étaient coincés dans des fauteuils roulants. J'aperçus Lafontaine et MacCaskill qui tentaient de calmer un curé aux prises avec un choc nerveux. Je sursautai : sa soutane était maculée de sang, comme si elle avait été aspergée par un jet artériel. D'autres policiers en uniforme se pointaient en renfort dans la cour, garcette à la main.

Bruno me vit et se rua vers moi. Il tenait sa Winchester à répétition.

— Il y a un fou à l'intérieur qui vient de tuer une fille enceinte et qui sème la terreur dans l'hospice. D'après ce curé, il tient quelque chose de rouge et de saignant dans sa main. Il croit qu'il s'agit d'un fœtus. Des sœurs ont tenté de raisonner le forcené mais sans succès. On sait qu'il a continué sa course meurtrière jusque dans l'aile qui donne sur De La Gauchetière et Saint-Hubert. Il n'arrête pas de hurler qu'il n'est pas le père.

— Quoi ? Qu'est-ce que tu veux dire ?

— Paraît que sa copine cachait une grossesse et qu'elle s'apprêtait à accoucher à la maternité. Mac-Caskill, cria-t-il, comment il s'appelle déjà ?

— John Simpson.

— C'est ça. Il faut qu'on le stoppe, Georges.

— Allons-y.

— Vous autres, cria-t-il aux policiers nouvellement arrivés, vous ne laissez entrer personne. Patrick, tu nous suis.

Tireur émérite, Bruno s'assura que sa Winchester était chargée. On s'engouffra à l'intérieur.

On monta l'escalier à la course jusqu'au dernier étage. Bruno indiqua la droite. On traversa le long couloir donnant sur Dorchester, avec ses murs couverts d'icônes religieuses. Toutes les salles étaient vides. Des repas avaient été laissés sur des tables. À l'extrémité de l'aile, un grand vitrail en ogive éclairait d'un rai de lumière une statue de la Vierge foulant du pied une vipère. On tourna à gauche dans l'aile qui faisait face à la rue Saint-Hubert. Bruno continuait le récit des événements pendant que nous avancions.

— Simpson est un ex-étudiant en médecine, mais il a dû cesser ses études après être tombé gravement malade. Tu le connais peut-être ?

— Non, ça ne me dit rien.

— Il souffre d'épilepsie. J'ai cru comprendre qu'il a été la proie d'une violente crise en arrivant ici. Puis il a tué son amie de plusieurs coups de couteau.

— Une histoire de jalousie ?

— Comment veux-tu que je le sache, Georges ? s'impatienta-t-il. Ça fait à peine une demi-heure qu'on nous a appelés !

— Désolé, je comprends !

On approchait du bâtiment arrière quand on entendit au loin des cris mêlés à des hurlements et des râles. Il n'y avait pas un instant à perdre. Il restait encore là-bas des personnes qui s'étaient terrées devant les attaques insensées du tueur. On accéléra le pas.

— Marion Bell, dit soudain Lafontaine.

— Quoi ?

— C'est le nom de son amie, d'après le curé. Après son attaque, Simpson est monté ici, dans une salle où séjournent des prêtres. Il aurait alors fait une seconde crise. Des prêtres ont tenté de le raisonner, mais il s'est rué sur eux, un rasoir à la main. Il aurait égorgé un aumônier. Alertées par les cris, les sœurs ont accouru et c'est là que Simpson s'est cloîtré dans les latrines.

Lafontaine se tut ; nous arrivions au coin du couloir. À ce qu'il venait de me raconter, je comprenais que la fureur aveugle du tueur était décuplée par son état de crise. Je pouvais comprendre pourquoi Bruno avait hésité à sonner la charge, de peur que le carnage n'empire.

On avança à pas de loup jusqu'au tournant. Avant de s'y aventurer, il jeta un coup d'œil, puis me fit signe de regarder ; son visage avait pâli. Dans l'aile sombre, les corps de trois prêtres gisaient sur le plancher couvert d'une mare de sang. Celui-ci avait giclé sur les murs et les tableaux. C'était horrible. Deux autres hommes, le corps ployé vers l'avant sur un banc, avaient eu aussi la gorge tranchée. Ils saignaient encore. On entendit soudain un bruit sourd, rythmé. Comme si quelqu'un frappait contre le plancher. S'élevèrent alors des hurlements à glacer le sang, des insanités et des injures contre Dieu proférées en anglais.

— Pat, chuchota Lafontaine, va jusqu'au bout du corridor pour voir s'il reste quelqu'un dans cette aile.

D'un signe de tête, MacCaskill acquiesça et passa devant nous. Puis je m'approchai des latrines, suivi de Lafontaine qui me couvrait de sa Winchester. La porte était légèrement entrouverte, mais nous restâmes à une bonne distance dans le couloir. Si Simpson décidait de sortir et de s'en prendre à nous, Lafontaine aurait le temps nécessaire pour réagir.

— John? John, est-ce que ça va? criai-je.

Je n'obtins aucune réponse, mais le bruit sourd se précisait.

— John! Je suis le docteur Villeneuve. Je suis là pour vous aider.

Toujours rien.

Je m'approchai encore. La vitre givrée de la porte m'empêchait de voir Simpson, mais je distinguais une ombre en mouvement. Soudain, je compris la signification du bruit, car il était coutumier dans l'univers de ceux qui côtoient la folie.

Je fis signe à Lafontaine, qui avait toujours sa carabine en joue, de se tenir prêt. J'entrebâillai la porte de quelques pouces en la poussant du bout des doigts.

Simpson se projetait avec une violence inouïe sur le mur. À un rythme régulier, il se catapultait en hurlant comme un forcené. Je vis sur le plancher des éclats de verre et beaucoup de sang. L'endroit où il entrait en collision avec le mur était rouge. Chaque fois qu'il frappait le mur, je voyais du sang l'éclabousser et couler sur la céramique. Un peu derrière lui, deux jambes inertes : un autre corps gisait là. Il fallait intervenir, sinon il allait finir par s'infliger des blessures mortelles. Si tout ce sang était le sien, il serait plus facile à maîtriser, mais il ne fallait pas sous-estimer la dangerosité d'un individu en pleine crise.

— *John, I am a doctor. I want to help you. Nobody will hurt you. I promise. Let me enter.*

— *Go away! Go to Hell!* vociféra-t-il.

Alors que je m'avançais un peu plus dans l'entre-bâillement, je pris la porte en pleine face. Simpson s'était jeté dessus de tout son poids. Juste au son – un craquement sec –, je sus que mon nez était cassé. Le sang se mit à gicler et je vis des étoiles.

J'entendis Bruno sacrer derrière et se précipiter vers moi. Je sortais un mouchoir pour m'éponger quand la porte s'ouvrit en grand et Simpson surgit pour me plaquer violemment. Je m'écrasai sur le plancher.

— *Stop or I'll shoot!* cria Bruno.

En voyant la carabine, Simpson s'enfuit dans le corridor.

— Non, ne tire pas !

Lafontaine jura de nouveau et se lança à sa poursuite. De peine et de misère, je me relevai et tentai de les rejoindre.

C'est MacCaskill, caché derrière une statue de la Vierge au bout du couloir, qui surprit Simpson en lui assénant un terrible coup de matraque au visage. Les hurlements cessèrent alors qu'il s'écroulait d'une pièce. MacCaskill continua cependant à le rouer de coups. Simpson ne se protégeait pas ; il avait perdu connaissance dès le choc initial.

— Cessez de le frapper, vous voyez bien qu'il est assommé ! criai-je.

Lafontaine et moi dûmes contenir MacCaskill pour qu'il cesse de s'acharner sur Simpson. J'étais essoufflé, sur les nerfs et je pissais le sang dans mon mouchoir.

— Fais venir une ambulance, demandai-je brusquement à Lafontaine, qui hocha la tête.

D'un signe, il indiqua à MacCaskill de s'occuper de ça. L'Irlandais tourna les talons sans un mot et fonça dans le corridor.

Pendant que Bruno passait les menottes à Simpson, j'examinai ses blessures. Il avait le visage tuméfié, profondément entaillé par le verre. Ce n'était plus qu'une masse informe et enflée. Ses mains étaient tout aussi coupées et il saignait abondamment sous la taille. En fait, son pantalon était littéralement imbibé de sang. Je le baissai et restai stupéfait.

Bruno eut un haut-le-cœur et détourna le regard.

— Mon Dieu… Il s'est tranché le…

Nous nous regardâmes en réalisant que ce qu'il avait tenu dans ses mains, ce n'était pas le bébé de Marion Bell mais sa verge, la cause de tout son mal, devait-il croire dans son délire.

— Comment peut-on s'infliger de telles blessures, Georges ? demanda Bruno alors qu'il se dirigeait vers les latrines.

Le mouchoir pressé sur le nez, le cœur en chamade et le souffle court, je tentai de comprendre ce qui avait pu pousser cet homme à commettre ce massacre.

— La folie… est le moteur de cette décision… Ce n'est… pas un appel… de la raison, tu t'en doutes bien… Demain… demain… il ne se rappellera probablement pas ce qui s'est passé. Ce sera une autre personne.

Dans l'étrange silence qui avait envahi les lieux, j'entendais Bruno ravauder dans la salle de bains. Je réalisai que j'avais le bas du visage, les mains et la chemise tout ensanglantés. Puis des bruits parvinrent du bout du couloir. Je levai les yeux et, dans le contre-jour, trois sœurs surgirent de l'escalier. En m'apercevant au chevet du tueur menotté, elles s'approchèrent alors que la grande baie derrière elles diffusait un soleil aveuglant de fin de journée.

Puis ce fut au tour des ambulanciers de la Croix-Rouge de se pointer avec une civière, suivis de Mac-Caskill et de plusieurs policiers.

On entendit soudain une exclamation dans les latrines, puis Lafontaine sortit en s'adressant à nous.

— J'ai… j'ai trouvé son… sexe. Dans le lavabo.

Les trois sœurs s'écrièrent à l'unisson « Mon doux Jésus » et celle du milieu s'effondra. Il fallut aux ambulanciers l'utilisation des sels pour la réanimer.

— Amenez Simpson à l'hôpital Notre-Dame, leur dis-je sitôt la sœur revenue à elle.

— Patrick, tu les escorteras avec deux hommes, compléta Lafontaine qui était revenu pour superviser l'opération. Il ne faut surtout pas que cet homme s'échappe.

Évidemment, pour nous, « la » question était maintenant de savoir si John Simpson pouvait être notre opérateur criminel. Il me tardait qu'il soit remis sur pied et que je puisse l'interroger à cette fin. Car il n'y avait aucun doute dans mon esprit, cette tâche allait me revenir. Le fait qu'il s'agît d'un ancien étudiant en médecine, qu'il se soit attaqué à sa fiancée et ait poursuivi sa boucherie dans un lieu qui permettait aux femmes de prolonger leur grossesse honteuse, sans avoir à supporter le regard des autres, le désignait comme le suspect idéal. On pouvait aussi voir ses agissements comme un motif de délire religieux. Si tel était le cas, Simpson croyait probablement qu'il agissait par altruisme, en respectant ses convictions profondes. C'était une raison de plus pour nous inquiéter.

◆

Wyatt et moi fûmes appelés le soir même à pratiquer une autopsie sur la personne de Marion Bell, résidente du village d'Outremont.

Dans la salle d'autopsie, le corps de Marion reposait sur la table. Les instruments étaient disposés sur un plateau tout près. Mon collègue avança son visage curieux vers moi pour examiner ma blessure.

— Tu dois soigner cette fracture.

Mon nez avait passablement bleu puis enflé. Il faisait atrocement mal, mais je me croyais parfaitement capable de procéder.

Wyatt prit un pic dans un tiroir.

— Suis-moi, m'ordonna-t-il.

Il ouvrit la porte de la morgue et fracassa un bloc de glace. Il m'en remit un morceau.

— Tiens, mets ça sur ton nez. Il n'y a rien de pire qu'un médecin pour se soigner lui-même. La glace est le meilleur anti-inflammatoire.

— Cordonnier mal chaussé…

On retourna à la salle d'autopsie.

Marion Bell avait été frappée au front avec un objet contondant. Les deux coups avaient causé une fracture du crâne. Son meurtrier, John Simpson, se remettait tant bien que mal de ses propres blessures.

Cet homicide allait bouleverser le public une fois de plus et alimenter toutes sortes de rumeurs. « *Is it Doctor Death ?* » suggérerait *The Star*. « *The Montreal Butcher* », titrerait *The Gazette*. Et des sous-titres à n'en plus finir. Un parfum de scandale et de honte toucherait toute la ville. L'hypothèse qu'il soit le boucher de Montréal – « le faiseur d'anges », comme l'appelait *La Patrie* – se répandrait, d'autant plus que Simpson était un ancien étudiant en médecine de McGill. Or, je me méfiais du tribunal populaire comme l'agneau d'une meute de loups.

En fin de soirée, alors que Wyatt complétait son rapport sous la lumière blafarde de la lampe, le téléphone brisa le calme qui régnait à la morgue. Le bouseux de Québec appelait pour avoir des précisions.

— C'est lui, docteur Villeneuve, n'est-ce pas ? me demanda Rochon d'entrée de jeu. On ne peut pas se tromper cette fois-ci. On le tient ! Le premier ministre est dévasté mais soulagé de savoir que vous avez enfin mis la main dessus.

Le grossier personnage ne me laissait pas parler. Le bloc de glace dans la main gauche et le cornet dans la droite, je ne parvenais pas à m'insérer dans son tissu de paroles. Malgré les cent quatre-vingt-dix milles qui nous séparaient, je pouvais presque sentir ses postillons et son haleine fétide à travers le fil.

— Monsieur l'assistant-procureur général, nous ne pouvons être certains hors de tout doute qu'il s'agit là de l'opérateur criminel.

Rochon se mit alors à crier. Je retirai le cornet de mon oreille. La ligne avait beau être mauvaise, j'entendais toutes ses insultes.

Wyatt s'approcha et me suggéra de raccrocher. Je haussai les sourcils et secouai doucement la tête. Acquiescer à sa demande n'arrangerait pas les choses.

— Vous n'êtes qu'un sans-dessein, Villeneuve. Je vous ai à l'œil ! entendîmes-nous crier, puis il y eut un déclic.

C'est lui qui m'avait raccroché la ligne au nez.

28. Une question de vie ou de mort

Des dizaines de reporters avaient pris place dans la salle d'audience du coroner et faisaient le pied de grue en s'impatientant. Après une quinzaine de minutes, Simpson entra dans un fauteuil roulant poussé par un policier, qui l'aida à s'installer dans le box. Beau garçon de taille moyenne, il avait les cheveux blonds et des traits que l'on devinait fins derrière l'enflure de son visage. Il était flanqué de son père et d'un avocat. Les dernières quarante-huit heures lui avaient à peine permis de se remettre de ses terribles blessures. Son état était stabilisé, certes, mais il était encore très fragile. Le rétablissement physique serait long, et sa tête n'allait pas du tout. Quant à son amputation... De mon côté, j'avais encore le nez enflé et sensible et deux coquards qui attirèrent l'attention. Je vis quelques sourires malveillants chez les scribouillards.

Lorsque la commotion provoquée par l'entrée de Simpson se fut calmée, je me présentai avec le docteur Johnston devant le juge MacMahon. Je relatai les causes de la mort de la jeune femme et des autres victimes tout en observant du coin de l'œil John Simpson. Le jeune homme avait l'air impassible, insensible à ce qui se passait autour de lui. Il suivait béatement les directives qu'on lui donnait, aliéné à son environnement, à son sort. En le voyant, je doutais qu'il sache où il se trouvait.

— La jeune victime, Marion Bell, bénéficiait d'une excellente santé. Deux coups sévères infligés derrière son oreille droite lui ont été fatals en causant des lésions au cerveau.

Des rumeurs de viol couraient depuis le jour du crime. Sans vouloir paraître déplacé, je désirais mettre fin à ces ragots qui ne servaient personne, sinon la presse à sensation. J'exposai platement les détails. Il n'y avait aucune marque de violence aux organes génitaux de la jeune fille, ce qui excluait la possibilité d'une agression de nature sexuelle.

Le juge MacMahon appela à la barre des témoins sœur Amanda, de la congrégation des sœurs de la Miséricorde.

— Quand il s'est présenté au couvent, John Simpson m'a semblé ahuri, hébété et apathique. Il avait l'air d'une personne qui n'a pas tous ses esprits, comme s'il était guidé par une force extérieure.

Sœur Amanda fit une pause. Elle considéra Simpson dans le box des accusés. Bien qu'elle eût été aux premières loges des événements, elle ne paraissait pas haïr Simpson. On lisait plutôt dans ses yeux qu'elle le prenait en pitié.

— Poursuivez, ma sœur, insista MacMahon.

— Lorsque je l'ai entendu répéter que Satan l'avait invité à mettre fin à la grossesse honteuse de Marion, j'ai tenté de l'empêcher d'aller plus loin. C'est à ce moment qu'il est devenu violent.

L'avocat de la famille se leva pour s'adresser au juge.

— Je crois que le témoignage de sœur Amanda démontre clairement que John Simpson n'était plus lui-même et qu'une requête en folie est nécessaire. Mon client n'est pas apte à subir un procès.

Le juge MacMahon acquiesça. Il se tourna alors vers moi et me demanda de documenter le cas. Il va sans dire que j'acceptai le mandat, tout en me disant qu'il ne faisait aucun doute que Simpson était aliéné.

Les journaux spéculaient déjà sur le sort qui devait être réservé à Simpson. Selon certains éditorialistes, c'était le haut mal – l'épilepsie – qui avait causé ces ravages foudroyants chez l'ex-étudiant en médecine. Selon d'autres, c'était pour satisfaire ses instincts meurtriers que Simpson avait voulu devenir médecin. À les écouter, il fallait le pendre haut et court, sans tenir compte d'un possible dérèglement de sa santé mentale.

La foule est folle, le fou est sa proie. Elle tenait son meurtrier. Il devait payer. Point à la ligne. Mon enquête n'était même pas commencée qu'on en rejetait déjà toutes les conclusions possibles. Les plus radicaux m'accuseraient même de détourner les deniers publics et de profiter du laxisme de la justice en acceptant d'examiner Simpson qui, on le savait bien, jouait la comédie pour échapper à son sort.

Dans l'après-midi, je rédigeai une lettre au ministre et assistant-procureur Rochon pour lui exposer la suite des événements. Je devais me prémunir contre son comportement abusif, et je voulais qu'il arrête de parler sur la place publique de la peine de mort à l'endroit de Simpson. On devait aussi cesser d'établir un lien entre Simpson et l'opérateur criminel à des fins partisanes.

Montréal, lundi 29 octobre

À l'honorable Gaudias Rochon

Cher Monsieur,
J'ai été appelé à évaluer l'état mental de John Simpson, accusé du meurtre de Marion Bell et de sept autres personnes à l'hospice de Sainte-Pélagie. J'ai avisé le juge MacMahon qu'il m'était impossible d'émettre une opinion sans avoir fait

*une étude de cas complète, soit un examen soma-
tique et psychique de l'accusé. Il faut évaluer
ses antécédents héréditaires et personnels, tout
comme les circonstances de l'acte. Puisque la
défense plaidera la folie, la couronne sera sur
la défensive si cette expertise n'est pas menée à
bien et si les éléments nécessaires à la juste appréciation de l'état mental de Simpson ne sont
pas remis d'avance par une personne compé-
tente.*

*Je fais l'examen de l'état mental des prévenus
lorsqu'il s'élève un doute sur leur responsabilité,
j'espère ardemment que le ministère ne fera pas
exception pour le cas dont j'ai l'honneur de vous
entretenir.*

*Si l'honorable ministre le désire, je me mettrai
à la disposition des avocats de la couronne.*

Votre tout dévoué,
Dr Georges Villeneuve

Mardi, 30 octobre 1894

La famille Simpson habitait Outremont dans un magnifique cottage nommé Greenhill. Deux grands pins parasols s'élevaient devant la résidence. De belles fleurs automnales – rudbeckies, cosmos – coloraient le devant de la maison, malgré la fraîcheur du temps et l'humidité qui sciait les os. Sur le mur gauche, devant la grande baie, les tournesols séchés semblaient se moquer du drame qui frappait la famille.

Je savais que monsieur Simpson, qui tenait une pharmacie dans la rue Saint-Laurent, procurait une bonne qualité de vie à sa famille. Je donnai trois coups de heurtoir sur la porte noire en appréhendant les visages auxquels je ferais face.

Le matin même, j'avais reçu un télégramme du procureur général et premier ministre du Québec. Il endossait mon mandat d'évaluer en détail l'état mental du prévenu et de collaborer avec les avocats de la couronne. Comme le cas Simpson avait été largement rapporté dans les médias, j'avais décidé de m'y mettre au plus vite.

La porte s'ouvrit et deux visages plissés comme des fruits trop mûrs apparurent. Les parents éplorés m'accueillirent avec gentillesse. Dans le vestibule, l'odeur du feu de bois dans l'âtre faisait envier le confort du salon, où l'on me servit le thé. La chaleur du feu me réchauffa. Madame Simpson, très affaiblie par l'épreuve et la maladie, avait les yeux rougis. Elle me parut dans un état d'abattement très sérieux. Je ne tirerais pas grand-chose d'elle. À moitié sourd, le père m'avisa quant à lui de parler fort. L'affaire commençait plutôt mal pour moi !

J'ouvris mon calepin de notes. D'emblée, je cherchai à savoir ce qui s'était passé avant l'homicide. Le couple ne parlant pas français, je traduisis directement de l'anglais les réponses de monsieur Simpson. Mes notes pêle-mêle ressemblaient à ceci :

Le jour du meurtre, madame Simpson est alitée dans sa chambre au rez-de-chaussée. Son fils John est à l'étage. « *Je croyais qu'il était avec Marion parce qu'il parlait à haute voix.* » *Mais la conversation semble à sens unique. Il posait des questions. John la traitait de toutes sortes de noms :* whore, bitch, slut. *Il ne lui avait jamais parlé ainsi.* « *Je suis montée et j'ai vu qu'il se parlait tout seul devant le miroir. Cela m'a mise dans un état de faiblesse à cause de mon cœur et je venais de fournir un gros effort en montant l'escalier. Il avait un marteau à la main. J'ai eu peur. Il répondait à ses propres questions en faisant de grands gestes.* » *Ce que madame Simpson aperçoit du haut des marches, aucune mère n'y est préparée. Soudainement, il se met à démolir sa chambre. Elle parvient à le raisonner. En proie à la fureur, il la menace avec son arme, puis il abandonne. Madame Simpson craignait qu'il ne subisse une crise d'épilepsie comme cela lui arrivait souvent. Terrorisée, elle lui demande d'aller se reposer ou de l'accompagner chez le médecin. John se laisse choir contre une armoire, complètement impassible, le marteau lui glisse des mains. Puis, comme elle le prévoyait, il fait une crise. Ensuite, il est demeuré longtemps en état de catatonie.*

Madame Simpson se mit à pleurer. Je me tournai vers son mari.

— Vous saviez que Marion, son ex-fiancée, était enceinte ? demandai-je en haussant le ton.

— Non, non, non, me répondit le vieux pharmacien.

— Pourquoi était-il furieux contre elle ?

— John et Marion se fréquentaient depuis longtemps. Ils étaient comme les deux doigts de la main. Mais l'année dernière, Marion a rencontré un étudiant juif de l'Université McGill. Ils sont devenus de grands amis, mais un soir, ils sont allés trop loin. Marion a tout avoué à John le jour où elle a su qu'elle était enceinte. Mais de qui ? De John ou de Chuck ? Quand mon fils a appris ça, il est devenu furieux. C'est ce qui l'a rendu si malade. Il n'a plus pensé qu'à ça. Il était jaloux, il est devenu obsédé. Pour des raisons religieuses, Marion a décidé de garder l'enfant. Chuck, son amant, s'est défilé et l'a abandonnée à son sort. Pas John. Mais… Ce qui est arrivé samedi est terrible… Je n'arrive pas à comprendre pourquoi il s'est rendu chez les sœurs de la Miséricorde pour tuer Marion et tous ceux qui étaient sur son passage.

— Mon fils, dit madame Simpson, n'est pas la personne qui tue des femmes enceintes, comme on le raconte partout. Je suis dégoûtée d'entendre toutes les calomnies qui courent à son sujet. Tout ce qu'on dit à ce propos est faux. J'en suis persuadée.

Je la rassurai en lui rappelant le but de mon enquête, qui n'était pas seulement de statuer sur l'état mental de son fils, mais de clarifier cette situation.

Je poursuivis mon interrogatoire en sachant que je souhaitais presque que John Simpson se révèle être notre opérateur criminel, car cela arrêterait les crimes qui mettaient Montréal sur la sellette un peu partout dans les journaux d'Amérique. Mais j'avais des doutes.

Le temps passant, le couple afficha des signes de fatigue. Je les remerciai et repris rendez-vous.

Je me dirigeai vers la prison du Pied-du-Courant. Il me fallait maintenant examiner l'état mental de John Simpson. Tandis que je patientais dans l'antichambre du bloc cellulaire, je révisai l'affaire. Un gardien avec son trousseau de clés à la main me pria de le suivre jusqu'à l'infirmerie.

Le garçon, chétif de nature, était prostré, le dos voûté. Je notai aussitôt un tremblement fibrillaire sur les joues. Son visage était asymétrique, le côté droit beaucoup plus bas que l'autre. John Simpson me parut aussi taciturne que la veille lorsqu'il avait comparu devant le coroner. Il était léthargique et sans vigueur. Il portait un manteau de fourrure, comme s'il croyait sa sortie imminente. Je dus lever la voix pour qu'il m'entende. Il souffrait d'une surdité partielle. Son regard croisa enfin le mien.

— *When will I get out of here, sir?* demanda-t-il.

Je ne répondis pas, penchai la tête.

— *John, my name is Georges Villeneuve. I am an alienist. I'm here to help you. Mind if I ask you a few questions?*

Il me toisa, le regard soudain empreint d'angoisse. Je pris une voix douce.

— *Why did you kill Marion?*

Il marmonna une phrase dont je ne pus saisir le sens.

— *What did you say, John?*

— *I want to get out.*

Ce n'était pas ce qu'il avait dit avant. Je lui demandai de me le répéter, mais ce fut encore un vrai charabia. Je décidai de revenir sur son plaidoyer de non-culpabilité.

— *You said during the enquiry that you were drunk at the time, didn't you ?*

Il confirma, puis nia aussitôt avoir consommé de l'alcool, arguant qu'il faisait preuve tous les jours de tempérance. John Simpson se perdait dans ses propres contradictions. Ses joues tremblaient de plus en plus.

Je lui rappelai cette journée tragique ; il ne se souvenait de rien. Même pas de sa crise d'épilepsie, ni du fait qu'il manipulait un marteau devant le miroir de sa chambre. Je lui demandai s'il avait une bonne relation avec les membres de sa famille.

— *They treat me like a child.*

— *What do you mean ?*

Il s'emmura dans son mutisme. Je tentai en vain de savoir s'il se sentait persécuté. Après de longues minutes de silence, il avoua tout à coup que « Satan lui avait parlé ».

— *Just before the murders ?* demandai-je.

Simpson grommela des sons incompréhensibles. Je vis ses yeux éteints rouler dans leurs orbites, puis il pencha la tête. Je compris que je n'en tirerais plus rien pour le moment.

Je notai mes premières observations médico-légales : faculté intellectuelle affaiblie, apathie inconsciente de son état, mémoire défaillante, spontanéité intellectuelle inexistante, absurdité des propos, incohérence, contradictions dans ses raisonnements... Il y avait certes un sol pathologique fertile pour la folie.

Je signalai au gardien que j'en avais terminé. Avant de partir, je tentai de retirer le manteau de fourrure de John Simpson. Alors que l'on réclamait déjà la peine de mort, j'éprouvais de la sympathie pour lui, car je voyais bien qu'il ne simulait pas. Il s'agrippa au tissu et, relevant la tête, il demanda à nouveau :

— *When will I get out of here, sir ?*
— *Soon. I'll come to visit you again.*

◆

Mon enquête était loin d'être terminée. Puisque mon rapport déciderait du sort de John Simpson, il s'avérait nécessaire que j'approfondisse le sujet de ses conditions de vie. Le métier d'aliéniste n'est pas sans rappeler celui du magistrat, qui a le droit de vie ou de mort sur un accusé. Alors que je comptais sur des instruments de précision dans mon travail de médecin légiste – sérum, spectroscope, microscope, outils de mesure –, mes décisions comme aliéniste reposaient sur mon jugement et mon expérience. Si l'autopsie permet de constater les lésions internes et externes sur les cadavres, il est plus difficile de voir ce qui se passe dans le cerveau d'un suspect. Il faut l'affronter, le pousser parfois dans ses derniers retranchements, lire les stratégies du simulateur et les déjouer rapidement, si tel est le cas.

L'aliéniste se trouve dans une étrange position qui rappelle le dilemme cornélien. Quand la foule ayant soif de sang et de vengeance réclame le gibet, le verdict d'aliénation, décrété par l'aliéniste, est impopulaire. C'est pourquoi il faut pousser l'enquête au maximum afin de ne pas prêter le flanc à la vindicte quand le sort réservé au suspect honni lui paraît trop clément. Nous sommes fort heureusement les trouble-fête d'une justice populaire.

Longue-Pointe, mardi 30 octobre

Honorable Monsieur Gaudias Rochon
Assistant-procureur,

En réponse à votre lettre N° 678/95 la Reine vs. John Simpson, je dois vous informer que j'ai pu commencer dès aujourd'hui l'examen mental du prévenu. Il résulte des circonstances du crime, de l'attitude du prisonnier depuis l'examen que j'ai fait ce matin, une présomption d'aliénation mentale. Mais ce n'est qu'après une étude méticuleuse de tous les éléments nécessaires à une appréciation juste que je pourrai arriver à une conclusion ferme. Naturellement, je devrai prendre connaissance de tous les documents se rapportant à cette affaire, et c'est à ce titre que je vous demande de bien vouloir me communiquer le dossier que la défense vous a, paraît-il, adressé. Je pourrai en vérifier les alignés au point de vue médico-légal et l'utiliser pour mes recherches et mon enquête. Je vous prie d'accepter, monsieur l'assistant-procureur, l'expression de ma reconnaissance pour la confiance que vous m'avez témoignée en me confiant cette affaire,

Dr Georges Villeneuve

29. Seconde visite

Je retournai examiner John Simpson le lendemain. Il se trouvait encore en matinée à l'infirmerie de la prison, mais la plaie provoquée par son geste insensé cicatrisait bien, au dire du docteur Benoît, qui l'avait opéré. À son arrivée de l'hôpital, le samedi soir, on l'avait d'abord incarcéré dans une cellule, où son état s'était rapidement détérioré. Sa blessure s'étant infectée, les gardiens avaient dû le ramener à l'infirmerie, où il était sous une surveillance permanente, le shérif de la prison craignant que des détenus n'attentent à ses jours.

En discutant avec le gardien, je compris cependant qu'il avait cessé de s'alimenter.

— Pourquoi ne m'a-t-on pas avisé de ce détail important ?

Je demandai au gardien ce qu'il y avait au menu pour les prisonniers. Il me répondit par un haussement d'épaules.

— Il faudra en parler au médecin de la prison.

On marcha jusqu'à la chambre. Le gardien avait la manie de frotter son trousseau de clés entre ses doigts. Il inséra la clé dans la serrure et la porte s'ouvrit en grinçant. J'entrai.

— Merci. Pourriez-vous aller chercher de quoi manger pour Simpson ?

Le gardien me regarda bizarrement, puis marmonna que le prisonnier pouvait bien crever de faim. La porte se referma.

— *John? John? It's doctor Villeneuve.*

Simpson n'avait pas réagi à notre arrivée. Il ne me répondit pas non plus. Son esprit était ailleurs. Je demeurai silencieux, ne voulant pas l'extraire brusquement de son monde; je préférais lui laisser le temps de s'habituer à ma présence, comme je l'aurais fait avec un animal blessé qu'il m'aurait fallu apprivoiser. Je ne m'en étais pas rendu compte la veille, mais il avait terriblement maigri. Son visage était émacié et le contour de ses yeux ressemblait à des pastilles noires. Quand je vis que ses pupilles prenaient enfin conscience de ma présence, je dis:

— *John, I've asked for some food to be brought. It's time to eat.*

Simpson secoua la tête, en marmonnant faiblement qu'il n'avait pas faim. Je souris intérieurement. J'avais une petite victoire. Simpson sortait de son mutisme. Je l'interrogeai à nouveau en l'amenant progressivement sur le sujet des meurtres à l'hospice. De ses assauts meurtriers, il disait ne rien se rappeler, mais, à ma grande satisfaction, il put me donner une bonne indication quant à la source de son délire.

La veille de l'attaque, il n'avait pas fermé l'œil de la nuit. Il appréhendait une crise. Alors que les heures sombres défilaient, il n'avait cessé de se répéter que sa verge était responsable. Il ne put cependant me dire en quoi elle était responsable, comme si c'était là un détail futile, mais cette idée fixe ne l'avait plus quitté. Obsédé, il s'était résolu à expier les agissements de son sexe, et l'une des façons d'expier était de s'en prendre au fruit de ses entrailles ainsi qu'à la source de son malheur. Malgré l'enchevêtrement de son discours, je compris que c'était aussitôt après avoir tué Marion et l'enfant qu'elle portait qu'il avait procédé à son auto-castration.

Je pris note que mon diagnostic devrait insister sur l'impossibilité d'une simulation. Seuls le haut mal et la démence névrotique avaient pu mener cet homme dans cet état de rage meurtrière. Pour toutes ces raisons, la Justice ne pouvait le tenir responsable de ses actes. Après sa mutilation, son esprit avait accéléré sa chute. Les événements s'embrouillaient et Simpson n'avait plus eu de prise sur la réalité. Les terribles actes qu'il avait alors commis lui étaient totalement inconnus, ses souvenirs, une masse confuse difficilement accessible.

La porte s'ouvrit sur le médecin de la prison. Le gardien le suivait, un plat de hachis entre les mains.

Je saluai le docteur d'un signe de tête et en posant un index sur mes lèvres, lui intimant de garder le silence. De l'autre main, j'indiquai au gardien de déposer le plat tout près de Simpson. Nous laissâmes les parfums de la nourriture envahir la petite cellule.

— *Are you hungry, John?*

J'eus droit à un nouveau signe de tête négatif.

— *I'm starving. You need to eat too, John.*

— *No.*

— Allez chercher le tube œsophage, chuchota le médecin au gardien.

Je me tournai brusquement vers eux.

— Non, dis-je.

Un non ferme. Je poursuivis après un instant:

— Faites-moi plutôt préparer un milligramme de chlorhydrate d'hyoscine, que je vais lui donner par injection.

— Qu'est-ce que c'est? demanda le gardien, qui eut droit au regard sévère du médecin.

— C'est un agent thérapeutique que j'ai appris à utiliser à l'asile Sainte-Anne, à Paris.

— Et ça marche? demanda mon collègue, qui ne devait jamais avoir utilisé cette méthode, à voir son regard sceptique.

— Souvent. Le patient s'endort lentement et, juste avant qu'il ne tombe dans un profond sommeil, il se laisse nourrir. Il n'oppose alors que très peu de résistance, mais succombe à la faim puis au sommeil.

Je tendis au gardien le plat auquel Simpson n'avait pas même jeté un coup d'œil.

— Apportez-nous plutôt des légumes bouillis et une viande plus molle que celle-ci, et demandez au cuistot de faire une pâtée avec tout ça. Je veux du mou, mais très nourrissant. Pas de gros morceaux de bœuf. Il ne faut pas qu'il s'étouffe.

Le gardien manifesta encore une fois son impatience, mais ne s'en exécuta pas moins.

Vingt minutes plus tard, j'obtenais les résultats escomptés et John Simpson se laissa nourrir comme un gros nourrisson et il glissa peu à peu dans les bras de Morphée.

Je consacrai l'heure suivante à convaincre le shérif Vallée de me laisser transférer Simpson à l'asile. C'est mon argument concernant la difficulté à le protéger des autres détenus qui emporta finalement son adhésion.

— Nous irons le reconduire d'ici la fin de la journée, docteur Villeneuve.

— Merci, shérif.

◆

À ma sortie de la prison du Pied-du-Courant, une dizaine de journalistes, dont Romain Girard, m'attendaient pour me questionner sur le meurtrier. Chacun y allait de sa question, qui se perdait dans le tumulte.

— Alors, docteur, c'est notre opérateur ? demanda Girard, se faisant probablement l'écho des neuf autres.

— C'est lui, n'est-ce pas ? vociféra Vallier Marceau.

Je marchais sur des œufs. Ils attendaient tous ma réponse. Je devais leur offrir un bref commentaire afin de pouvoir rentrer chez moi sans être lynché.

— Mon enquête est encore trop peu avancée pour que je puisse me prononcer. Je n'en suis pas là.

— Croyez-vous qu'il soit apte à subir son procès ? ajouta-t-il.

— Vous aurez bientôt accès à mon rapport. Laissez-moi d'abord l'écrire et vous serez tenus au courant.

— Docteur ! *Doctor !* criaient-ils à l'unisson.

Une voix plus forte surnagea suffisamment pour que j'entende son propos.

— On dit que l'assistant-procureur se vante déjà de la date de la pendaison de Simpson.

Mon sang ne fit qu'un tour.

— Écoutez, avec des déclarations pareilles, c'est l'assistant-procureur et député de Lotbinière qui risque de se pendre à la prochaine élection.

Je me hâtai vers le fiacre que j'avais fait appeler. Jusqu'à la voiture, les journalistes me harassèrent comme les petites bestioles que je cultivais. Alors que le cocher ouvrait la porte de la cabine, un journaliste du journal *Le Canada*, Eusèbe Beaudoin, qui couchait avec les bleus, n'hésita pas à attaquer notre volonté, à Wyatt et à moi, de réformer la morgue et m'apostropha en ces termes :

— Est-il possible, docteur, que vous protégiez un de vos collègues médecins ?

Je me retournai, fixai de haut cette bande de vautours qui m'accablait.

— Je ne protège que les aliénés, répondis-je calmement. Je suis leur protecteur. Le gouvernement m'a engagé à cette fin, martelai-je. C'est mon travail.

Le cocher referma bruyamment la porte et je tentai d'oublier les insinuations malignes que je venais d'entendre.

30. De nouvelles responsabilités

Fête des morts. Dans *La Presse*, Saint-Jean-de-Dieu faisait la une. J'étendis les pieds sur mon bureau. Je venais de lire le long papier de Girard et j'en étais très satisfait. C'était le premier d'une série. Je regardai l'heure. Il me restait quelques minutes avant de descendre accueillir mes invités.

Tout le brouhaha créé par le cas Simpson avait amené, mercredi soir, quantité de journalistes aux portes de Saint-Jean-de-Dieu. Le fourgon de la police avait été suivi par une meute qui aurait voulu mettre son nez dans les quartiers de l'asile afin de pourfendre le pouvoir des aliénistes qui dérobaient les criminels aux mains de dame Justice. Le fou poussait à la curiosité, une curiosité malsaine animée par un désir de vengeance. Je savais qu'au fond d'eux les journalistes souhaitaient trouver une faille, un élément de mon enquête que j'aurais omis et qui aurait remis Simpson dans les mains de la couronne et, éventuellement, lui aurait noué la corde au cou. Mais après une consultation rapide, le bureau de direction de l'asile avait pris la décision unanime, mercredi après-midi, de leur bloquer l'accès. Ils pouvaient bien poireauter autour des bâtiments, ils n'y entreraient pas.

Nous savions qu'il importait de tuer le poussin dans l'œuf. Toutes sortes de ragots circulaient autour des malades que nous hébergions – des théories aussi insensées que celle selon laquelle Saint-Jean-de-Dieu était un coupe-gorge pour d'autres patients. Voilà ce que j'appelais du délire de presse. Qui plus est, mes tractations pour rapatrier des prisons à l'asile des aliénés criminels passaient mal dans la population. Le transfert de Simpson démontrait toute la réticence qu'entretenait le public à leur endroit.

J'avais refusé toutes les demandes d'entrevues, mais les rumeurs étant ce qu'elles sont, il nous fallait agir pour corriger la situation. Une lettre signée de ma main – ou de quiconque en poste d'autorité à l'asile – dans les journaux ne ferait pas pencher la balance. Au contraire, on y verrait une tentative de manipulation. En plus de me reprocher de protéger Simpson, on m'attaquerait sur cette prise de position. Il fallait que quelqu'un d'indépendant de l'asile parle en notre faveur.

C'est pour toutes ces raisons que nous avions pris la décision, encore une fois unanime, d'offrir à Romain Girard de réaliser un grand reportage sur notre hôpital. Girard était le seul journaliste pour qui j'avais une once d'estime. Je le savais libéral. Il avait tiré un très bon papier sur le sort réservé à la jeune Louise Samson. Pourquoi ne pas en profiter pour faire un peu d'éducation?

J'en avais aussitôt parlé à Trefflé Berthiaume, qui s'était montré enthousiaste. Un peu trop, d'ailleurs, car il m'avait proposé d'organiser en plus une rencontre entre Girard et Simpson. Mais il avait eu beau flatter mon orgueil, me prendre par les sentiments, jouer du violon, j'avais refusé. Une entrevue avec le prévenu n'aurait que ravivé les préjugés des lecteurs. Non, pas question d'allumer un feu de brousse.

Girard s'était présenté à l'asile très tôt jeudi, et il avait eu droit à une visite complète sous la supervision des sœurs et d'Éloi-Philippe Chagnon.

Le papier de ce matin, à caractère historique, avait été fort bien accueilli par les religieuses et le personnel médical. Girard rendait hommage à la fondatrice des sœurs de la Providence, Émilie Gamelin, et à son œuvre. On apprécia le portrait louangeur qu'il avait tracé de feu sœur Thérèse et de l'actuelle supérieure, sœur Madeleine du Sacré-Cœur. Girard montrait avec pertinence le rôle essentiel joué par les asiles et la nécessité des soins prodigués à nos malades. Il brossait un tableau élogieux.

En ce vendredi midi, le journaliste revenait à l'asile pour documenter le second article portant sur le personnel médical et enseignant; Girard avait manifesté le désir de voir les étudiants en relation avec l'enseignement qu'ils recevaient à l'asile. Après en avoir parlé au docteur Duquette, à sœur Madeleine et au docteur Ricard, qui dispensait de temps à autre un cours sur les maladies mentales à Saint-Jean-de-Dieu, j'avais accepté sa demande.

Une première neige avait blanchi le sol autour des pavillons rouges. La lumière semblait quintuplée. On profita de l'occasion pour sortir plusieurs malades après le repas du midi. La neige était collante et, rapidement, les balles de neige fusèrent dans tous les sens. Des sœurs aidaient des patients à rouler la neige pour réaliser des bonshommes d'hiver. D'autres marchaient à l'ombre dans les préaux. J'aperçus Girard dans la cour des hommes qui observait la scène en compagnie de Beauchamp, l'illustrateur.

— C'est splendide aujourd'hui, docteur! me lança-t-il en me voyant arriver.

— Félicitations pour ce premier article! Il a été fort apprécié par toute notre communauté.

— Merci. Monsieur Berthiaume m'a promis que le deuxième sortirait mardi prochain.

Un chant joyeux attira notre attention.

— Tiens, les voilà! m'exclamai-je.

Mes étudiants arrivaient dans la voiture hippomobile réservée pour l'occasion. Ma ribambelle de
joyeux lurons ne passa pas inaperçue. Des patients
s'approchèrent pour les observer et caresser les chevaux aux naseaux fumants. Étrange monde que celui
des fous qu'égaye la saine folie des hommes. Les étudiants y allèrent de marques d'affection à l'endroit des
malades. J'en fus touché. Les carabins étaient accompagnés du docteur Ricard, professeur à l'Université
Laval de Montréal. Il souhaitait établir ici une clinique
permanente des maladies mentales – mais il faudrait
attendre encore six ans avant que l'Université Laval ne
crée une chaire d'enseignement clinique de la maladie
mentale.

À la fin du siècle, les cours deviendraient vite populaires et le zèle des étudiants, allié à leur ponctualité,
serait remarquable. Quoique je serais nommé premier
titulaire de cette chaire de médecine mentale, il serait
ingrat de ne pas mentionner la contribution du docteur
Bourque et celle du docteur Ricard, car cette idée avait
germé depuis longtemps dans la tête de ce dernier. En
1894, nous expérimentions l'enseignement clinique à
l'asile pour les étudiants de Laval, avec un certain
succès, dois-je dire. Ricard se présentait pour la troisième fois cette année à l'asile en compagnie de ses
étudiants.

Girard, Beauchamp et moi-même allâmes les rejoindre. Le docteur Ricard vint à notre rencontre. Après
que je lui eus présenté les journalistes, Ricard leur
serra chaleureusement la main, en les félicitant pour
leur travail. Les étudiants qui l'accompagnaient me
voyaient pour la première fois dans ces murs. Le contact
fut cordial et empreint de civilité.

— C'est étrange de vous retrouver ici, docteur, se
réjouit Comtois.

— Et c'est agréable de voir de la vie autour de vous,
ajouta Désy.

— Cela nous change de nos rencontres habituelles, conclut Rhéaume.

— L'air est, disons-le, meilleur… résumai-je.

Tout ce beau monde entra dans l'asile en fredonnant de gais refrains.

À l'intérieur, d'autres patients accueillirent avec joie les savants chanteurs. Quant aux religieuses, elles paraissaient toujours ravies de recevoir ces jeunes étudiants dans l'institution.

J'ouvris la marche en direction de la grande salle des cliniques en compagnie de Romain Girard. Les docteurs Bourque et Chagnon discutaient avec les étudiants.

Pour ces rares visites, nous exigions la plus grande considération à l'égard des malades que nous allions observer. Les règles étaient les mêmes que pour les leçons à la morgue ou à la clinique d'obstétrique. Un comportement irrespectueux conduisait à un renvoi de la clinique. Le bureau médical était implacable là-dessus. Jusqu'à présent, toutes les leçons s'étaient bien déroulées.

Eugène Leblanc s'entretenait avec sœur Marie-Eudoxie, la plus jolie de nos jeunes religieuses. Il semblait la trouver fort agréable. Elle était fraîche et belle, et je dois avouer que, si elle n'avait pas choisi Dieu comme époux, d'aucuns auraient aimé être son élu. Leblanc l'amusait, la charmait par un tour de magie avec de la monnaie. Elle avait la bouche ouverte en un grand O muet. Je décrétai une pause dans notre marche. Rapidement, des patients entourèrent le prestidigitateur, qui s'amusa à faire disparaître des images religieuses. Ce fut l'émerveillement. Eugène me regarda avec un sourire, leva les bras en l'air, comme s'il voulait me dire : « Vous voyez combien ils m'aiment ! » Il fallait entendre les « Oh ! » et les « Ah ! » des malades ravis par tant d'adresse. Eugène déchira ensuite une carte à jouer, une dame de cœur, qui retrouva son intégrité après une manipulation. Des patients applaudissaient, sautaient, s'emportaient en criant. Leblanc regarda Marie-Eudoxie et lui lança un clin d'œil qui la fit joliment rougir. Par chance, sœur Madeleine n'était pas aux alentours. Elle aurait sûrement reproché à Marie-Eudoxie sa réaction et accusé Leblanc de chercher à la pervertir. L'un comme l'autre auraient été bons pour plusieurs douzaines de chapelet à réciter. Eugène distribua finalement à chacun des patients rassemblés autour de lui des images pieuses, sous l'œil amusé des autres carabins. En recevant la sienne, un des patients s'écria en levant sa carte dans les airs :

— C'est saint Zoseph, le père de Zésus !

— Saint Joseph est plus fort que Jésus, répliqua un grand débile.

— Non, Zésus y fait des miracles. Y peut faire disparaître son père pis y a marché su' l'eau, répliqua l'autre. T'es même pas capable, toé !

Nous reprîmes notre marche vers la grande salle, où j'invitai les étudiants à prendre place. Je m'assis en compagnie de nos deux journalistes, ainsi que des docteurs Chagnon et Ricard.

Le docteur Bourque, qui avait jadis été mon professeur, présenta la leçon en tant que médecin en chef. Il s'avérait bon orateur. Homme au crâne chauve mais à la barbe bien fournie, il possédait une vaste érudition et une connaissance profonde de la maladie mentale. Même s'il prônait le règne du privé dans les asiles et que je croyais davantage en un système public, nous avions du respect l'un pour l'autre. Avant l'incendie de 1890, il avait fait démolir une cinquantaine de cellules et, à la place, avait fait construire des salles publiques. Il avait mis au rancart tous les instruments de contrainte en métal pour les remplacer par « des robes de force ». Cet après-midi, en l'écoutant, je me mis dans la peau des jeunes disciples d'Esculape et entrevis le jour où nous pourrions dispenser un enseignement sur place obligatoire.

— Vous devez savoir, jeunes gens, que trente pour cent de la population admise ici souffre en premier lieu de paralysie générale. Il y a encore une quarantaine d'années, nous ignorions tout de cette condition, car le dépistage de cette maladie incurable est assez récent. Pour ce qui est des autres pensionnaires, nous avons...

Après que Bourque eut décliné les différentes catégories de maladies mentales que nous avions à traiter, nous passâmes à la phase d'observation. Nous avions demandé à quelques patients de participer à la clinique. Ils se présentèrent un à un, accompagnés d'une religieuse.

Ce fut tout d'abord notre cher Calixte 1er, qui tenait son inséparable carnet de notes même s'il ne savait ni lire ni écrire. Il n'en noircissait pas moins les pages de gribouillis, ce qui le calmait. Comme il aimait tant le faire, il se mit à discourir sur le Canada tel un tribun. Ce fervent défenseur du Canada – il s'en considérait comme le souverain – jetait de temps à autre un coup d'œil à ses « notes ». Ses grands gestes et son regard enflammé lui conféraient des airs de chef.

— Salut bien, messieurs ! Ze ne crois pas me tromper en vous disant que z'ai dézà eu l'honneur de vous rencontrer. Qu'avez-vous fait, zeunes Canadiens, qu'ai-ze fait moi-même depuis cette époque ? Ze suis dans un lieu de souffrance, mais quand c'est pour sauver les Canadiens, c'est rien. C'est humiliant pour moi, comme si Dieu n'était pas libre de marser la tête haute. Dans mille et une circonstances, ze me suis trouvé en contact avec ce Dieu qui a bâti toutes les nations et qui saura bénir le royaume dzu Canada.

Il marqua une pause et tous les étudiants applaudirent. À mes côtés, Girard prenait des notes à une vitesse inouïe et Beauchamp enchaînait les esquisses. Calixte leva les mains au ciel.

— Il faut tourner les regards vers Lui. C'est Lui qui donnera la force, le couraze, le nombre pour vaincre.

La race canadienne n'est inférieure à aucune autre race dzu globe. Si ze suis dans ce petit fort de Longue-Pointe, c'est à cause du drapeau canadien que z'ai voulu défendre au prix de mon sang. Z'ai été traité comme un criminel devant la face de certaines créatures.

Calixte désigna du doigt les religieuses assises dans la première rangée.

— Si on savait tout, les auteurs grinceraient des dents... Le gouvernement prétend que ze suis son inférieur! Non! Non! Ze suis son supérieur et il opérera son salut autant que ze serai consentant.

Mon collègue Bourque s'approcha pour lui demander de conclure, mais Calixte refusa énergiquement.

— Vous voyez, on veut me faire taire, dit-il en haussant la voix.

— Non, non, parlez, vous êtes très intéressant, lança Leblanc, ce qui prit au dépourvu le docteur Bourque.

— Merci, zeune homme, vous ferez un bon médecin d'asile. Vous allez guérir tout le monde d'un coup de baguette mazique.

La salle éclata de rire et Calixte fut fier de lui. Il y alla de paroles qui surent nous émouvoir et signifier que les fous sont sensibles aussi à leur souffrance. Après une courte péroraison, Calixte 1er se retira sous les applaudissements de ses sujets.

Au cours des années futures, Calixte allait devenir, bien malgré lui, le sujet de bon nombre d'articles. Il ferait même la une d'un journal avec le titre suivant: *Des nouvelles de Calixte 1er*. Je m'en m'offusquerais vigoureusement. On était loin de la nouvelle d'intérêt public. L'article n'aurait d'autre mission que de satisfaire le voyeurisme du lectorat et de tourner le pauvre homme en ridicule. C'était comme si la clôture qui le protégeait des regards indiscrets était tombée. L'affaire n'allait pas en rester là, car par deux fois, je devrais intervenir, le journaliste se permettant même de répéter la dernière grande proclamation royale de Calixte 1er.

Après Calixte, le docteur Bourque invita Grégoire à présenter sa machine à mouvement perpétuel, qui évoluait de semaine en semaine, puis le docteur Chagnon eut la pénible tâche de présenter les cas de microcéphalie et de macrocéphalie. Le cours se termina vers six heures et les sœurs de la Providence servirent un goûter pour notre jeune délégation.

31. Mauvaise presse, triste sort

MARDI, 6 NOVEMBRE 1894

Le matin de la parution du second volet, je m'arrêtai devant un comptoir de journaux de la rue Notre-Dame en me rendant à la morgue. Ce que j'y vis me laissa un goût amer. Plusieurs de nos patients, sans être identifiés nommément, étaient dessinés à la une du journal, affublés d'un sobriquet, souvent celui qu'on leur donnait entre nous. Je reconnus une dizaine d'entre eux. Leur manie ou leur délire étaient décrits de long en large. *Le reporter pourra-t-il y trouver l'opérateur criminel réfugié dans le cocon protecteur de l'asile ?* mentionnait l'un des sous-titres. Girard laissait planer le doute. Alors que dans mes articles scientifiques j'avais recours à des initiales pour protéger l'identité de mes patients et relater des cas intéressants du point de vue médical, le journal, lui, livrait en pâture à ses lecteurs nos malades les plus excentriques, tel Calixte 1er. Et le pire était à venir, puisque Girard laissait entendre qu'il avait entrevu John Simpson – « ... il jouait aux cartes et semblait s'amuser » – alors que nous l'avions isolé pour éviter cette rencontre.

Je sentis mes poings se crisper. Je trouvais inconcevable que l'on s'en prenne à mes patients. La nature humaine s'alimente à sa propre décadence, mais dans quelle époque basculions-nous pour que même la folie devienne nouvelle à sensation ?

En apercevant mon air maussade, Sansquartier, qui connaissait mes humeurs, ne broncha pas, ne posa pas de questions, mais se contenta de me regarder pester en passant devant lui. Je montai les marches quatre à quatre pour retrouver Wyatt dans son bureau. Debout devant une desserte, mon collègue préparait son thé. Je brandis le journal devant lui.

— *How dee do dee, Georgie ?*

— *Bad, my friend.* Je viens de lire le dernier reportage sur l'asile de Longue-Pointe dans *La Presse.* Une honte, Wyatt, une HON-TE ! Et dire que c'était mon initiative…

Je jetai avec hargne le torchon dans la poubelle. Il ne méritait même pas de finir dans le poêle.

— J'avais bien aimé le premier papier, remarqua Johnston.

— Moi aussi. Mais le deuxième est ni plus ni moins qu'un appel à mon congédiement…

— Quand tu deviens une personnalité publique, Georges, tu entres dans le cirque romain.

— Et je suppose que nous sommes les pauvres chrétiens ?

— C'est une façon de voir les choses.

En fin de journée, je fus transporté en trouvant dans ma boîte aux lettres une carte postale d'Emma en provenance de Chicago.

Cher Georges,

Avant de me rendre à New York, j'ai fait un saut à Chicago pour rencontrer un imprésario. Cette ville m'éblouit. Les édifices sont si hauts et si magnifiques. La vie artistique est riche. Le Art Institute n'a rien à envier au Metropolitan.

*Quand je repense à notre belle soirée à Montréal,
j'en ai encore la tête qui tourne. Je pars pour
New York en soirée.*

Une amie sincère qui pense à vous,

Emma

MERCREDI, 7 NOVEMBRE 1894

Les procédures judiciaires cheminaient dans la cause de La Reine vs. John Simpson. Comme je l'avais prévu, je retournai voir les parents de l'accusé. Au cours des derniers jours, l'état de la mère, qui dépérissait à vue d'œil, avait constitué un obstacle à nos rencontres et retardé mon enquête sur le milieu de vie dans lequel John Simpson avait grandi. Mais après l'assassinat brutal de sa bru, l'arrestation de son fils et l'état de santé précaire de sa femme, monsieur Simpson n'en menait pas large non plus. Et les ragots qui couraient dans les journaux, affirmant que son John était l'opérateur criminel, l'affectaient plus qu'il ne voulait me le laisser croire. Hélas! lui seul pouvait m'aider à étoffer mon dossier afin de sauver son fils du gibet.

Il m'invita à m'asseoir sur le gros chesterfield victorien, s'éclipsa quelques secondes pour revenir avec une théière et des tasses en porcelaine. Il me servit pendant que je sortais mon calepin. Comme la dernière fois, notre discussion se déroula uniquement en anglais. Sa surdité ne s'améliorant pas, il me fallut parfois écrire ma question pour qu'il comprenne ce que je lui demandais.

Je l'interrogeai de nouveau sur la relation qu'entretenaient Marion et John. Il m'apprit que son fils souffrait de manie aiguë et qu'il avait été admis à l'asile Douglas en avril 1893. Il avait séjourné là-bas trois mois.

— Ce fut pour John un moment très dur à passer. Marion s'est peu à peu éloignée de lui pendant son internement. C'est de cette époque que date sa rencontre avec Chuck. À la sortie de John, elle a néanmoins accepté de se fiancer, mais les choses ont vite mal tourné. Marion apparaissait de plus en plus ambivalente dans sa relation. Elle continuait de voir Chuck, comme si elle était incapable de choisir. Puis il y a eu cet enfant. Quand John a appris que Marion était enceinte, il s'est mis à croire que l'enfant pouvait être le sien.

— Quelle était sa position face à cette grossesse ?

— La honte !

Le père éploré se passa une main sur le visage, comme pour en effacer la tristesse. Il me regarda soudain dans les yeux avec beaucoup d'intensité.

— Mon fils John devrait rester à l'asile, docteur. C'est un être faible. Il se laisse conduire par le bout du nez. Il faudrait l'interner pour toujours. Un de mes neveux a aussi souffert de délire. Mais tous ces gens qui croient que John a tué ces femmes se trompent : mon fils n'aurait jamais eu la force de faire cela.

J'écrivis dans mon calepin : « Famille à l'hérédité propice à la folie. »

Puis monsieur Simpson m'annonça soudain que son autre fils, Adam, purgeait une peine depuis cinq ans à la prison de Saint-Vincent-de-Paul.

Pauvre homme, me dis-je en le regardant secouer la tête, comme s'il prenait soudain conscience de tous ses malheurs. Je lui demandai de me tracer les grandes lignes de la vie de John. Son visage se rembrunit davantage. Il pencha la tête. À la vue de cet homme défait et accablé, je vis se superposer l'image du fils qui fixait le plancher de l'infirmerie. La ressemblance était frappante.

Sa voix atone s'éleva de nouveau pour raconter le parcours difficile de John. Je notais le tout rapidement dans mon carnet dans un style télégraphique.

« Très bon élève. Remporté prix au collège. Quand épilepsie, interrompu études médecine, manifesté désir être graveur. Fait ses classes et placé dans un atelier. Père aurait aimé le prendre à la pharmacie comme assistant, mais John refusé. »

Le père s'interrompit, hocha la tête, écarquilla les yeux avant d'ajouter :

— Je me rappelle qu'un de ses professeurs de gravure avait exprimé des inquiétudes au sujet de John. Il le trouvait étrange, transformé.

— C'était en quelle année ?

— En 1889.

— Donc plus ou moins au moment où son frère est allé en prison ?

— Oui. John a toujours adoré son frère. Quand Adam a été condamné, ç'a été un terrible choc pour lui.

Il sirota son thé et marqua une longue pause, se remémorant ces tristes moments. Il expira longuement en déposant la tasse sur la table.

— C'est au cours de la même période que John, qui se fâchait de plus en plus facilement, s'emporta devant moi contre ses collègues à l'atelier. Ils avaient commencé, paraît-il, à s'en prendre à lui. Il disait vivre des humiliations répétées.

— Par exemple ?

— Un soir, il m'annonça qu'ils avaient déposé des vêtements féminins sur sa table de travail et que ses compagnons l'incitaient à boire du brandy… Quand je lui ai conseillé de ne pas s'en faire avec ces vexations, qui me semblaient bien anodines, il m'a répondu : « Si vous deviez les supporter, vous ne parleriez pas à la légère de ce qui m'arrive. » Mon conseil l'avait déçu et il était parti furieux.

Des larmes coulèrent sur les joues de monsieur Simpson. Je sortis mon mouchoir. Il y plongea son visage un instant. Quand il reprit, sa voix était encore plus monocorde et son récit, parsemé de longs silences.

Incapable de supporter les frasques de ses collègues, John quitta son emploi. Sa mère, inquiète de ses changements d'humeur, le recommanda à un médecin, mais ce dernier, non formé en matière de maladie mentale, ne put établir un diagnostic.

En janvier 1891, le père avait aidé son fils à ouvrir son atelier de graveur. C'est là que John avait rencontré Marion. Ce fut une période heureuse, dit le père avec de la joie dans ses yeux humides. Une amélioration de son état se produisit. Mais bien vite, la joie céda à la déception. Deux ans plus tard, John dut séjourner à l'asile, Marion rencontra Chuck, tomba enceinte, et la conduite de John devint dès lors incohérente.

Je demandai quelques exemples et le père me parla du concierge de l'édifice où John avait son atelier. Selon lui, John s'enfermait dans son local pendant des jours. Il restait assis, apathique, à fixer le plancher. Quand il n'oubliait pas de s'alimenter – ce qui arrivait fréquemment –, il ne mangeait que des pâtisseries et buvait du lait. Quand le père eut vérifié les dires du concierge, il demanda à un nouveau médecin d'examiner son fils. Mais John refusa totalement de parler au praticien.

Monsieur Simpson s'était alors décidé à sortir John de son atelier. Il l'employa comme livreur à sa pharmacie de la rue Saint-Laurent, mais se rendit rapidement compte que son fils n'arrivait pas à accomplir les tâches qu'on exigeait de lui. Il se trompait d'adresse, se perdait dans les rues de la ville, se fourvoyait dans la facturation ou ne se présentait tout simplement pas au travail.

Revenu à la maison, il vivait la nuit, dormait le jour, accablait sa fiancée. Sa conduite devint bientôt totalement absurde. Il perça un jour une ouverture dans le toit de sa chambre pour y laisser entrer la lumière. Puis, avec une hache, alors que ses parents étaient absents, il coupa tous les arbres de la cour...

Je tirai sur la chaînette de ma montre : plus d'une heure que j'étais là. Il était temps de mettre fin à cette entrevue pénible.

Je remerciai mon interlocuteur pour ses précieuses informations. J'étais sur le pas de la porte quand, en proie à une grande anxiété, le père me saisit la main.

— Docteur Villeneuve, croyez-vous pouvoir sauver John ?

— Je l'espère bien, monsieur.

Pris par l'émotion, il tomba à genoux, tenant ma main près de son visage.

— S'il vous plaît, sauvez-le ! Sauvez-le ! Je vous en prie, docteur...

Troublé, je posai une main sur son épaule.

— Je ferai tout ce que je pourrai, monsieur Simpson. Je vous le promets, à vous et à votre femme.

De fait, j'avais dans mes notes tout ce qu'il me fallait pour déclarer John Simpson non responsable de ses actes.

VENDREDI, 9 NOVEMBRE 1894

De bon matin, je me rendis au secrétariat de la Faculté de médecine de l'Université McGill pour consulter le dossier de John Simpson, que le directeur avait mis à ma disposition. En examinant de près les cours qu'il avait suivis, je compris qu'il n'avait jamais touché à l'obstétrique. Il avait certes obtenu de très bonnes notes dans l'ensemble, mais cela n'en faisait pas un opérateur criminel pour autant. Une lettre du directeur accompagnait les notes. Elle me confirmait que c'était à la suite de sa première crise d'épilepsie que l'étudiant avait dû abandonner ses études. Satisfait, je retournai à mon bureau de la rue Perthuis.

En arrivant à la morgue, j'aperçus Lafontaine, Mac-Mahon et MacCaskill accoudés devant le comptoir et qui discutaient ferme pendant que Sansquartier ventilait le courrier, la cigarette au coin des lèvres.

Quand ils me virent entrer, leur conversation cessa.

L'assistant-procureur venait de téléphoner au coroner. Il était furieux que MacMahon m'ait demandé
de documenter un rapport sur l'état mental de Simpson,
et encore plus que l'homme ait été transféré à l'asile.
La place de ce monstre sanguinaire était en prison, selon
Rochon, puis au bout d'une corde.

— Les oreilles me vibrent encore, Georges, me dit le
coroner. Cet idiot croit que nous nous trompons et que
toi, tu veux avant tout qu'il perde ses élections.

— Il n'a peut-être pas tort, Edmond. Si je peux faire
quelque chose d'autre pour lui nuire, dites-le-moi. Ce
sera avec plaisir.

Le coroner MacMahon jeta sur moi un regard empreint d'inquiétude quant à mon avenir.

— Tu sais qu'on a parlé de toi en Chambre, Georges ?
Ton rapport sur Simpson sera vivement contesté. Les
conservateurs voudront ta tête. Ils pensent que tu pro-
tèges des fous meurtriers au détriment de la justice. Le
ministre de l'Agriculture a même insinué qu'il faut être
fou pour protéger un fou de cette manière. Que tu es
mûr pour l'asile.

Comme il fallait s'y attendre, les doutes soulevés
quant à la possibilité que Simpson soit l'opérateur criminel étaient tenaces, même si rien ne le reliait aux
crimes. Des articles dans *La Patrie* et *La Presse* suggé-
raient de manière à peine voilée que nous protégions
le fils d'un bourgeois anglophone. De plus, le fait que
l'opérateur criminel n'ait pas sévi depuis l'incarcération
de Simpson n'aidait pas à calmer les soupçons. Mais
nous pouvions nous accommoder des attaques des
journalistes. Ce n'étaient pas les premières et ce ne
seraient pas les dernières. Par contre, lorsque la rumeur
émane du Parlement, elle est plus difficile à contrer.

L'opinion de cet imbécile à l'Agriculture m'irritait.
J'avais de bons contacts chez les libéraux. J'allais
devoir m'adresser à mon ami Marchand, le chef du

Parti libéral, pour lui fournir des arguments contre ces prédateurs à la pensée archaïque.

— Je vais vous dire, messieurs, Rochon veut la guerre, il l'aura ! Je sais que John Simpson, hormis sa fiancée et les prêtres de l'hospice, n'a tué personne. Rien ne le relie aux pratiques de l'opérateur criminel. Ni le *modus operandi*, ni les convictions religieuses que nous présumons, ni les connaissances médicales, ce dont je viens d'avoir la confirmation.

— En tout cas, nous, nous poursuivons l'enquête même si nous n'avons aucun développement significatif, nous avisa Bruno.

— Est-ce qu'on pourrait donner l'impression que Simpson est notre suspect, histoire de gagner du temps ? proposa MacCaskill.

— Pas question ! ripostai-je. On ne joue pas avec les procédures. Simpson *n'est pas* le Docteur Death.

Je pris une grande goulée d'air avant de reprendre :

— Écoutez, j'ai confiance que nous finirons par coffrer l'opérateur.

— Ça nous aurait permis de respirer un peu, Georges, argua Lafontaine.

— Eh bien, moi, si je fais ça, je vais étouffer sous le poids de la honte.

Avec un élan rageur, je montai à mon bureau. En quelques secondes, je pris la décision d'écrire un article sur les épileptiques qui, je l'espérais, donnerait des munitions à l'opposition libérale face aux nombreux conservateurs qui présentaient ces malades comme des monstres pouvant tuer. Il nous fallait lutter contre l'obscurantisme avec tous les moyens nécessaires, dût-on user de la férule contre les idiots aux pouvoirs.

En réunissant les documents nécessaires à ma rédaction, je repensai à ce qu'avait proposé MacCaskill. Peut-être avait-il raison ? Cela calmerait certes la meute des journalistes. Mais d'un autre côté, quand la vérité apparaîtrait, les mêmes mauvaises langues nous reprochant de protéger Simpson nous accuseraient de ne pas avoir identifié tout de suite le bon opérateur! Non, il valait mieux proscrire l'idée de MacCaskill et agir dans les règles. La police ne s'en porterait que mieux, tout comme ma conscience. Et ce pauvre Simpson, même s'il était condamné à passer le restant de sa vie à l'asile.

Je balayai ces considérations pour me plonger dans mon sujet.

Le sort des épileptiques me préoccupait énormément en tant qu'aliéniste. Ils étaient de grands délaissés dans le soulagement de la misère humaine, les victimes innocentes de préjugés tenaces. Simpson en était la preuve. Étudiant brillant en médecine avant d'être foudroyé par le haut mal, il incarnait, malgré ses crimes, l'homme aux prises avec la maladie mentale. Trop souvent, le public croit à tort que l'épilepsie est une maladie mentale alors qu'elle est un dérèglement du système nerveux. Tandis que les orphelins, les sourds-muets, toutes sortes d'aliénés bénéficient du soutien de l'État et des municipalités – et, dans une grande mesure, de l'aide des œuvres de charité –, rien n'est fait pour les épileptiques. Les hôpitaux les refusent, car ils souffrent d'une maladie incurable, et leurs lits, les hôpitaux les réservent aux patients qui ont subi ou qui subiront un traitement médical ou chirurgical.

« En premier lieu, écrivis-je, il faut leur permettre de recevoir une assistance publique. Certains épileptiques ont occupé des positions enviables, voire exceptionnelles, dans la société: Napoléon, Molière, César, Dostoïevski et Van Gogh notamment. Nous ne devons garder à l'asile que des malades comme Simpson qui, après une crise d'épilepsie, mettent inconsciemment leur vie ou celle des autres en danger. Il s'agit là de la pire conséquence du haut mal, car ceux qui en sont atteints ne se doutent en rien du mal qu'ils causent.

» Malheureusement, on ne guérit jamais de ce dérèglement. Or, la grande majorité des épileptiques

éprouveront toute la misère du monde à subsister. Combien de fois m'ont-ils confié qu'on leur refusait des emplois en raison de la nature de leur maladie ? Ces crises de convulsions intenses, l'écume qui jaillit aux coins des lèvres, ont de quoi semer l'effroi dans un milieu de travail. Congédiés pour une maladie qui frappe sans prévenir et qui choque le personnel, ils doivent mendier leur pitance et un havre ailleurs. Quelle triste fin que d'être repoussé en marge des autres ! C'est le grand drame des épileptiques, qui finissent, hélas ! à la charge de leur famille.

» Avisés que les asiles d'aliénés sont les seuls établissements à prendre en charge gratuitement une catégorie d'épileptiques et la nature humaine étant ce qu'elle est, propre à l'abus, combien de fois n'ai-je pas vu des parents "se débarrasser" de proches épileptiques en les faisant passer pour aliénés !

» En vertu de l'article 3195 des statuts refondus de Québec, 55-56, chapitre 30, section 1, les épileptiques peuvent être admis à l'asile au même titre que les imbéciles et les idiots, dangereux, monstrueux ou sujets à scandale. Or, ces patients devraient être admis uniquement lorsque nous décelons en plus chez eux une maladie mentale ou des troubles cérébraux sévères. Tous les autres cas d'épilepsie, en dehors de ceux-là, ne sauraient être du ressort des asiles.

» Il faut considérer comme illégal l'internement dans un asile d'un épileptique qui n'est ni impulsif, idiot ou imbécile, ni dangereux pour sa personne et autrui. La profession médicale est une fois de plus en cause dans l'abus de certificats d'aliénation remis aux familles d'épileptiques. Les praticiens devraient mieux interpréter les signes de la maladie au moment de la crise d'épilepsie et dans les minutes qui suivent. Le malade devient-il impulsif ? Est-il en proie à un délire spécial ? à des actes violents ? Est-il prêt à commettre des gestes criminels ?

» Hélas ! les démunis sont laissés à eux-mêmes. L'État devrait s'occuper des épileptiques et mieux traiter cette affreuse maladie. Il nous faudrait un véritable système d'assistance sociale, comme je l'ai déjà proposé dans *L'Union médicale du Canada*. Malheureusement, l'État manque de moyens, de volonté et de compassion. »

L'heure du midi approchait quand j'eus terminé mon article. Je le rangeai dans un tiroir de mon bureau en pensant que nous, les aliénistes, étions bien les seuls à prêcher pour les fous.

Je me consolai à l'avance du sort réservé à John Simpson. J'aurais le dernier mot. Et si la police n'avait toujours pas mis la main sur le faiseur d'anges, l'enquête n'en avait pas moins progressé, contrairement à ce que croyait Bruno, puisque nous avions éliminé un suspect. Et ce suspect, malgré ses crimes atroces, serait sauvé de la vindicte populaire, et de cette justice froide et parfois aveugle envers cette catégorie de criminels malgré eux.

Comme je n'avais pas très faim, j'avisai la pile de lettres et le colis que Sansquartier avait posés sur mon bureau pendant que j'étais concentré sur mon texte. Le colis, entouré d'une corde de boucher, avait été enveloppé dans du papier d'écolier.

Je tranchai la corde avec un ciseau, défis le papier. Il s'agissait d'une boîte de cigares. Je l'ouvris et je fus consterné. Au fond de la boîte, je découvris un gant de chirurgien, deux broches à tricoter croisées et un rosaire.

Je cherchai l'adresse de l'expéditeur sur le papier d'emballage ; il n'y en avait évidemment pas. Je fouillai l'intérieur ; il ne s'y trouvait rien d'autre. Aucun message. Était-ce un mauvais plaisantin, un de mes détracteurs ou encore l'opérateur qui voulait me narguer ?

Je téléphonai à Bruno et lui résumai ce qui venait d'arriver.

— Il fallait s'y attendre, avec tout ce qui se dit, répondit-il aussitôt. C'est sûrement un de ces enragés qui souhaitent que l'on pende Simpson et qui le croit coupable de tous les crimes de la province. Va au restaurant et prends-toi une bonne bière, Georges. Ça va te faire du bien.

Je raccrochai et décidai de suivre le conseil de mon ami. Dehors, le ciel était gris. Il faisait un froid de canard et les gens semblaient pressés de se rendre à leur destination. Je me demandai si certains portaient sur leurs épaules des fardeaux qui pesaient autant que le mien.

◆

Dans la seconde édition du jour de *La Presse*, une lettre ouverte, signée du pseudonyme ridicule de « Jean É. Hassé », revenait sur l'article du mardi de Romain Girard et dénonçait le fait que des médecins avaient osé exposer leurs malades à autant de ridicule. Le ton était cinglant et sans appel : « Il faut des médecins sans scrupule pour faire parader de pauvres fous sans orgueil devant des étudiants qui les regardent avec des airs hautains et savants. »

Je pestai. Ce n'était pas du tout la perception que j'avais eue de l'événement. Au contraire, les étudiants avaient été très respectueux, voire très sympathiques envers les malades. S'ils avaient ri à certains moments, c'était de bon cœur et en compagnie des patients.

Voilà pourquoi les murs des asiles sont si hauts. Ce n'est pas uniquement pour éviter que les patients prennent le large, mais aussi pour freiner la curiosité morbide de l'espèce humaine, prompte à se repaître du malheur d'autrui et de ce qui diffère. Les pervers ne sont pas toujours ceux qui hantent nos murs. Je me promis d'ailleurs de faire rehausser ces derniers durant ma surintendance.

Le titre de la lettre ouverte, *Le spectacle de la folie*, me chagrina, car il ne s'agissait pas d'un spectacle mais, dans les faits, d'une tragédie. La frivolité de l'expression choisie laissait croire à un lieu divertissant. La culture morbide qui prévaut dans certains quotidiens passait mal en cette journée.

Berthiaume avait pris bonne note de mes griefs contre Girard mardi ; il s'excusa de nouveau pour le tort qui aurait pu être causé aux patients et me promit de clore ce sujet dans la page des lecteurs.

Il était plus de trois heures quand j'attaquai la pile de lettres. Heureusement, j'y trouvai une carte postale qui vint adoucir ma bile.

Cher Georges,

Je suis de retour chez moi depuis quelques jours et je n'arrête pas de penser à vous. Vous avez été un hôte remarquable et attentionné. J'aimerais l'être à mon tour quand viendra le temps de vous faire apprécier Manhattan et ses théâtres. Il est possible que je me produise à Carnegie Hall bientôt. Mon gérant est en négociation avec un producteur. Je vous avertirai. D'ici là, je vous envoie toute mon amitié et mes meilleurs vœux, tout en espérant que vous ne m'en voudrez pas de vous avoir dérangé dans votre lieu de travail.

Affectueusement,

Emma Royal

Ce mot me transporta dans la sphère joyeuse de la conscience. Emma avait le don de me consoler des frustrations que m'infligeait mon travail et de me faire oublier la peur d'être sacrifié sur l'autel politique du favoritisme.

32. Des soupçons

À dix heures, Bruno me téléphona, porteur d'une bonne nouvelle. Raoul Melançon, qui s'était évadé de l'asile il y avait plus d'un an et avait été mis sur la liste des suspects potentiels, avait été retrouvé. Il offrait ses services comme guérisseur dans le quartier Sainte-Anne, près de l'endroit où s'étaient produites les opérations.

— Des policiers du poste 7 l'ont ramassé dans une gargote. Ils ont découvert dans ses poches et sa mallette une véritable pharmacie ambulante et des instruments de chirurgie : scalpel, lancette à saignée, poudres suspectes, etc.

Wyatt, qui entrait au même moment dans mon bureau, m'interrogea du regard.

— Lafontaine, lui soufflai-je. Et où est-ce que vous le détenez ? demandai-je à Bruno.

Devant moi, je lus sur les lèvres de mon collègue : « *Who did they catch ?* »

— Melançon... mais lisant l'incompréhension sur son visage, je complétai : l'imposteur qui s'est sauvé de l'asile.

— C'est bien ça le problème, entendis-je Bruno répondre. À peine les constables lui avaient-ils mis la main dessus que cette vipère a échappé à leur attention et repris la clé des champs. Mais on va remettre rapidement la main dessus.

Je dus laisser paraître ma surprise, car Wyatt demanda : « *What ?* », mais je levai un doigt en l'air.

— Vous savez donc où il se cache ?

— En tout cas, on a trouvé une adresse. As-tu le temps de nous accompagner à sa chambre de la rue Barré pour une perquisition ?

— Peux-tu me donner une heure ? Je dois réaliser un masque.

— Il faudrait y aller tout de suite, Georges !

J'expliquai en deux mots la situation à Johnston.

— *Go ! I'll take care of that.*

— D'accord. Je te rejoins, dis-je à Lafontaine en raccrochant la ligne.

Je donnai une tape sur l'épaule de Wyatt :

— Merci.

◆

La façade en briques de l'immeuble de la rue Barré menaçait de s'écrouler. Le vestibule sentait l'urine, l'humidité et le renfermé.

Après avoir obtenu la clé de la chambre de Melançon chez le concierge, Lafontaine, MacCaskill et moi montâmes au deuxième. Bruno inséra la clé dans la serrure du numéro 3 et poussa la porte, qui resta coincée à moitié. MacCaskill l'enfonça d'un coup d'épaule en criant : « Police ! »

Un monticule d'objets s'imposa aussitôt à notre vue, mais pas la moindre présence humaine. Nous nous regardâmes avec le même malaise. Cette pièce était le bric-à-brac d'un homme atteint d'insalubrité morbide.

— Vite, de l'air ! exigea Lafontaine.

Il lui fallut dégager une montagne de boîtes avant que Bruno puisse rejoindre l'unique fenêtre tachée de cambouis pour enfin l'ouvrir.

Melançon avait la manie de ramasser des objets dans le quartier des usines et des manufactures. Ceux-ci s'accumulaient à en réduire drastiquement son espace vital. L'odeur des lieux était décuplée par le cumul hétéroclite, en plus des relents de sueur, de fluides corporels, de bas non lavés, d'ammoniac, d'excréments et de pourriture. Des rats se promenaient allégrement dans la pièce. L'évier, rempli de papiers chiffonnés, de fruits pourris et de morceaux de viande infestés d'asticots, servait de poubelle, tout comme le plancher. C'était le pire lieu en termes de manque d'hygiène qu'il m'avait été donné de voir. Aucune personne saine d'esprit n'aurait accepté de vivre dans de pareilles conditions. Il me tardait de ramener Melançon à l'asile.

Nous fouillâmes un peu dans l'inventaire de Melançon. Dans un coin, nous comptâmes cent trente-deux souliers dépareillés de femmes et une vingtaine de bottes. Puis, dans une boîte, une trouvaille plus inquiétante : des sous-vêtements féminins, par dizaines, et des corsets. Sans doute les avait-il dérobés à ces pauvres femmes à qui il promettait la guérison.

— Maudit pervers… jura MacCaskill pour lui-même.

— Certains collectionnent les femmes et d'autres les dessous féminins, railla Bruno.

— Notre imposteur semble s'être transformé en un cas patent de fétichisme, fis-je remarquer.

En ouvrant d'autres boîtes et en fouillant un peu partout là où se posaient nos regards, nous découvrîmes des médicaments, des pansements et, plus grave encore, du chloroforme et des couteaux. Je reconnus du matériel qui provenait d'un hôpital.

Bruno, en tassant du pied un tas de chiffons odorants, aperçut une trousse de médecin en cuir. Il en sortit une guirlande de pansements ensanglantés, un vieux stéthoscope, des couteaux souillés, des lancettes du XVIIIe siècle, des analgésiques et, tout au fond, un cintre de métal rouillé. Il y avait une fiole sur le plancher près de la trousse, ainsi qu'une plante un peu rachitique garnie de quelques fleurs blanches aux étamines jaunes. Je saisis la fiole et l'ouvris. Prenant garde aux effluves possiblement toxiques, je sentis rapidement le contenu en balayant l'air de la main.

— De l'aloès, dis-je en tendant le flacon à Bruno.

— Pourquoi fais-tu cette tête ?

Je désignai la plante.

— *Sanguinaria canadensis.* Sang de dragon, traduisis-je. On peut tirer de sa racine un suc rouge qui est semblable au sang humain. Les Indiens s'en servaient pour leurs masques de guerre. Les pharmaciens l'utilisent afin de traiter les bronchites, les laryngites et l'asthme. Et certains faiseurs d'anges la conservent dans leur attirail pour ses propriétés censément abortives.

— Tu crois qu'on tient le bon numéro ?

Toute cette quincaillerie me laissait perplexe : des gazes ensanglantées, des outils encrassés, voire rouillés. Lorsque j'avais lu son dossier, Melançon m'était apparu comme un idiot incapable de procéder à un avortement, mais puisqu'il simulait à merveille, rien n'interdisait qu'il ait déjà tenté de procéder à une opération criminelle. Si celui qui se faisait appeler le Raspoutine canadien avait pu commettre autant d'actes médicaux dans l'illégalité, en quoi un avortement l'aurait-il inquiété ?

MARDI, 13 NOVEMBRE 1894

La brise hivernale soufflait son froid nordet sur Montréal. J'avais sorti mon paletot noir en cachemire, mon foulard et mes gants noirs. Dehors, les feuilles virevoltaient faiblement dans les airs. Le vent avait eu peine à chasser du ciel le brouillard qui s'était abattu sur la ville pendant la nuit. Heureusement, cette fraîcheur rendait le travail plus confortable à la morgue.

Appuyé contre le chambranle de la porte de mon bureau, Bruno Lafontaine, emmitouflé dans son manteau de laine qui lui descendait jusqu'aux chevilles, m'observait lire en fumant, on ne peut plus satisfait de lui.

Il m'avait remis un maigre dossier que MacCaskill et lui avaient retrouvé grâce à l'information d'un pharmacien. Ce document concernait le passé du docteur Rousseau, et je ne pouvais croire ce que j'y lisais.

Lafontaine avait découvert qu'au début de sa carrière, alors qu'il n'avait que vingt-huit ans, le docteur Rousseau avait ouvert une clinique de gynécologie à Québec et qu'il avait procédé à un avortement criminel.

Antonine Marchand, une jeune fille de quinze ans qui avait été violée par le frère de son père, avait essayé d'avorter dans les semaines qui avaient suivi l'agression : bains chauds, lavements à l'eau de Javel, usage d'une broche à tricoter, etc. En désespoir de cause, elle s'était rendue chez le pharmacien Livernois. Compte tenu de l'état de la jeune fille – elle avait une forte fièvre et paraissait en état de choc –, Livernois l'avait prise en pitié et lui avait recommandé à contrecœur d'aller voir le docteur Rousseau, qui travaillait à côté, à l'Hôtel-Dieu.

Ce dernier avait ressenti lui aussi de la compassion pour cette jeune femme désespérée. Il avait décidé que sa santé physique et morale était menacée et qu'il lui fallait intervenir. Ce qu'il avait fait. Elle avait regagné son domicile le soir même. Mais la jeune femme, souffrant d'une septicémie, était de retour dès le lendemain à l'Hôtel-Dieu.

Les médecins qui l'avaient soignée avaient constaté qu'on avait utilisé des instruments dans son vagin et son col. Elle avait alors fini par avouer qu'elle avait été violée par son oncle, Henri Blais, un bourgeois de Sillery, et que le docteur Rousseau avait bien voulu pratiquer l'avortement. Le médecin responsable avait alors fait

venir un policier devant qui Antonine avait prêté serment
et témoigné. Preuve en main, on avait séquestré l'oncle,
qui avait été rapidement conduit par la police au chevet
de la jeune femme et identifié par elle comme son
agresseur. Il fallait agir vite, car les heures d'Antonine
semblaient comptées. Les bactéries pathogènes avaient
pris le dessus. Rousseau avait à son tour été identifié
formellement en présence des policiers comme étant
celui qui avait procédé à l'opération illégale. La jeune
fille était morte le lendemain.

Rousseau avait été tenu responsable de sa mort à la
cour du coroner, puis astreint à subir un examen volontaire. L'affaire avait pris le chemin des assises. Rousseau
avait engagé François-Xavier Lemieux – l'avocat qui
allait défendre Louis Riel quelques années plus tard.
Les experts étaient venus dire qu'Antonine Marchand
avait déjà amorcé l'infanticide avant de consulter le
docteur Rousseau, qu'elle s'était infligée des blessures
qui s'étaient infectées. Dans sa déclaration *ante mortem*,
elle avait affirmé sous serment que le médecin ne lui
avait rien demandé, qu'il avait pratiqué l'opération par
bonté et dans l'urgence et qu'elle s'excusait de l'avoir
mis dans l'embarras. Le pharmacien, lui, avait confirmé qu'il avait recommandé la jeune fille au docteur
Rousseau sans penser que ce dernier pouvait commettre une opération illégale. Dans son témoignage, il
avait affirmé que la jeune fille était vraiment mal au
point et que c'était la première fois qu'il agissait ainsi.
Un médecin de l'Hôtel-Dieu avait attesté que, hors de
tout doute, les lésions avaient été causées par la jeune
fille avec une broche à tricoter et les produits qu'elle
s'était procurés en vue d'avorter. Le docteur Marois avait
certifié que sa vie était en danger et que Rousseau n'avait
fait que ce que le serment d'Hippocrate exigeait de lui.
Mais la couronne avait tenu à faire un exemple.

Son avocat avait présenté une motion de non-lieu
en raison du manque de preuves contre son client et

exigé un verdict de non-culpabilité. Le docteur avait été déclaré non coupable d'homicide et d'avoir commis une opération illégale.

Après cette affaire, Rousseau avait quitté la ville de Québec pour venir s'établir à Montréal. Tous les témoins, à l'exception d'une langue sale dépêchée par l'archevêché pour entacher la réputation de Rousseau, avaient encensé les qualités humaines et professionnelles du médecin.

Ce qui était dérangeant dans cette affaire, c'est que le violeur avait subi moins de préjudices que le docteur Rousseau qui, lui, avait agi par compassion. Mon collègue avait certes été blanchi, mais comme les réputations reposent sur une question de perception et que la justice se nourrit d'opinions, je voyais bien dans quel guêpier cette affaire allait plonger le docteur Rousseau si elle était rendue publique.

— Tu veux en venir où avec cette histoire, Bruno ?

Il sortit du cadre de porte pour s'asseoir sur le coin du bureau, éteignit sa cigarette en malmenant le mégot.

— Georges, tu ne vas pas le défendre jusqu'au bout ?

— Il y a eu un verdict de non-culpabilité. C'est très différent des cas qui nous intéressent.

— J'ai constaté, en étudiant son dossier, que Rousseau a déménagé plusieurs fois ses cliniques quand il était à Québec.

— Ça prouve quoi ?

— Que ce genre d'activités controversées nécessite plusieurs nids de mort.

— Là, tu te bases sur des préjugés et non sur des preuves. Tu sais très bien que ce n'est pas le fond du procès intenté par la couronne au docteur Rousseau.

— Je veux en savoir plus sur sa pratique à Québec.

Je haussai le ton.

— Tu ne crois pas qu'on en a assez large à ratisser dans cette affaire au lieu de te pencher sur un procès qui date d'une vingtaine d'années ? Laisse-moi te rappeler comment tu as réagi lorsque Rousseau t'a soumis l'hypothèse du viol d'une de tes filles. Cette Antonine Marchand n'avait que quinze ans, bon Dieu !

— N'oublie pas qu'elle est morte d'une septicémie. Je préférerais de loin que mon enfant survive en donnant la vie à son bébé. Tout le monde a perdu dans cette affaire : le père, la mère, la fille, l'enfant, sans compter la réputation du pharmacien et celle de Rousseau, qui a dû se défendre aux assises et déménager à Montréal. Alors permets-moi d'entretenir des soupçons à son égard. Plus on creuse, moins il se révèle être le parfait médecin dont tu ne cesses de parler.

Nos positions s'avéraient irréconciliables là-dessus. Si nos opinions politiques étaient constamment discutées, jamais je ne parviendrais à le convaincre sur ces questions morales. Il valait mieux clore le sujet sur un point d'orgue en attendant le prochain mouvement. Une fois de plus, je voulus qu'il me promette de ne pas divulguer cette « vieille nouvelle » à la presse, mais il resta coi.

Avant de partir, Bruno me révéla qu'ils avaient l'intention de faire suivre Rousseau. Je lui dis que je considérais ça comme de l'acharnement.

◆

En fin de journée, je reçus une lettre de la police de Boston signée par le lieutenant Valiquette.

VERMONT AND BOSTON TELEGRAPH CO.
Tuesday, November the 13th 1894

Cher docteur,

Nous avons été submergés d'appels à la suite de la publication dans les journaux de la Nouvelle-Angleterre de la photo de la dernière victime. Mais après avoir traité toutes les informations, je dois conclure que nous avons pas avancé d'un pas.

Par contre, une amie de Normande Marcoux, au courant du fait qu'elle était enceinte, nous a dit que Normande connaissait une personne à Montréal qui pratiquait des avortements. Vous serez pas surpris d'apprendre que cette personne serait en rapport avec le monde de la prostitution.

Quant à Eddy Bellows, l'ami de cœur de Normande, il est parti sans laisser d'adresse. Nous le recherchons toujours.

Salutations,
Joe Valiquette

33. Une étrange livraison

Le cours à la morgue attirait des étudiants que la médecine et le droit intéressaient. Parfois des auditeurs libres s'ajoutaient à mes étudiants habituels. Jusqu'à dix étudiants suivaient ma formation à la morgue de Montréal. Nous étions alors entassés comme des sardines dans la salle d'autopsie. Chaque semaine, j'exposais un cas en fonction de la nature des cadavres qui aboutissaient ici : accidentés, suicidés, empoisonnés, victimes de meurtre. Bien entendu, le dossier des opérations illégales qui secouaient la ville était souvent évoqué, mais j'évitais de parler d'une enquête en cours, y allant de généralités pour que mes propos ne soient pas repris hors les cours.

Après avoir demandé à Alfred Sicard de replacer le gril costal et de recoudre le cadavre avant son inhumation, je proposai une discussion sur un sujet de leur choix. Sicard, tout en enfilant avec dextérité le fil dans le chas de la grande aiguille, suggéra :

— L'apprentissage !

Je vis quelques têtes hocher en guise d'approbation.

— Excellent sujet, Alfred, ajouta Leblanc.

J'acquiesçai. Je fis une longue pause avant de mentionner que si l'expérience ne s'acquiert qu'avec le temps, la possibilité d'avoir de bons maîtres comme guides permettait d'accélérer le processus d'acquisition des compétences professionnelles.

— Quels ont été les professeurs qui ont eu une influence décisive sur vous? demanda Sicard.

— Magnan, Garnier et Charcot, répondis-je aussitôt, puisque je voulais dès le départ me diriger vers la médecine légale et devenir aliéniste.

Nous échangeâmes sur les mérites de chacun et sur les circonstances qui m'avaient permis de briguer, très tôt dans ma carrière, la charge de surintendant d'un asile. La conversation roulait sur la difficulté d'effectuer des travaux pratiques quand Leblanc, en me regardant droit dans les yeux, me demanda:

— Docteur Villeneuve, est-ce que les morts que nous tranchons comme de vulgaires poissons peuvent ressentir au ciel la profanation qu'ils subissent sur la table d'une morgue?

La question me prit au dépourvu, bien qu'elle fût légitime. Les étudiants se regardèrent avec un sourire quelque peu malicieux. Bien sûr, chaque année comportait son lot d'étudiants dont les convictions religieuses se trouvaient malmenées par notre pratique. La plupart arrivaient à surmonter l'épreuve, mais pour certains, la cohabitation était impossible et, inévitablement, leur nom disparaissait de la liste des étudiants en médecine.

— Il faut toujours dissocier la mort physique de la question de l'âme, qui survit après la mort. Sur ce dernier point, le médecin ne peut poser aucun diagnostic. Il est sans doute choquant pour des profanes de nous voir charcuter des corps, mais nous sommes ici pour éclairer la justice, pour trouver la vérité. Dans le cas d'un accident de travail, comme ce pauvre homme qui a été presque coupé en deux par une meule, notre travail consiste à dire s'il y a eu ou non négligence de la part des patrons. Le coroner suivra avec ses recommandations pour éviter que d'autres accidents de même nature ne surviennent.

Plusieurs étudiants hochaient la tête en guise d'approbation.

— Dans le cas d'un cadavre sur lequel il nous faut chercher les traces d'un meurtrier, poursuivis-je, il en va de la dignité de la victime que nous retrouvions son assassin. Il est encore là normal d'ouvrir le corps pour authentifier les causes de la mort. Les proches veulent savoir, ils attendent de nous que nous fassions la lumière. Même si parfois il nous faut mutiler le corps, voire couper la tête pour arriver à nos fins.

— Vous avez raison, docteur, mais qu'est-ce qui vous dit qu'il n'y a pas atteinte à l'âme dans ces autopsies ?

Une rumeur d'impatience gagna la salle.

— Sacré Eugène... entendis-je, toujours à contre-pied...

Les interrogations de Leblanc me replongeaient dans les discussions que j'avais déjà eues lorsque j'étais au Collège de Montréal. C'étaient là cependant des réflexions qui auraient dû avoir lieu dans un cours de philosophie ou de théologie.

Je fixai mon regard sur la fenêtre poisseuse de notre mansarde. La cheminée de la scierie laissait fuir un long panache dans le ciel. Je me retournai vers mes étudiants.

— Descartes a démontré que le corps et ses composantes, la « machine », est une entité indépendante. L'âme réside ailleurs, et nous ne pouvons la cerner. Elle ne pèse rien. Le poids du corps *ante* et *post mortem* est le même. Cela a été démontré.

— Docteur, lança Leblanc, votre réponse ne me satisfait pas. C'est celle d'un... athée.

Sa remarque laissa ses collègues abasourdis. Je pris pour ma part ces remarques comme un geste de provocation à mon endroit, mais je n'allais pas m'en laisser imposer par un blanc-bec.

— Je vous demanderai un peu plus de considération, jeune homme ! J'ai essayé de répondre à votre question avec le plus grand respect pour notre religion catholique.

Le ton sec et autoritaire avec lequel je l'admonestai le surprit mais fit son œuvre : il le remit à sa place.

— Désolé, docteur Villeneuve, je ne voulais pas vous offusquer.

Je lui tournai le dos pour, d'un geste vif, effacer les notes sur le tableau. Fin de la récréation. J'inscrivis la date de l'examen et la matière à l'étude en leur enjoignant de bien se préparer. J'accompagnai les étudiants jusqu'à l'escalier en les saluant et en leur souhaitant une bonne semaine, puis regagnai mon bureau. En passant, je vis derrière sa table de travail Wyatt qui achevait un rapport pour le coroner. Il revenait tout juste d'un court voyage à Cambridge, au Massachusetts, où il était allé donner une conférence.

Je lui exprimai mon désarroi après cette légère fronde de Leblanc.

— Les jeunes sont de moins en moins respectueux, Georges. L'autre jour, un étudiant qui avait vu sur les murs de la faculté une photo de moi dans mon kilt m'a demandé si je portais un sous-vêtement dessous… *Gosh !*

— Et qu'as-tu répondu ? demandai-je, sourire en coin.

— « Jeune homme, ce qui se passe là ne vous regarde pas ! »

Je pouffai de rire en imaginant mon ami et collègue dans son costume traditionnel.

De retour à mon bureau, je repensai à Leblanc. Je n'avais vraiment pas apprécié son insolence. Depuis trois semaines, il me semblait plus tourmenté. Mais de toute façon, plus la session avançait et plus les étudiants montraient des signes de fatigue. L'horaire du semestre était exigeant. Par ailleurs, Leblanc réussissait bien. Il s'impliquait, et je le savais apprécié par ses collègues. Sicard et lui paraissaient inséparables. Et comme c'est

souvent le cas des meilleurs, il avait une forte personnalité – il le fallait pour jouer son personnage dévot à
l'Opéra français ! Un mois plus tard, on parlait encore
de cette saynète !

Je soupirai. Peut-être commençais-je à me faire
vieux ? Je plongeai dans le travail qui m'attendait.

JEUDI, 15 NOVEMBRE 1894

En sortant de mon bureau de l'université, j'en profitai pour aller voir le docteur Rousseau qui, ce jour-là,
s'acquittait de ses fonctions administratives comme
directeur de la Faculté de médecine.

Je passai devant le laboratoire d'histologie, où de
jeunes hommes en sarrau entouraient le docteur Marier.
Celui-ci montrait aux étudiants à trancher les tissus
humains à des fins d'observation microscopique.

La porte du bureau du docteur Rousseau étant
entrouverte, je le surpris en pleine rêverie. Il fumait
une cigarette, le visage perdu dans un halo de fumée.
Les jambes allongées sur le coin du bureau, il fixait
les hêtres gris de la cour. Je frappai un coup discret
sur la porte.

— Ah Georges, entrez donc, dit-il en retirant ses
jambes de la table.

— Je suis venu vous parler concernant...

— Je sais. Le lieutenant Lafontaine est passé me
voir à ce sujet.

— Je connais le dossier et je sais que vous avez été
innocenté.

— C'est ce que j'ai dit à votre collègue. Sachez que
j'ai menacé de le poursuivre s'il s'acharnait sur moi.
Je déteste ce Lafontaine. Il me cherche.

— Je lui ai demandé de taire ces informations.

— Merci. Je vous dois énormément, Georges.
Asseyez-vous.

— Cette histoire ne tombe pas bien pour vous, Pierre. Je ne doute pas que vous ayez agi en votre âme et conscience, mais la perception que laissera cet événement dans le contexte actuel pourrait s'avérer grave de conséquences. Lafontaine et MacCaskill s'obstinent à fouiller votre passé. Ils ont trouvé cette histoire de vol de cadavre, et maintenant ceci. Ils ne sont pas prêts à lâcher le morceau. Le fait que je vous défende depuis le début de cette affaire me place dans une situation délicate du point de vue de la justice. Comme nous appartenons aux mêmes associations médicales, il serait facile de voir de l'interférence de ma part. Heureusement, Bruno Lafontaine est un bon ami. Un jour ou l'autre, il va frapper un cul-de-sac et se rendre compte du temps qu'il a perdu.

— Georges, je sais que vous êtes de mon bord, que vous me croyez innocent de ces avortements. Mais où voulez-vous en venir avec ce long préambule ?

— Bien… je vais être direct : avez-vous d'autres cadavres dans votre placard qui pourraient vous compromettre ?

Son visage se figea. Il écrasa sa cigarette dans le cendrier rempli de mégots en secouant la tête.

— Georges, je ne peux répondre à cette question. Vous connaissez notre métier. Il est fait de succès et d'échecs. Nos meilleurs chirurgiens ne sont pas à l'abri d'une erreur. Je ne suis pas différent.

— Je vous parle d'un acte commis dans l'illégalité.

— J'ai commis plus d'une opération illégale au début de ma carrière, mais jamais pour m'enrichir. Je n'avais pas besoin de ces revenus supplémentaires pour vivre. Mes parents étaient riches. Je fais de la médecine pour la médecine. J'ai aidé des femmes ou de jeunes amants en détresse. Sur le plan philosophique, j'ai accompli ces actes avec conviction. Il faut aussi voir les failles dans notre système de droit.

— Combien en avez-vous effectué ?

— Une dizaine, peut-être plus…

— Est-ce que toutes ces femmes ont survécu à leur opération ?

— Bien entendu ! Seule Antonine Marchand est décédée d'une septicémie. Mais elle avait déjà de la fièvre quand elle est venue me voir. Elle était vraiment mal en point, la pauvre…

J'avais les réponses que je souhaitais. Il faudrait être vigilant avec Bruno, qui n'arrêterait pas ses recherches tant que l'opérateur criminel serait en liberté.

— Comment va Florence ? demandai-je.

— C'est une question de jours maintenant.

Il sortit son petit boîtier plaqué or avec son nom gravé dessus en lettres attachées, prit une nouvelle cigarette et gratta une allumette avec le fin doigté d'un chirurgien. Derrière la fenêtre à carreaux, des flocons étoilés montaient et descendaient comme s'ils se riaient de la gravité.

Il me fallait maintenant aborder le cas de Leblanc.

— Je voulais aussi vous parler d'un cas d'impolitesse à mon endroit de la part d'un étudiant de l'université, Eugène Leblanc…

— Leblanc ! s'exclama Rousseau. Qu'a fait notre bon Eugène cette fois-ci ?

— Il m'a interpellé au sujet de mes convictions religieuses en me traitant d'athée.

— Vraiment ? Quel garçon !

Rousseau tira sur cigarette avant de poursuivre :

— C'est la troisième plainte que je reçois cette semaine à son sujet. Deux professeurs ont subi sa mauvaise humeur, du moins quand il était présent à ses cours, car on m'a rapporté aussi un nombre inapproprié d'absences. J'ai eu Leblanc dans mon cours clinique, l'année dernière, et son attitude était pourtant irréprochable. Je ne me souviens pas avoir eu de plaintes à son sujet. Je vais vérifier son dossier et le convoquer. Pour l'instant, mettons tout ça sur le dos de la fatigue. Les fins de semestre sont ardues, comme vous le savez…

◆

De retour à la morgue, Sansquartier m'annonça qu'il venait de monter un cadavre qui m'intéresserait. Surpris par cette affirmation, je grimpai les deux étages et trouvai Wyatt dans la salle d'autopsie. Il plongeait ses mains dans le thorax d'un gros individu pour en extirper le cœur.

— Qui est ce nouveau patient, Wyatt ?

— Je te le donne en mille, Georges : c'est Raoul Melançon, ton évadé. Celui qui ramasse tout ce qui traîne à Griffintown, ou plutôt qui ramassait. Il a été retrouvé mort dans la mission Old Brewery. Et à voir son cœur de bœuf...

Il le plaça sous la lampe au-dessus de sa tête.

— Il fallait bien qu'il flanche un jour ou l'autre.

— Bruno Lafontaine est au courant ?

— *You bet !* Il a dit qu'il était très déçu que le cinglé soit mort avant qu'il ait pu l'interroger.

Je laissai Wyatt poursuivre l'autopsie et redescendis à mon bureau. Un colis m'y attendait, un colis qui attira aussitôt mon attention, car il était identique à celui que j'avais reçu deux semaines auparavant, avec son papier brun, sa corde de chanvre et son absence d'indications sur l'expéditeur.

Cette fois-ci, je ne me ferais pas prendre par surprise. Je sortis les poudres et les pinceaux.

— Wyatt ! criai-je en direction de la cage d'escalier. Venez ici, j'ai reçu un nouveau colis suspect.

Il se présenta les mains relevées et les gants ensanglantés, alors que je fixais sur une bande adhésive les empreintes que j'avais repérées.

— Allez, ouvre, c'est peut-être du chocolat...

Je défis le papier avec délicatesse pour le conserver comme pièce à conviction.

— Tiens, une boîte de cigares ! On a des admirateurs...

— Ils viennent de La Havane…

J'ouvris la boîte et nous eûmes tous deux les yeux révulsés.

— *Oh gosh!* cria Wyatt.

Un fœtus d'environ six semaines était déposé entre les mains jointes d'une madone en plâtre.

— C'est affreux!

— *Disgusting!*

J'avisai un morceau de carton à côté. Un message y avait été inscrit:

*IL EST ENTRE LES MAINS DE LA VIERGE MARIE
ET SA MÈRE ENTRE CELLES DE SATAN*

Les mains en l'air et toujours pleines de sang, Wyatt bouillonnait à côté de moi. Je sentis qu'il aurait voulu cogner sur quelque chose, mais qu'il se retenait.

— Je téléphone à Lafontaine, dis-je d'une voix sourde.

Il me fallut ensuite plusieurs minutes pour reprendre mes esprits. Wyatt était retourné achever l'autopsie de Melançon. J'examinai de près le fœtus. L'avortement était récent, quelques jours à peine. Je fulminais: il fallait que cette affaire se termine au plus vite, qu'on attrape le dangereux désaxé qui était derrière tous ces doubles meurtres.

J'entendis des pas lourds et pressés dans l'escalier. Bruno entra dans mon bureau, suivi de près par Mac-Caskill. Sans dire un mot, j'indiquai la boîte. Ils s'approchèrent.

— *Holy Mary!* s'exclama MacCaskill.

— Et il y avait ce carton…

Wyatt apparut sous le chambranle pendant que les deux policiers prenaient connaissance du message.

— Qu'est-ce que vous pouvez faire avec ces éléments? demanda mon collègue.

Lafontaine se gratta la tête.

— On peut remettre l'emballage en place et envoyer des policiers dans les bureaux de poste de la ville pour tenter de trouver d'où il a été envoyé.

— Il se poste des centaines de colis comme lui, dis-je.

— C'est certain, Georges, mais considérant le contenu, il est possible que celui qui l'a posté ait eu l'air dérangé.

— Bon point, affirma Wyatt.

MacCaskill avait les veines du front saillantes et il se frottait la nuque. Il n'avait pas l'air d'être très à l'aise.

— Vous avez des cachets ? demanda-t-il. J'ai mal à la tête.

— On n'en garde pas ici, répondit Wyatt. Nos clients en réclament rarement.

— On arrêtera à la pharmacie tantôt, dit Bruno, qui ajouta en se tournant vers Wyatt et moi : Je ne sais pas si vous serez d'accord, mais avec tous les ennuis que nous amène cette enquête, il vaudrait mieux garder cette histoire secrète pour le moment. Si des journalistes apprenaient que...

— Il faudra en parler au coroner MacMahon, Bruno. Je doute qu'il accepte, puisque ce colis et son contenu seront considérés comme des pièces à conviction.

— C'est quand même vrai, Georges, argua Wyatt, que si des journalistes... ou le procureur... apprenaient ça, nous serions dans la fange.

— Je vais chercher Edmond, dis-je en m'éclipsant.

Quand il vit ce que j'avais reçu, MacMahon se signa tout en secouant la tête de dégoût. Il accepta la proposition de Lafontaine sans se faire prier.

— Je suis d'accord pour que l'on garde ces éléments momentanément à l'abri du regard des reporters et de l'assistant-procureur, mais pour ce dernier, il faudra être très vigilant : je viens de recevoir un appel de son secrétaire. Messieurs, Gaudias Rochon nous rend visite demain matin !

Vendredi, 16 novembre 1894

À l'étage, Wyatt, Bruno, Patrick, Edmond et moi attendions autour de la table du bureau du coroner l'arrivée de l'inimitable Rochon. Toujours aux prises avec des migraines, MacCaskill avait la tête entre les mains. Je voulus l'ausculter, mais il refusa.

— Prenez-le pas mal, docteur Villeneuve, mais vous m'examinerez quand je serai mort.

Entre deux lampées du thé que Wyatt avait infusé, nous nous préparions à la tempête. Puisque nous étions tous passés, à part MacCaskill, par les collèges classiques, nous pouvions répondre avec agilité aux attaques de notre persécuteur. Mais voilà, il est plus facile pour un homme instruit de débattre avec quelqu'un du même niveau qu'avec un enragé.

— Vous êtes toujours d'accord pour le colis ? râla MacCaskill en se frottant les yeux.

— Quel colis ? rétorqua Edmond avec un clin d'œil.

Je vis par la vitre du bureau une voiture s'arrêter plus bas devant la porte. Gaudias Rochon en descendit sous un ciel de plomb. Il cracha par terre puis entra dans la morgue. Il toussa plusieurs fois et j'entendis Sansquartier lui demander de le suivre.

La porte s'ouvrit et l'assistant-procureur apparut dans l'embrasure, vêtu d'un long paletot en étoffe du pays qui descendait jusqu'à ses bottillons bruns. Il s'était coiffé d'un chapeau melon et tenait une canne à la main droite et une serviette de cuir dans la gauche. Le coroner s'approcha pour prendre ses effets, mais Rochon le rabroua d'un geste de la main, l'air de dire qu'il pouvait s'en occuper lui-même.

« Beau tableau ! me dis-je. Je sens déjà la chaleur de la colère à venir. »

Il accrocha sa canne et son chapeau à la patère. Toujours pas un mot. Il se déboutonna et je vis qu'il portait un de ces costumes à carreaux qui faisaient la fortune de John Allen, dans la rue Craig.

Il s'approcha de la table et se tira une chaise. Puis il posa sur le bout de son nez ses lunettes à demi-foyer, sortit un document de sa serviette et nous fixa de ses petits yeux porcins.

— Si je comprends bien, on se réunit pour prendre le thé au lieu de chercher l'opérateur meurtrier.

— Nous discutions justement de ce cas, répondit MacMahon.

— Grand bien vous fasse ! Sachez que c'est le premier ministre Taillon qui m'envoie. Il veut vous dire qu'il est de plus en plus découragé par votre travail et qu'il songe à vous réaffecter à d'autres tâches.

Je voulus prendre la parole, mais Rochon leva une main catégorique.

— Laissez-moi finir !

Il épousseta la manche de son veston pied-de-poule puis laissa retomber sa main.

— S'il faut mettre en tutelle cette morgue et envoyer des experts de Québec, je le ferai. Le docteur Marois et le coroner Jolicœur sont prêts à venir prendre la direction de votre établissement, qui est la honte de l'Amérique ! Notre opérateur est mort de rire.

L'indignation, plus politique qu'humaniste, de Rochon nous fit rouler des yeux. MacMahon prit sa voix d'opéra.

— Peu importe qui vous enverrez, ils auront la même difficulté que nous. Nous avons affaire à un assassin pervers qui tue des femmes pour des raisons morales en se croyant la main de Dieu.

— C'est peut-être même quelqu'un qui contribue à la caisse de votre parti... lâcha Wyatt, à la surprise de tout le monde.

Rochon s'étouffa presque avant de dévisager mon collègue. Il resta muet un instant. Cette réplique lui avait coupé le sifflet. Seul Wyatt, avec son statut, pouvait se permettre de telles vannes. L'assistant-procureur s'ébroua, se racla la gorge et tourna son regard vers moi.

— Je veux savoir ce que contenaient les deux boîtes que vous avez reçues.

Nous nous regardâmes tous, étonnés. Cette fois, c'était à mon tour d'avoir perdu la parole.

— Qui vous a parlé de ça ? demanda innocemment le coroner.

— Disons que j'ai reçu une lettre… anonyme, répondit Rochon. Alors, qu'en est-il ?

— Nous avons bien reçu deux colis, avoua Mac-Mahon. Le premier contenait des broches à tricoter, un gant d'opérateur et un rosaire ; le second, une statue de la vierge avec un fœtus entre les mains dans une boîte de cigares. Nous avons recueilli les empreintes digitales qui se trouvaient sur le papier d'emballage du deuxième colis, sur la boîte et sur la statuette.

— Mes hommes sont actuellement en train de faire le tour des bureaux de poste pour savoir d'où ce colis est parti, ajouta Lafontaine.

— Et John Simpson, le tueur du couvent ? cracha Rochon. N'y a-t-il pas là tout ce dont vous avez besoin pour clore cette affaire ? Personne dans la province de Québec, et encore moins à Québec, au siège du gouvernement, ne comprend ce qu'il fait à l'asile. À part s'y amuser et jouer aux cartes, bien entendu !

Nous voyions tous où Rochon voulait en venir. Son jeu était étalé sur la table. Il cherchait à faire de Simpson un bouc émissaire pour sauver la face. J'eus des pensées assassines pour Romain Girard et son maudit reportage, qui avait anéanti tous les objectifs de ma démarche.

— Malgré la rumeur publique, monsieur l'assistant-procureur, nous avons la certitude que Simpson n'est pas l'opérateur criminel que nous recherchons, martelai-je de ma voix la plus convaincante.

— Nous cherchons une aiguille dans une botte de foin de la grosseur de Montréal, renchérit Bruno. Et en plus, cette aiguille est intelligente.

Nous vîmes tous Gaudias Rochon serrer les poings pendant que son visage prenait une couleur rouge brique. Il était sur le bord de l'éclatement.

— Je vous donne jusqu'aux fêtes pour me coffrer ce criminel, hurla-t-il. Sinon, vous pouvez tous dire adieu à vos *jobs* ! Nous fermerons cette boutique d'incapables le jour de Noël et le gouvernement mettra en place une nouvelle équipe. Le premier ministre Taillon n'en peut plus de lire des articles à propos de votre incapacité à mettre la main dessus.

L'assistant-procureur plongea vivement la main dans sa poche, regarda l'heure sur sa montre à gousset puis se leva. Il décrocha son chapeau, son manteau et sa canne.

— J'ai un autre rendez-vous, dit-il platement en tournant les talons.

Il sortit de la morgue sans même nous saluer, comme la fois précédente. Personne ne s'en offusqua. Alors que nous avions prévu le pire, nous avions droit à quelques semaines de grâce de la part de cet histrion.

Wyatt fut le premier à s'en amuser.

— Messieurs, nous allons faire le ménage pour l'équipe de transition et nous assurer que le père Noël passe bien dans la cheminée !

La blague généra une vague de rires qui fit du bien dans les circonstances.

34. Une profanation

Les arbres, dépouillés de leurs feuilles, présentaient leurs ramages sur fond de ciel gris. Quelques flocons épars tombaient du ciel. Le sol avait gelé. Dehors, les ouvriers installaient déjà les bandes des patinoires dans les cours d'école.

Le métier d'aliéniste ajoutait un poids considérable à mes activités judiciaires et une tension parfois vive. Il me fallait souvent, à la manière d'un enquêteur de la police, me rendre sur les lieux où mes patients avaient eu leur crise pour tenter de comprendre ce qui s'était passé. Les témoignages des gens m'aidaient à dresser un meilleur portrait des malades.

J'avais remonté en vitesse la rue Saint-Denis jusqu'au coin de Mont-Royal. L'église des pères du Saint-Sacrement était sise entre Rivard et Berri. Avant d'aller au presbytère rencontrer le curé, j'avais fait le tour de la bâtisse pour constater les dégâts. J'étais là à la demande du shérif Vallée, de la prison de Montréal. La veille, tous les vitraux de l'église avaient été fracassés, les figures saintes réduites à des fragments de verre. C'était une grave profanation. Malgré le saccage, les messes dominicales avaient eu lieu et les puissants accords de l'orgue avaient semblé exprimer leur colère.

Les éclats des vitraux, éparpillés, jonchaient les lieux. Sur l'avenue du Mont-Royal, les badauds consternés s'arrêtaient pour regarder le temple, hochant la tête en signe de dépit.

Je montai les marches du presbytère, frappai trois coups sur la porte. Le sacristain vint répondre. Je demandai à parler au prêtre et il m'informa que je devrais patienter, le temps que le curé termine sa messe. Quelques minutes plus tard, ce dernier vint m'accueillir dans le vestibule.

— Bonjour, docteur Villeneuve.

— Monsieur le curé, dis-je enlevant mon chapeau.

— Suivez-moi, docteur.

Il me conduisit jusqu'au grand salon du presbytère. Il m'invita à m'asseoir dans un fauteuil Louis XVI et prit place devant moi. Je sortis mon carnet de notes, prêt à recueillir son témoignage.

— Dites-moi ce qui s'est passé exactement.

— Eh bien, très tôt hier matin, un homme a frappé à la porte du presbytère. C'est mon bedeau qui a répondu, il est venu me chercher et m'a avisé que l'homme était fort agité – ce qui arrive parfois, vous savez. C'est souvent quand la mort ou la maladie frappe que les crises de foi sont les plus vives. Enfin… Notre visiteur tenait à voir un prêtre et je me rendis aussitôt auprès de lui. Il faisait les cent pas. Quand je me suis approché de lui, j'ai pu constater sa détresse : le souffle court, les yeux rougis, il marmonnait des choses que lui seul comprenait. En me voyant, il s'est écrié que sa mère allait mourir et que je devais lui administrer les derniers sacrements. Comme je n'avais pas encore fait ma toilette, je lui ai demandé de m'attendre ici. Il a été plus insistant : sa mère avait besoin de recevoir l'extrême-onction tout de suite. Je lui ai répété calmement qu'il me fallait terminer ma toilette. Il m'a fixé pendant un moment et m'a finalement dit qu'il allait m'attendre dehors. Quelques minutes plus tard, je suis sorti. L'homme s'est jeté sur moi et m'a fait culbuter sur le trottoir. Il est lui-même tombé sur moi et s'est mis à me rouer de coups. « Pourquoi me faites-vous attendre ? Ma mère se meurt ! » me hurlait-il. J'étais effrayé par sa fureur. Depuis que j'ai été ordonné, je n'ai jamais vécu une telle situation. J'ai déjà été témoin de drames, bien sûr... vous savez ce que je veux dire. Quand on côtoie la mort, il est inévitable... Enfin, vous me comprenez...

Les mots s'étranglaient dans sa gorge. Je sentais qu'il n'arrivait à exprimer que la surface du trouble que l'agression avait semé en lui. L'événement dont il avait été victime l'avait visiblement bouleversé. Je lui adressai un sourire entendu. Il s'éclaircit la gorge et reprit son récit.

— Je... je crois qu'il a eu un moment d'absence. Il n'avait pas retrouvé ses esprits, il avait le regard perdu, comme s'il était absorbé par ses pensées. J'en ai profité pour courir me réfugier à l'intérieur du presbytère. Cet hurluberlu s'est lancé à ma poursuite alors que je refermais la porte. Dieu merci, j'avais échappé à son courroux. Il y avait plus de peur que de mal. Par le judas, je l'ai vu redescendre l'escalier en blasphémant, les bras agités, comme en proie au délire. J'ai enfin pu me ressaisir. Les côtes me faisaient mal, mais je n'avais rien de cassé. C'est là que j'ai entendu une vitre voler en éclats. Puis une autre. Quelques instants plus tard, le bedeau est arrivé en catastrophe pour m'annoncer que les vitraux de l'église éclataient de partout. L'homme les fracassait avec de gros blocs de glace. Nous avons tout de suite fait quérir la police. Ensuite, je me suis dirigé vers la sacristie. J'entendais les hurlements du pauvre garçon à travers les cascades cristallines du verre qui percutait le sol de la nef. Il y a des paroissiens qui ont affirmé que l'homme était comme en proie à une possession diabolique. La police s'est finalement présentée pour le maîtriser, mais le mal avait été fait...

Plus tard dans la journée, j'ai appris que la police avait découvert, en se rendant chez la mère, que la pauvre femme était décédée depuis trois jours.

— Vous n'avez pas été blessé, mon père?

— Non, non. Et Dieu merci, personne d'autre ne l'a été. Nous sommes juste un peu secoués.

— Le connaissiez-vous?

— Non. Un agent m'a dit que c'était un garçon de la paroisse Saint-Louis-de-France.

— Ne prenez pas cette question comme une critique, monsieur le curé, mais l'auriez-vous fait attendre trop longuement?

— Bien sûr que non! répondit-il d'un ton sec.

Je remerciai le prêtre de son témoignage et retournai à Longue-Pointe.

À l'asile, je demandai à une religieuse de sortir le dossier de J. D., l'agresseur du curé, de la procure afin que je puisse examiner son cas. Je ne tardai pas à découvrir que le garçon avait effectué trois séjours dans nos murs. En 1890, il avait été prédicateur dans les rues avant d'être arrêté pour sa conduite désordonnée et incohérente. J. D., avait écrit mon collègue Chagnon, « se prétend le fils de Dieu, il affirme que Rome tombe et que les Romains disparaîtront ». Je notai dans son dossier qu'il avait été élargi en septembre 1892. Nos médecins avaient signalé, lors de ses internements, qu'il s'agitait, s'exaltait dès qu'il était question de religion.

En fin d'avant-midi, j'allai dans le quartier des agités où l'on détenait J. D. Je me rendis à sa chambre en compagnie de deux médecins du bureau médical, d'un gardien et de sœur Marie-Eudoxie.

Nous l'observâmes tour à tour par la lucarne de la porte. Il avait retiré tous ses vêtements. Il marchait de long en large en chantant un cantique. Il se signait, levait les bras vers le ciel et s'affaissait sur les genoux devant le crucifix. On m'informa qu'il n'avait pas dormi de la nuit.

— Il n'a pas arrêté de prier, me précisa sœur Marie-Eudoxie.

Je l'observai à nouveau. En transe, le pauvre ne se possédait plus. Il marchait sur les genoux, les bras tendus vers le ciel. Il sermonnait une assemblée imaginaire tel un grand prêtre. Il semblait obéir à une inspiration supérieure. Puis il se mit à se frapper la tête sur le plancher. Ses membres paraissaient maintenant hors de contrôle. La crise reprenait de plus belle. Je donnai le signal pour que l'on ouvre la porte.

— Reculez, ma sœur.

Voyant que nous entrions, J. D. se leva en hurlant et s'en prit au mobilier qui était rivé au plancher. Il nous regardait, les yeux exorbités, comme s'il était possédé par une légion de démons. Il avait du sang partout sur le corps. Nous ne serions pas assez de quatre pour le contenir.

— Je suis le grand prophète! cria-t-il en se lançant sur les murs. Immolons les prêtres impies! Immolons-les!

Il arracha le crucifix du mur et me le lança à la tête. Je tentai de l'éviter, mais la base me heurta le front avant d'aboutir sur le mur et de retomber sur le plancher. Je vis quelques étoiles, mes genoux plièrent. Le forcené se projeta vers moi, mais grâce à une clé de bras qu'un gardien de Sainte-Anne m'avait apprise, je le fis culbuter par-dessus mon épaule. Je lui tordis le bras et, alors qu'il s'affaissait au sol, je m'agenouillai de tout mon poids sur son dos, ce qui donna une chance à mes collègues de le maîtriser.

Dans ces états de crise, les patients sont dangereux tant pour eux que pour le personnel. Je détestais recourir à la contention, dont je limitais l'utilisation, mais là, il fallait s'en servir afin d'éviter que l'homme ne s'inflige de graves blessures. Nous le tenions bien en main. J. D. était incapable de bouger. Ses gros yeux de bovin étaient injectés de sang. Je pouvais sentir son cœur battre à s'en rompre les artères, entendre son souffle court et sifflant, voir son visage empourpré à un pouce du mien. Je lui parlai doucement, le rassurai quant à nos intentions, alors que sœur Marie-Eudoxie épongeait le sang qui me coulait dans les yeux.

J'indiquai à mes collègues de ne pas prendre la camisole, juste les entraves pour les poignets et les jambes. Je m'assurai que J. D. respirait bien et relâchai la pression.

◆

Sous une lumière vive à l'infirmerie, le docteur Chagnon complétait le huitième point de suture à mon arcade sourcilière. Chaque entrée de l'aiguille dans mes chairs me faisait un mal de chien. J'avais l'arcade tuméfiée, avec un gros hématome bleu. Ma chemise de la mercerie Jacob était déchirée et toute maculée de sang et mon paletot en tout aussi mauvais état.

— Il ne vous a pas manqué.

— Il m'a pris par surprise, voilà tout.

— Avec cette cicatrice et votre nez cassé, vous aurez bientôt l'air d'un vrai boxeur, Georges ! dit-il en riant.

— Je m'en passerais bien.

Chagnon noua le fil et coupa l'excédent. Il me fallait maintenant dresser le bilan de cette affaire pour le dossier de J. D. Les mêmes symptômes observés par le passé se répétaient. Le rapport se rédigea presque de lui-même. J. D. était tout sauf apte à subir un procès. C'était un excité maniaque aux idées mystiques qui avait tenu tout le monde sur le qui-vive, mettant en danger les personnes autour de lui. Qui plus est, il s'agissait d'un ancien pensionnaire de l'asile. Je déterminai les symptômes en ces termes : « manie, excitation intellectuelle, loquacité, tumulte dans les idées et les actes, mais l'excès maniaque est dominé par les idées mystiques et est subordonné par leur apparition ».

Cette phase d'excitation maniaque et de délire mystique était causée par une dégénérescence mentale. J'inscrivis dans mon rapport à l'intention des juges que « J. D. doit être tenu non responsable des actes qu'il a posés, mais puisqu'il demeure dangereux pour sa propre personne et pour la société, je recommande son placement en asile. »

Mon poste, qui me conférait le droit de placer à l'asile des malades, m'amenait à des décisions qui n'allaient pas sans déchirements, mais dans ce cas-ci, J. D. pourrait demeurer au bercail. Je savais que le juge allait me donner raison.

Puis, en dépit de mon état, je décidai de m'attaquer à la pile de lettres qui, chaque semaine, aboutissait sur mon bureau. La tâche de Saint-Jean-de-Dieu m'astreignait à tenir une correspondance serrée. C'était tantôt un collègue médecin désespéré de Québec qui me demandait des nouvelles de son petit André, pensionnaire de l'asile, une Pénélope sans ressources qui attendait le retour de son Ulysse pour déneiger l'entrée, un curé qui exerçait des pressions sur moi pour que j'élargisse un paroissien, ou une pétition m'invitant à ne pas affranchir un patient pourtant guéri. Répondre aussi aux requêtes touchantes des parents qui s'inquiétaient de la maladie d'un enfant, d'un mari ou d'une femme et qui appréhendaient mon verdict, avait de quoi assombrir la journée la plus ensoleillée.

Comme un drame n'arrive jamais seul, j'appris avec consternation en fin d'après-midi que madame Simpson, la mère de John, était décédée. Le sort s'acharnait sur cette famille.

35. Un insensé irresponsable

Jeudi, 22 novembre 1894

Je me présentai au palais de Justice de la rue Notre-Dame. Assis sur un banc près de la porte de la salle d'audience, je révisai mes notes avant d'entrer dans le tribunal. La citation à comparaître me convoquait pour dix heures trente. J'avais bon espoir de soustraire Simpson à la suite des procédures judiciaires qui le mèneraient au gibet.

J'entrai silencieusement dans le tribunal. Le procès était commencé et les banquettes étaient toutes occupées. Je sentis une chaleur intense, presque électrique. De nombreux journalistes se pressaient à l'intérieur, dont Girard. Il me salua discrètement, mais je ne lui retournai pas sa politesse. J'aperçus le père de John ainsi que les parents de Marion Bell et, bien sûr, John Simpson, dans le box des accusés à l'arrière.

Le jury était pendu aux lèvres de Bruno, qui racontait les circonstances de l'intervention policière. Avant lui, sœur Rollande, de l'hospice de la Miséricorde, était venue dire comment l'attaque s'était passée. Je consultai brièvement mes notes pendant que Bruno terminait son témoignage. L'atmosphère était à trancher au couteau.

Quand je fus appelé par le procureur, je posai ma main sur la Bible et jurai de dire toute la vérité, rien que la vérité.

L'exposition des critériums devait suffire à rallier le jury, pensai-je. Je regardai chacun des jurés dans les yeux, en improvisant mon discours, car je voulais leur faire comprendre que la folie est un mal qui s'ignore, qu'elle mène parfois à l'irréparable et que la vie de ce garçon était brisée à tout jamais. Chaque jour lui infligerait une peine immense. À voir le juge Würtele, que je connaissais bien, je sus qu'il se rangeait de mon côté, mais c'étaient les douze hommes dans le box des jurés qu'il me fallait convaincre. J'eus beau résumer tout ce que Simpson père m'avait raconté, ce fut long. Je sentis le jury touché par cette histoire. Puis le procureur, maître Alban, me posa d'une manière très directe la question que tous attendaient.

— Docteur Villeneuve, êtes-vous en mesure de nous dire si John Simpson est sain d'esprit ou non ?

— John Simpson est un insensé irresponsable. Il lui sera impossible de témoigner. Il divague, ne se souvient de rien et ne sera d'aucune utilité pour ce tribunal. Il souffre de délire de persécution, est en proie à des changements vifs d'humeur et victime de dépression mélancolique. Selon moi, John Simpson n'était pas maître de ses actes le jour où il est entré à l'hospice de la maternité. C'est un aliéné atteint de démence, martelai-je. En regard du Code criminel, John Simpson est incapable de subir son procès et ne saurait être tenu responsable de ses actes.

Je répondis ensuite à de nombreuses questions sur le passé de Simpson, sur sa relation avec ses parents et avec Marion.

Je conclus mon témoignage par des arguments d'autorité. Je citai d'une voix affirmée le docteur Vibert : « Il est des circonstances où la volonté subit l'influence des causes d'ordre pathologique, où les actes sont déterminés par des mobiles qui sont eux-mêmes l'expression d'un désordre morbide des fonctions cérébrales. Guidés par des motifs indéterminés, ces hommes et ces femmes raisonnent à faux. » Puis je terminai avec ces paroles de mon ami Valentin Magnan, que je citai avec une certaine émotion :

— « Ce sont des aliénés criminels, il est vrai, mais ce sont avant tout des malades qu'on ne doit pas traiter comme des prisonniers ordinaires. » Je recommande donc que John Simpson passe le reste de sa vie dans un asile.

Le juge me remercia, adressa quelques consignes aux membres du jury et les envoya délibérer sur la cause. La foule journalistique s'activa, cherchant à recueillir des commentaires de la part de Simpson père, des avocats, des membres du public. Certains me sollicitèrent, mais je leur répondis que tout avait été dit en cour et que j'attendais, moi aussi, la décision du jury avant de me livrer à quelque commentaire que ce soit.

Nous n'eûmes pas à attendre longtemps. Moins d'une heure après son départ, le jury revint devant le juge. Il avait accepté mon verdict d'aliénation mentale. La clameur fut à la mesure de la déception et du courroux qui régnaient dans le cœur du public.

Je dus retenir mes émotions. C'était une grande victoire. Je vis monsieur Simpson soupirer de soulagement, tandis que le public faisait son raffut. On entendait des gens se plaindre que la justice protégeait les criminels, que John Simpson ne méritait que de pendre au bout d'une corde. Monsieur Simpson s'empressa de venir me serrer la main, les yeux pleins d'eau. Il m'étreignit. Son émotion me gagna.

— Allez-vous fêter ? m'apostropha un curé en sortant de la salle.

— Fêter quoi, monsieur ? Il n'y a rien à célébrer.

— Cet homme est un meurtrier.

— Il faut croire que Dieu n'était pas pressé de le ramener près de Lui.

Son visage se raidit, ses yeux s'écarquillèrent et sa bouche ouverte se figea en cul-de-poule.

◆

Dans les jours qui suivirent, je subis de nombreuses critiques. On m'accabla d'insultes alors que je déambulais dans la rue ou quand je faisais mes courses. Des gens qui, en temps normal, m'accueillaient avec sympathie, changèrent de comportement : mon boucher de la place d'Armes servit trois clients qui étaient pourtant arrivés après moi avant de daigner se tourner vers moi ; mon tailleur, monsieur Jacob, refusa de me saluer ; même madame Jos arbora son air bête avec moi pendant des jours.

L'aliéniste côtoie l'anormal, que ce soit à l'asile ou à l'extérieur. Il passe une partie de sa vie dans un temps disloqué de la réalité. Magnan m'avait dit un jour que je me ferais bien des ennemis. Que cette liste s'allongerait sans cesse. Il avait raison.

TROISIÈME PARTIE

DÉLIVREZ-NOUS DU MAL

36. Il frappe

Je rentrai à la morgue en milieu d'après-midi après mon quart à l'asile. En m'apercevant, Sansquartier sortit tout énervé de derrière le comptoir en disant que le docteur Rousseau avait téléphoné, qu'il était urgent que je le rappelle ou que je me rende à l'hôpital Notre-Dame. Lafontaine s'y trouvait déjà. On avait essayé en vain de me joindre à l'asile.

— Ça concerne une opération illégale, m'annonça-t-il la voix chevrotante.

Je m'y pressai. L'hôpital était situé à un peu plus d'une centaine de mètres de la morgue. Il avait été construit quatorze ans plus tôt dans l'ancien hôtel Donegana, un bâtiment de quatre étages avec une vue agréable sur le square Viger et le champ de Mars. C'était là, dans ce petit hôpital bien ventilé d'une cinquantaine de lits, que j'avais effectué mon internat.

Je montai à la maternité. Dans une salle d'accouchement, les cris d'une parturiente faisaient mal à entendre. Je demandai à une sœur qui sortait de la chambre avec une bassine remplie d'eau rougie par le sang où se trouvait le docteur Rousseau. Elle indiqua derrière elle et partit s'occuper du contenu de la bassine.

Le tablier ensanglanté, Pierre prenait la température d'une femme qu'il venait d'opérer. En me voyant sous le chambranle, il s'excusa auprès de sa patiente et s'approcha avec un air grave.

— Ah, vous voilà enfin ! Tout à l'heure, nous avons reçu une jeune femme qui a subi une opération illégale durant la nuit. Elle se nomme Mary Donnely. Elle était enceinte de trois mois. J'ai tout de suite vu qu'elle avait été victime d'un charcuteur. Elle souffre de septicémie, mais on essaie de la garder en vie. Vos collègues Lafontaine et MacCaskill sont arrivés dès que je leur ai annoncé la nouvelle.

Il me fit signe de le suivre.

— Les signes vitaux ?

— Sa tension est très basse. Elle est fiévreuse et délire.

— A-t-elle perdu beaucoup de sang ?

— Oui.

La jeune femme avait été installée dans une chambre à part. Je vis une religieuse en sortir avec des gazes ensanglantées. Lafontaine était au chevet de la malade, mais Rousseau lui avait donné l'ordre de ne pas parler à la patiente – il devrait se contenter d'écouter le fruit de son délire. Elle gisait les yeux clos, en sueur et le teint livide, un trait noir sous les yeux. Sa main droite était enveloppée de gaze. Je consultai la fiche : sa fièvre frisait les cent quatre degrés. Juste à la voir, je me demandai comment nous pourrions la réchapper. Comme si quelques souffles à peine la séparaient du trépas.

— Nous sommes parvenus à contrôler l'épanchement sanguin, précisa Rousseau. Maintenant, elle doit combattre l'infection pour que baisse la température.

Lafontaine me salua d'un coup de tête et s'approcha de moi.

— Ça s'est encore passé dans le quartier Sainte-Anne. Rue Shearer. Nos gars disent qu'un témoin aurait vu un homme tout de noir vêtu et le visage recouvert d'un foulard.

MacCaskill entra dans la chambre en coup de vent. Le compagnon de Mary Donnely s'était rapporté à la police, un certain Michael Moran. On venait de l'arrêter. Les deux étaient originaires de Worcester, au Massachusetts. Le garçon avait affirmé que l'opérateur n'acceptait de procéder à l'opération que si Mary se présentait seule.

— Ce qui fait qu'à cette heure il n'y a qu'elle pour identifier le faiseur d'anges, conclut MacCaskill en regardant vers Donnely.

— Il a donné d'autres indications ? demanda Bruno.

— Il a confirmé que l'opérateur est un Canadien français et qu'il se dit médecin de profession. J'ai demandé qu'on le questionne pour savoir s'il existe un lien entre eux et l'avorteur ou qui est leur contact.

Lafontaine et MacCaskill sortirent de la chambre pour discuter de l'affaire. La religieuse qui m'avait accueilli revint avec la bassine et des linges propres. Je restai avec Rousseau et assistai à tous ses efforts pour sauver la malheureuse.

— Quelles sont ses chances ?

— Bien minces, j'en ai peur.

Je regardai la bassine.

— Elle saigne beaucoup trop...

Il hocha la tête avec dépit. La religieuse épongeait le front de la jeune femme.

Lafontaine revint dans la chambre pour me parler à l'oreille. J'acquiesçai muettement à sa demande ; je ne pouvais en rien être utile ici.

En descendant l'escalier, il sortit un sac de sa poche et me montra une image de la sainte Vierge en Immaculée Conception. Le carton était maculé de sang.

— Elle l'avait encore dans sa main quand on est entrés.

— Ah, le maudit serpent ! jurai-je en serrant les poings.

MacCaskill nous attendait à la sortie de l'hôpital dans une voiture de la police de Montréal. Nous filâmes directement au poste, où Patrick voulait retourner pour interroger en personne le fiancé de Mary Donnely. Bruno prit sa place derrière le volant et nous reprîmes la route vers l'ouest de la ville et le lieu du crime. Comme un mauvais présage, les grues entrecroisées sur les bords du canal Lachine ressemblaient à des croix noires dans les encres foncées du crépuscule. C'était sinistre.

◆

Six heures quarante. La noirceur était tombée et les lumières des réverbères projetaient leurs ombres et leurs lueurs sur les murs pauvres de la ville. L'immeuble de la rue Shearer était sale et miteux, souillé par les rejets des cheminées industrielles qui poussaient tout autour. La peinture de la façade pelait comme de la vieille peau. Des curieux fumaient la pipe devant l'immeuble.

Encore une fois, le vestibule sentait l'urine, l'humidité et le renfermé. Lafontaine pointa le doigt vers le haut.

— C'est au deuxième.

Un policier de faction devant la porte s'effaça pour nous laisser entrer. Le schéma se répétait. Un appartement laissé à l'abandon. Un vieux sofa défraîchi aux coussins lacérés gisait au milieu du salon. Une cloque de plâtre au plafond, toute gorgée d'eau, menaçait d'éclater comme une grosse panse.

La chambre, sens dessus dessous, portait la marque de commerce des faiseurs d'anges. Du sang sur le matelas et sur les draps. Des gazes sales ensanglantées. Il y avait une traînée de sang jusqu'à la fenêtre. Un carreau était fracassé. Probablement Mary Donnely, qui était parvenue à se rendre jusque-là. Mais les dix doigts rouges qui marquaient le châssis n'avaient pu soulever la fenêtre à guillotine.

Le fœtus avait été soustrait du lieu du crime et l'opérateur avait ramassé ses instruments. Je soupirai en me tournant vers Bruno :

— Comment sait-il que ces appartements sont vides ? Comment les repère-t-il ? Il ne peut qu'avoir un complice...

— Il y a des centaines d'appartements à louer dans les petites annonces des journaux, répondit Lafontaine.

— Si tu as raison, ce sera impossible de prévoir où il officiera la prochaine fois. Il y a tellement de taudis inhabités dans cette partie de la ville...

— Et il sait débarrer les portes ou alors quelqu'un les lui ouvre. Tu as vu la serrure, Georges ?

— Je n'ai pas remarqué...

— Elle ne montre aucune marque d'effraction.

— C'était peut-être débarré, dis-je d'un ton peu convaincu.

— Ça me surprendrait. Cette serrure est la seule chose neuve et solide dans tout cet appartement.

Je regardai autour de moi. Bruno n'avait pas tort. Il reprit :

— Pour les appartements, comme nous sommes dans l'ouest, il est probable que ces annonces paraissent uniquement dans des journaux anglophones comme le *Star* ou *The Gazette*.

— Mais d'après l'ami de Donnely, l'opérateur est un Canadien français...

— La majorité des francophones de Montréal se débrouillent en anglais, Georges, tu le sais bien. Tout comme le docteur Rousseau...

Je sursautai.

— Voyons, Bruno !

Bruno expira longuement.

Il se dirigea vers l'entrée de l'appartement.

— On a des renseignements sur le propriétaire ? demanda-t-il au policier.

— Heu... Oui, lieutenant.

L'homme fouilla dans ses poches, en sortit son calepin.

— Il s'appelle Arthur Vance et il vit sur la montagne.

— Donne-moi son adresse, ordonna Bruno en sortant son propre calepin pour la noter.

Lafontaine remercia son agent et se tourna vers moi. Il arborait l'air déterminé d'un taureau flairant le tissu rouge.

— On va rendre une petite visite à ce Arthur Vance !

◆

Bruno Lafontaine décida de récupérer Patrick MacCaskill en passant.

— Mary Donnely est morte, fut la première chose qu'il nous dit en montant à bord.

— Ça parle au torrieu ! jura Bruno.

— Elle aurait cependant repris très brièvement ses esprits avant de mourir, ajouta aussitôt Patrick. Elle aurait dit quelque chose que le docteur et la religieuse ne sont pas certains d'avoir très bien compris.

— Et qu'est-ce qu'elle a dit ?

— Attends, je l'ai noté ici…

Il produisit un bout de papier.

— *Doctor Wills*… ou Wells… *should have known. Why?*

— Georges, il faudra vérifier dans le bottin du Collège des médecins s'il existe des docteurs Wills ou Wells, lança aussitôt Lafontaine. Patrick, as-tu eu le temps d'en parler à son ami de cœur ? Non ? Ils l'ont peut-être connu aux États-Unis.

La voiture de police nous mena à vive allure vers la maison du propriétaire. Vance résidait à Westmount dans une rue transversale à Côte-des-Neiges. Sa demeure s'avéra être un vaste manoir de style victorien, surplombé de magnifiques corniches et pignons. MacCaskill donna de vigoureux coups de heurtoir. Mais il fallut plusieurs minutes avant qu'une lumière ne s'allume. C'est vrai qu'il se faisait tard, mais quand bien même Vance aurait déjà été au lit, nous allions retarder sa nuit de sommeil.

Je le vis à travers le rideau de tulle descendre l'escalier d'un pas incertain. Apeuré, il ouvrit la porte en laissant la chaîne de sûreté. Il portait une épaisse robe de chambre verte en tartan et un bonnet de nuit.

— Police ! prononcèrent Lafontaine et MacCaskill à l'unisson.

— *Show me your papers, gentlemen.*

Les deux policiers montrèrent leur insigne. Vance roula des yeux en soupirant. Nous sentîmes tout son mépris pour nous. Il faisait partie de cette aristocratie anglophone qui avait bâti sa richesse sur la main-d'œuvre bon marché du prolétariat canadien-français.

J'entendais crépiter du feu dans une pièce du rez-de-chaussée.

Il détacha la chaîne à contrecœur.

— *Have you seen what time it is ?*

— Nos heures sont invisibles, répondit Lafontaine.

Vance n'allait pas s'abaisser à nous répondre en français, mais il comprenait parfaitement la teneur de nos questions.

— *What do you want ?*

— Vous êtes le propriétaire d'un immeuble de la rue Shearer ? dit Lafontaine en ajoutant le numéro de l'adresse.

— *Yes, I'm the landlord of this house.*

— *So we have to talk to you about a serious problem with the place.*

L'homme montra des traces de contrariété, mais nous indiqua d'entrer. Il resserra sa robe de chambre.

Il nous mena au salon, une pièce cossue avec des meubles imposants. Il y avait des tableaux d'une grande valeur, dont un Constable et un Turner dans des cadres rococo. L'âtre diffusait un beau feu de foyer et de bonnes odeurs de fumée de bois.

Vance se dirigea vers une armoire vitrée et sortit une carafe en cristal, se versa un scotch – il ne nous offrit rien –, s'installa dans le chesterfield, croisa ses jambes sur le pouf noir et nous invita à nous asseoir dans un sofa rouge aux accoudoirs et dossiers arrondis. Vance avait le haut du crâne chauve. Il était solidement bâti mais empâté, et sa tête était assez grosse pour loger ses airs prétentieux. L'opulence se reflétait dans ce corps obèse au visage bouffi et au nez turgescent comme un chou-fleur.

Lafontaine alla droit au but. Je traduis ici l'échange entre Vance et lui.

— Monsieur Vance, êtes-vous au courant qu'un avortement meurtrier a eu lieu aujourd'hui?

L'homme feignit de ne pas comprendre la question.

— Vous savez sûrement que la police est à la recherche d'un opérateur criminel? reprit Bruno en haussant le ton.

— Oui, le Docteur Death… L'affaire a fait les manchettes.

— Ces opérations illégales ont toutes eu lieu dans l'ouest. À Griffintown, Lachine, Pointe-Saint-Charles…

— Ce n'est pas faux, répondit-il, ennuyé, mais je ne vois pas en quoi cela me…

— L'opération illégale d'aujourd'hui s'est déroulée dans l'appartement à louer du deuxième étage de votre immeuble.

Son visage passa de blanc à carmin. Pour se donner une contenance, il se gratta la tête en affichant une moue qui signifiait: « Qu'est-ce que vous voulez que je vous dise? Je n'y suis pour rien. »

— Qui est responsable du taudis? lança Bruno.

— Un de mes nombreux concierges, répondit Vance, insulté.

— Son nom?

— Henri Bellemare.

Bellemare… Ce nom éveillait quelque chose en moi. Lafontaine me gratifia d'un coup de coude discret. Un déclic se fit dans ma mémoire. Je revis l'ivrogne à la démarche hésitante, son air de revenant. Bellemare était le concierge de l'immeuble où avait eu lieu le meurtre de Normande Marcoux, alias Debbie Parker.

— Vous avez confiance en Bellemare, monsieur Vance ?

— Oui. Il connaît son travail.

— Vous l'employez depuis longtemps ?

— Quelques années... C'est un Franco-Américain qui est revenu vivre dans la province je ne sais pas trop quand.

Lafontaine, MacCaskill et moi nous efforçâmes de ne pas sursauter en entendant cela.

— De quel État vient-il ? poursuivit Bruno comme si de rien n'était.

— Je ne sais pas. Je n'entretiens pas de relations autres que professionnelles avec mes concierges.

Il avait dit cela avec le plus profond mépris, comme s'il cherchait à nous intimider – cela devait marcher avec ses employés.

— Avez-vous vérifié ses antécédents avant de l'engager ? demanda Bruno.

— J'ai vérifié qu'il pouvait utiliser un marteau et un tournevis, effectuer des réparations.

— Avez-vous d'autres choses à nous dire sur Bellemare ?

D'un air dédaigneux, il leva les bras et fit non de la tête, comme si la question était absurde. Un carillon sonna la demi-heure quelque part dans la maison. Un silence inconfortable s'installa.

Bruno se gratta la tête.

— Se pourrait-il que sur vos ordres, monsieur Vance, quelqu'un de votre entourage essaie de rentabiliser les appartements non loués ?

Vance serra les dents et s'agita l'arrière-train comme si une colonie de puces s'y frayait un chemin.

— C'est ridicule ! Comme vous le voyez, je n'ai pas besoin de ça pour vivre.

Nous avions maintenant un lien solide entre les victimes, outre le fait que la première et la dernière venaient toutes deux des États-Unis, possiblement du même État : toutes deux avaient été assassinées dans des immeubles où sévissait le même concierge, et donc appartenant plus que probablement à Arthur Vance.

Nous avancions enfin.

déclic se fit dans ma mémoire. Je revis l'ivrogne à la démarche hésitante, son air de revenant. Bellemare était le concierge de l'immeuble où avait eu lieu le meurtre de Normande Marcoux, alias Debbie Parker.

— Vous avez confiance en Bellemare, monsieur Vance ?

— Oui. Il connaît son travail.

— Vous l'employez depuis longtemps ?

— Quelques années... C'est un Franco-Américain qui est revenu vivre dans la province je ne sais pas trop quand.

Lafontaine, MacCaskill et moi nous efforçâmes de ne pas sursauter en entendant cela.

— De quel État vient-il ? poursuivit Bruno comme si de rien n'était.

— Je ne sais pas. Je n'entretiens pas de relations autres que professionnelles avec mes concierges.

Il avait dit cela avec le plus profond mépris, comme s'il cherchait à nous intimider – cela devait marcher avec ses employés.

— Avez-vous vérifié ses antécédents avant de l'engager ? demanda Bruno.

— J'ai vérifié qu'il pouvait utiliser un marteau et un tournevis, effectuer des réparations.

— Avez-vous d'autres choses à nous dire sur Bellemare ?

D'un air dédaigneux, il leva les bras et fit non de la tête, comme si la question était absurde. Un carillon sonna la demi-heure quelque part dans la maison. Un silence inconfortable s'installa.

Bruno se gratta la tête.

— Se pourrait-il que sur vos ordres, monsieur Vance, quelqu'un de votre entourage essaie de rentabiliser les appartements non loués ?

Vance serra les dents et s'agita l'arrière-train comme si une colonie de puces s'y frayait un chemin.

— C'est ridicule ! Comme vous le voyez, je n'ai pas besoin de ça pour vivre.

— Je connais des gens qui sont tellement avides de
richesse qu'ils n'hésitent pas une seconde à exploiter
leurs employés, dit doucement Lafontaine. Alors je
ne serais pas étonné qu'une personne riche comme
Crésus veuille que chaque pouce carré, même vétuste,
rapporte.

— Savez-vous combien j'ai d'immeubles, lieutenant ?
Juste à Montréal, j'en ai soixante-dix-sept ! Comment
voulez-vous que je sache tout ce qui s'y passe !

— Bien. Je vais donc vous demander les adresses
de tous vos immeubles, et de nous indiquer ceux dont
la conciergerie est tenue par Bellemare.

À voir sa réaction, j'eus l'impression que Bruno
lui demandait la lune.

C'est à ce moment qu'un homme robuste entra dans
le salon avec un air inquisiteur. Vance nous présenta
Alfred Sullivan, son homme de confiance. Il était vêtu
comme un dandy dans son complet rayé. Je ne lui
donnais pas plus de vingt-cinq ans. Il avait un visage
chevalin, des yeux minces et des cheveux clairs qu'il
ramenait vers l'arrière.

— *Everything's okay, Alfred. Don't worry.*

Le commentaire de Vance me révolta. Il venait d'apprendre que l'opérateur criminel avait commis ses
actes de mort dans un de ses immeubles et « tout était
correct » ! Sullivan nous regarda sans hostilité et sortit
en nous saluant du bonnet.

— Passez demain, nous dit Vance quelques secondes
plus tard. Vous aurez la liste.

Puis il se leva et, sans cérémonie, nous montra le
chemin jusqu'à la porte.

Lafontaine et MacCaskill me ramenèrent chez moi.
Malgré l'heure tardive, ils retournaient au poste de
Saint-Gabriel. Bruno voulait télégraphier au plus vite
les dernières nouvelles à Joe Valiquette, alors que Mac-
Caskill tenait à revoir l'ami de cœur de Mary Donnely,
qui avait dû apprendre entre-temps son décès.

37. Un réseau

Quand il se présenta à la morgue avec Lafontaine pour sa déposition officielle devant le coroner, je permis à Michael Moran de voir sa fiancée avant de procéder à l'autopsie. Je tenais à ce qu'il la voie belle une dernière fois. Il me demanda ce que j'allais lui faire, mais je fus avare de détails.

Le jeune Irlandais portait une casquette en laine avec une petite visière en demi-lune. Assis sur le banc en bois du vestibule, le garçon était effondré par la douleur, la tête entre les mains. Seule sa tignasse brune frisée dépassait telle une grosse fleur.

Je l'invitai à venir se recueillir près de la morte. Il me fallut le soutenir jusqu'en haut de l'escalier. J'ouvris la porte et le laissai entrer. En bon catholique, il se signa et pleura en voyant le corps de Mary Donnely. Il sanglotait. Je sortis.

Je laissai Michael Moran plusieurs minutes en compagnie de la défunte. Quand je rentrai dans la pièce, il lui caressait les cheveux, lui parlait à voix basse. Il comprit qu'il devait maintenant sortir. Il se signa à nouveau et baisa le front de Mary. Je le ramenai à Lafontaine.

L'opération qui avait causé la mort de la jeune femme avait été réalisée dans des conditions sanitaires lamentables. L'autopsie mit une fois de plus en évidence que le criminel avait agi délibérément. Je pouvais lire l'intention, le désir de tuer et de provoquer une hémorragie mortelle dans les blessures de la jeune Donnely.

Après l'autopsie, je rejoignis Lafontaine chez le coroner. Il me confirma que Valiquette avait accusé réception des récentes informations.

Assis sur une chaise, tordant sa casquette entre ses mains, Moran avait l'air effondré, démuni. Visiblement, il n'avait jamais prévu une telle situation. MacMahon arriva enfin et on commença.

Encore une fois, je rapporterai en français les propos qui se tinrent en anglais.

— Nom et prénom, demanda tout d'abord MacMahon, qui fit ensuite jurer Moran sur la Bible.

Lafontaine prit le relais.

— D'où viens-tu? demanda-t-il d'emblée.

— De Worcester, au Massachusetts.

— Et ton amie, Mary Donnely?

À sa simple évocation, nous vîmes le visage de Moran blêmir de nouveau.

— Elle vient aussi de là, mais elle est née à Woonsocket.

— Tu te doutes sûrement que tu es dans de beaux draps. Tu es complice d'un avortement. Je peux te lire les dispositions du Code criminel à cet effet, elles sont sévères.

Michael hocha la tête en déglutissant difficilement. Il nous dit être disposé à répondre à toutes nos questions.

— Tu connaissais Mary depuis longtemps?

— Depuis l'enfance. Je l'ai toujours aimée, et elle aussi m'a toujours aimé. Mais les parents de Mary ne m'appréciaient pas. Ils ne voulaient pas qu'elle me fréquente. Son père est un notaire bien connu et mes parents sont des employés de la filature. Pour eux, je ne suis qu'un maudit Irlandais, un ivrogne, un batteur de femmes. Mary et moi, nous nous étions fiancés en secret, nous avons eu des relations et…

MacMahon eut un regard de compassion pour le jeune homme, qui peinait à refouler ses larmes.

— Prends ton temps, dit Bruno, mais n'oublie rien.

— Nous avons cherché une solution. Nous voulions garder le bébé, mais tout allait contre nous. Deux mois ont passé et Mary commençait à avoir des rondeurs. Le temps était compté avant que ses parents ne se doutent de la situation. Il a fallu se résoudre au pire. On a pris la décision à contrecœur. On a beaucoup pleuré. Mary est... était très croyante. Comme moi, dit-il en me montrant la croix qu'il portait au cou. Quelqu'un a parlé d'un médecin à Mary...

— Tu peux nous donner le nom de cette personne? le coupa Bruno.

— Non. C'est une fille que connaissait Mary. Elle ne m'a pas dit son nom, juste que le médecin en question, qui ne pratiquait pas d'avortements, pourrait, lui, nous en trouver un.

— Le nom de ce docteur?

— Wells. Docteur Wells.

Lafontaine me regarda. Nous progressions.

— Vous avez donc pris rendez-vous avec ce docteur Wells...

— C'est ça. Il nous a dit que si on avait soixante-quinze dollars, il pouvait nous mettre en contact avec un certain Andrew White, à Lowell. Lui seul pourrait nous donner le nom de l'opérateur.

— Et vous aviez tout cet argent sur vous?

— Non, non. Le docteur ne voulait rien pour lui. Le montant, c'était pour White.

— Et vous l'avez cru?

— Non. On s'est dit que l'entremetteur, ce White, devait lui redonner une partie de l'argent. Le docteur a répété plusieurs fois qu'il faisait ça pour nous rendre service, qu'il ne voulait pas être mêlé à ça, de peur de perdre sa licence.

— Vous avez donc été voir Andrew White à Lowell...

— Oui. Il travaille dans une maison de prêts sur gages. Il nous a d'abord demandé vingt dollars, puis il nous a donné à son tour une adresse. Un restaurant à Montréal. On devait s'y présenter le samedi 24 novembre à six heures pile.

— Il vous a donné le nom de l'intermédiaire ?

— Non, il fallait juste se présenter à l'heure indiquée, puis que Mary dépose une rose sur la table en s'assoyant.

Nous nous regardâmes. La fleur suspecte de la première scène de crime avait donc servi à quelque chose ?

— Quand et par quelle gare êtes-vous arrivés ? demanda le coroner MacMahon.

— On a débarqué samedi midi à la gare Windsor. On a loué une chambre dans un petit hôtel près de la gare, on a repéré l'adresse du restaurant, puis on s'est promenés un peu. À six heures moins une, on est entrés. On a choisi une table et quand Mary a déposé dessus sa rose, un homme s'est approché. Il nous a demandé vingt dollars lui aussi pour nous indiquer à quelle adresse se déroulerait l'opération, et à quelle heure.

À l'écouter, nous comprenions que toute cette chaîne servait essentiellement à brouiller les pistes, à ventiler l'argent de l'opération tout en atténuant la responsabilité de chacun des membres de ce réseau.

— Cet homme, au restaurant, c'était le médecin ou encore un intermédiaire ?

— Ce n'était pas le médecin.

— Pouvez-vous décrire cet homme ?

— Un grand bonhomme, avec une longue face. Des cheveux châtains. Des petits yeux. Et de bonnes manières.

Lafontaine me regarda, et je compris qu'il pensait la même chose que moi : ce ne pouvait certainement pas être le concierge Bellemare, et ça ne correspondait pas non plus à la description d'Arthur Vance.

— L'adresse qu'on vous a donnée, c'était dans la rue Shearer ?

— Oui.

— Ensuite ?

— L'homme a dit que je ne pourrais pas accompagner Mary, que si je le faisais, personne ne se présenterait au rendez-vous et qu'on ne reverrait pas l'argent déjà payé. Aussitôt l'opération terminée, je serais averti – il me demanda à quel hôtel nous étions descendus – et je pourrais me rendre sur place pour ramener Mary. La veille de l'opération, je n'ai pas pu fermer l'œil. J'avais un mauvais pressentiment. Je savais, pour l'avoir lu dans les journaux chez nous, que des femmes étaient mortes à Montréal pendant des avortements. Le lendemain, je n'ai pas pu m'empêcher de suivre Mary à distance.

Deux larmes surgirent aux coins des yeux de Michael Moran. Des larmes de colère et de regret.

— Avez-vous vu l'opérateur ?

— Pas de près. J'étais caché de l'autre côté de la rue. Mais j'ai vu sortir à un certain moment quelqu'un qui avait l'air d'un notable. Il portait un grand manteau foncé, un rond de poêle sur la tête et une trousse de médecin. Ce devait certainement être lui.

— Vous l'avez suivi ?

— Non. J'avais trop hâte de revoir Mary. J'ai attendu cinq minutes pour être certain qu'il ne revenait pas. Puis je suis monté et…

Les larmes coulèrent pour de bon.

Tout comme MacMahon et Lafontaine, je sentis une boule se former au fond de ma gorge. Nous ne savions pas que c'était lui qui avait découvert le carnage. J'imaginais sans peine le choc terrible qu'il avait dû avoir en pénétrant dans la chambre.

Voyant l'état du jeune Irlandais, le coroner déclara la séance terminée. Il demanda à Bruno de raccompagner Moran, tout en priant ce dernier de demeurer à la disposition de la police.

De retour à mon bureau, je me consolai en pensant que, au moins, grâce à ce que venait de nous révéler le jeune Moran, tous les bien-pensants de Montréal allaient avoir bientôt la confirmation que John Simpson n'était pour rien dans ces opérations.

◆

En fin d'avant-midi, Bruno repassa à la morgue avec MacCaskill pour faire le point. Ce dernier s'avachit sur une chaise en arrivant. Il semblait aller de mal en pis. Je pris des nouvelles de son état. Une nouvelle migraine lui arrachait la tête, m'assura-t-il d'un ton pitoyable, il avait des raideurs à la nuque et la lumière lui faisait mal aux yeux. Je soupçonnai aussitôt une infection bactérienne et voulus de nouveau l'examiner, mais il refusa encore avec véhémence.

Bruno s'offusqua de sa réaction.

— Voyons, Pat ! Georges t'offre de t'examiner. Pourquoi tu ne veux pas ? Tu vas de plus en plus mal depuis quelques jours.

— Parce que c'est un docteur pour les morts et les fous et que je ne suis ni l'un ni l'autre, répondit l'Irlandais sur un ton définitif en se tenant la tête.

Malgré son état, sa réplique nous amusa tous les deux.

— Bruno n'a aucune réserve quant au fait que j'examine sa femme, arguai-je, pourtant elle n'est ni folle ni sur le point de mourir !

Buté, MacCaskill secoua la tête en signe de refus, ce qui lui arracha un geignement de douleur.

Bruno se leva pour aller poser ses deux mains sur les épaules de son collègue.

— OK, Paddy. On va finir cette journée-là sans toi. Va retrouver Annette. Elle va te préparer un bon gin chaud. Peut-être même deux.

— Dit de même, c'est invitant.

— Alors vas-y. À demain !

Nous écoutâmes les pas de MacCaskill s'éloigner, puis j'exprimai mon inquiétude à Bruno.

— Bah ! Ça passera bien. Ça fait des années que je le connais et il est plus fort qu'un bœuf.

Je fis du thé et nous nous plongeâmes dans notre affaire. Nous avions désormais des pistes sérieuses sur cet opérateur criminel qui rassurait ses victimes avec des images religieuses tout en étant assez cinglé pour quitter la scène avec les fœtus. Nous avions les empreintes de ses souliers, un cheveu noir, ses empreintes digitales. Nous connaissions le nom de trois des quatre victimes, dont deux étaient venues des États-Unis. Nous savions aussi qu'un médecin du Massachusetts recommandait des femmes à un réseau bien organisé, qui les envoyait à Montréal pour avorter. Nous avions le nom d'un propriétaire d'immeubles louche et d'un de ses concierges.

Bruno me relatait la façon dont il voyait la suite des choses quand le téléphone sonna dans la morgue tranquille. D'en bas, Sansquartier, qui s'apprêtait à partir, dit de sa grosse voix forte :

— C'est le lieutenant Valiquette de Boston. Il veut parler au lieutenant Lafontaine.

Bruno sauta sur le téléphone. La ligne était mauvaise. Il devait crier dans le cornet pour que l'autre l'entende et il recevait mal la communication.

— BONJOUR JOE !... QUOI ? PARLE PLUS FORT, JE COMPRENDS RIEN ! TU AS APPELÉ AU POSTE ET ON T'A DIT QUE J'ÉTAIS À LA MORGUE ? OUI... OUI... QUOI ? QUE J'AILLE À BOSTON ?

Bruno me regarda en roulant des yeux.

— NON... IL FAUDRAIT QUE JE DEMANDE À MON SUPÉRIEUR !... NON... TU VEUX REMONTER LA FILIÈRE JUSQU'À MONTRÉAL ?... NON, MOI, JE DOIS D'ABORD METTRE LA MAIN SUR L'OPÉRATEUR CRIMINEL, APRÈS JE... NON... D'ACCORD, D'ACCORD, JE VAIS VOIR CE QUE JE PEUX FAIRE. SALUT !

Bruno raccrocha, essoufflé.

— Il voudrait que j'aille là-bas pour interroger le docteur Wells, et ce Andy White... Tu imagines la tête de Carpenter quand je demanderai ça ?

Je souris. Je n'avais aucun mal à me représenter son refus net et catégorique.

— De toute façon, on a trop de choses à faire ici, pour l'instant. Que dirais-tu d'aller voir si Bellemare a quelque chose à nous raconter ?

◆

Sur le trajet vers la rue Saint-Patrick, à Pointe-Saint-Charles, là où avait eu lieu le premier avortement, un accident nous retarda de quelques minutes. Un marchand de fruits avait vu sa voiture happée par un train. Les fruits et légumes jonchaient le sol. La voiture était une perte totale, le cheval était mort et l'homme, qui avait été éjecté de son chariot, avait subi de graves blessures. Une ambulance à cheval était déjà sur les lieux et on s'occupait de transporter l'accidenté à son bord. Puis l'équipage s'ébranla à toute épouvante vers l'Hôpital Général. Qui sait si je n'allais pas retrouver cet homme rue Perthuis plus tard dans la journée ?

Arrivés à l'immeuble, nous allâmes droit au logement de Bellemare. Une pancarte annonçait que l'appartement du deuxième était toujours à louer. Considérant ce qui s'y était déroulé, ce n'était pas surprenant si personne ne semblait vouloir résider dans cet appartement maudit.

Bruno frappa avec vigueur sur la porte. Pas de réponse. Il cogna encore plus fort, cria le nom du concierge. En vain. Sa mâchoire se serra.

— Je défonce.

D'un coup de pied, il enfonça la porte. Nous entrâmes. Il ne nous fallut pas trois secondes pour comprendre que nous arrivions trop tard. Les garde-robes et les tiroirs des commodes avaient tous été vidés, manifestement dans la précipitation.

— Quelqu'un a dû l'aviser de se tirer, torrieu, jura Bruno.

Nous passâmes l'appartement au peigne fin en quête d'indices, mais en pure perte. Je vidai la poubelle, mais n'y trouvai que des pelures de pommes de terre.

Lafontaine alla frapper chez le voisin d'à côté. L'homme qui apparut dans l'embrasure n'avait pas dormi de la nuit. Des yeux bleus vitreux, un visage émacié et des cheveux filasse lui donnaient l'air d'un revenant. Ses dents déchaussées faisaient peur à voir et son haleine empestait l'alcool. En voyant l'insigne de Lafontaine, il écarquilla les yeux et nous laissa entrer dans son taudis.

— Je vous reconnais. Vous étiez là quand on a découvert la femme morte dans son sang de l'appartement du haut.

— Vous avez une sacrée bonne mémoire, ironisa Bruno en acquiesçant du bonnet. On cherche Henri Bellemare...

— Qui ?

— Le concierge.

— Ah, lui. Pourquoi ?

— On a des questions à lui poser.

— Il est pas là.

— C'est ce qu'on a constaté. Vous sauriez où il est ?

— Non.

— Savez-vous quand il est parti ?

Le bonhomme se figea. Puis il répondit, pas trop sûr de lui :

— Peut-être...

Visiblement, c'était la première fois qu'il avait une information à monnayer. Lafontaine me jeta un coup d'œil avant de mettre la main à sa poche. Il donna une pièce de dix sous à l'homme, plus par pitié pour le pauvre hère, car il aurait pu facilement lui faire cracher le morceau en le bousculant un peu. L'argent mit l'homme en confiance.

— Ben… j'ai entendu du bruit toute la nuit. Quelqu'un est venu frapper tard en soirée, puis il y a eu une discussion.

— En anglais ou en français ?

— En anglais.

— Vous avez vu qui est venu chez Bellemare ?

L'autre fit non de la tête.

— Avez-vous entendu ce qu'on disait ?

— Non, ça parlait pas assez fort. Pis de toute manière, je parle pas l'anglais.

— Ensuite ?

— Ensuite, le visiteur est parti. C'est après ça que j'ai entendu beaucoup de bruit. Puis la porte a claqué une dernière fois et la tranquillité est enfin revenue. Mais les aurores étaient pas loin.

— Quand le visiteur a quitté l'appartement, avez-vous jeté un œil par la fenêtre pour voir qui c'était ?

— Oui, puisque vous m'en parlez. Mais j'ai juste vu un beau fiacre qui s'en allait.

Lafontaine remercia l'homme pour sa collaboration. Nous sortîmes sur le palier.

— Est-ce que tu as la même idée que moi, Georges ?

— Ce ne peut être qu'Arthur Vance qui a demandé à Bellemare de s'en aller.

— C'est ce que je me disais aussi.

Le lieutenant affichait un air mécontent. Il se tourna vers moi.

— As-tu encore quelques minutes pour venir avec moi rendre visite à *mister* Vance ?

— *Of course !*

◆

Il est assez indécent de voir se côtoyer le Golden Square Mile, avec son étalage de richesse, et Pointe-Saint-Charles. Il faut le voir et le vivre pour comprendre que les possédants tiennent dans leurs serres la masse

des travailleurs non instruits. Encore aujourd'hui, le
mont Royal me fait penser à un trône où s'expose le
théâtre des riches. Du haut de leurs manoirs, les patrons
peuvent contempler la misère et se repaître de leurs
avoirs. C'est le grand musée de la révolution indus-
trielle. Impossible de trouver dans ces hauteurs des
noms canadiens-français.

Le policier arrêta la voiture devant le domaine de
Vance. Plutôt que d'aller au manoir, Lafontaine décida
de se rendre directement à l'écurie, qui se trouvait au
fond du vaste et magnifique terrain derrière le manoir.

C'était en fait un jardin anglais dans la plus pure
tradition, avec des allées sinueuses. Je remarquai tout
de suite les luminaires extérieurs alors que plusieurs
maisons n'avaient pas encore l'électricité à Montréal.
Nous passâmes devant des bosquets dégarnis de roses
trémières. Au milieu du terrain en pente descendante,
une fontaine avec un lion qui ne cracherait pas d'eau
avant des mois. Ici et là, il y avait des reproductions
de châteaux accrochées dans les arbres – des cabanes
d'oiseaux. Les boss avaient plus de considération pour
les moineaux que pour ceux qui créaient leur richesse.
Un magnifique arboretum, avec des hêtres lisses et gris
et des ormes, se déployait dans ce vaste espace. Une serre
complétait l'aménagement, ainsi qu'un petit cottage.
Lafontaine et moi regardions cet étalage de richesse
en nous demandant comment des hommes arrivaient à
s'accaparer tous ces biens. Loin en contrebas, je voyais
la ville triste. Je compris la roue du système qui discri-
mine les riches et les pauvres.

Alors qu'on approchait, un homme sortit du cottage.
Je reconnus Alfred Sullivan, qui semblait habiter là.

— *Hey! It's a private property here.*

— Police ! s'exclama Lafontaine.

Sullivan finit par nous replacer. Il parut dès lors
mieux disposé à nous recevoir.

— *What can I do for you, gentlemen ?*

Lafontaine me regarda avec un sourire en coin. Il avait lu dans mes pensées. Ça faisait du bien de voir des Anglais nous considérer et nous regarder d'égal à égal, voire avec méfiance. Je ne détestais pas cette situation.

— Veuillez nous ouvrir l'écurie, monsieur Sullivan.

Nous approchions de l'écurie quand le gros Vance surgit par la porte arrière de son manoir en nous criant : « *Wait a minute !* » Il courut difficilement vers nous et il arriva hors d'haleine, en proie à une interminable quinte de toux.

— *Are you okay, sir ?* s'enquit Sullivan.

— La grippe est mauvaise, cet automne. Vous devriez essayer le sirop Lambert, ironisa Bruno.

Vance ne comprit pas la pointe lancée par le lieutenant, mais je vis Sullivan réagir.

— Vous parlez français, Sullivan ?

Sullivan me regarda avec défi.

— Oui. Je parle votre langue.

— Alors dites-nous donc en français où vous avez conduit monsieur Vance, hier soir ? demanda Lafontaine.

Sullivan regarda Lafontaine puis son patron, qui peinait toujours à reprendre son souffle, mais n'en dit pas moins :

— *Do you have a warrant ?*

Aucun de nous ne répondit.

— *No ? Then get off my property*, cracha Arthur Vance.

Lafontaine planta son regard dans celui de Sullivan et se montra très direct.

— Je n'ai pas l'intention de partir. Traduisez ceci pour votre patron : avez-vous rendu visite à Henri Bellemare hier soir ?

Vance n'attendit pas la traduction de son employé pour répondre de façon catégorique :

— *Absolutely not !*

Un écureuil passa à toute vitesse près de nous et grimpa dans un arbre.

— Si vous mentez...

— C'est vrai, ajouta Sullivan. Dès que monsieur Vance souhaite sortir, je...

— Ta gueule, toi! le coupa sèchement Lafontaine. Savez-vous où est Bellemare? reprit-il en anglais à l'intention de Vance.

— Allez voir chez lui, répliqua Vance.

— Il a décampé cette nuit. Vous savez où?

— Je ne suis pas à la trace mes employés. S'il ne fait plus son travail, j'engagerai quelqu'un d'autre.

Je sentis Lafontaine prêt à décocher son poing sur le menton de Vance et je mis une main sur son bras pour l'inciter à se calmer.

— OK. Donnez-nous la liste de vos immeubles que l'on a demandée, hier, et on s'en va.

— Je n'ai pas eu le temps de la préparer.

— Ah non? C'est parce que vous avez été avertir Bellemare de quitter la ville? rétorqua Bruno en s'avançant vers lui de façon menaçante.

— *Nonsense!* Je connais mes droits, vous n'allez pas m'intimider.

— Et moi, je sais comment les contourner parfois pour jeter en prison une ordure comme vous. Démenez-vous la carcasse pour me donner cette liste, dit Bruno. Sinon, je vous jure que je vais vous mettre en état d'arrestation pour entrave à la justice, faux témoignage et complicité dans les assassinats commis par l'opérateur criminel.

— Vous savez, monsieur Vance, il y a des choses pires que la prison, dis-je en m'avançant vers lui à mon tour.

Le gros homme tourna la tête vers moi. Je vis un point d'interrogation dans son regard.

— Je me demande comment réagiront vos partenaires d'affaires quand votre nom se retrouvera associé au Docteur Death à la une des journaux.

— Vous n'oseriez pas...

Je tirai Lafontaine par la manche.

— Viens, Bruno. Je suis sûr que monsieur Vance trouvera le temps de nous fournir la liste de ses immeubles dans un délai raisonnable.

Nous tournâmes le dos à l'unisson aux deux hommes sans les saluer et retraversâmes le grand terrain de Vance. Bruno sortit sa pipe et sa blague à tabac tout en crachant de dépit.

— Je les *truste* pas du tout, ces deux-là.

— Tu as raison. Je suis persuadé qu'ils mentent.

— C'est ce qu'il faut prouver. On va devoir enquêter sur lui, et aussi retrouver ce salaud de Bellemare. Celui-là, c'est le maillon faible. Si je mets la main dessus, je vais le faire parler contre son patron, c'est certain.

Bruno cracha par terre. Je tapotai son épaule d'une main rassurante.

— Mon avis est que nous avançons, Bruno. J'en veux pour preuve que tu es en colère parce que ça ne va pas assez vite.

— C'est une façon de voir les choses. On va manger?

38. De retour à l'école

Nous avions dîné à la sauvette dans une gargote. De retour à une heure à mon bureau de la morgue, je me plongeai dans la liste des étudiants et des professeurs qui s'étaient inscrits au Congrès des médecins de langue française d'Amérique du Nord de 1893, que j'avais reçue par la poste, ainsi que les actes du colloque. J'épluchais cette liste quand je tombai, à la rubrique « L », sur le nom d'Eugène Leblanc. Puis je trouvai dans les W un certain M. R. Wells, de Lowell, au Massachusetts. Il ne pouvait s'agir que du docteur Wells dont nous avait parlé Michael Moran.

Je me plongeai après dans les actes et c'est en lisant le compte-rendu de la conférence de Rousseau que j'appris le nom du jeune homme qui avait posé une question étrange concernant l'insufflateur : Eugène Leblanc !

J'appelai tout de suite le docteur Rousseau à son bureau pour lui parler d'Eugène. Je ressentais une vive émotion à l'idée que l'enquête venait de franchir un grand pas même si je n'avais qu'une preuve très mince et circonstancielle contre Leblanc.

— Ne vous inquiétez pas, Georges. Eugène est justement dans mon bureau. Je lui ai fait part de notre discussion et il est bien repentant, n'est-ce pas, Eugène ?

J'entendis quelqu'un répondre indistinctement.

— Il m'assure que ce genre de situation ne se reproduira plus, Georges.

J'expliquai à Rousseau que j'avais quelque chose de confidentiel à lui transmettre et il mit un terme à l'entretien avec Leblanc. Dès qu'il fut seul, j'amenai le sujet de sa conférence et de la fameuse question sur l'insufflateur avant d'ajouter :

— Et si je vous disais que c'était Eugène qui l'a posée, cette question ?

— Eugène ? Vous êtes certain de ce que vous avancez ?

— C'est écrit noir sur blanc dans le compte-rendu.

Rousseau fut sonné en apprenant cela. Je lui demandai de me sortir illico le dossier scolaire du garçon.

— Je n'ose croire que vous puissiez suspecter Eugène…

— Oui. Nous avons de sérieux soupçons.

— Je… Un instant, Georges…

Je me sentis mal quand j'entendis Rousseau déclarer : « Je ne peux pas pour l'instant, Eugène… Est-ce si important ?… Pourquoi ne pas m'en avoir parlé tout à l'heure ?… C'est parfait. Je vous tiens au courant. » Après quelques secondes de silence, Rousseau s'adressa de nouveau à moi.

— Georges, il vaut mieux terminer notre appel. Je me demande si Eugène n'a pas entendu une partie de notre conversation.

— En êtes-vous sûr ?

— On se reparle.

Cette possibilité me laissa plein d'appréhension.

◆

Dans le vaste couloir de la Faculté de médecine, d'une salle de classe à l'autre, j'entendais mes collègues enseigner avec brio leur spécialité. J'entrai au secrétariat. Monsieur Rivard, le commis, me salua. Il savait pourquoi je venais. Il me tendit le dossier de Leblanc.

— Voici, docteur Villeneuve.

Quand je sortis du bureau, le proverbe *Quand on parle du loup, on en voit la queue* se concrétisa. Eugène me croisa et me salua avec un sourire sardonique. Je n'aimais pas son regard du coin de l'œil. Je souhaitai qu'il n'ait pas vu son nom sur le carton.

J'allai m'enfermer dans la salle de conférences. Assis au bout de la grande table ovale, j'ouvris le dossier universitaire avec fébrilité.

Leblanc, qui demeurait rue Saint-François-Xavier, avait vu le jour à Lachine en 1871 mais avait passé une partie de sa jeunesse à Nashua, au New Hampshire. Puis sa famille s'était déplacée au Massachusetts. Plus d'un million de Canadiens français avaient quitté la province pour aller trouver du travail dans les usines de nos voisins américains. L'attachement des parents à la province étant fort, plusieurs Franco-Américains envoyaient leurs enfants faire leurs études ici. Parfois, des familles retournaient vivre dans leur village ou dans la grande ville, désillusionnées de leur choix. Eugène était l'aîné d'une famille de huit enfants, cinq frères et trois sœurs. Il avait été ballotté d'une ville à l'autre, à voir les nombreuses adresses de résidence, dont une à Boston. Je compris pourquoi en lisant la lettre d'un curé adressée à Leblanc.

Son père avait été tué dans un accident de chemin de fer et sa mère s'était remariée. Comme il arrivait parfois à de jeunes Franco-Américains doués à l'école, Eugène avait obtenu une bourse pour étudier au Collège de Montréal avant d'entrer au Séminaire. Ses notes en Philo 1 et 2 démontraient de belles dispositions pour les sciences mais aussi pour la religion. Il avait également été responsable de la section locale des zouaves pontificaux. Je m'étonnai de constater qu'il avait choisi les Ordres au lieu de la médecine, sans doute en raison des dépenses que nécessitent pour un orphelin des études en médecine – peut-être avait-ce été par conviction.

Sans raison apparente, il avait quitté le séminaire pour retourner aux États-Unis.

Il était finalement revenu à Montréal un an plus tard pour entreprendre ses études de médecine. Cette fois, une bourse lui avait été accordée par des pères jésuites. À son premier semestre de 1891, il avait échoué le cours de pathologie. Un échec ne signifiait pas pour autant que l'on deviendrait un mauvais médecin. Plusieurs de nos éminents collègues avaient déjà raté ce cours.

Son dossier disciplinaire révéla une propension à la critique. Leblanc avait eu dernièrement des sautes d'humeur contre le fameux docteur Brennan, qu'il avait traité de dégénéré, ce qui lui avait valu une suspension. On mentionnait qu'il avait aussi écrit une chronique philosophique dans *Le Quartier latin* pendant six mois, mais aucun des articles n'avait été ajouté à son dossier. Je pourrais sûrement me les procurer en me rendant à la direction du journal.

Ce que je lisais ne faisait pas de Leblanc un criminel, mais le mettait dans la mire de notre enquête. J'aurais aimé savoir ce qui l'avait poussé à délaisser les Ordres pour Esculape. Cela confirmait aussi mes soupçons quant à son numéro de l'Opéra français. Les étudiants avaient cru à de l'ironie, mais les convictions qu'il avait affichées lors du bal étudiant et dans la salle d'autopsie étaient bien réelles – Leblanc avait été on ne peut plus sérieux. Elles prouvaient, selon moi, qu'il était pleinement habité par sa foi et que certains actes médicaux le répugnaient. Si tel était vraiment le cas, cette foi l'innocenterait, car comment se résoudre alors à commettre des opérations illégales ? La droiture morale d'Eugène – une vraie sainte-nitouche – ne cadrait pas avec les crimes commis.

La question demeurait entière. Dans le monde des aliénés, elle trouve sa réponse dans la nature déséquilibrée du sujet.

Alors que je relevais la tête, je vis dans la fenêtre de la porte un visage semblable à une sculpture de cire qui m'observait. Il disparut aussitôt comme une apparition. Je me levai et courus à la porte. Je ne vis personne dans le couloir. Un sentiment d'insécurité me gagna. J'étais certain d'avoir vu Leblanc.

Je consultai ma montre. Il me restait assez de temps pour me rendre au Collège de Montréal afin d'y consulter le dossier de Leblanc.

◆

Rue Sherbrooke, les rafales balayaient la poudrerie sur la ville. Une belle neige folle qui se mouvait tel un fantôme sur la chaussée.

Le Collège de Montréal était mon *alma mater*. Y retourner devenait un voyage dans le passé. Mon enfance et ma vie de jeune homme étaient imprégnées de ces lieux. Quand j'approchais du bâtiment en pierres de taille, j'éprouvais chaque fois une étrange sensation, comme un feu de Bengale à l'estomac. C'était encore plus intense quand je passais la grande porte. L'odeur des boiseries, du réfectoire, de la cire à plancher ravivait ma mémoire des beaux jours.

Je fus vite repéré par d'anciens professeurs, dont le frère Martineau. Il voulut m'offrir du thé, du café et du sucre à la crème, mais je refusai en raison de mon horaire chargé.

— Qu'est-ce qui vous amène ici, docteur Villeneuve ? demanda-t-il, tout sourire.

— Une petite recherche dans un dossier d'élève, si vous n'y voyez pas d'inconvénient.

Sans trop s'enquérir de mon investigation, il me conduisit aussitôt aux archives du collège.

Je fus surpris que nous montions vers les combles, mais le frère Martineau m'apprit qu'une fuite d'eau dans la salle des archives avait obligé la direction à en déplacer temporairement une partie. Dans la grande pièce sèche et sombre, un gros œil-de-bœuf me donnait une vue sur la cour arrière. Le frère alluma un chandelier, car cette partie du collège n'était pas électrifiée. Il m'avisa de faire bien attention. Je le rassurai : je ne voulais pas être celui qui aurait mis le feu à ce bâtiment historique.

Autour de nous, des caisses de documents étaient empilées. Les piles me dépassaient d'une bonne tête. Je me sentais petit au milieu de ces monticules de boîtes. Je sursautai en apercevant un vieux cercueil dans un coin, avec une mitre sur le couvercle.

— Ce cercueil nous a été donné par un ancien étudiant qui travaille dans le domaine des services funéraires, commenta le frère Martineau, qui s'était rendu compte de ma stupéfaction.

— Étrange donation !

— Il est vrai que nous préférons de loin les dons en argent, comme ceux dont bénéficient les collèges anglophones.

— Je suis entièrement d'accord.

— Mais il finira bien par servir.

Il m'indiqua du doigt les contenus :

— Les archives du collège sont ici, le long du mur de gauche, et celles du séminaire sont juste en face. Les dossiers des étudiants se trouvent dans ces classeurs, là…

Je le remerciai de son aide.

— Bonne chance dans votre recherche, docteur Villeneuve. Ne vous inquiétez pas si vous apercevez quelques petits visiteurs à quatre pattes. On tente de s'en débarrasser, mais la vermine est tenace…

Je localisai assez rapidement les documents concernant Eugène dans les différents classeurs et les empilai sur un vieux secrétaire qui se dressait dans un coin. La pile faisait au moins six pouces d'épaisseur. Le frère Martineau m'avait invité à m'installer dans la grande bibliothèque, où je serais plus à l'aise, mais je préférais rester là. Dans la bibliothèque, j'aurais été constamment dérangé par de vieilles connaissances.

Le dossier du collège m'apprit que Leblanc avait remporté bon an mal an des prix dans plusieurs disciplines, mais jamais les grands honneurs en Philo 2, même si ses résultats y avaient été plus qu'honorables. Il semblait être condamné à une éternelle deuxième place, ce qui est très dur pour l'estime de soi. Pendant la longue retraite à laquelle sont conviés tous les étudiants et qui vise à repérer ceux qui ont la vocation, il avait affirmé avoir eu une vision, un appel de Dieu. C'est certainement à ce moment qu'Eugène avait pris la décision de ne pas entrer en médecine. Je trouvai une lettre de son père adoptif, jointe au dossier et quelque peu rongée par les petits visiteurs mentionnés par le frère Martineau, qui exhortait le directeur de conscience d'Eugène à le faire changer d'idée. L'homme tenait fermement à ce qu'Eugène devienne médecin. La famille, disait-il, avait déjà donné à l'Église deux sœurs missionnaires et un curé. *C'est bien assez, vous ne trouvez pas ?* écrivait-il. La lettre, qui avait été postée depuis Lowell, Mass., était signée Docteur Cyril V... Je ne pus lire le reste du nom à cause des ravages causés par la vermine. Le fils avait écrit à ses parents que l'appel qu'il avait reçu lors de sa retraite était sans équivoque. Marie lui était apparue portant un enfant. Leblanc écrivait que le frère qui l'accompagnait avait interprété cette vision en ces termes : « Sauve mon Jésus, sauve mon enfant des griffes du démon, car le fruit de mes entrailles est béni. »

Je me reculai sur ma chaise et jetai un regard par l'œil-de-bœuf. Il ne neigeait plus. Était-ce possible que le garçon ait souffert de troubles mentaux ? qu'il ait été aux prises avec des hallucinations, comme le curé d'Ars ? Je poursuivis ma recherche.

Dans la chemise consacrée à ses examens, je vis un texte de Leblanc présenté dans le cours de rhétorique.

Intitulé « L'enfer existe », il avait reçu 99 % et la mention « Magnifique » de la part du professeur Hallé, qui m'avait aussi enseigné.

Je tombai ensuite sur une photo de finissant de Leblanc avec sa toque sur la tête. Fier de lui, il affichait un air de supériorité.

Il y eut un grand bruit derrière moi et je bondis de mon siège en me retournant. Quelque chose était tombé d'une étagère. Mon cœur frappait ma poitrine à grands coups. Je saisis le chandelier et allai ramasser l'objet : un ange de plâtre, qui s'était fracassé en morceaux. Les ailes s'étaient détachées de la tête et celle-ci du corps. La lumière tremblotante fit apparaître devant moi un grand crucifix sur lequel gisait un Christ à l'agonie. M'envoyait-Il un signe ? En voyant un gros rat s'enfuir, je compris que Dieu n'y était pour rien. Il y avait tellement d'objets entassés dans ce capharnaüm !

Je revins à ma table de travail. Il devait y avoir une accalmie dans la tempête, car le soleil remplissait maintenant l'œil-de-bœuf, métamorphosé en un bel iris orangé.

Je me replongeai dans la paperasse. La dernière page du dossier du Collège me surprit. Elle indiquait que Leblanc avait dû payer huit dollars pour avoir endommagé du mobilier lors d'une crise de colère. Aucun détail ne précisait les circonstances qui avaient mené à l'incident.

J'entrepris l'autre dossier, celui qui concernait son passage au Séminaire. D'emblée, il était mentionné qu'Eugène était un étudiant exemplaire. Et tout s'était bien déroulé jusqu'au jour où il avait appris la mort d'une amie en couches. Il s'était rendu au chevet de la jeune femme et en était revenu tout chamboulé. Je pus lire la mention : « Incident à l'Hospice de la maternité Sainte-Pélagie, décembre 1890 – Dossier archevêché », mais elle n'était accompagnée d'aucune description. La coïncidence du lieu n'en attira pas moins mon attention : ce mystérieux incident avait eu lieu là même où John Simpson avait commis son massacre. Peu de temps après, Eugène Leblanc avait quitté le Séminaire pour retourner chez lui. Je savais que, l'année suivante, il reviendrait pour s'inscrire à la Faculté de médecine de l'Université Laval de Montréal. Je fouillai encore un peu dans le dossier du Séminaire. Je trouvai un papier où un père le décrivait une fois de plus comme un étudiant zélé, partisan de l'effort, un « vrai soldat de Dieu », écrivait-il. Un professeur de philosophie m'avait un jour dit qu'il fallait se méfier des faux dévots. Une autre mention rappelait ses talents de prestidigitateur dans les divertissements tenus au collège. Dans ces tours de magie, notai-je, n'y avait-il pas un désir caché de jouer à Dieu en donnant l'illusion d'agir sur la matière, ce que j'avais pu constater à l'asile alors qu'il émerveillait les malades, les religieuses et ses collègues ?

Je refermais le document lorsque j'entendis nettement un bruit de pas devant moi. Je levai prestement les yeux. Silence. Un objet tomba au sol et, au roulement métallique, je reconnus une pièce de monnaie. Je la vis surgir entre deux boîtes. Elle tourna plusieurs secondes sur le sol avant de s'immobiliser. Une ombre passa rapidement.

— Père Martineau ? Il y a quelqu'un ?

Puis une colonne de boîtes bascula lentement et chuta à deux pouces de mon visage ; une autre fut entraînée avec elle et s'affaissa dans un charivari terrifiant. Le courant d'air causé par tous ces déplacements souffla d'un coup toutes les chandelles du chandelier. Je me retournai et aperçus dans la pénombre au-dessus de ma tête une troisième pile que l'on poussait lentement vers moi. Je me précipitai à travers les cartons, trébuchai et m'affalai par terre, enseveli par l'hécatombe. Une des boîtes me frappa à la tempe. Par chance, elle était presque vide. Les papiers volaient dans les airs et m'empêchaient de voir celui qui m'attaquait. Un peu sonné, enseveli sous toute cette paperasse, il me fallait agir si je ne voulais pas mourir écrasé. Je parvins à m'extirper de cette position fâcheuse. En me relevant, j'accrochai une nouvelle colonne que mon agresseur avait poussée, mais ce geste me fit chuter de nouveau au sol, heureusement hors de portée de la pile de boîtes. J'entendis à travers le bruit des boîtes qui valsaient des pas s'éloignant rapidement. Péniblement, je me relevai, courbaturé, et me frayai prudemment un chemin jusqu'à la porte. Je regardai dans le corridor. Que du vide. Le mécréant avait pris la poudre d'escampette.

Avant de partir, j'avisai le père Martineau de l'incident et il se montra très concerné par ce qui venait de m'arriver. Il croyait cependant à une très mauvaise plaisanterie de la part d'étudiants – ce dont je doutais fort. Il me promit de mener une enquête serrée pour trouver le ou les coupables et de me tenir au courant. Je ne poussai pas plus loin. Je savais bien que le bon frère Martineau aboutirait dans un cul-de-sac, et cela n'aurait rien donné de l'inquiéter en lui affirmant que quelqu'un en voulait à ma vie.

— Pouvez-vous me dire ce que vous cherchiez, docteur Villeneuve?

— Il semble que ce soit le trouble, répondis-je en me forçant à lui sourire, mais j'ignorais qu'il était à mes trousses.

39. Encore du laid

J'appelai Bruno au poste de police un peu avant neuf heures. Il me fallait lui raconter ce qui s'était passé au Collège de Montréal et ce que j'y avais découvert. Il me sembla maussade à l'autre bout du fil et je compris vite pourquoi. Marie-Jeanne était toujours aussi faible, et le patron n'avait pas autorisé son déplacement pour aller rejoindre Valiquette. L'opérateur vivait à Montréal, pas à Boston, avait rétorqué Carpenter. Envoyer un enquêteur là-bas n'allait que diminuer son équipe de détectives, d'autant plus que MacCaskill, qui combattait en définitive une méningite, serait sur le carreau pour une durée indéterminée…

— Joe va devoir continuer à explorer seul la piste américaine, conclut Bruno.

Je lui racontai par le menu ce que j'avais découvert au sujet d'Eugène Leblanc, puis ce qui s'était déroulé au Collège de Montréal. Bruno ne m'arrêta pas une fois, se contentant d'émettre ici et là des exclamations de surprise et d'intérêt. Je terminai mon monologue par ces mots :

— Comme tu vois, Georges, on a là un éternel deuxième, considéré comme un soldat de Dieu, très impliqué avec les zouaves pontificaux, qui a eu une vision de la Vierge Marie lui demandant de protéger son enfant, et qui gagne un premier prix de rhétorique avec un discours intitulé *L'enfer existe*…

— Crois-tu qu'on puisse être taré et faire quand même des études pour devenir prêtre et médecin ? me demanda Bruno après quelques secondes de silence.

— Oui. L'intelligence n'est pas un antidote à la déviance et à la perversion. Rappelle-toi Riel. Il avait des hallucinations à la fin, mais cela n'altérait pas son intelligence. On l'a vu durant son procès. Il vivait une forme de délire religieux. Un peu comme le curé d'Ars, qui voyait le diable partout.

Bruno produisit un petit rire narquois.

— La nature humaine, quoi !

— Ce matin, avant de venir à la morgue, je suis allé à l'archevêché faire une demande d'accès au dossier d'Eugène Leblanc. Imagine-toi donc que je me suis buté à un refus catégorique. « On ne divulgue jamais ces dossiers, docteur Villeneuve », peu importe qui le demande, m'a-t-on répondu d'un ton suffisant. Ce refus cache quelque chose, Bruno.

— Que vas-tu faire ? Penses-tu que MacMahon peut forcer l'archevêché à nous fournir ce dossier ?

— Peut-être… Mais si on agit de la sorte, c'est certain que nous allons avoir tout le clergé contre nous, et je ne suis pas sûr que ce soit une bonne idée. Non, il me faudra chercher une autre voie pour comprendre le fin fond de cette histoire…

— S'il me vient une idée, je te la soumets. Mais pour l'instant, j'ai du boulot qui s'appelle Bellemare. Un policier l'aurait aperçu cette nuit dans Griffintown. On se voit plus tard, dit Bruno en raccrochant.

Je décidai de me bourrer une pipe tout en préparant la salle d'autopsie pour le cours du jour. J'avais presque terminé quand j'eus une illumination. Je me précipitai vers mon bureau pour faire un appel. Encore fallait-il qu'on veuille bien me recevoir à Pélagie…

La révérende qui répondit à la maison de retraite des sœurs de la Miséricorde m'annonça que mère Rollande, l'archiviste de la communauté, pourrait me rencontrer mais pas ce jour-là. Elle me pria d'être patient, elle me contacterait dans les prochains jours. La religieuse me remercia une fois de plus d'être accouru lors de la crise meurtrière de Simpson. Les sœurs étaient nombreuses à prier pour le salut de John, me dit-elle, et elles lui avaient toutes pardonné. J'appris du même coup que toute la communauté priait pour moi afin que je mette fin aux desseins morbides de l'accoucheur meurtrier.

◆

Je déposai mes craies sur la tablette du tableau noir. Tous les étudiants étaient arrivés, à l'exception de Leblanc. Comme je n'avais pas de cadavre frais ce matin-là, j'avais pris le cœur d'un alcoolique et un foie cirrhosé que j'avais conservés dans la glacière. Je montrai les différentes pathologies liées à l'alcoolisme et à la mauvaise alimentation.

Leblanc arriva alors que la leçon était commencée depuis une quinzaine de minutes. Il s'excusa en disant que le petit char avait été retardé par un accident. Je ne dis rien, mais j'avais mes doutes. Je voulus reprendre là où j'en étais, mais Leblanc tardait à s'asseoir, sortait lentement ses livres de son sac en faisant du bruit, salua Sicard de la main, comme s'il cherchait à me déconcentrer.

Avec force, je plantai le couteau que je tenais dans le bloc de bois juste à côté du cœur que j'avais commencé à découper. Les étudiants sursautèrent.

— Leblanc, assoyez-vous et cessez de faire tout ce tapage ! Non seulement vous arrivez en retard mais en plus vous nous dérangez ! Reprenez-vous, sinon je vous expulse ! Et si je le fais, ce sera pour longtemps !

Leblanc se figea net et rougit de honte et de colère. Sa tempe droite battait. Les étudiants le dévisageaient, manifestement agacés par son comportement. Il me toisa avec du fiel dans les yeux avant de fixer le couteau avec rage.

Je m'en voulus d'avoir perdu mon calme, cela ne me ressemblait pas. Il me fallut respirer profondément avant de retrouver ma contenance. Je me retournai pour prendre une brosse sur le porte-craies, afin d'effacer des notes inutiles au tableau. Quand je voulus la redéposer, elle tomba et un nuage de poussière s'éleva dans les airs. Je me baissai pour la ramasser; décidément, rien n'allait.

Quand je me relevai pour la remettre en place, Eugène Leblanc avait enfin pris place autour de la table de dissection. Il avait la tête penchée comme s'il voulait montrer sa soumission, mais il affichait un sourire moqueur.

◆

Pendant que je donnais mon cours, Lafontaine avait appelé. Sansquartier avait mis le message bien en vue sur mon bureau. L'endroit où Bellemare se terrait avait été repéré. Bruno me demandait de le rejoindre rue Guy.

Je pris mon pardessus et descendis quatre à quatre l'escalier. Je n'eus pas besoin de dire à Sansquartier où je me rendais ainsi, il avait parfaitement compris.

Je hélai un fiacre et pressai le cocher de fouetter son cheval. En arrivant dans la rue Guy, je remarquai tout de suite de l'agitation devant le numéro que m'avait indiqué Bruno. Je lançai un billet au cocher, lui dis de garder la monnaie et me précipitai vers un policier qui surveillait l'entrée.

— Qu'est-ce qui se passe ici?

— On a trouvé Bellemare, docteur. Dans l'appartement du sous-sol. Il n'y a qu'un détail…

— Venez-en aux faits.

— Il a une balle dans la tête. Suicide, conclut-il.

Je me hâtai vers le sous-sol.

En entrant dans le salon, je vis que le mur à ma droite était éclaboussé d'une gerbe de sang. Bellemare reposait assis dans un coin du sofa, la tête affaissée, trouée d'une balle dans la tempe gauche. À ses pieds se trouvaient deux valises, toutes les deux fermées. Il s'était tué avec un revolver de gros calibre, à voir la blessure de sortie du projectile. Une partie du côté droit de son crâne avait été emportée. Son trousseau de clés était toujours attaché à la ganse droite de son pantalon. Bellemare tenait encore l'arme dans sa main droite, ce qui me surprit. Je m'approchai du cadavre. Lafontaine était tout à côté, en train de se gratter la tête.

— Il ne s'est pas manqué, observa-t-il, dépité.

— Est-ce qu'il a laissé un message ?

— On n'a rien trouvé.

Un policier en uniforme s'approcha de nous et souffla une information à l'oreille de Lafontaine, qui le remercia.

— Devine à qui appartient l'immeuble ?

— Vance, répondis-je.

— Dans le mille ! Il perd rien pour attendre, cet enfant de chienne-là, jura Bruno en faisant claquer son poing droit dans sa main gauche.

Je m'accroupis pour examiner la blessure et la position de l'arme. Habituellement, dans les suicides commis avec un pistolet ou un revolver, les gens se tirent dans la tempe, droite ou gauche selon qu'ils sont droitiers ou gauchers. Mais pourquoi l'arme n'était-elle pas retombée ? Avec un tel calibre, il était impossible que le suicidé ait pu conserver le revolver dans sa main.

— Bellemare ne s'est pas suicidé, Bruno. Quelqu'un l'a assassiné. Et cette personne a voulu déguiser la scène en suicide en mettant le pistolet dans sa main.

— T'en es sûr, Sherlock ?

— Oui. À cent pour cent. Regarde, il y a des traces de brûlure sur ses cheveux du côté gauche. Impact à bout portant. C'est le point d'entrée. Les dégâts du côté droit du crâne et les traces de sang sur le mur nous indiquent la trajectoire. Pourtant, il tient l'arme dans sa main droite. Bellemare était droitier, comme en témoignent son trousseau de clés et les taches de peinture sur sa main. Regarde ici, les détergents corrosifs qu'il utilisait ont fini par lui brûler la peau. Si tu compares avec l'autre main, tu verras bien que la droite est plus rouge que la gauche. Droitier, donc. *Quod erat demonstrandum.* Qui plus est, avec un tel calibre, s'il avait vraiment tiré, nous aurions retrouvé l'arme beaucoup plus loin au sol, certainement pas dans sa main. Le tueur a dû le surprendre pendant qu'il dormait. J'irais même jusqu'à dire que Bellemare devait connaître son assassin.

Lafontaine me regarda, surpris.

— Il est vrai qu'il n'y a pas eu entrée par effraction. La porte n'a pas été forcée.

Je sortis un crayon de ma poche et je cueillis le revolver en glissant le crayon dans l'œillet de la détente.

— Vous pouvez me trouver un sac pour ça ? demandai-je à l'agent qui était toujours avec nous.

Il sortit en trombe pendant que Bruno se penchait pour ouvrir les deux valises de Bellemare. La première ne contenait que des vêtements ainsi que des photos de femmes nues, ce qui amusa Lafontaine. Dans l'autre, il y avait encore des vêtements et quelques outils.

L'agent revint avec un sac, dans lequel je déposai l'arme du crime, puis nous passâmes le taudis au peigne fin. Nous ne découvrîmes rien de significatif, sinon un horaire des trains pour Montréal en provenance de la Nouvelle-Angleterre, que nous trouvâmes sur la commode dans la chambre. Quelqu'un – probablement Bellemare – avait encerclé avec une plume une arrivée du train Boston-Lowell-Montréal.

Pendant que les policiers qui accompagnaient Lafontaine complétaient leur enquête de voisinage, j'appelai Sansquartier pour lui demander de venir avec le fourgon afin de transporter la victime à la morgue.

J'aurais un sujet pour mon prochain cours.

◆

C'est une femme qui entrouvrit la porte. Le chambranle encadrait son visage replet et rose, garni d'une toute petite bouche ronde et d'un nez de cochon. À voir ses yeux bruns sur fond jaune, comme s'ils marinaient dans la graisse de rôti, et ses bras mouchetés de taches, je sus qu'elle avait des problèmes avec son foie. Ses cheveux blancs étaient coiffés en chignon. Derrière elle, un petit chien, debout sur son train arrière, battait follement ses pattes de devant. La femme ordonna à « Pop » de *sit down* et il lui obéit tout de suite.

— Vous êtes madame Vance ? demanda Bruno. Nous venons voir votre mari.

Au son du français, elle afficha une moue dédaigneuse et voulut refermer la porte. Bruno bloqua le mouvement du pied et reprit en anglais :

— *Where ?*

— *At his club.*

— *Where is this club ?*

Elle demeura silencieuse comme si elle en avait déjà trop dit.

— *Listen, ma'am, your husband is in big trouble. You can help us right now, or I can take you to the station for questioning.*

Elle s'éclaircit la voix.

— *A moment…*

Elle laissa la porte entrouverte. Le chien resta sans bouger à nous regarder de ses grands yeux tristes. Madame Vance revint un instant plus tard en tendant à Bruno un papier. Une adresse de la rue McGill.

— *Don't call your husband about our visit*, l'avertit Bruno. *If you do, you will learn to know me, ma'am.*

Nous retournions vers la voiture quand j'aperçus Sullivan à l'arrière sur le terrain en train de parler avec un jardinier qui ramassait des vivaces fanées. Je ne sais pourquoi je fis cela, mais je criai :

— Bonjour, monsieur Sullivan.

Il sursauta en nous voyant et regarda aussitôt derrière lui. Bruno, qui avait remarqué comme moi son geste instinctif, jura en serrant les poings.

— Ah le torrieu ! Suis-moi, Georges.

Il tourna les talons pour se diriger au pas de course vers l'écurie. Je le suivis de près.

Comprenant nos intentions, Sullivan se lança à nos trousses.

— *Hey*, où allez-vous ? Vous ne pouvez pas...

— Vous rirez pas de moi longtemps comme ça, le coupa Lafontaine sans ralentir.

Sullivan courait dans notre sillage, mais il ne pouvait nous rattraper avant qu'on atteigne notre but.

Arrivé le premier, Bruno poussa la porte de l'écurie d'un geste puissant. Je le vis s'arrêter tout net, comme décontenancé. Je pénétrai à mon tour dans la dépendance et vit Arthur Vance en face d'un établi où il était, selon toute probabilité, en train de confectionner un vitrail ! Il tenait un couteau dans une main et il avait dû se blesser en sursautant quand Bruno avait surgi avec fracas, car du sang commençait à pisser d'une phalange de son index gauche. Vance laissa tomber le couteau sur l'établi et sortait un mouchoir blanc de sa poche quand Sullivan arriva à son tour.

— Votre femme a essayé de nous leurrer, mais c'est raté, dis-je en anglais en voyant que Bruno avait plus l'intention de sauter sur le gros homme que de l'interroger.

Vance pressa le mouchoir sur sa phalange, et le tissu rougit doucement.

— J'ai décidé de rester ici finalement.

— Nous venons de trouver votre concierge, Henri Bellemare. Il a été assassiné.

Son air surpris ne fut pas convaincant. On aurait dit un mauvais acteur de foire agricole. Il déplaça le mouchoir pour essayer de contenir l'écoulement. La coupure franche saignait de plus en plus.

— Vous avez été en ville cette nuit, dit Bruno d'une voix coléreuse.

— Non. J'étais dans mon lit.

— Alors expliquez-nous comment ça se fait que Bellemare se trouvait dans un autre de vos immeubles ?

— Je ne suis au courant de rien.

Sullivan s'avança vers son patron et lui tendit un mouchoir propre. Vance lui remit l'autre, passablement imbibé, et pressa le nouveau sur la coupure.

— Je suis persuadé que c'est vous qui lui avez dit de se cacher là, poursuivit Bruno comme si de rien n'était.

Vance plissa les lèvres.

— Non. Je vous le répète, je ne contrôle pas personnellement tout ce qui se passe dans mes dizaines d'immeubles.

Pendant que Bruno continuait de presser Vance de questions, j'observai le vitrail qu'il était en train de fabriquer. S'y dessinaient trois chérubins dans les nuages. Au-dessus d'eux, un soleil ne parvenait pas à percer la couche brumeuse.

Je me tournai vers Bruno et lui touchai le bras, indiquant que je voulais intervenir.

— Qu'est-ce qui vous a inspiré le sujet de ce vitrail ? demandai-je à Vance quand Bruno me fit signe d'y aller.

— Je... Ce sont mes trois petits anges. Ma femme a eu trois enfants, mais aucun n'a vécu plus de quinze mois. C'est le grand drame de ma vie.

Cela surprit Bruno.

— Vous aimez donc les enfants ?

— Mais… bien sûr ! répondit Vance, décontenancé par la question de Lafontaine.

— Alors pourquoi laissez-vous commettre des avortements dans vos immeubles ? tonna-t-il. Vous n'avez pas honte ?

— *Bloody hell*, jura Vance, mais comment voulez-vous que je sois au courant de ce qui se passe dans…

— Votre concierge Henri Bellemare était impliqué dans les meurtres de l'opérateur criminel, le coupa Lafontaine, et vous le savez !

Vance sortit davantage sa grosse lippe et fit de grands gestes de dénégation.

— Et je crois que vous êtes vous-même impliqué là-dedans.

— Non, non, voyons… se défendit le gros homme, qui ne s'occupait plus du mouchoir autour de son index.

— Vous êtes de mèche avec le docteur Wells, de Lowell…

— Non !

— … et avec Andrew White, de Boston…

— Non !

— … et le sang sur vos mains est celui de Normande Marcoux…

— Non !

— … et celui de Mary Donnely !

— Non, non et non ! cria Vance.

Bruno piaffait comme un cheval rétif à court d'exercice. Il était certain que Vance nous mentait en plein visage.

— Je ne vous crois pas, Arthur Vance. Ces avortements ont eu lieu dans vos taudis, des taudis qui étaient à louer. Je veux que vous me fournissiez immédiatement non seulement la liste de tous vos immeubles, mais en plus celle des appartements à louer.

— Je vous ai dit que je ferais préparer cette…

— Tout de suite, bon sang ! tonna Lafontaine.

— Mais je ne…

— Sinon je vous emmène en prison sur-le-champ.

— Quoi? Vous n'avez pas de mandat pour...

— Je m'en sacre, Vance, du mandat, vous entendez? Je veux ces listes tout de suite ou je vous coffre!

Vance vacilla devant la détermination de Bruno. Il jeta un regard vers Sullivan et je me préparais au pire, mais le gros propriétaire décida plutôt de capituler.

— OK, OK, je vais vous les fournir. Mais pour ça, je dois aller à mon cabinet de travail.

— Pas de problème, on vous suit.

Vance sortit d'un pas lourd et résigné, suivi de Sullivan. C'était clair qu'il n'aimait pas l'idée que nous pénétrions de nouveau chez lui.

Nous entrâmes par une porte sur le côté du manoir, qui donnait sur un escalier menant directement au second étage. La vue sur le jardin faisait rêver. La pièce, immense, respirait le luxe et exhalait les essences des bois nobles : tables en ébène, armoires en chêne, plancher de lattes de chêne, poutre en érable. Un beau tapis persan rouge et doré avec des motifs arrondis ajoutait au luxe de la pièce. Une bibliothèque courait sur deux murs, avec une échelle amovible sur un rail. À la droite du bureau à cylindre en chêne, un globe terrestre sur pied à tête de lion affichait les conquêtes de l'Empire britannique. Des grandes fenêtres, nous avions une vue sur la vaste nécropole du cimetière Côte-des-Neiges où se multipliaient les croix, les dalles et les mausolées. Mon regard s'y perdit un instant, avant d'apercevoir un diplôme sur le mur de droite. Je m'approchai et ne pus retenir ma surprise. C'était un diplôme de médecine vétérinaire que l'Université McGill avait accordé à Vance.

— Vous êtes vétérinaire? demandai-je à Vance qui se dirigeait vers un gros classeur en bois aux poignées de cuivre.

— Oui.

— Vous avez exercé longtemps?

— Non.

— Pourquoi ?

— Parce que j'ai rapidement gagné ma vie autrement, dit-il en ouvrant le tiroir du haut pour en sortir tant bien que mal, en raison de son pansement rougi, un épais dossier. Sullivan s'empressa de le saisir pour le déposer sur une table de travail, suivi d'un deuxième, encore plus gros, puis d'un troisième.

— Voilà. Vous avez là toutes les adresses de mes avoirs immobiliers, les baux des appartements loués et la liste de ceux qui sont vacants.

Bruno ouvrit brièvement l'un et l'autre, puis les empila.

— Je les emporte tous les trois au poste pour les examiner en paix.

Le visage de Vance se rembrunit.

— D'accord. Mais vous me les rapportez dans les deux jours qui viennent.

— Bien entendu !

Pendant le trajet de retour, Bruno et moi restâmes silencieux. Les derniers jours nous avaient permis de beaucoup progresser, mais encore fallait-il que tous les nouveaux morceaux s'imbriquent dans le casse-tête.

Je consultai l'heure sur mon oignon. Deux heures dix. Nous n'avions pas pris le temps de manger, n'y avions même pas pensé une seconde. Je réfléchis à la vie effrénée que je menais et cela me causa un certain vertige. Peut-être me fallait-il réévaluer mes priorités ? Quand prenais-je du temps pour respirer, pour m'arrêter ? J'avais toujours admiré la fourmi vertueuse de La Fontaine qui a travaillé tout l'été, mais ne pourrais-je pas chanter la beauté de temps en temps, comme la cigale, et profiter du soleil ?

Mes pensées voguèrent vers Emma. Depuis ce baiser dans la grande roue du parc Sohmer, je nourrissais de grands espoirs. Mais le travail me laisserait-il un jour du temps pour l'amour ?

◆

Quand j'arrivai à la morgue, Paul Sansquartier faisait signer des papiers à des personnes venues identifier un proche. Il accomplissait cette tâche avec délicatesse. Même si l'établissement appartenait à la compagnie funéraire J.-E. Duhaime, jamais je ne l'avais entendu proposer les services et les produits de cet entrepreneur. D'une fois à l'autre, Sansquartier manifestait toujours la plus grande compassion.

Je montai voir Johnston. Il était penché sur son microscope. Il sentit ma présence sans même détacher son regard des lentilles et m'invita à entrer avec un geste de la main.

— Qu'est-ce que tu regardes ?

— Des traces de brûlure de poudre.

— Wyatt, est-ce que tu connaîtrais par hasard Arthur Vance, qui fait partie de la petite aristocratie de Westmount ?

Il releva la tête, surpris par ma question.

— Non. Tu sais bien que je n'appartiens pas à ce monde-là. *I'm an Eastern Township boy.*

— Oui, je sais. Mais il a déjà été vétérinaire. Il me semble qu'un homme qui, après avoir soigné nos chiens et nos chevaux, est devenu très riche, doit être connu par tous les Anglais de la province, non ?

— Je n'ai ni chiens ni chevaux, Georges, et la vie mondaine de Westmount m'intéresse autant que le *two o'clock tea* un Canadien français... Mais si tu veux, je peux me renseigner sur ton Arthur Vance.

— Je t'en serais reconnaissant.

40. Encore à la Miséricorde

C'est dans l'avant-midi que la supérieure des sœurs de la Miséricorde appela à la morgue pour m'inviter à rencontrer sœur Rollande. Après avoir consulté mon horaire, je lui dis que je pouvais y aller immédiatement.

J'avisai Sansquartier de mon départ pour la journée – je me rendrais ensuite directement à Saint-Jean-de-Dieu – et sortis pour héler une voiture qui passait. Il faisait froid et, sitôt monté, je recouvris mes jambes avec le jeté de fourrure.

À la maison-mère, la sœur à la réception, avisée de ma venue, me conduisit jusqu'à la salle de repos. En marchant sur le parquet luisant, elle me mit en garde :

— Elle est très vieille, notre sœur Armande.

— Sœur Armande ? Je croyais venir rencontrer sœur Rollande…

— La révérende a pensé que ce serait mieux pour vous de voir sœur Armande.

Dans un chuchotement, la sœur m'expliqua qu'Armande, qui avait quatre-vingt-neuf ans, avait connu Rosalie Cadron-Jetté et travaillé à la première maternité à Montréal. Des mères célibataires y vivaient leur grossesse, à l'abri des regards accusateurs, puis donnaient naissance avant de s'en retourner dans leur ville ou village. Elle y avait elle-même mis un enfant au monde avant d'entrer dans la communauté.

— Vous ne pourrez pas rester très longtemps. La pauvre est bien malade. Elle ne voit plus clair et ses reins ne fonctionnent pas bien.

Nous entrâmes dans la salle de repos.

— Sœur Armande ? Voici la police qui veut vous rencontrer.

Le terme « police » à mon égard m'amusa.

Corpulente, la vieille sœur était assise dans un fauteuil roulant. Son visage affichait ses rides comme un vieil arbre son lignage.

— Je suis heureux de faire votre connaissance, ma sœur.

Quand elle ouvrit les paupières, je découvris ses yeux gris-jaune, chassieux, sans vie, qui ne savaient plus où regarder. Elle était affectée par les cataractes et le glaucome.

— Voulez-vous une paparmane ? me demanda-t-elle en glissant une menthe dans sa bouche.

Malgré son âge avancé, sa voix était heureusement bien audible. Je refusai poliment.

— Je sais ce que vous avez fait... haleta-t-elle. J'ai entendu beaucoup de cris, la journée où c'est arrivé.

— Ce fut un moment terrible pour l'hospice, dis-je.

D'une voix lente et sifflante, elle me précisa qu'elle avait vécu bien d'autres événements malheureux à Pélagie.

— On m'a dit que vous étiez la mémoire de l'hospice. Est-ce que vous vous rappelleriez un incident qui aurait impliqué un jeune séminariste ?

— C'est arrivé plus d'une fois... Les jeunes, ils sont parfois bien polissons...

— Celui auquel je pense, ma mère, s'appelle Eugène Leblanc.

— Eugène ? Non... Ça ne me dit rien... Il aurait fait quoi ?

— Je ne sais pas. Quelque chose d'exceptionnel, parce que l'archevêché aurait inscrit une mention de ça dans son dossier. Aurait-il pu s'en prendre physiquement à une sœur ou à une fille-mère?

— On a insulté les sœurs de l'Hospice Pélagie… on leur a craché dessus. Lorsque nos filles-mères… accouchaient l'été et que nous devions… laisser les fenêtres ouvertes, nous… entendions des passants se moquer… des cris de douleur durant l'accouchement. C'était odieux, docteur.

— Mais aucune femme n'a été battue par un homme?

— Non… C'était la première fois… le mois passé, qu'une de nos filles… était agressée de façon si violente.

Je soupirai intérieurement. Sœur Armande ne m'aidait en rien. Je me demandai si je ne faisais pas fausse route, si cet incident qui avait alerté l'archevêché et que je savais relié à Pélagie n'était pas tout autre chose.

Mais tant qu'à avoir sous la main la mémoire de l'hospice, je me dis que je devais en profiter pour aborder un autre sujet.

— Vous savez, ma sœur, que nos jeunes étudiants en médecine viennent maintenant assister aux naissances à Pélagie. Pouvez-vous me dire si ça se passe bien?

La sœur roula quelques instants sa « paparmane » dans sa bouche et la suçota longuement avant de répondre.

— Disons… disons que nous préférions quand… il n'y avait que les sages-femmes. Maintenant que nous sommes… obligées de les avoir ici, ils imposent… beaucoup leurs méthodes.

— Est-ce qu'ils se comportent bien?

Elle hésita de nouveau avant de répondre.

— Dans l'ensemble, oui. Mais certains sont condescendants… avec les sages-femmes… C'est désagréable. Ils ont encore la couche aux… fesses, plusieurs ont été mis au monde par nos dames… et ça veut nous en remontrer!

Je souris.

— Pas de manque de respect, au moins ?

— Je n'irais… pas jusque-là.

Je regardai l'heure. J'avais déjà trop abusé de la bonne sœur et il me fallait filer à l'asile.

Sœur Armande m'offrit une menthe avant de partir, que je glissai dans ma poche.

◆

Dès mon arrivée à l'asile, je saisis sur ma table de travail le dossier dans lequel se trouvait la demande de placement d'un enfant que ses parents décrivaient comme un véritable monstre prêt à tuer son prochain. La semaine précédente, lorsque j'avais lu cette lettre, j'avais tout de suite suspecté ses auteurs de vouloir se débarrasser de leur rejeton. Par habitude, j'avais regardé l'adresse sur le bail annexé à la lettre – 1287, rue Papineau – et vérifié dans le bottin Lovell des noms de rue. Je n'avais pas été surpris de constater qu'il n'y avait pas de numéro correspondant dans cette rue. J'avais ensuite appelé à la Ville, où l'on m'avait confirmé que cette adresse était bel et bien inexistante. Quelques minutes plus tard, j'avais terminé la rédaction d'un billet proposant aux demandeurs un rendez-vous à mon bureau pour cet après-midi, à une heure trente, soit dans moins de dix minutes.

Depuis que Montréal payait la pension des malades mentaux qui étaient domiciliés dans les limites de la ville, nous assistions à de nombreuses fraudes. Voilà pourquoi il nous fallait exiger, avec chaque demande, le bail ou le compte de taxes en guise de preuve. Des gens de l'extérieur de la ville tentaient de placer un membre de leur famille – enfant, femme, grand-parent… – en fournissant une fausse adresse postale. Rien de plus facile. Parfois, c'était pour sauver les coûts inhérents à l'hospitalisation ; parfois aussi, hélas ! c'était tout simplement pour se débarrasser d'un être encombrant, pas du tout malade.

Dossier en main, je me dirigeai vers la salle d'admission.

J'étais là quand les parents se pointèrent avec le gamin, le père tenant fermement son fils d'une main et sa valise de l'autre. L'enfant, qui portait un chandail rayé sous un manteau de laine, me sembla bien émacié. Probable qu'il ne mangeait pas souvent à sa faim.

Je fis passer la famille dans un cabinet d'examen.

Je commençai par ausculter l'enfant, lui fis prendre de grandes inspirations. Je pris ensuite sa pression, puis inspectai ses oreilles et sa gorge. Il me fournit un beau « Ahhhh » quand je le lui demandai.

— Il est moins calme que ça d'habitude. Y fait son hypocrite, le p'tit verrat, dit le père.

— Chassez le naturel et il revient au galop, ajouta la mère.

Je fis monter l'enfant sur le plateau du pèse-personne, puis lui demandai son âge. Mais chaque fois que je posais une question au petit, le père ou la mère répondait pour lui.

Exaspéré, je les priai de retourner dans la salle d'admission, le temps que je complète mon examen. Le père ronchonna un peu et la mère persifla, mais ils n'eurent pas le choix d'obéir. Quand ils furent sortis, je demandai au garçon de s'asseoir.

— Bien. Comment t'appelles-tu ?

— Jérôme… dit-il d'un ton gêné.

— Et tu habites où ?

Il se figea, puis marmonna : « 12… 1287, Papineau. » Il baissa ensuite la tête en fermant les yeux. Le petit mentait mal.

Il me suffit de quelques minutes pour vaincre sa timidité et que la conversation s'engage. Manifestement, cet enfant, loin d'être fou, n'avait rien à voir avec le monstre décrit dans la lettre. Comme j'avais aperçu des meurtrissures sur son bras gauche en prenant sa pression, je lui demandai de remonter son chandail et de me montrer ses jambes. Le pauvre était couvert de bleus.

— Jérôme, est-ce que tes parents te battent ? demandai-je doucement.

Il hésita à répondre, baissa la tête. Ses lèvres tremblotaient, il était sur le bord de pleurer.

— Je ne leur dirai rien, Jérôme. C'est juste entre toi et moi.

Il hocha la tête.

— Moi, je pense que tu es un enfant battu.

Il acquiesça à nouveau. De longues larmes percèrent ses yeux de chagrin. Je plaçai mon index sous son menton pour lui redresser doucement la tête. Il me regarda enfin.

— C'est ton père qui te bat ?

Nouvel acquiescement. Les larmes coulaient.

— Fréquemment ?

Hochement de la tête.

— Tous les jours ?

— Oui…

Cinq minutes plus tard, je savais tout. Le père, violent de nature, battait son fils dès qu'il était en boisson. Depuis qu'il avait perdu son emploi, les coups avaient redoublé.

J'en avais assez entendu. Je demandai à Jérôme de me donner la main et, par la porte arrière du cabinet, j'allai le confier à une religieuse. Je lui demandai d'amener le garçon aux cuisines pour lui offrir une gâterie ou deux, le temps que je m'occupe des parents.

Quand je les invitai à revenir dans le cabinet d'examen, et qu'ils constatèrent l'absence de Jérôme, ils se regardèrent avec complicité, croyant le placement réglé.

— Asseyez-vous, leur dis-je sèchement.

Je regardai les gros poings velus de l'homme, qui laissaient des marques sur le corps de son fils.

— Où habitez-vous ?

— Dans la cité de Montréal.

— Adresse ?

— 1287, Papineau. C'est écrit sur le bail annexé à la demande.

— Cette adresse n'existe pas, monsieur.

— Venez pas nous dire, docteur, que nous sommes des menteurs, s'exclama la mère.

— Vous n'êtes pas seulement des menteurs, vous êtes des parents ingrats et irresponsables. Vous savez que forger une fausse adresse est un délit criminel ? Je peux aviser la police sur-le-champ et votre compte sera bon. La justice n'accorde aucun pardon aux fraudeurs dans votre genre !

— Je te l'avais dit, reprocha la femme à son mari.

Je sentais la peur qui les saisissait alors qu'ils mesuraient la bêtise de leur tentative. J'en remis une couche en décrivant par le menu les sentences aggravées qu'ils encouraient pour les coups et blessures assénés à leur enfant. Je les voyais maintenant trembler de tous leurs membres. Quand je les jugeai à point, j'inversai la vapeur.

— Mais je serai bon prince. Pour cette fois. Sachez cependant que la Justice vous aura à l'œil. Votre petit Jérôme non seulement est sain d'esprit, mais il serait en bonne santé s'il mangeait à sa faim. Je vous ordonne de vous occuper de lui correctement au lieu de penser à le placer.

J'avais devant moi un homme et une femme qui ne savaient plus où se mettre. J'ouvris la porte à la volée pour qu'ils sortent. Ils passèrent devant moi les yeux au ras du sol.

Quelques minutes plus tard, j'entendais trois menus cognements sur la porte arrière du cabinet. J'allai ouvrir. La religieuse me ramenait le petit Jérôme, la bouche pleine et deux galettes de sarrasin dans une main.

— Merci, ma sœur.

Je me penchai vers l'enfant et lui ébouriffai les cheveux.

façon, à vouloir punir Dieu en assassinant des femmes porteuses d'enfants sains mais qui ne désirent pas les garder?

— Théorie intéressante, mon cher Georges, mais qui reste à prouver.

— Je sais. As-tu pu glaner autre chose d'intéressant sur notre homme?

— Pas vraiment. Mon « contact », une dame de la haute dont je tairai le nom, a été coupé net dans son élan par l'arrivée intempestive du maire.

— J. O. Villeneuve en personne? m'étonnai-je. Mais où étais-tu donc?

— À un cocktail-bénéfice organisé par l'Université McGill. Tout le gratin anglophone de la province y était. Mais pas ton Arthur Vance.

Je remerciais Wyatt quand Sansquartier arriva pour amener le corps à la glacière. Il m'assura qu'il installerait le mien au retour.

Je descendis à mon bureau afin d'appeler Bruno. Je devais lui raconter ce que Wyatt avait appris.

Deux minutes plus tard, j'étais en communication avec lui.

— Comment va Patrick? demandai-je aussitôt.

— Je suis passé le voir à l'hôpital, hier soir. Il se remet de sa méningite et il s'ennuie à mourir. Si c'était juste de lui, il serait déjà au travail.

— Il a été chanceux. Ce genre d'infection est trop souvent mortel. S'il avait fallu qu'il en meure, je m'en serais voulu de ne pas l'avoir examiné de force!

— Bah! Ne t'énerve pas avec ça, Georges, c'est une tête dure d'Irlandais. Même la méningite ne peut vaincre ça.

Je résumai à Bruno les trouvailles de Wyatt au sujet de Vance, ce qui le persuada qu'on ne devait pas lâcher le morceau à son sujet.

— Il va falloir le travailler au flanc, celui-là.

— Que dirais-tu de mettre des policiers sur une vaste enquête de voisinage? Avec la liste de tous les s'essuya avec méticulosité chaque doigt, la paume et le revers des mains. Tout était précis chez lui.

— Tu es chanceux, Georges. Je suis tombé hier soir sur quelqu'un qui non seulement connaît Arthur Vance, mais qui le déteste, ce qui aide toujours quand vient le temps de délier les langues.

En attendant que Sansquartier vienne chercher le corps, nous nous installâmes dans le bureau de Wyatt. Je pris place sur une chaise en bois dont le vernis du siège avait disparu depuis probablement des siècles.

— Tu avais raison : Arthur Vance est bel et bien un vétérinaire qui s'est détourné de la profession. Il est devenu riche en spéculant sur l'achat et la vente d'immeubles. Il s'est marié en 1864 à Louise Travis et l'année qui a suivi leur mariage, elle est tombée enceinte et a donné naissance à un enfant atteint d'un grave spina-bifida. Il est décédé quelques jours plus tard. Un an après, madame Vance accouchait d'un enfant mort-né, ce qui a déclenché chez elle une grave crise nerveuse. Elle a séjourné quelques semaines à l'Hôpital Douglas. Et jamais deux sans trois, comme on dit chez vous, un an après avoir reçu son congé de l'hôpital, elle mettait au monde un enfant monstrueux qu'il a fallu placer à l'asile. Il a vécu un peu plus longtemps, mais il est quand même mort en bas âge. Cette fois-là, c'est Vance lui-même qui a craqué. Mon informateur m'a dit qu'il était dans un tel état de fureur après la naissance de son troisième qu'il a mis le feu à sa ferme d'Outremont.

Les informations recueillies par Wyatt éclairaient ma lanterne quant à la signification du vitrail que j'avais vu. J'en fis une brève description à mon collègue tout en lui relatant les circonstances qui nous avaient amenés à faire cette découverte.

— Je peux comprendre la fixation du bonhomme, dit simplement Wyatt, mais ça n'en reste pas moins un bien étrange passe-temps.

— Je me demande si ces naissances difficiles et sans lendemain auraient pu conduire Vance, d'une certaine façon, à vouloir punir Dieu en assassinant des femmes porteuses d'enfants sains mais qui ne désirent pas les garder ?

— Théorie intéressante, mon cher Georges, mais qui reste à prouver.

— Je sais. As-tu pu glaner autre chose d'intéressant sur notre homme ?

— Pas vraiment. Mon « contact », une dame de la haute dont je tairai le nom, a été coupé net dans son élan par l'arrivée intempestive du maire.

— J. O. Villeneuve en personne ? m'étonnai-je. Mais où étais-tu donc ?

— À un cocktail-bénéfice organisé par l'Université McGill. Tout le gratin anglophone de la province y était. Mais pas ton Arthur Vance.

Je remerciais Wyatt quand Sansquartier arriva pour amener le corps à la glacière. Il m'assura qu'il installerait le mien au retour.

Je descendis à mon bureau afin d'appeler Bruno. Je devais lui raconter ce que Wyatt avait appris.

Deux minutes plus tard, j'étais en communication avec lui.

— Comment va Patrick ? demandai-je aussitôt.

— Je suis passé le voir à l'hôpital, hier soir. Il se remet de sa méningite et il s'ennuie à mourir. Si c'était juste de lui, il serait déjà au travail.

— Il a été chanceux. Ce genre d'infection est trop souvent mortel. S'il avait fallu qu'il en meure, je m'en serais voulu de ne pas l'avoir examiné de force !

— Bah ! Ne t'énerve pas avec ça, Georges, c'est une tête dure d'Irlandais. Même la méningite ne peut vaincre ça.

Je résumai à Bruno les trouvailles de Wyatt au sujet de Vance, ce qui le persuada qu'on ne devait pas lâcher le morceau à son sujet.

— Il va falloir le travailler au flanc, celui-là.

— Que dirais-tu de mettre des policiers sur une vaste enquête de voisinage ? Avec la liste de tous les

— Dans la cité de Montréal.

— Adresse ?

— 1287, Papineau. C'est écrit sur le bail annexé à la demande.

— Cette adresse n'existe pas, monsieur.

— Venez pas nous dire, docteur, que nous sommes des menteurs, s'exclama la mère.

— Vous n'êtes pas seulement des menteurs, vous êtes des parents ingrats et irresponsables. Vous savez que forger une fausse adresse est un délit criminel ? Je peux aviser la police sur-le-champ et votre compte sera bon. La justice n'accorde aucun pardon aux fraudeurs dans votre genre !

— Je te l'avais dit, reprocha la femme à son mari.

Je sentais la peur qui les saisissait alors qu'ils mesuraient la bêtise de leur tentative. J'en remis une couche en décrivant par le menu les sentences aggravées qu'ils encouraient pour les coups et blessures assénés à leur enfant. Je les voyais maintenant trembler de tous leurs membres. Quand je les jugeai à point, j'inversai la vapeur.

— Mais je serai bon prince. Pour cette fois. Sachez cependant que la Justice vous aura à l'œil. Votre petit Jérôme non seulement est sain d'esprit, mais il serait en bonne santé s'il mangeait à sa faim. Je vous ordonne de vous occuper de lui correctement au lieu de penser à le placer.

J'avais devant moi un homme et une femme qui ne savaient plus où se mettre. J'ouvris la porte à la volée pour qu'ils sortent. Ils passèrent devant moi les yeux au ras du sol.

Quelques minutes plus tard, j'entendais trois menus cognements sur la porte arrière du cabinet. J'allai ouvrir. La religieuse me ramenait le petit Jérôme, la bouche pleine et deux galettes de sarrasin dans une main.

— Merci, ma sœur.

Je me penchai vers l'enfant et lui ébouriffai les cheveux.

— J'ai été bien content de te rencontrer, mon garçon, dis-je d'une voix normale avant de lui chuchoter à l'oreille : Ça va aller mieux, mon gars, je te le promets.

Il ne me répondit pas, mais je voyais que ses yeux étaient un peu moins tristes qu'à son arrivée.

— Ma sœur, si vous voulez bien maintenant raccompagner toute la petite famille.

De l'embrasure du cabinet, je regardai le père, la mère et l'enfant se diriger vers la sortie. J'avais fait ce que j'avais pu, mais j'étais inquiet pour le bambin quand la porte se referma.

Je repris le chemin de mon bureau. Ma journée à l'asile commençait à peine, je savais que je reviendrais chez moi à la nuit noire.

SAMEDI, 1er DÉCEMBRE 1894

Wyatt complétait l'autopsie d'un homme asphyxié par le gaz quand j'arrivai. Il recousait l'abdomen avec l'aisance d'un tailleur expérimenté et en chantant l'air de Figaro dans *Le Barbier de Séville*.

Figaro ! Figaro ! Figaro ! ecc.
Ahimè, che furia !
Ahimè, che folla !
Uno alla volta, per carità !

En me voyant entrer dans la pièce, il me fit une profonde révérence, aiguille dans une main et bobine dans l'autre.

— Tu chantes rarement des airs de l'autre Figaro, lançai-je en jetant un œil sur le corps.

— C'est que je préfère nettement celui de Rossini à celui de Mozart, même si cet opéra est lui aussi splendide, avoua Wyatt.

Il termina son travail puis se lava les mains à l'évier. Le sang rougit l'eau qui, peu à peu, redevint claire. Il baux de ses immeubles, peut-être qu'on sait déjà où l'opérateur criminel habite ?

— C'est une bonne idée, Georges. Mais peut-être que l'opérateur, c'est Vance lui-même…

J'aurais pu adhérer à la théorie de Bruno. Vance avait très certainement les connaissances médicales nécessaires, et il avait un motif, cette colère contre Dieu dont on pouvait le croire possédé. Mais les deux descriptions que nous avions recueillies de l'opérateur fuyant les scènes de crime ne concordaient pas. Vance n'avait tout simplement pas le physique de l'emploi.

Je raccrochai en demandant à Bruno de transmettre mes vœux de prompt rétablissement à MacCaskill, puis retournai à la salle d'autopsie. Mon cadavre, au froid depuis trois jours, était en place. Il était enfin temps que j'autopsie Henri Bellemare, ex-concierge.

Vers l'heure du dîner, je décidai de prendre l'après-midi de congé. Je téléphonai à l'asile pour aviser que je ne rentrerais pas. Outre une tournée des malades, qu'Éloi-Philippe Chagnon pouvait fort bien accomplir à ma place, mon absence ne causerait de tort à personne. J'enfilai mon paletot et retournai chez moi pour me reposer de cette longue semaine. Habiter près de la morgue rendait mes déplacements courts et agréables. Le soleil luisait dans le ciel froid et bleuté et j'avais à peine mis le pied hors du bâtiment que je savais déjà ce que je ferais des prochaines heures.

Quelques minutes plus tard, j'étais confortablement installé au salon, un livre dans une main, un scotch dans l'autre. Le repos n'étant malheureusement jamais assuré dans mon métier, à peine avais-je eu le temps de terminer mon souper et de m'affaler de nouveau sur le récamier que le téléphone retentissait. Lafontaine me priait de me rendre immédiatement à la cathédrale Notre-Dame.

QUATRIÈME PARTIE

LES LIMBES DE MONTRÉAL

sur le pourtour de façon à sceller hermétiquement cette porte.

En levant sa lanterne, Lafontaine m'indiqua du doigt un élément incrusté dans ladite porte. Je m'emparai de la lumière de Bruno et l'approchai de l'excroissance. C'était un cœur de verre noir.

— Approche ton œil, me dit Bruno.

Je lui obéis. Deux secondes plus tard, mon cœur s'emballait et un froid intense me glaçait la colonne. J'étais habitué à contempler l'horreur, mais j'avais mes limites... À travers le verre noir, je voyais flotter un fœtus. Quelqu'un toussa et l'écho se répercuta dans la vaste enceinte.

Je me tournai vers Bruno, toujours accroupi sur le sol. Il me dévisagea d'un air grave.

— Tu as bien vu, murmura-t-il d'une voix atone.

Je me reculai de quelques pas pour prendre la mesure de ce qui m'apparaissait maintenant comme un « reliquaire ». Bruno se releva et parla à une personne qui était près de lui : le bedeau. L'homme me passa un arrache-clou et, tandis que Lafontaine et deux autres policiers tenaient solidement le reliquaire, j'attaquai les joints de façon à pouvoir insérer l'instrument. Il me fallut travailler dur pour y arriver. Mes coups se répercutaient sinistrement dans le silence qui régnait. J'arrachai les différentes pentures, puis forçai un à un les joints métalliques.

Quand je retirai la porte, plusieurs témoins de la scène firent un pas en arrière et une clameur sinistre s'éleva jusqu'à la voûte de l'église.

— Sainte Marie mère de Dieu, priez pour nous. Que vois-je, mais que vois-je... psalmodiait monseigneur Racicot en se signant.

Je posai le panneau et restai accroupi, en proie au vertige et à la nausée. Lafontaine contrôlait ses haut-le-cœur, contrairement aux deux policiers qui, écœurés, sortirent en vitesse de la cathédrale.

41. Le reliquaire du Docteur Death

Je me suis arrêté quelques instants, essoufflé, devant la cathédrale, puis j'avançai vers les grandes portes. J'avais couru depuis chez moi dans un froid mordant qui crispait les poumons. Je me signai en entrant. L'odeur d'encens prenait à la gorge. J'aperçus tout de suite Lafontaine, accroupi dans un coin près des confessionnaux. Une statue de Marie foulant le serpent dominait la scène. Plusieurs curés chuchotaient entre eux non loin de lui. Je reconnus monseigneur Racicot, son étole rouge au cou, qui me jeta un regard antipathique lorsqu'il m'eut reconnu.

Je me penchai derrière Lafontaine et posai une main sur son épaule. Il se retourna.

— Ah ! Georges. Merci de t'être dépêché. Nous t'attendions pour ouvrir la boîte.

La « boîte » en question, rectangulaire mais empruntant la forme d'une ogive dans sa partie supérieure, mesurait bien trois pieds de largeur sur deux de profondeur. J'estimai sa hauteur à environ quatre pieds. Comme il y avait une série de pentures sur l'un des côtés, je compris qu'elle devait s'ouvrir par l'avant, un peu comme une armoire. Pourtant, en poussant mon observation, je constatai qu'on avait fait fondre de l'étain sur ces pentures pour les empêcher de coulisser, et que le même procédé avait été très habilement utilisé sur le pourtour de façon à sceller hermétiquement cette porte.

En levant sa lanterne, Lafontaine m'indiqua du doigt un élément incrusté dans ladite porte. Je m'emparai de la lumière de Bruno et l'approchai de l'excroissance. C'était un cœur de verre noir.

— Approche ton œil, me dit Bruno.

Je lui obéis. Deux secondes plus tard, mon cœur s'emballait et un froid intense me glaçait la colonne. J'étais habitué à contempler l'horreur, mais j'avais mes limites… À travers le verre noir, je voyais flotter un fœtus. Quelqu'un toussa et l'écho se répercuta dans la vaste enceinte.

Je me tournai vers Bruno, toujours accroupi sur le sol. Il me dévisagea d'un air grave.

— Tu as bien vu, murmura-t-il d'une voix atone.

Je me reculai de quelques pas pour prendre la mesure de ce qui m'apparaissait maintenant comme un « reliquaire ». Bruno se releva et parla à une personne qui était près de lui : le bedeau. L'homme me passa un arrache-clou et, tandis que Lafontaine et deux autres policiers tenaient solidement le reliquaire, j'attaquai les joints de façon à pouvoir insérer l'instrument. Il me fallut travailler dur pour y arriver. Mes coups se répercutaient sinistrement dans le silence qui régnait. J'arrachai les différentes pentures, puis forçai un à un les joints métalliques.

Quand je retirai la porte, plusieurs témoins de la scène firent un pas en arrière et une clameur sinistre s'éleva jusqu'à la voûte de l'église.

— Sainte Marie mère de Dieu, priez pour nous. Que vois-je, mais que vois-je… psalmodiait monseigneur Racicot en se signant.

Je posai le panneau et restai accroupi, en proie au vertige et à la nausée. Lafontaine contrôlait ses haut-le-cœur, contrairement aux deux policiers qui, écœurés, sortirent en vitesse de la cathédrale.

QUATRIÈME PARTIE

LES LIMBES DE MONTRÉAL

Dans le reliquaire se trouvaient quatre tablettes recouvertes d'un velours rouge. Sur ces tablettes s'alignaient des bocaux de verre contenant chacun un fœtus préservé dans le formol. Les bocaux étaient tous identiques, séparés par de petits lampions rouges et blancs. Les fœtus étaient parfaitement conservés. Dès que mon esprit ébranlé en avait saisi le nombre, j'avais établi le lien avec l'opérateur criminel et compris que nous n'avions découvert qu'une bien faible partie de ses méfaits.

Au centre du reliquaire, celui qui avait conçu cette horreur – et ne pouvait être qu'un fétichiste fou, selon mes critères d'aliéniste – avait placé un bénitier, des bouts d'étoffe et des médailles.

Je ne sais combien de temps nous restâmes tous ainsi, littéralement statufiés pendant que montait vers la voûte le murmure des prières désespérées des prêtres, mais je sursautai violemment quand Bruno cria soudain :

— Qu'est-ce que vous faites là, vous ?

Le temps de lever la tête et je voyais quelqu'un courir à s'en rompre les os vers la sortie.

Bruno voulut se lancer à sa poursuite mais, s'enfargeant dans le panneau que je venais de déposer, il s'étendit de tout son long.

— Maudite étole de saint chrême... ARRÊTEZ CET HOMME !

Sa voix et ses jurons résonnèrent dans la nef pendant que l'homme disparaissait. Se rendant compte de ce qu'il avait crié dans une église et en présence d'un évêque, Bruno se releva, humilié et gêné.

— C'était un de ces journalistes à sensation, tenta-t-il de se justifier. Il était en train de faire un croquis du contenu de la boîte.

Je vis monseigneur Racicot blêmir encore plus, si c'était possible.

— Mon Dieu mon Dieu mon Dieu... répétait-il à l'infini, dépassé par les événements.

Bruno se ressaisit et courut à son tour vers les grandes portes, dans l'espoir bien mince de rattraper le journaliste. Je reportai mon attention vers la « scène », en prenant conscience de tout ce qui m'entourait.

L'hypothèse que j'avais défendue acquérait ici tout son sens : les meurtres de l'opérateur criminel avaient un lien direct avec son fanatisme religieux. Dans son esprit malade, Marie s'élevait comme une reine de pureté, elle qui avait enfanté sans tache alors que toutes les autres femmes le faisaient dans la douleur et le sang. Si je poursuivais cette logique tordue, le meurtrier considérait que, puisque Marie avait donné naissance, les femmes qui refusaient le fruit de leurs entrailles ne méritaient pas de vivre. Quant à ces fruits, pour les sortir des limbes auxquels ils étaient condamnés, il fallait les placer sous la protection de la grande médiatrice, la Vierge Marie, celle qui, en plus, avait terrassé le serpent, vaincu le Mal…

Arrivé à ce point de mon raisonnement, je réalisais que, s'il s'avérait juste, il me faudrait conclure que celui qui était derrière toutes ces horreurs agissait avec de nobles intentions, ce qui constituait une très mauvaise nouvelle.

Lafontaine réintégra la cathédrale. Le journaliste avait bel et bien filé. Une bombe à retardement menaçait d'exploser demain matin ou au plus tard lundi, à la une d'on ne savait quel journal. Après en avoir discuté avec les religieux, il fut décidé que l'affreux reliquaire serait transporté à la morgue. Il était impensable de le remiser quelque part dans la cathédrale.

Bruno m'expliqua que personne ne savait d'où provenait le reliquaire et qu'en fait il était peut-être là depuis les rénovations récentes tant il s'intégrait parfaitement au décor. C'est le bedeau qui, en faisant le ménage après les vêpres, avait pour la première fois jeté un œil à travers le cœur de verre. Il en avait presque subi une syncope !

Je demandai aux prêtres présents s'ils avaient vu dernièrement des ouailles prier spécifiquement devant le reliquaire maudit, mais tous répondirent par la négative. Quand j'abordai le sujet de la confession, monseigneur Racicot me foudroya de ses gros yeux glauques.

— Voyons, docteur Villeneuve, nous sommes tenus au secret de la confession !

— Je ne vous demande pas de me livrer la teneur des propos, monseigneur, mais il vous faut savoir que l'esprit malade qui a construit cette chose aurait pu s'en confesser à l'un d'entre vous. Je ne serais d'ailleurs pas surpris d'apprendre qu'il est lié d'une façon ou d'une autre à votre église.

Le visage de mon interlocuteur devint écarlate.

— Ce que vous dites est ignoble, monsieur !

Il tourna sèchement les talons et marcha à pas rapides vers la sacristie, pendant que les autres prêtres prenaient des airs effarouchés.

L'attitude du prélat me fâcha et je haussai le ton pour qu'il entende bien ce que j'avais à lui dire :

— Il a fallu que vous fassiez plusieurs souscriptions pour que soient effectuées les dernières rénovations de cette cathédrale, monseigneur. Vous devrez nous fournir la liste des noms de ceux qui y ont contribué.

Monseigneur Racicot se retourna d'un geste vif et clama :

— Il n'est pas question que je vous donne ça.

— Alors, vous me forcerez à utiliser les pouvoirs qui me sont conférés.

— Les miens le sont par Dieu, monsieur.

— Et les miens par la justice de ce pays, monseigneur. Sachez que je ne fais que mon travail, qui consiste pour l'heure à tenter de mettre fin à un carnage. Cet esprit malade fera d'autres victimes si nous n'agissons pas, si *vous* ne collaborez pas !

Mon dernier argument sembla l'ébranler, car il demeura silencieux un long moment. Quand il reprit la parole, le ton avait singulièrement baissé.

— Je vous la fournirai, cette liste, Villeneuve, mais n'abusez pas de votre pouvoir, sinon vous en subirez les conséquences.

Je le regardai monter les marches menant à l'autel et y faire une génuflexion avant de s'évanouir par une porte dérobée. Bruno vint vers moi et me tira par la manche.

— Bien joué, murmura-t-il à mon oreille.

Nous retraitâmes vers l'arrière de la nef. Au bout de l'allée, je touchai les saintes eaux du bénitier et me signai. Quand je sortis de la cathédrale, le ciel piqueté d'étoiles scintillantes me ragaillardit quelque peu. J'en appelai à Dieu et à son ubiquité. J'aurais tellement aimé qu'il me dévoile ce qu'il avait vu. Mais sans doute s'attendait-il à ce que j'use mes méninges à le découvrir. Il m'avait mis sur Terre pour cela, après tout.

DIMANCHE, 2 DÉCEMBRE 1894

Une fois n'est pas coutume, je me rendis dès huit heures à la morgue plutôt que d'assister à la messe dominicale. Je ne pouvais attendre pour commencer l'examen du reliquaire.

Quelle ne fut pas ma surprise quand, en montant à l'étage, je découvris que Johnston était à son bureau.

— Mais que diable fais-tu là, Wyatt?

Il me regarda avec un grand sourire.

— Comment crois-tu que j'arrive à terminer à temps tous mes travaux? En me prélassant? C'est plutôt à moi de te demander ce qui t'amène ici un dimanche matin.

Je lui relatai la découverte de la soirée de la veille. Quand il apprit que le reliquaire était dans les combles, il exigea d'être mon assistant. Nous montâmes ensemble l'escalier, tout aussi impatients l'un que l'autre d'entreprendre l'examen.

L'objet avait été déposé non loin de la table d'autopsie. Avec l'aide de Wyatt, je transférai les bocaux de verre sur la grande table de travail, en les plaçant sur quatre rangées pour respecter leur position de départ. Puis nous inspectâmes le meuble.

Il dégageait des ondes malsaines. La noblesse des essences de bois qui le composaient m'horripilait, tout comme la précision de ses appliques en étain, la finesse du détail de son ogive... La personne qui avait fabriqué ce meuble y avait mis beaucoup d'application. Wyatt proposa que nous le démontions. Peut-être y trouverions-nous des indices ?

J'allai chercher quelques outils dans l'atelier et, avec précaution, nous commençâmes le travail. Pendant que je retirais des vis et que Wyatt décollait doucement le velours rouge des tablettes, nous échangions nos points de vue.

— Il voue un culte à Marie.

— Et il tue des femmes. Étrange...

— Elles ne sont pas à la hauteur de la Reine du ciel, car impures...

— Intéressant...

— ... et coupables de la mort de leur enfant.

— Très intéressant...

— Il voue un culte à ces enfants morts...

— Terrible paradoxe... regarde, un cheveu sous ce bout de velours...

— La pensée du fou est par nature paradoxale...

— Une triste vérité...

— Elle n'en apparaît pas moins logique à celui qui en est l'auteur... tiens, voici un autre cheveu sous cette ferronnerie...

Une heure plus tard, le reliquaire était en pièces et nous avions terminé notre récolte. Pendant que Wyatt préparait l'examen d'un des cheveux au microscope, j'allai chercher celui que nous avions trouvé sur la robe de la victime de la rue Condé.

Il nous suffit de quelques minutes pour conclure : ces cheveux appartenaient à une seule et même personne !

— On est à un cheveu de trouver l'assassin, Georges.

L'humour bon enfant de Wyatt me fit éclater de rire. Nous tournions tous les deux le dos aux fœtus, immobiles dans leurs bocaux.

42. Une journée de visites

Lundi, 3 décembre 1894

Les pieds sur le coin de son bureau, bien renversé sur sa chaise, Wyatt lisait le long article de la une du *Montreal Daily Star* du matin. L'inconnu que Bruno avait surpris dans la cathédrale avait remis son croquis à un journaliste anglophone. Sous la plume de William Jacob, le *Star* titrait :

Deadly bloody shrine at
Cathedral Notre-Dame

Jacob racontait avec une surabondance de détails la découverte du reliquaire. Les sensations sont au journalisme ce que l'allumette est au papier : l'un a besoin de l'autre pour s'enflammer.

Wyatt plia le journal et pivota vers moi.

— J'entends d'ici la rumeur horrifiée qui parcourt la province.

— Et moi donc ! Elle est certainement déjà rendue au gouvernement à Québec…

De fait, la nouvelle créa une onde de choc. Le retour du Docteur Death dans l'actualité – Jacob en était arrivé à la même conclusion que nous – fut rapidement sur toutes les lèvres. Quant au « reliquaire du Docteur Death », comme le journaliste l'avait baptisé, il serait bientôt connu à travers la province, le Canada et tout l'Empire britannique.

Je regardai l'heure. J'attendais impatiemment l'arrivée d'un courrier recommandé.

Tout l'après-midi, la veille, j'avais cherché à joindre monseigneur Racicot, mais ce dernier avait décidé de m'ignorer même s'il avait promis de me remettre la liste des donateurs. Mais c'était mal connaître l'entêtement des Villeneuve. J'avais appelé Bruno à l'heure du souper. À travers le brouhaha des enfants, je lui avais expliqué l'idée qui m'était venue. Il l'avait trouvée bien risquée, mais il avait accepté de m'épauler. Bien sûr, nous savions qu'il serait difficile d'obtenir le mandat désiré et qu'avec les thuriféraires zélés en poste à Québec, nous risquions de provoquer un nouveau scandale et de perdre nos emplois, mais il nous fallait cette liste.

J'avais rempli le formulaire dans la soirée et l'avais expédié par courrier recommandé au juge Würtele.

Le pli entra à neuf heures huit. J'appelai aussitôt Bruno.

— Je l'ai ! dis-je dès qu'il décrocha.

— Formidable ! Je te rejoins devant le presbytère.

Le ciel matinal était bleu mais avec quelques gros nuages qui filaient et se métamorphosaient sans arrêt. Le vent frais me rasséréna.

Dès que je vis arriver Lafontaine, je sortis le papier avec un air victorieux.

— Tu ne trembles pas en le tenant, félicitations, dit simplement Bruno.

La ruse que j'avais imaginée était toute simple. En tant que surintendant de l'hôpital Saint-Jean-de-Dieu, j'avais demandé au juge, comme cela m'arrivait parfois dans le cadre de mes fonctions, l'autorisation de mener une perquisition chez un certain *Mr Racicot, 110, rue Notre-Dame Ouest*, en omettant une seule lettre, le « g ». Ma demande était passée comme une lettre à la poste !

— Je sais que ces gens-là peuvent nous aplatir comme de vulgaires mouches et nous mettre dans la rue, Bruno, mais je suis comme toi : je n'endure pas ceux qui se croient au-dessus des lois !

Un vicaire nous ouvrit la porte.

— Nous venons voir monseigneur Racicot, dis-je.

— C'est que Monseigneur ne reçoit pas comme ça. Il faut s'annoncer longtemps à l'avance…

— Nous ne demandons pas à être reçus, mon père, nous nous invitons. Nous avons un mandat.

Il me regarda avec méfiance. Je lui remis le papier. Il lut la signature du juge. Ses yeux s'agrandirent. Le « g » manquant passa inaperçu.

— Je vais voir ce que je peux faire, dit-il en nous invitant à nous asseoir dans le vestibule.

Monseigneur Racicot arriva quelques instants plus tard dans sa soutane, le col romain bien empesé. Je vis à ses bajoues rubicondes qu'il était très contrarié, même s'il essayait de le cacher.

— Monseigneur, dis-je aussitôt, nous venons chercher la liste que vous aviez promis de nous remettre.

— Personne ne me dit comment agir.

Le lieutenant Lafontaine s'en mêla sur un ton légèrement impatient.

— Monseigneur, nous avons un mandat. Je ne tolérerai pas d'entraves de votre part. Ou vous nous remettez cette liste, ou vous serez accusé d'outrage au tribunal.

La bouche du prêtre s'arrondit comme s'il avait soudain un gros œuf entre les lèvres. Ce bec en cul-de-poule faillit m'arracher le fou rire le plus incommodant qui soit.

— Vous nous la fournissez ou est-ce que je dois faire venir l'escouade ? ajouta Bruno de son ton le plus tranchant.

Racicot retira ses lunettes, qu'il essuya avec son mouchoir.

— Je comprends maintenant tous ces articles de journaux négatifs à propos de la police de Montréal…

Venez, je vais demander qu'on vous la prépare, cette sapristi de liste des donateurs !

L'opulence du presbytère me rappelait celle des grands hôtels parisiens que j'avais visités au cours de mes études. Partout, de riches boiseries recouvraient les murs ornés de cadres dorés à la feuille d'or. Dans la pièce attenante au bureau de monseigneur Racicot, où il nous abandonna, régnait une odeur de cire à plancher.

Vingt minutes plus tard, le secrétaire de monseigneur Racicot sortit du bureau avec une dizaine de feuilles écrites à la main. Je voulus remercier en personne son patron, mais en toussotant, le vicaire nous fit comprendre que le saint homme était tellement occupé que...

De retour sur le trottoir, nous étions fiers comme des gamins après un coup pendable, mais nous attendîmes de ne plus être en vue des fenêtres du presbytère pour laisser éclater notre joie. Nos pas nous menaient à toute vitesse vers la morgue : nous avions hâte de décortiquer notre prise de guerre. La devise du 65e bataillon se rappela à mon esprit : *Nunquam Retrorsum*. Ne jamais reculer.

Nous étions à peine installés de part et d'autre de mon bureau que j'entendis des pas lourds descendre des combles. Je reconnus ceux de Wyatt. Il était le seul à faire craquer la septième marche de cette manière. Écossais d'origine, superstitieux de nature, il répétait à qui voulait l'entendre qu'un fantôme était responsable de ce bruit.

— *Gosh !* C'est qu'il y a beaucoup de noms.

Il étira un bras et se saisit de la dernière feuille.

— Quel pingre tu es, Georges. Je ne vois pas ton nom...

Il remit la feuille sur le bureau. Lafontaine la prit et pointa aussitôt le doigt sur un nom :

— Vance, Arthur ! Nous avançons, Georges, nous avançons !

◆

Le docteur Rousseau m'attendait dans son bureau du Château Ramezay. Il me salua sans relever la tête, cigarette aux lèvres, la tête dans un nuage de fumée et de poussière. Il consultait les dossiers que je lui avais demandé de sortir.

— Comment allez-vous, Pierre ?

J'étais toujours mal à l'aise de lui poser cette question en raison de l'état de santé de sa femme, dont il gardait un portrait sur son bureau.

— La vie continue, Georges…

D'une main, il m'invita à déposer manteau et chapeau sur la patère et à m'asseoir.

Je vis que la chemise ouverte devant Rousseau était celle du cours d'obstétrique. Il la montra du doigt.

— Eugène Leblanc est l'un des meilleurs étudiants en obstétrique. Il a déjà ses douze accouchements en banque et s'il a manqué quelques leçons dernièrement, il n'en excelle pas moins aux examens.

Le règlement de l'école stipulait qu'un étudiant devait recevoir cent vingt leçons en obstétrique sur deux ans. Il devait en plus assister à au moins douze accouchements à l'Hospice de la maternité chez les sœurs de la Miséricorde.

— Comment se comportait-il lors de ces accouchements ?

— Il a toujours été très respectueux. Ses questions sont pertinentes et les sages-femmes l'apprécient.

— A-t-il déjà abordé la question de l'avortement dans votre cours ?

Sans me quitter des yeux, Rousseau aspira longuement sa cigarette avant de souffler la fumée haut dans les airs.

— C'est plutôt moi qui aborde cette question avec mes étudiants. Dans le monde moderne qui nous entoure, ce sujet doit être évoqué. J'avoue que, avec ce qu'on entend depuis quelque temps, il va encore plus interpeller.

— Est-ce que vous leur montrez comment pratiquer cet acte ?

— Bien sûr. C'est une procédure médicale d'urgence qu'il faut enseigner à nos futurs médecins.

— Vous rappelez-vous si Leblanc a manifesté un intérêt plus grand que les autres, à ce moment-là ?

— Compte tenu qu'il est ferré en matière d'obstétrique et de gynécologie, c'est certain qu'il a fait preuve de zèle dans sa préparation du cours. Mais Leblanc est toujours comme ça. Parfois, j'ai l'impression qu'il pourrait me remplacer tellement il connaît bien la matière.

— Croyez-vous qu'il serait en mesure de pratiquer un *abortus provocatus* si on le lui demandait ?

Rousseau m'étudia longuement avant de répondre.

— La police soupçonnerait un jeune et brillant étudiant en médecine de perpétrer ces boucheries ? Voyons donc !

— Nous progressons à petits pas, Pierre, mais nous progressons.

— Je veux bien, mais… Avec le savoir que Leblanc a acquis, il pourrait réaliser facilement un avortement. Et son taux de réussite serait élevé, même si personne n'est à l'abri des complications.

— Je vois.

— Vous cherchez un boucher, Georges, qui travaille tellement mal que les pauvres femmes succombent chaque fois, pas un futur brillant médecin comme Leblanc qui, je dois dire, a beaucoup de traits en commun avec son beau-père, le docteur Cyril Vance, excellent praticien lui-même.

Mon cœur cessa soudain de battre. Avais-je bien entendu ? Je dus avoir pendant quelques secondes l'air de quelqu'un qui venait d'apprendre la date de sa mort,

car le docteur Rousseau me regarda avec de grands yeux étonnés.

— Que se passe-t-il, Georges ? Vous allez bien ?

Je réussis à reprendre contenance.

— Oui, oui, pardonnez-moi, je réalise tout simplement que, ainsi que vous me l'expliquiez, il serait bien surprenant qu'un étudiant aussi brillant qu'Eugène soit... enfin... Bref, je vous remercie beaucoup pour votre aide et vos sages conseils.

Je me levai pour lui serrer la main. Je repris mes effets personnels et sortis de son bureau en le saluant de nouveau chaleureusement. Dans le corridor qui m'amenait vers la sortie, mon cœur décida de rattraper le temps perdu et se mit à battre, à battre...

◆

Bruno Lafontaine et moi nous présentâmes chez Arthur Vance en milieu d'après-midi. Cette fois, il se reposait dans sa serre remplie de soleil, installé sur une chaise longue en teck, un journal à la main.

Coiffé d'un canotier, il avait sur les jambes une couverture de laine blanche avec des rayures rouges. Le gros homme contrastait avec sa cage de verre bourrée de roses et de verdure irréprochables. Sur une table ronde en bois, un verre de scotch trônait. Quand Bruno heurta le chambranle de la porte, Vance baissa rapidement son journal et porta une main au-dessus de ses sourcils pour se protéger du soleil. Sa lippe se plissa quand il nous reconnut. Nous le dérangions.

— Qu'est-ce qu'il y a encore ?

— Nous rapportons vos documents, monsieur Vance, dit Bruno en montrant la grosse boîte de carton que je tenais.

— Merci. Vous pouvez les donner à Sullivan. Il les remettra à leur place.

Je déposai plutôt mon colis sur la table à côté du scotch en disant :

— J'aurais une faveur à vous demander : est-ce que je pourrais voir de nouveau le vitrail que vous confectionniez ?

Il me détailla de façon plus intensive.

— Vous vous intéressez à l'artisanat maintenant ?

— Disons que la thématique de votre vitrail m'intéresse beaucoup.

— Pour vous ou pour votre maudite enquête ?

— Peu importe la raison de cet intérêt, monsieur Vance, rétorqua Lafontaine, qui n'entendait pas se faire narguer par ce richard.

À contrecœur, Vance s'extirpa de sa chaise et nous mena dans l'atelier adjacent à l'écurie. Quand il ouvrit la porte de l'écurie, l'odeur de foin, de crottin, d'ammoniac et de sueur chevaline nous monta au nez comme une moutarde française. Heureusement, la partie atelier était mieux aérée. En plus de l'espace où il travaillait le vitrail, il y avait un tour à bois et plusieurs outils de menuiserie. Des dizaines de vitraux s'empilaient un peu partout. Celui qui m'intéressait avait été terminé. Je m'approchai pour le regarder.

— Qu'est-ce qu'il représente, déjà ?

— Je vous l'ai dit l'autre fois : les enfants que j'ai perdus.

— Pourquoi tout ce verre noir pour bloquer la lumière éternelle ?

— C'est ma colère contre Dieu.

— Vous le tenez responsable de la mort de vos enfants ?

Il me regarda avec le plus profond mépris.

— Qui d'autre blâmer pour ces morts innocentes et inutiles ?

— Depuis le temps, vous avez quand même dû faire votre deuil de ces terribles épreuves.

— Oui, en un sens... et non, dans l'absolu. Mes vitraux sont destinés aux églises ; ce sont les paroles que j'adresse à Dieu dans sa propre demeure.

— Vous les vendez ?

— Non. Je les offre gratuitement. Les curés semblent apprécier mon travail, puisque je reçois régulièrement des commandes.

— Et en plus vous souscrivez aux fonds de soutien du clergé, comme celui de la cathédrale Notre-Dame...

— Bien sûr ! En quoi est-ce mal ?

Ma remarque l'avait piqué au vif.

— En rien, en rien...

Je retournai vers l'établi. Vance avait mis un nouveau projet en marche. Par-dessus une grande esquisse, des baguettes de plomb épousaient certains tracés, d'autres n'avaient toujours pas leurs courbes finales. Entre tout ça, il y avait des pinces, un marteau à vitrail, des échantillons de verre de plusieurs couleurs, un coupe-verre...

Vance s'approcha, se plaça derrière moi.

— Celui-ci montrera saint François d'Assise parlant aux oiseaux.

J'indiquai un morceau de verre noir.

— Toujours votre colère contre Dieu ?

— Non. Il servira pour cet oiseau, ici. Un étourneau.

— Vous travaillez aussi le bois ? demanda soudain Bruno, qui s'était déplacé de l'autre côté de l'atelier.

Vance se tourna vers lui. D'un geste discret, je saisis un échantillon de verre noir pour le faire tomber au fond d'une poche de mon manteau.

— Pas beaucoup. Mais Sullivan, mon majordome, aime bien l'ébénisterie.

— Un véritable homme à tout faire, ce majordome, remarqua Bruno de façon ironique.

— Il a de multiples talents, en effet, laissa tomber sèchement Vance. C'est pour ça que je l'emploie !

— Une dernière chose, monsieur Vance, dis-je. Je crois que vous avez un frère qui vit en Nouvelle-Angleterre ?

Il eut un léger mouvement de recul avant de ramener son regard dans ma direction.

— Comment savez-vous ça ?

— C'est nous qui posons les questions, l'avisa Bruno.

— Votre frère a des enfants ? repris-je.

— Cyril a plusieurs enfants.

— Êtes-vous en contact avec Eugène ?

— Eug… Oh, Gene ! Je l'ai rencontré quelques fois. Rarement. Vous connaissez Gene ?

— Vous savez qu'il étudie à Montréal depuis quelques années ?

— Oui, bien sûr. En médecine, comme Cyril, son beau-père.

Je vis quelques gouttes de sueur perler sur son visage.

— Vous pouvez nous dire à quand remonte votre dernière rencontre ? demanda Bruno.

— Je ne l'ai pas vu souvent…

— La dernière fois remonte à… ?

— Je ne… L'année dernière, pendant la période des fêtes.

— Merci pour votre accueil, monsieur Vance, conclut abruptement Bruno. Passez une belle fin de journée.

Le gros propriétaire foncier nous laissa partir sans dire un mot, trop surpris par la tournure de l'interrogatoire qu'il venait de subir.

Sur le chemin du retour, Bruno m'avoua qu'il avait été impressionné par mon aisance à monopoliser l'attention de Vance quand c'était le temps.

— Tu es pas mal non plus !

— Oh, moi, c'est normal, je suis policier. À force de cuisiner, on finit par apprendre l'art culinaire.

Je sortis de ma poche le morceau de verre, il sortit de la sienne une pièce de bois.

— Tu crois que c'est la même essence que le reliquaire ? demanda-t-il en jouant avec la pièce.

— Je vais pouvoir vérifier ça à la morgue. Mais, à première vue, je dirais que oui. Tout comme ce morceau de verre.

Bruno se frotta les mains.

— Je sais que ça ne prouvera rien, mais à force d'accumuler les « coïncidences » et de relier entre elles certaines personnes, on finira bien par coincer notre tueur !

Je lui donnai raison.

Dès notre arrivée à la morgue, je montai dans la petite salle près du tribunal où nous gardions les pièces à conviction. Sansquartier y avait transféré tous les morceaux du reliquaire, sans oublier les bocaux et leur contenu morbide.

Bruno apporta la porte dans la salle d'examen. Je dégageai le bois de son vernis sur une petite surface interne et comparai le grain et la couleur avec l'échantillon. Il s'agissait de noyer noir dans les deux cas. Ce n'était pas une essence très rare, mais ça concordait tout de même. J'examinai ensuite avec un jet de lumière puissant le cœur de verre noir incrusté dans la porte et l'échantillon récupéré chez Vance. Le coloris, l'opacité et la réfraction du spectre lumineux étaient identiques.

Nous n'avions toujours pas de certitude, mais notre présomption sur le lieu de fabrication du reliquaire du Docteur Death venait de franchir un très grand pas.

◆

L'angélus du soir égrainait ses notes dans l'air gelé quand je souhaitai une bonne soirée à Sansquartier. C'est lui qui effectuait la dernière tournée de la morgue pour s'assurer que tout était en ordre. Le téléphone sonna au même moment et Paul s'empara du cornet acoustique. Je vis aussitôt de la surprise sur son visage.

— C'est le lieutenant Lafontaine, me dit-il. Il a l'air drôlement énervé.

J'allai prendre l'appareil qu'il me tendait.

— Qu'est-ce qui se passe, Bruno ?

— Georges, je viens de recevoir un appel de Joe Valiquette. Il avait deux informations à me transmettre. À l'entendre claironner dans le téléphone, Joe était dans tous ses états. Il a commencé par m'apprendre qu'ils ont mis un nom sur la photo de la jeune femme assassinée de la rue Condé. Elle s'appelle Mary Cagney, elle venait de Bedford. C'est son père qui a reconnu sa photo dans le *Boston Globe*. Après bien des jours passés à se tourmenter, il a pilé sur son orgueil et il est allé au poste de son quartier pour expliquer qu'il s'agissait de sa fille. Le gars espère qu'il pourra récupérer le corps de Mary pour l'inhumer dans le cimetière familial où se trouve déjà sa femme.

— Notre dernière inconnue est identifiée, voilà une bonne nouvelle. Pour le corps, par contre, tu sais qu'il faudra de multiples procédures pour…

— C'est pas ça l'important, Georges. Si Valiquette m'a appelé, c'est parce qu'il vient tout juste d'apprendre qu'une autre fille de son coin de pays est à Montréal pour se faire avorter.

Cette annonce me tétanisa. Était-il possible que, enfin, nous puissions ne plus être en retard sur les événements ?

— C'est un renseignement capital ! Mais… comment Valiquette peut-il être certain de ce qu'il avance ?

— Parce que cette fille s'appelle Norma Prévost et que c'est sa nièce.

— Quoi ?

— C'est la fille unique de sa sœur, qui est venue raconter à Valiquette…

— Cette Norma aurait dit à sa mère que… ?

— Non, non, Georges, laisse-moi finir. Cet après-midi, en appelant la mère de l'ami de cœur de Norma, un certain John Maynard, la sœur de Joe a appris que le couple était allé passer quelques jours à Montréal. Comme Norma filait un mauvais coton depuis qu'elle se savait enceinte et qu'elle était forcément au courant de l'affaire du réseau clandestin sur lequel enquête son oncle, la sœur de Joe a additionné un plus un et l'a aussitôt averti !

— Dieu du ciel ! Ça signifie que ces deux jeunes gens sont déjà arrivés à Montréal et que peut-être ce soir...

— Comme tu dis, Georges.

Je regardai l'heure.

— Tu as envoyé quelqu'un au restaurant où...

— Voyons, Georges, ne sois pas naïf, je fais surveiller le commerce depuis mardi dernier. Sans résultat, d'ailleurs. Ces gens-là ne sont pas des amateurs : ils changent l'heure et le lieu du rendez-vous chaque jour.

Un frisson glacé me traversa le corps quand j'entendis la fin de la phrase.

Chaque jour...

Oui, j'étais un naïf de la pire espèce. Je réalisais que, pas une seconde depuis le début de cette affaire, je ne m'étais interrogé sur l'ampleur des activités de ce réseau d'avortements clandestins. Nous cherchions à mettre la main sur un opérateur criminel qui avait massacré plusieurs femmes, mais pour qu'un tel réseau existe, pour qu'une telle organisation soit lucrative, il fallait nécessairement que la majorité des opérations criminelles se déroulent sans anicroche, qu'elles se terminent à la satisfaction des clientes !

— Allô ? Georges ?...

Je m'ébrouai.

— Oui, je suis là... Je viens juste de réaliser que si, comme tu dis, ce réseau pratique des avortements presque tous les jours, ça implique que l'avorteur n'est pas souvent chez lui le soir.

— Et tu en conclus que...

— ... si Leblanc arrive parfois en retard et qu'il manque des cours, c'est probablement parce qu'il travaille trop le soir !

— Bon sang, Georges, tu as raison. Il suffirait de trouver son adresse et d'exercer une surveillance pour...

— Bruno, le coupai-je aussitôt, je sais qu'il demeure à quelques pas d'ici.

— J'arrive !

◆

Place Jacques-Cartier. Le mercure avait chuté avec le soleil. Ma bouche fumait comme les naseaux d'un dragon alors que j'étayais ma thèse faisant de Leblanc le suspect numéro un. Il avait été le plus zélé des étudiants en obstétrique. Il avait assisté à la démonstration de l'insufflateur lors du congrès d'obstétrique et posé une question dont l'implication prenait tout son sens. Son dossier au Séminaire laissait entrevoir un incident assez important pour que l'archevêché ne veuille pas le communiquer et provoque de toute évidence son renvoi. Il avait été membre des zouaves, était habité par un zèle religieux proche du fanatisme, qu'il essayait tant bien que mal de dissimuler. Il avait grandi en Nouvelle-Angleterre et il était le neveu d'Arthur Vance. Pour toutes ces raisons, il apparaissait comme le maillon essentiel du réseau, Sullivan, feu Bellemare et Arthur Vance ne pouvant qu'en faire partie d'une façon ou d'une autre.

C'est dans le dossier scolaire de Leblanc que j'avais pris connaissance de son adresse au début de l'année. Il avait un appartement dans la rue Saint-François-Xavier, juste en face des terrains de l'église de la paroisse Notre-Dame, ce que j'avais trouvé bien luxueux à l'époque pour un étudiant en médecine. Il fallait avoir des revenus importants pour habiter là. En découvrant que son beau-père était médecin et qu'il avait un oncle probablement millionnaire, cela me surprenait moins maintenant. Mais la pratique du vil métier d'opérateur criminel pouvait aussi lui procurer les revenus nécessaires pour soutenir un tel niveau de vie.

Je longeai la clôture du terrain de la fabrique Notre-Dame. Je levai le regard vers le second étage d'un chic bâtiment.

— C'est là, dis-je à Bruno.

— Pas de lumière. Le tueur est probablement au travail...

Sans hésiter, Bruno ouvrit la porte du rez-de-chaussée et s'engagea dans l'escalier. Sur le palier, il donna trois vigoureux coups sur la porte. Pas un son de l'autre côté.

— Comment va-t-on entrer ? chuchotai-je.

— C'est l'enfance de l'art. Regarde.

Avec la fierté d'un gamin qui montre sa collection de soldats de plomb, il sortit de la poche de son parka une série de limes. En un tournemain et quelques clics, il ouvrit la serrure, mais une chaîne retenait la porte. Bruno fouilla dans une autre poche. Il en produisit une petite pince-monseigneur et sectionna la chaîne. La porte s'ouvrit. Bruno fut le premier à entrer. Je refermai la porte derrière moi.

— À son retour, Leblanc saura que quelqu'un est entré chez lui.

— Bah ! Il y a beaucoup de vols à Montréal, dit Bruno. On fera en sorte qu'il croie que c'était à son tour d'être visité.

Nous étions dans une large entrée qui se prolongeait par un long corridor. Bruno siffla en découvrant la première pièce à gauche, un grand salon qui jouxtait une salle à dîner.

— On se paye du luxe...

Nous trouvâmes rapidement deux lampes à huile, que nous allumâmes. Nous étions tellement obnubilés par tout ce que nous venions d'apprendre au cours de cette journée folle que nous nous fichions éperdument que nos lumières soient vues de l'extérieur.

Je fus étonné par la richesse du mobilier. Un beau canapé victorien rouge avec des motifs floraux, une table en marbre, des tableaux de scènes pastorales et religieuses parsemaient le salon. Aux fenêtres, de lourdes tentures opaques rouges avec des motifs dorés. Un portrait du pape Léon XIII était accroché entre un rameau et un crucifix.

Leblanc possédait même un de ces nouveaux appareils pour écouter de la musique, le gramophone, et je vis tout à côté plusieurs disques de musique symphonique.

— Dis-moi, Georges, est-ce qu'un étudiant en médecine peut se payer tout ça ?

— Certainement pas. Mais le père de Leblanc est médecin, et tu sais que son oncle est loin d'être un mendiant.

— À l'entendre cet après-midi, ce n'est pas Arthur Vance qui lui paye tout ça... à moins qu'il le rétribue pour son travail d'opérateur criminel, compléta-t-il.

Dans une grande bibliothèque vitrée s'entassaient des centaines de livres, des ouvrages religieux et de médecine. Je repérai rapidement les tranches bleues de *L'Union médicale du Canada*. Je cherchai le numéro dans lequel Rousseau avait écrit son article sur l'insufflateur, mais ne le trouvai pas. Je vis également les actes du colloque des médecins d'Amérique française. Un texte du docteur Laurence, célèbre obstétricien parisien, était aussi dans la bibliothèque.

Pendant que je finissais l'inventaire succinct de la bibliothèque, Bruno s'était rendu dans la chambre.

— Viens voir, Georges.

Il avait ouvert le garde-robe et en avait sorti quatre paires de souliers. Une règle à la main, il examinait les talons de chacun des modèles. Le soulier en cuir brun avait un talon de la même dimension que celle de la marque qu'on avait prélevée sur une scène de crime.

— Deux pouces et trois quarts de long sur deux pouces et quart de large, les petites lignes fines en delta. Ça ressemble drôlement...

Bruno remit les souliers dans le garde-robe, où se trouvait également un haut-de-forme.

Sur la table de chevet, je remarquai un cahier avec une superbe couverture rigide en maroquin rouge. Je l'ouvris, approchai ma lampe. Je constatai que Leblanc y avait écrit des textes en prose et des poèmes. Il avait aussi réalisé de nombreuses esquisses. Pendant que je tournais les pages, une série au fusain attira mon attention.

— Je tiens là quelque chose, Bruno.

Il s'amena en vitesse. Il approcha à son tour sa lampe et les illustrations semblèrent se mettre en mouvement sous les doubles reflets.

— Bon Dieu...

Leblanc avait esquissé avec son fusain des visions cauchemardesques en gros plan : des visages sans expression, des corps allongés et tordus, manifestement sans vie, qu'il avait ensuite tachés de rouge, de bleu et de mauve violacé. Plus loin, des abdomens, toujours tracés au fusain, étaient couverts de réseaux de fines lignes inextricables dessinées avec une mine très pointue. On aurait dit des milliers de lacérations, et du rouge, étalé à plusieurs endroits, parsemait les pages de taches écarlates.

— Ça me fait penser aux femmes que nous avons trouvées sur les scènes de crime...

— Ces positions torturées rappellent la souffrance de corps mutilés...

— C'est l'œuvre d'un esprit malade, conclus-je en refermant le cahier.

Bruno s'intéressa ensuite au lit, puis au sommier. Rapidement il trouva, coincée entre les ressorts du sommier, une liasse de billets en devises américaines.

— Payant, ce vil métier.

Un rapide calcul nous indiqua qu'il y en avait pour plus de mille deux cents dollars. Bruno fit comme pour les souliers et replaça avec soin la liasse. Il tenait à pouvoir retrouver le tout à sa place au cours d'une future perquisition officielle.

Sur l'autre table de chevet, il y avait une petite nappe blanche sur laquelle trônait une magnifique boîte noire avec des dorures et des séraphins en ivoire incrustés sur les côtés. Je contournai le lit pour aller l'ouvrir. Un parfum entêtant s'en dégageait. À la lumière de la lampe, je découvris avec consternation deux flacons de saintes huiles à l'intérieur. Du saint chrême. Je retirai le bouchon de l'un des flacons.

Je regardai Bruno.

— C'est un élément important : une huile qui sert à ondoyer les enfants morts-nés pour leur éviter l'enfer.

— Il utiliserait cette onction à la fin de l'opération ?

Bruno secoua la tête, tout aussi consterné que moi. Mais Leblanc ne nous avait pas encore montré toute l'ampleur de sa folie. Dans la salle de bains, Bruno fit de nouvelles découvertes troublantes dans l'armoire sous l'évier.

— Regarde ça.

Je sortis d'autres flacons. S'y trouvaient du chloroforme, qu'il utilisait probablement pour endormir ses victimes, de l'éther, du laudanum, de la cocaïne, tous des produits légaux mais qui, pour les deux derniers, n'en créaient pas moins des dépendances plus qu'inquiétantes.

Une chambre, à la droite du corridor, était totalement vide ; une autre, plus au fond, contenait essentiellement un bureau à cylindre et un lit à baldaquin avec des rideaux noirs, qui ressemblait plus à un corbillard encrêpé qu'à un lit. Partout nous cherchâmes des vêtements ensanglantés, des objets ayant pu appartenir aux victimes. Nous ne trouvâmes rien. Dans le bureau à cylindre, il n'y avait ni agenda ni sacoche. Il n'y avait pas de carnets d'adresses non plus, et nous ne découvrîmes aucun nom incriminant de femmes dans sa paperasse.

Dire que nous aurions aimé trouver un sac à main, un collier ou une bague, n'importe quel article pouvant être mis en relation avec les victimes était un euphémisme, mais nos espoirs furent déçus. Bruno alla jusqu'à fouiller dans la corbeille, mais n'y dénicha que des bouts de papier sans importance. Il ne m'en tendit pas moins un, sur lequel je reconnus mon nom, accompagné d'une pensée : « La vie sur Terre et ses distractions ne doivent jamais détourner notre attention des devoirs divins. » Et aucune trace d'une quelconque trousse de médecin, ce qui nous faisait craindre le pire : où donc était Eugène Leblanc à cette heure ? Allions-nous apprendre plus tard que l'opérateur fou avait encore frappé ?

Notre visite ne nous apprit rien de plus sur Leblanc. Le cahier d'esquisses était révélateur, certes, mais ne pourrait être utilisé comme preuve en cour. Tout ce que nous avions contre lui était circonstanciel. Il pourrait bien rétorquer que l'argent provenait de ses parents. L'accumulation des biens était hors de l'ordinaire pour un étudiant, mais un bon avocat pourrait attaquer chacun des éléments indépendamment. Il nous fallait quelque chose de plus solide contre lui. Leblanc était l'opérateur criminel, nous en étions convaincus, il fallait maintenant le démontrer avec des preuves directes.

— Bon, chuchota Bruno, je rapporte quoi pour que le vol te semble vraisemblable ? Ce n'est pas que je ne lui enlèverais pas avec plaisir sa liasse de billets, mais on en aura besoin avant longtemps !

Nous étions de retour dans le salon. Je lui montrai le gramophone.

— Cet appareil moderne ne pourrait qu'intéresser un revendeur, je crois.

Il s'empara de l'encombrant appareil pendant que j'éteignais nos lampes.

— Tu vas pas me dénoncer ? railla-t-il.

— Pas de ton vivant, du moins...

Avant de sortir, Bruno me demanda d'effectuer un tour rapide de l'appartement pour laisser plusieurs tiroirs ouverts et éparpiller un peu de vêtements pour qu'il soit bien clair que le voleur avait cherché des biens précieux.

— Notre scène de crime aura l'air vraie, lui dis-je en revenant de ma tournée.

— C'est parfait. Viens, on se tire de là !

Nous descendîmes par le tambour arrière et je fus soulagé de me retrouver à l'extérieur. Le froid qui régnait faisait en sorte qu'il n'y avait pas âme qui vive dans les parages.

Il ne fallut pas cinq minutes à Bruno pour se départir de son encombrant larcin, qu'il enfouit sous un tas d'immondices dans une ruelle.

— Rentre chez toi, Georges, tu ne peux plus rien faire ce soir. Moi, je file au poste pour m'assurer que l'appartement de Leblanc soit sous continuelle surveillance à partir de maintenant. Dès que ce maudit malade se pointe, on le coffre !

43. Le sanctuaire du Docteur Death

MARDI, 4 DÉCEMBRE 1894

Je fus réveillé par quelqu'un qui martelait sans relâche ma porte. Je marchai à tâtons en touchant les murs. Il faisait noir comme dans une mine de charbon. J'avais l'impression que je n'avais pas fermé l'œil plus de cinq minutes. Dans le salon, les braises rougeoyaient à peine dans le foyer.

— J'arrive ! criai-je avec humeur.

J'entrouvris la porte. C'était Lafontaine qui se trouvait sur le palier.

— Vite, Georges, habille-toi, on a du pain sur la planche.

Mon cerveau redevint instantanément alerte. Leblanc ! Ils avaient arrêté Leblanc. Je détachai la chaîne.

— Donne-moi une seconde.

Je courus à ma chambre, sautai dans mes vêtements comme au temps de l'armée et attrapai mon manteau et ma sacoche de médecin en passant.

— Je te suis !

Nous dévalâmes les marches quatre à quatre. Un fiacre de la police nous attendait en bas. Nous nous engouffrâmes dans l'habitacle et le cocher fouetta ses bêtes.

— On l'a attrapé ? demandai-je à Bruno, anxieux d'en savoir plus.

Il me regarda d'un drôle d'air.

— Non. Mais je pense qu'on va voir ce qu'il a fait cette nuit.

— Une autre victime ?

— Oui, mais pas du genre à laquelle tu penses.

Je le regardai avec surprise.

— Que veux-tu dire ?

— Arthur Vance a été assassiné.

— Quoi ?

— Je pense que nos visites répétées chez le magnat ont inquiété le tueur.

Pendant que les chevaux brûlaient les pavés gelés, Bruno me résuma la situation.

Vers deux heures du matin, la police de Westmount avait reçu un appel de madame Vance. Son mari n'était pas rentré et elle s'inquiétait. Elle avait appelé plusieurs fois à son club et n'avait pas obtenu de réponse.

Comme le club était dans les limites de la ville de Montréal, on avait téléphoné au poste le plus près, qui avait envoyé sur place un de ses agents. Ce que celui-ci avait vu de l'extérieur l'avait amené à demander la présence d'un gradé. C'était le lieutenant Stewart qui était en fonction cette nuit. Ils avaient défoncé la porte et, en constatant la mort de Vance, Stewart avait tout de suite fait appeler Bruno, puisqu'il savait que Lafontaine avait l'homme dans le collimateur.

La voiture tourna à toute épouvante dans McGill et nous étions déjà presque devant l'immeuble gris avec un toit à pignons. Rien n'indiquait qu'il s'agissait d'un club. L'édifice en pierres monumentales ressemblait à un fortin avec ses petites fenêtres longilignes. Il avait un aspect froid, austère et massif. Des volets noirs en fer forgé encadraient chacune des fenêtres rehaussées d'impostes magnifiques mais très oxydées par le plomb.

En façade, un escalier en bois méticuleusement ouvragé, avec son épaisse applique de vernis, luisait de toutes ses courbes. Le club de Vance était situé au premier étage, dans la partie droite de l'édifice. Sur le trottoir, en face, cinq policiers faisaient le pied de grue.

Nous nous avançâmes rapidement vers eux. Bruno me présenta le lieutenant Stewart, qui parlait un assez bon français malgré son nom.

— Mes gars, y ont touché à rien, dit-il aussitôt. Dès que j'ai constaté qu'il n'y avait plus rien à faire pour Arthur Vance, j'ai placé mes gars icitte à l'avant, et j'en ai deux derrière pour surveiller l'autre sortie, comme tu peux voir.

— Tu penses que l'assassin est toujours à l'intérieur ? demanda Bruno pendant qu'on montait les marches.

— Non, mais pourquoi prendre le risque, hein ?

Bruno acquiesça en même temps que moi. C'était agréable de constater qu'il y avait des policiers qui travaillaient avec méthode.

Sur la fenêtre au verre dépoli de la porte d'entrée, j'aperçus dans le clair-obscur les traces de sang qui avaient alerté le policier. Nous entrâmes. Il y avait un tout petit portique, qui donnait sur une immense pièce. Je vis tout de suite la nuque inclinée de Vance, assis dans un grand fauteuil qui, face à un bureau, se trouvait au milieu de l'espace. L'endroit n'était éclairé que par les braises qui rougeoyaient dans le foyer sur le mur de droite. Bruno demanda qu'on éclaire. Stewart souleva un commutateur – je remarquai qu'il se servait de la pointe de son crayon pour accomplir ce geste – et un plafonnier illumina la pièce et le crâne chauve ensanglanté de Vance. Bruno s'avança de quelques pas, puis me regarda en hochant la tête. Je le rejoignis. Le spectacle était nettement moins agréable. Le visage tuméfié et fracturé du gros homme le rendait méconnaissable. Deux dents s'étaient plantées dans sa grosse lippe. Sous la lumière du plafonnier, le spectacle de la mort était encore plus affreux. Le sang avait coulé sur le bureau en acajou face à Vance et sur le plancher de bois. Comme ce dernier n'était pas de niveau, le sang s'était rendu jusqu'à la porte. Des giclures et de la matière grise avaient été projetées jusqu'au plafond. Je compris pourquoi. Par terre, je vis le tisonnier ensanglanté avec lequel Vance avait été assassiné. Selon l'état des braises, le foyer n'avait pas été alimenté depuis un bout de temps. Je touchai le cou de Vance. Il était encore chaud. La mort devait remonter à une ou deux heures à peine.

Bruno examina le téléphone, qui gisait au sol, les fils arrachés. Il me regarda et je savais que nos pensées se rejoignaient.

— Est-ce que quelqu'un a avisé madame Vance de la mort de son mari ? demanda-t-il à Stewart.

— Non. Pas encore. Je peux envoyer un agent pour…

— Non, non, le coupa Bruno. Enfin… pas tout de suite.

Je demandai à Bruno :

— Tu penses à Sullivan ?

— Oui. Si c'est Leblanc qui a tué son oncle, il n'est probablement pas encore au courant de la chose. Peut-être qu'on peut profiter de ça pour le faire parler.

Je réfléchis quelques instants.

— Et si c'est Sullivan qui a tué son patron ?

Bruno sourit d'un sourire sans joie.

— Alors il ne sera certainement pas chez lui et on avisera plus vite madame Vance au sujet de son mari.

Il était temps que nous analysions plus à fond le lieu du crime. Pendant que Stewart et Lafontaine parcouraient la pièce, je m'occupai de la victime. Aucun doute, Vance était mort à la suite du terrible coup reçu. Il ne s'était pas débattu, preuve qu'il connaissait la personne qui avait mis un terme à ses jours. Je constatai que son portefeuille, joliment garni, était bien en place dans la poche de son veston. Le vol n'était pas le mobile de cet acte abominable. Dans une autre, je trouvai un impressionnant trousseau de clés, que je posai sur le bureau.

Bruno attira mon regard sur un tableau grandeur nature qui représentait le gros homme debout, droit et austère. Je m'avançai vers l'œuvre. Les yeux de Vance, plus jeune d'une bonne dizaine d'années, semblaient me suivre dans mes déplacements. L'effet était saisissant. Je ne sais si le peintre avait cherché à se venger, mais il avait immortalisé l'homme d'affaires avec un air hautain et un sourire forcé. Sur les autres murs, il y avait beaucoup d'autres toiles, qui représentaient des scènes diverses, avec une prédilection pour les scènes pastorales ou religieuses avec maints chérubins, ainsi que quelques trophées de chasse et de pêche.

Stewart, à quatre pattes sur le plancher, cherchait des indices devant le bureau en évitant de tremper son pantalon dans la coulisse de sang. Je suivis Bruno derrière la porte du fond, qui donnait sur un corridor. D'un côté, celui-ci menait à une pièce qui ressemblait plus à un bureau conventionnel, avec ses nombreux classeurs et un coffre-fort, bien apparent dans son coin. Bruno testa chacun des tiroirs ; ils étaient tous fermés à clé. Aucun ne semblait avoir été forcé. Pareil pour le coffre-fort. À l'autre bout du couloir, il y avait une salle de bains, suivie d'un coin-repas, plutôt petit mais fonctionnel. N'y ayant rien vu de particulier, je revins dans la pièce centrale avec cette impression que le Vance de la toile me suivait des yeux comme s'il vivait encore.

Je m'approchai pour lire la signature du peintre au bas de l'œuvre et je fus alors surpris de constater que le bas du tableau recouvrait en partie la superbe plinthe en chêne, de douze pouces de hauteur, qui faisait le tour de la pièce. Puis j'avisai les joints de chaque côté de la toile. Comme si la plinthe, derrière le tableau, avait été ajoutée. Je soulevai légèrement l'encadrement. Une porte se dissimulait derrière, et l'on avait caché sa base en ajoutant cette partie de plinthe. Mais pourquoi masquer cette porte avec un tableau ? Et où menait-elle ?

Je fis signe à Bruno de venir m'aider.

— Qu'est-ce que tu fabriques ?

— Prends ton côté.

Nous décrochâmes la toile pour la poser plus loin, puis je retirai facilement la plinthe, qui tenait en place par simple effet de serrage. J'essayai d'ouvrir la porte dont la serrure datait d'une autre époque. C'était verrouillé.

Bruno alla chercher le gros trousseau sur le bureau de Vance.

Il y chercha une clé de la bonne dimension. Dès sa première tentative, la mystérieuse porte s'ouvrit en grinçant. Un escalier rudimentaire en bois menait au sous-sol. Stewart, qui nous avait regardés manœuvrer, dit :

— On dirait un ancien garde-robe à l'intérieur duquel on a construit un escalier secret.

Je fus le premier à descendre. Les parois étaient en gros moellons. Une odeur d'encens me prit à la gorge. J'aboutis dans une voûte en brique où, droit devant moi, un Christ en croix posé sur le mur du fond capta mon regard. Il y avait un prie-Dieu à sa base. La sculpture devait dater du Moyen Âge, à voir la patine sur les détails du visage souffrant et en sueur de Jésus. Puis j'aperçus tout autour les reliquaires. Avec chacun le cœur noir en verre. Posés sur un support étagé, des dizaines de lampions éclairaient la scène.

Bruno, qui m'avait suivi, demeurait tout aussi silencieux que moi. Il s'approcha pour regarder à l'intérieur d'un des cœurs de verre, je fis de même avec un autre. Comme à la cathédrale Notre-Dame, un fœtus flottant dans le formol me fixa de ses yeux noirs à jamais aveugles.

J'entendis Bruno jurer à côté de moi, puis je le vis se signer.

J'étais secoué. J'avais vu bien des formes de délire mystique et religieux, mais jamais je n'avais constaté auparavant une telle dérive de la raison. Étaient-ce les chagrins consécutifs de la perte de ses enfants qui avaient poussé Vance à entreprendre cette collection morbide ? Voulait-il se faire pardonner l'argent que lui procuraient les avortements en priant pour toutes ces petites âmes perdues à jamais dans les limbes ?

Un grand frisson me traversa le corps. À supputer le nombre effarant de fœtus présents dans tous ces reliquaires, nul doute que le réseau fonctionnait depuis des années...

Nous remontâmes tous les deux en silence, abasourdis par notre découverte et, sans nous consulter, nous replaçâmes le portrait de Vance devant la porte. Stewart, qui ne nous avait pas suivis, nous regardait avec appréhension.

— Peux-tu dire à un de tes hommes d'aller chercher le coroner MacMahon au plus vite chez lui ? lui demanda Bruno.

— Qu'est-ce que vous avez découvert en bas ?

— Le mausolée des victimes du Docteur Death.

◆

Quand nous retournâmes vers la voiture de police, qui nous attendait toujours à l'extérieur, je regardai l'heure : cinq heures trente-huit. Nous étions là depuis moins d'une heure, mais j'avais l'impression d'avoir passé une éternité en enfer.

Il faisait toujours froid à pierre fendre dans la rue McGill. Le policier de faction s'était bien occupé des chevaux. Les braves bêtes, une grosse pelisse sur le dos pour qu'elles ne prennent pas froid, mangeaient tranquillement un bon picotin.

— Direction Westmount, mon ami, lança Bruno en s'assoyant sur le siège à côté de moi.

Deux des hommes de Stewart prirent place sur l'autre siège en face. Bruno ne voulait pas laisser échapper sa prise. Nous nous emmitouflâmes dans la peau d'ours pour ne pas geler pendant le trajet. Et nous essayâmes de penser le moins possible, reclus dans le silence.

◆

Il faisait toujours nuit noire quand nous arrivâmes en vue du manoir Vance. Les deux chevaux fumaient comme des cheminées après avoir monté la Côte-des-Neiges.

Bruno jaugea la situation en un coup d'œil. Il y avait toujours de la lumière au rez-de-chaussée de la vaste demeure. Il désigna l'un des agents et le chargea d'aller annoncer la triste nouvelle à madame Vance.

— Quant à nous, messieurs, direction le cottage de Sullivan. Et qu'on lui sorte les vers du nez.

Bruno sonna la charge et c'est d'un bon pas que nous empruntâmes le chemin sinueux qui menait à la petite maison de brique.

Lafontaine ébranla vigoureusement la porte d'entrée de son poing. Il fallut moins d'une minute pour voir apparaître l'homme de confiance de Vance, qui ajouta un élément de surprise sur son visage ensommeillé en nous apercevant.

— Messieurs ? Qu'est-ce que…

— Alfred Sullivan, il faut qu'on se parle !

— Qu'on se… À cette heure ? Qu'est-ce qui se passe ?

— Votre patron a été assassiné cette nuit.

Je le vis blêmir d'un coup alors qu'il faisait involontairement un pas en arrière. S'il feignait la surprise, c'était bien joué.

— Laisse-nous entrer, ordonna Lafontaine.

Sullivan ouvrit plus grand la porte et nous fit de la place pour que nous nous engouffrions à l'intérieur. En passant devant lui, je regardai ses mains. Elles étaient immaculées. Même chose pour ses vêtements.

Il nous mena à une cuisinette, où nous nous assîmes autour d'une table en bois massif.

Lafontaine n'y alla pas par quatre chemins.

— Tu es coincé, Sullivan. On sait tout sur le réseau d'avortements clandestins. De la Nouvelle-Angleterre à ici. Du docteur Wells, pour ne nommer qu'un médecin rabatteur, en passant par Andrew White, jusqu'à ton patron, la tête dirigeante du réseau. On sait que l'opérateur fou est le neveu de Vance, Eugène Leblanc. C'est une question d'heures avant que l'on mette la main sur lui. On connaît aussi ton rôle dans ce réseau, et on sait que c'est toi qui as fabriqué le reliquaire impie découvert à la cathédrale Notre-Dame. Et tous ceux qui sont dans l'infâme mausolée de la rue McGill.

À chaque affirmation que Bruno énonçait, je voyais Sullivan s'effondrer un peu plus sur lui-même. Je pris le relais.

— Votre compte est bon, monsieur Sullivan, dis-je. Car contrairement à Eugène Leblanc, vous ne pourrez certes pas plaider la folie pour le meurtre de Vance, ça, c'est un aliéniste qui vous l'assure !

Comme prévu, il réagit fortement à ma dernière accusation.

— Ce n'est pas vrai ! Je n'ai pas tué monsieur Vance !

— Ne nous prends pas pour des imbéciles, répliqua Bruno en haussant le ton. Tu savais que Vance était sur le bord de craquer, et ça voulait dire la prison à coup sûr pour toi.

— C'est faux, cria Sullivan, je ne l'ai pas tué.

— Tu expliqueras ça au juge, parce que je t'arrête ce matin pour le meurtre d'Arthur V...

Sullivan bondit de sa chaise, aux abois.

— Ce n'est pas moi qui l'ai tué, c'est Eugène.

— Voilà une bien piètre défense, lançai-je au moment où Bruno et le policier – Euclide Tanguay – se levaient à leur tour, prêts à se mesurer à Sullivan.

— C'est Eugène le meurtrier, je peux même le prouver ! continua de tempêter Sullivan, désespéré.

Bruno saisit la balle au bond. Tout en esquissant un geste pour retenir Tanguay, il dit:

— Tu peux le prouver? OK, Sullivan. Je te donne cinq minutes pour nous donner ta version des faits. Mais si elle n'est pas convaincante, c'en sera fini de toi.

La tension était palpable dans la cuisine. Sur le visage de Sullivan, je voyais défiler ses pensées, qui oscillaient entre l'évaluation de ses chances de nous échapper et ce qu'il pourrait négocier s'il ouvrait son jeu. Quand Bruno, tout aussi expert que moi dans la lecture des intentions des criminels, comprit que Sullivan penchait vers la bonne solution, il se rassit lentement en ajoutant:

— Bien. On t'écoute, mon gars. Ne rate pas ta chance.

Sous l'œil vigilant de Tanguay, Alfred Sullivan se rassit. Il prit quelques instants pour se calmer, puis entama son récit.

— Ce n'est pas moi qui ai tué Arthur Vance. C'est Eugène Leblanc. J'ai connu Eugène au Collège de Montréal, quand nous avons adhéré ensemble à l'armée des zouaves pontificaux. Même si nous venions de milieux différents, lui de la Nouvelle-Angleterre, moi de Dublin – j'y suis né en 1869 mais ma famille a émigré à Montréal trois ans plus tard –, nous avions tous deux la même ferveur religieuse. Tout comme Eugène, je voulais devenir prêtre, mais contrairement à lui, je n'ai pas été accepté au Séminaire. Cette déception m'a amené à…

Sullivan parlait posément. Il était tellement investi dans son histoire que nous aurions pu le laisser seul à la table et il ne s'en serait pas aperçu. C'était l'histoire de sa vie – des échecs de sa vie – qui se déroulait dans sa tête, et nous n'en étions que les spectateurs inopinés.

Le refus du Séminaire l'avait profondément bouleversé. Il s'en est suivi quelques années difficiles qui avaient culminé en 1890 dans une rixe contre des orangistes au cours de laquelle il y avait eu mort d'homme.

Il avait été accusé d'homicide involontaire ; l'avocat de son père, un républicain irlandais fanatique qui ne portait guère les Anglais dans son cœur, avait plaidé la légitime défense du Dieu des catholiques, attaqué par ces démons et défendu par Sullivan. Le juge étant catholique, la peine avait été réduite à un an de prison.

À sa sortie, Alfred avait été accueilli par Eugène, et c'est grâce à Leblanc s'il avait été engagé par Vance, tout d'abord comme homme à tout faire, puis menuisier. Peu de temps après, jugeant sa foi tout aussi forte que la sienne et celle d'Eugène, Vance l'avait incorporé à son réseau d'avortements clandestins, puis invité à son « club » de la rue McGill.

Comme Bruno et moi l'avions imaginé, c'était Sullivan qui, depuis deux ans, rencontrait les filles-mères un peu partout dans la ville pour leur transmettre l'adresse du lieu des opérations. Nous fûmes cependant étonnés d'apprendre que c'est lui qui avait recruté Henri Bellemare, rencontré en prison. Quand ce dernier était sorti à son tour, Alfred avait intercédé en sa faveur auprès de Vance, qui lui avait offert un poste de concierge. Poste fictif, il va sans dire, puisque son travail consistait surtout à gérer les logements vacants, à en ouvrir discrètement les portes le moment venu et à sécuriser les alentours pendant les opérations pour que tout se déroule dans la discrétion la plus totale.

Quand un premier cas d'opération meurtrière avait été signalé, puis un deuxième, cela avait causé une onde de choc terrible dans tout le réseau – la sacro-sainte discrétion était subitement menacée. Puis tout s'était lentement déglingué, jusqu'à la mort d'Henri Bellemare, puis celle d'Arthur Vance…

Sullivan garda le silence suffisamment longtemps pour que Bruno se décide à rompre le charme.

— Tu nous confirmes bien des choses, mon garçon, mais tu ne nous as toujours pas convaincus que c'est Leblanc qui a tué son oncle.

— J'y viens, murmura Sullivan, toujours perdu dans ses pensées. Je crois que tout a commencé quand Eugène a décidé sur un coup de tête, l'année dernière, d'introduire en catimini un reliquaire dans la cathédrale Notre-Dame. Comme j'avais été élu marguillier six mois plus tôt, il m'était facile d'entrer dans le bâtiment et d'en sortir en toute impunité à n'importe quelle heure du jour...

Cette fois, nous eûmes beaucoup de peine, Bruno et moi, à ne pas montrer notre surprise. Sullivan, marguillier ! Dire que nous nous étions donné un mal fou pour obtenir la liste des donateurs, alors qu'il aurait été si simple de vérifier la liste des marguilliers, publique celle-là !

— ... ou de la nuit, avec ou sans matériel. Nous avons installé le reliquaire en même temps que d'autres pièces de décor étaient ajoutées à la cathédrale, ce qui terminait les aménagements à la suite de la mise en place des grandes orgues. Quand j'avais demandé à Eugène la raison de ce geste, il m'avait dit qu'il fallait qu'il y ait plus de fidèles qui prient pour ces pauvres âmes prisonnières des limbes, pas seulement son oncle et les quelques personnes du réseau qui étaient admises au club. J'avais émis mes doutes quant à ce qu'en penserait monsieur Vance, mais Eugène m'avait alors surpris en me faisant jurer de ne pas lui en dire un mot, car il ne l'en avait pas avisé. Alors vous pouvez comprendre dans quel état s'est trouvé monsieur Vance hier matin quand, à la une du journal, il a appris qu'un de ses reliquaires avait été découvert à la cathédrale. La scène à laquelle j'ai eu droit ! Quand je lui ai dit que, sous peine de me parjurer devant Dieu, je ne pouvais lui révéler qui avait pris cette initiative, il a compris qu'il s'agissait d'Eugène. C'est la goutte qui a fait déborder le vase, comme dit le proverbe. Déjà qu'il était particulièrement à cran en raison des agissements de l'opérateur criminel, qui menaçait le réseau, puis de l'assassinat d'Henri...

— Tu veux dire qu'il ne suspectait pas son neveu d'être le tueur ? ne put s'empêcher d'intervenir Bruno.

— Non. Les meurtres ont été commis à des endroits qui n'étaient pas ceux prévus. Eugène a affirmé chaque fois s'être rendu à la bonne adresse et ne pas avoir trouvé la patiente. Comme il arrive parfois que des femmes changent d'idée à la dernière minute, monsieur Vance l'a toujours cru. En fait, il a toujours été persuadé que c'était un désaxé qui espionnait le réseau, même qu'il a suspecté Henri Bellemare jusqu'à son assassinat. Mais hier, il a sommé Eugène de venir s'expliquer. Comme dans la journée son emploi du temps est chargé en raison de ses cours, Eugène lui a dit qu'il passerait au club après le « travail ».

— Il a pratiqué une opération hier soir, dites-vous ?

Alfred Sullivan hocha la tête.

— Rares sont les soirs où il n'y en a pas.

Bruno marmonna quelque chose que je n'entendis pas, mais je vis qu'il serrait les poings. *Rares sont les soirs…* Sullivan parlait de ça d'une manière si désinvolte.

— Comme c'est vous qui êtes l'intermédiaire, vous pouvez nous dire où l'opération a eu lieu ?

— Oui. Ça se déroulait dans un appartement du troisième étage d'un immeuble de la rue Laprairie.

— Est-ce que cette opération clandestine était celle de Norma Prévost ? demandai-je.

Sullivan montra sa surprise en entendant ce nom.

— Comment connaissez-vous le nom de cette fille ?

— Peu importe, dis-je, répondez-moi.

— Non, ce n'était pas elle. Mais je l'ai rencontrée aussi hier. Elle était censée être le deuxième « travail » de la soirée. Mais Eugène devait aller au club, alors il a reporté son rendez-vous à ce soir.

— Comment savez-vous ça ? demanda sèchement Lafontaine.

— C'est monsieur Vance qui lui a dit de le reporter. Il voulait voir Eugène au club à neuf heures pile et…

— Dis-nous où ça se passe ce soir, le coupa brusquement Bruno.

Sullivan haussa les épaules.

— Je ne sais pas. Hier c'était prévu dans la rue Laprairie, au même endroit. Mais Eugène lui a certainement donné un nouveau lieu de rencontre. On ne pratique jamais deux soirs de suite au même endroit, vous comprenez...

— Saint chrême! jura Lafontaine, qui tourna ses yeux désespérés vers moi.

Nous comprenions parfaitement, hélas!...

◆

Le jour se levait quand nous retournâmes à la voiture, Sullivan coincé entre Lafontaine et Tanguay. Bruno avait eu beau tempêter, l'Irlandais n'avait pas été capable de lui indiquer plus précisément où l'avortement de Norma Prévost se déroulerait ce soir. Sûrement dans un des innombrables taudis à louer de Vance, mais lequel? Excédé, Bruno avait mis fin à l'interrogatoire et demandé à Tanguay de passer les menottes à Sullivan.

Nous retrouvâmes l'autre agent à la voiture. Cela n'avait pas été facile avec madame Vance, nous expliqua-t-il, mais elle s'en sortirait. Il l'avait laissée à son chagrin et aux bons soins de sa femme de chambre.

Dès notre arrivée au poste de la rue Saint-Gabriel, Bruno fit boucler Sullivan dans un cachot. Nous nous dirigeâmes ensuite vers son bureau pour éplucher la liste des logements à louer de Vance. J'étais mort de fatigue, mais je devais aider Bruno à mettre la main au collet de Leblanc le plus vite possible.

En ouvrant la porte de son bureau, mon ami aperçut la grande enveloppe qui trônait sur son plan de travail. Je pus lire facilement dans le coin supérieur gauche le nom de l'expéditeur: *Boston Police Department, Mass., U.S.A.*

C'était un envoi recommandé de Joe Valiquette. L'enveloppe était arrivée par le train de nuit. À l'intérieur, deux photographies, celles de Norma Prévost et de John Maynard.

Bruno les brandit en un geste de victoire.

— Enfin une bonne nouvelle ! Donne-moi deux minutes, Georges, je m'organise pour qu'un de nos gars montre ces photos à tous les policiers en patrouille aujourd'hui dans le coin de la gare et les quartiers où se trouvent des immeubles de Vance.

Bruno était dans l'embrasure de la porte quand un policier arriva à toute allure dans le corridor en criant :

— Lieutenant, on vient de recevoir un appel urgent de Paul Sansquartier. Il dit que la morgue a été cambriolée !

44. Journée sombre

À notre arrivée rue Perthuis, Sansquartier faisait les cent pas devant l'entrée principale. Il accourut en nous apercevant.

— Docteur Villeneuve, c'est affreux, votre bureau a été tout saccagé.

— Mon bureau ?

— Je n'ai pas fait le tour complet, docteur, mais quand j'ai vu que la serrure avait été fracturée, je suis tout de suite monté pour voir si les cadavres… enfin… vous savez… mais j'ai vu à l'étage des papiers dans le corridor et… c'est vraiment sens dessus dessous !

— Eugène Leblanc… m'écriai-je. Ça ne peut être que lui. Vite, Bruno, suis-moi.

Je m'engouffrai dans la morgue comme un boulet, montai les marches quatre à quatre. Sansquartier avait raison : tout dans mon bureau avait été mis à l'envers. Le meuble d'apothicaire, dans lequel je gardais les dossiers de mes étudiants, avait été projeté par terre et, je l'avoue, je jurai comme un charretier en comprenant ce qui s'était déroulé ici.

— Les échantillons de cheveux !

Je tombai à genoux pour fouiller dans le fatras qui couvrait le sol, en continuant de jurer tant je m'en voulais. Ah ! le diable ! Il avait été plus futé que moi. Il savait que c'était « la » preuve que je détenais contre lui, l'unique élément qui, de façon directe et sans équivoque, le désignait comme l'opérateur fou! J'aurais voulu m'arracher les cheveux d'avoir été si négligent. Et dire que je n'avais même pas pensé à comparer les cheveux que nous avions trouvés sur le corps de Mary Cagney et dans le reliquaire avec…

— Les pièces à conviction!

Je me relevai pour filer là où étaient entreposés les restes du reliquaire et les pièces à conviction que nous avions trouvées. Force me fut de constater que le chenapan avait pensé à tout: tout ce que nous avions découvert comme preuve avait été dérobé.

— Il vient de nous déclarer la guerre, dis-je à Bruno. Il est plus intelligent que je ne le croyais. Et beaucoup plus dangereux. Il a tout de suite compris que le vol à son appartement n'en était pas un, peut-être même qu'il se doute que j'étais de la partie.

Je regardai la façon dont il s'était acharné sur les parties démontées du reliquaire.

— Il nous faut l'arrêter au plus vite, Bruno, car il est mûr pour un carnage ce soir.

◆

— Je suis persuadé que Norma Prévost et John Maynard ont pris une chambre pas loin de la gare. Rappelle-toi ce que nous a raconté Michael Moran…

J'étais avec MacCaskill et Bruno dans le bureau de ce dernier, rue Saint-Gabriel. La journée avait été radieuse bien que très froide, mais aucun de nous ne l'avait vraiment remarquée. Déjà, le soleil frôlait les limites de l'horizon et nous n'avions pas avancé d'un pouce dans nos recherches.

— Ce qui m'inquiète, répondis-je à Bruno, c'est de savoir que Norma Prévost et son ami, John Maynard, sont dans l'impossibilité de savoir quoi que ce soit. Pour une fois que la presse aurait pu nous aider…

— La découverte du meurtre de Vance est arrivée bien trop tard, Georges, tu le sais bien.

— J'ai hâte de voir les éditions du soir ! dis-je d'un ton excédé. Elles ne devraient pas tarder, non ?

— On les reçoit dès qu'elles paraissent, Georges.

— La fille est peut-être déjà morte, déplora Mac-Caskill.

Bruno arrêta de tourner en rond autour de son bureau et toisa son collègue d'un regard dur :

— Tant que rien ne nous dit qu'elle est morte, elle est en vie, martela-t-il. Regarde-toi : tu es encore en vie, non ?

— C'est vrai que...

Sur l'heure du midi, à la surprise générale, un fantôme avait retonti au poste de la rue Saint-Gabriel. MacCaskill, vacillant et très amaigri à la suite de sa bataille contre la méningite, avait reçu l'accord du chef Carpenter pour réintégrer son poste. « Mais vous vous contentez d'un travail de bureau, MacCaskill », ce à quoi l'Irlandais avait répondu : « Tout est mieux que de demeurer au lit, chef ! »

Je regardai l'heure. Quatre heures vingt.

— Il ne faut pas désespérer. D'après Sullivan, l'opérateur ne travaille que le soir...

— Tous nos agents ratissent les quartiers sensibles depuis ce matin. Quelqu'un finira bien par reconnaître Maynard ou Prévost.

— Ou ce putois de Leblanc, compléta MacCaskill.

Dans l'avant-midi, comme nous ne disposions d'aucune représentation du tueur, j'avais participé à la reconstitution de son visage avec le portraitiste de la police de Montréal. Dès que j'avais été satisfait du résultat, l'image avait été montrée à tous les agents.

Mais les heures passaient, et toujours rien...

Il était un peu plus de cinq heures quand nous entendîmes un brouhaha de voix excitées à la réception :

— On l'a trouvé, lieutenant, on l'a trouvé !

Nous nous précipitâmes aux nouvelles, en espérant la prise de Leblanc.

C'était John Maynard.

◆

Dans la salle d'interrogatoire, Maynard poursuivait sa déposition. Face à lui, Lafontaine notait le moindre détail pertinent. Un agent l'avait repéré près de la gare Bonaventure. Il revenait vers le petit hôtel où ils s'étaient inscrits comme monsieur et madame Jean Ménard. Il n'avait offert aucune résistance quand le policier lui avait demandé de l'accompagner. Il parlait depuis une quinzaine de minutes et, sans gêne aucune, il nous avait expliqué la filière qu'ils avaient suivie, de la recommandation d'un médecin à la visite chez Andrew White, de leur arrivée à la gare de Montréal jusqu'à la rencontre de Sullivan la veille au soir, du rendez-vous en soirée rue Laprairie et du report de l'opération proposé par le jeune médecin. Norma avait, selon Maynard, eut tout de suite confiance en lui et elle avait accepté ses conditions pour le nouveau rendez-vous : elle devait garder le secret sur sa destination et, bien entendu, venir seule.

— Et elle ne vous a donné aucun indice sur sa destination ? demanda de nouveau Bruno.

— Non. Si ce n'est que le médecin lui avait promis que l'endroit serait moins déprimant que l'appartement de la rue Laprairie.

— Et vous dites que vous avez quitté Norma vers quatre heures trente ?

— C'est bien ça. Je l'ai aidée à monter dans le fiacre et je lui ai dit que je l'attendrais patiemment à la chambre.

Je n'en revenais pas de l'innocence de ce garçon. Comment pouvait-on accorder ainsi sa confiance à un inconnu ? Cela confinait à la bêtise.

— Vous avez noté la direction prise par le fiacre ?

— Noté ? Non. Mais il a pris à droite dans Dorchester, c'est donc dire que c'était…

— … à l'ouest, compléta Bruno, impatient. Vous n'avez rien d'autre qui pourrait nous aider à la retrouver ?

— Non. Comme je vous dis, Norma a beaucoup apprécié, hier, sa rencontre avec ce médecin, et...

— Vous l'avez déjà dit, monsieur Maynard. Le problème, voyez-vous, c'est que nous soupçonnons grandement ce « médecin » d'être l'opérateur criminel qui a assassiné plusieurs femmes ces derniers mois. Sachant cela, il me semble que vous devriez vous forcer un peu plus pour la sauver, vous ne trouvez pas ?

Sous tension, le ton de Bruno montait de plus en plus. Mais cela ne semblait pas affecter Maynard, qui demeurait toujours aussi absurdement calme.

— Croyez bien que je voudrais vous aider, monsieur l'agent, mais je vous ai vraiment dit tout ce que je savais. Vous êtes certain de ce que vous avancez, quand à ce... ?

— Certain.

— Pourtant, j'ai toujours cru au bon jugement de Norma...

Lafontaine ferma brusquement son calepin et remercia Maynard de sa collaboration.

— Je peux retourner à la chambre ? demanda-t-il ingénument.

— Si vous le voulez. Mais je vais demander à un agent de vous accompagner. Je ne voudrais pas qu'il vous arrive malheur, monsieur Maynard.

— Bien. Merci pour tout.

Il sortit, accompagné de MacCaskill, qui s'occuperait de lui assigner un garde du corps. Bruno se prit la tête à deux mains.

— On y arrivera pas, Georges. On aurait pas trouvé cet imbécile heureux qu'on en serait au même point.

— Il ne nous a guère aidés, sauf sur un point : Norma Prévost a pris un fiacre aux alentours de quatre heures trente.

Il sursauta.

— Bon sang ! Tu as raison. Le fiacre. Il faut trouver le conducteur.

Il sortit en trombe de la salle et je l'entendis ameuter tout le poste.

Des portes claquèrent, des hommes se mirent à courir un peu partout. Je retournai dans le bureau de Bruno. MacCaskill vint m'y rejoindre quelques minutes plus tard, en affichant une mine déconfite.

— Rarement vu un optimiste comme ça. C'est presque… indécent.

Bruno revint à son tour, et l'attente reprit.

◆

Je m'étais quelque peu assoupi quand une voix forte me fit sursauter.

— Lieutenant ! On a trouvé le cocher du fiacre qu'a pris Norma Prévost. Il dit l'avoir laissée dans la rue Tupper.

— Vite, consultons la liste des appartements à louer de Vance.

Nous nous emparâmes chacun de nos feuilles et, à trois, nous parcourûmes la liste à la vitesse de l'éclair. Pour faire chou blanc.

— Peut-être est-ce un nouvel appartement vide ? me risquai-je. On devrait consulter la liste générale.

— Oui, tu as raison, dit Bruno, qui fouilla aussitôt dans son dossier pour sortir la liasse de feuilles, nettement plus importante.

Nous nous replongeâmes dans l'analyse des adresses, qui n'étaient malheureusement pas par ordre alphabétique ! Mais, encore une fois, rien sur la rue Tupper.

Nous consultâmes le plan de la ville qui était accroché sur le mur pour élargir notre recherche aux rues avoisinantes. Nous cherchions avec l'énergie du désespoir, conscients du temps qui jouait en notre défaveur. Il était déjà près de sept heures.

Après avoir épluché toutes les feuilles, nous avions repéré huit propriétés appartenant à Vance dans ce quadrilatère élargi ayant pour centre la rue Tupper. Bruno reporta sur la carte murale leurs emplacements, en y plantant des punaises. Sept immeubles locatifs et une usine, qui fabriquait des wagons de passagers. Aucun appartement de ces immeubles ne figurait sur la liste des logements à louer.

— Priorité aux appartements, décréta néanmoins Bruno. Cette liste est ancienne et nous sommes au début du mois de décembre. Peut-être un logement s'est-il libéré récemment...

Il appela le poste Dorchester, le plus près du secteur, et l'on mit immédiatement à ses ordres une équipe de huit policiers. En équipe de deux, ils auraient la tâche de fouiller de fond en comble ces immeubles, et en priorité les appartements vides s'ils en trouvaient.

Bruno était surexcité. Je ne sentais plus la fatigue accumulée. La traque se précisait. L'espoir renaissait.

45. La fournaise

Lafontaine déplaça le centre de commandement au poste de la rue Dorchester. C'est là qu'on devait nous aviser de tout développement. Leblanc se savait traqué et cela en faisait une bête encore plus menaçante. Nos chances de les retrouver, lui et Norma, reposaient sur la justesse de nos déductions, mais les recherches n'avaient rien donné pour l'instant.

Nous ne tenions plus en place. À huit heures, une seule équipe avait communiqué avec nous. Rien de suspect dans l'immeuble qu'elle avait fouillé de fond en comble. Bruno la dirigea vers son deuxième objectif. Après avoir fait de même avec une deuxième équipe, qui n'avait rien découvert elle non plus, il consulta sa montre et prit sa décision.

— Patrick, tu restes ici pour t'occuper de la coordination. Dès qu'un agent a localisé Prévost ou Leblanc, tu lui envoies tous les renforts disponibles et tu t'arranges pour qu'on le sache. Georges et moi, on va aller inspecter l'usine de Vance, dit-il en m'invitant à le suivre. Mais je ne veux pas te voir bouger d'ici.

— Compris…

L'usine en question était située de l'autre côté du canal Lachine. Le ciel était dégagé et la lune, presque pleine, jetait une lumière spectrale sur le décor lugubre. À l'entrée, une vieille pancarte annonçait « *Closed for bankruptcy* ». À en voir l'état de délabrement, l'atelier de montage avait dû fermer ses portes depuis une année ou deux. Sur le mur de brique qui donnait sur la rue, une autre pancarte, nettement plus récente, indiquait : « *For sale* ». Vance avait-il géré cette usine ou l'avait-il récupérée dans le but d'en tirer un profit à la revente ? À travers les carreaux jaunes de cambouis, on distinguait des wagons à moitié achevés. Je vis aussi une magnifique locomotive, noire et lustrée, qui restait là en attente d'un éventuel acheteur.

Nous fîmes le tour du bâtiment pour aller à l'arrière, Bruno ramassa un caillou et défonça un carreau. Je l'aidai à agrandir l'ouverture. Impatient d'entrer, le policier attrapa les montants de la fenêtre pour se hisser. Je l'entendis glapir et retirer précipitamment ses mains. Du sang gicla jusqu'à terre et il jura de dépit.

— Torrieu de torrieu, ça se peut pas...

Il avait une profonde entaille au poignet et je voyais le sang en jaillir à grands jets. Je lui ordonnai de mettre son autre main sur la blessure pour ralentir l'hémorragie.

— Vite, presse ta main sur l'entaille, lui commandai-je pendant que j'extirpais mon foulard de l'intérieur de mon parka.

Je l'enroulai autour du bras de Bruno et fis un nœud serré pour former un garrot.

— Ton mouchoir, Bruno, dans quelle poche ?

— La droite...

Je m'en emparai et, en déplaçant doucement sa main, je l'appliquai sur l'entaille. Le morceau d'étoffe s'empourpra rapidement.

— Comme si c'était le moment... prononça Bruno, qui pâlissait à vue d'œil.

— C'est jamais le bon moment.

Je sentis Bruno sur le bord de défaillir.

— Respire bien, Bruno, de longues inspirations, oui... comme ça...

Il reprit doucement des couleurs. Je serrai un peu plus le garrot, remplaçai d'un geste preste son mouchoir par le mien. Son état se stabilisait, mais la blessure n'était vraiment pas belle.

— Te sens-tu d'attaque pour marcher ? Il faut que je t'amène à l'hôpital. Tu as besoin de points de suture.

— Pas question, dit Bruno. Ça devrait tenir. Je peux...

— Es-tu fou ? Ce pansement est temporaire. Et il faut désinfecter la plaie et suturer le plus vite possible.

Il grimaça.

— Ce qu'il faut, c'est trouver Leblanc avant qu'il ne tue une autre innocente, Georges. Je veux m'assurer qu'il n'est pas ici, à l'intérieur !

Sa tirade me galvanisa. Des vies étaient en jeu, mais perdre la sienne ne résoudrait rien !

— Lieutenant Lafontaine, c'est en tant que capitaine du 65e bataillon que je vous ordonne de vous rendre à l'hôpital ! Je ne perdrai pas un soldat parce qu'il est trop bête pour juger de la gravité de son état.

Il grogna quelque chose, mais ne répliqua pas. Je poursuivis :

— Moi aussi, je veux trouver Norma Prévost avant que Leblanc ne l'achève. Alors je suis prêt à me charger de fouiller l'usine et à te laisser aller seul à l'hôpital. Te sens-tu capable de t'y rendre ?

Il ne dit pas un mot, mais il enleva brièvement sa main de sur le pansement pour me tendre son revolver.

— Prends-en soin.

— T'inquiète pas.

Je n'avais pas tenu une arme à feu depuis le conflit de 1885, mais je n'avais pas oublié les règles de base. Je vérifiai que le revolver était chargé et la sûreté en place. Je glissai l'arme dans la poche de mon parka.

— Marche lentement, Bruno, et n'arrête surtout pas d'appuyer sur le pansement.

Il hocha la tête et partit en direction de la ville. Bruno avait une robuste constitution, il s'en sortirait, tentai-je de me convaincre en le voyant s'enfoncer dans la nuit.

En prenant mes précautions, je m'introduisis dans le bâtiment. L'atelier de montage était vaste. Les grands panneaux vitrés avec leurs petits carreaux poisseux laissaient filtrer une blancheur lunaire. L'endroit était froid et humide. Une odeur d'huile et de graisse à moteur était répandue çà et là. Des rats s'enfuirent.

Sous le toit en verrière couraient des passerelles, d'où des dizaines de poulies et de chaînes étaient suspendues, telles des lianes industrielles, avec encore du matériel lourd accroché à certaines. Trois rangées de wagons attendaient face aux portes du garage.

Une répétition de bruits secs me figea net. C'était le froissement d'ailes des pigeons qui voltigeaient d'une structure à l'autre sous le toit. Ils étaient alignés en rangs d'oignons sur les poutres. De la fiente blanche était tombée d'une poutrelle sur l'arrière d'un wagon. Le silence revint dans la sinistre usine. Puis j'entendis un bruit de tôle pareil à un faible roulement de tonnerre. Des rats, des chats ou des ratons laveurs devaient circuler dans un tuyau et générer ce bruit.

Je marchai entre deux rangées de voitures pour me retrouver devant l'atelier d'aménagement intérieur des wagons-lits Pullman.

Des piles de tissus, de la bourrure, des matelas et des fournitures en cuivre et en bois s'étalaient dans l'atelier. Je jetai rapidement un coup d'œil à l'intérieur des wagons.

Je traversai entre les voitures pour accéder à la deuxième rangée de wagons. Les trois premières voitures avaient eu leurs fenêtres posées, mais pas les dernières. Je montai sur le marchepied du wagon le moins achevé en fin de ligne. La moitié des bancs avaient été assemblés. J'avançai dans l'allée, accédai à l'autre voiture par la porte à l'extrémité. Je l'ouvris. Rien à signaler non plus. Mais un couinement animal capta mon attention. Je sortis du wagon.

Au moment où j'allais fouler le marchepied, il y eut un bruit de chaînes se déroulant. Je vis un mouvement au plafond et me projetai à l'intérieur du wagon. Un objet lourd s'abattit et faillit me décapiter. L'impact provoqua une explosion d'éclats de bois et souleva la poussière. Une longue barre de métal suspendue à une poulie avait arraché dans sa chute la porte du wagon où je me trouvais. Je sortis prudemment la tête par l'ouverture d'une fenêtre. En haut, les chaînes bougeaient comme si elles étaient actionnées par un fantôme. Je distinguai soudain une silhouette se profilant devant la lumière glauque d'une verrière. Puis elle disparut. J'entendais marcher sur la croisée de passerelles.

Leblanc était ici !

Je me rappelai que j'avais l'arme de Bruno dans ma poche. Mais je risquais de jouer ma réputation si je le tuais, car il était impensable qu'un aliéniste s'en prenne à un fou, et je croyais sincèrement que Leblanc était malade. Je sortis du wagon, revolver à la main, prêt à tirer si nécessaire. Je ne tirerais qu'en dernier recours, et seulement pour blesser. Une tige métallique tomba non loin de moi dans un assourdissant bruit de ferraille sur le plancher de ciment. Je me glissai sous un wagon.

— Eugène, c'est moi, Georges Villeneuve. Tu dois te rendre ! Tu es cerné de partout !

— C'est vous qui êtes cerné, docteur Villeneuve ! Dieu est avec moi. Vous êtes seul dans les ténèbres.

— Où est Norma Prévost ?

— Là où elle doit être...

— Rends-toi !

Je le vis apparaître brièvement, puis il échappa de nouveau à mon regard, caché parmi les innombrables chaînes et poulies devenues les instruments de mort d'un marionnettiste déséquilibré.

— Ne me prenez pas pour un imbécile, je sais bien ce qu'on me fera si je me rends.

— Tu auras droit au même traitement que n'importe quel accusé, Eugène.

— Faites-moi rire ! On va me pendre haut et court...

— Dis-moi où est Norma Prévost.

Un autre objet lourd tomba du ciel, défonçant le toit d'un wagon dans un vacarme infernal.

Il me fallait trouver Norma Prévost. J'avais la conviction qu'elle était ici, tout près de moi. Je sortis de sous le wagon, aux aguets, et criai :

— Norma, êtes-vous là ? Faites-moi un signe. Je ne suis pas seul. Nous sommes venus vous chercher. Norma !

L'écho de son nom se répercuta dans la vastitude de l'atelier. Sur le qui-vive, je m'avançai vers une autre rangée de wagons. La pénombre était tellement proche de la noirceur totale que je remarquai tout de suite la maigre lumière qui provenait d'un compartiment du deuxième wagon-lit à ma gauche. Je marchai lentement et prudemment vers cette voiture en surveillant ce qui se tramait au-dessus de ma tête. Je savais que Leblanc s'activait là-haut. J'entendais des cliquetis suspects, des grincements métalliques. Une chaîne se déroula vers le bas à une vitesse folle, entraînée par sa lourde charge. Un essieu avec ses deux grosses roues de métal s'abattit sur le wagon que je longeais. Il rebondit après avoir arraché une partie de la paroi. La surprise plus que le choc direct me projeta au sol. Des centaines d'éclats de bois me couvrirent. La poussière s'élevait dans le hangar, une poussière âcre de ciment mêlée au bran de scie.

— Leblanc, ça ne donne rien d'agir comme tu le fais, criai-je en toussant. Tu seras pris d'ici quelques minutes.

— Alors je dispose d'encore un peu de temps pour vous tuer, docteur Villeneuve.

— Et qu'est-ce que ça t'apportera de plus, Eugène ?

— La fierté d'avoir envoyé une âme corrompue en enfer ! Votre âme est corrompue, comme celle de tous ces médecins libéraux qui nous enseignent. Vous êtes un impie, Villeneuve !

Pouce par pouce, je repris mon avance vers le wagon d'où sourdait la lueur.

— Je ne me reconnais pourtant pas dans cette description.

— Vous avez perdu la foi. Votre philosophie est le matérialisme, vous ne jurez que par le positivisme. Vos cours évincent toutes les réalisations de Dieu dans la création de l'homme. Vous videz les êtres humains sans aucun scrupule, les réduisant en charpie au nom de la science.

— Je n'enseigne pas la philosophie, Leblanc. J'enseigne et je montre ce que je vois.

— Mais vous ne voyez pas Dieu dans l'homme.

— Et toi, Eugène, c'est en contemplant Dieu que tu tues des femmes?

— Je tue des filles publiques, je tue les femelles infâmes qui assassinent leur enfant et ne croient pas en Dieu. Ce sont elles qui tuent leurs bébés, pas moi. Moi, je bénis au nom de Dieu ces petits êtres, avant de tuer au nom de Dieu leurs marâtres.

J'entendis un bruit léger en provenance du wagon illuminé. J'eus un regain d'espoir. Norma Prévost n'était pas encore morte!

Une pluie d'objets, petits mais lourds, s'abattit à quelques pouces de moi. Je vis rouler sur le sol des boulons et des écrous. Un seul aurait suffi à me fracasser le crâne. Il n'y avait plus qu'un amoncellement de matelas empilés qui me séparait de mon objectif. Je le longeai au pas de course en me dissimulant du mieux que je pouvais, puis j'entrai par la porte arrière du wagon. Même si je n'y voyais plus rien, je marchai le plus vite possible en me guidant des mains sur les murs du corridor vers le compartiment où j'avais vu la lueur. J'avais fait moins de dix pas quand le wagon fut secoué violemment. Un gigantesque crochet de fer venait d'éventrer juste devant moi le plafond du wagon. Je me précipitai au travers des débris pour me rapprocher encore. Je vis enfin une mince ligne de lumière qui s'échappait sous une porte. Je courus, saisis la poignée et la tournai. La porte s'ouvrit.

Derrière, étendue sur le lit du bas, une femme avec une robe noire et un blouson blanc était couchée, endormie. Norma Prévost. L'avortement n'avait pas encore été pratiqué. À voir son ventre, elle en était au moins à son cinquième mois de grossesse. Je pris son poignet. Son pouls était faible. Leblanc lui avait sans doute fait avaler un sédatif. J'aperçus un flacon d'éther sur une table de nuit. La trousse de Leblanc se trouvait encore sur l'autre matelas. J'entendis un bruit de course là-haut, semelles sur métal. Que préparait-il? Je devais rester sur mes gardes, sa volonté de se débarrasser de moi ne faisant aucun doute. Un écarteur, des cathéters et des gazes avaient été déposés sur le lit du haut. Il me fallait mettre Norma en sécurité. Je lui tapotai la joue en l'appelant par son nom, mais elle bougea à peine. Son genou gauche heurta la paroi du wagon. Je sus que c'était ce bruit que j'avais entendu précédemment. À contrecœur, je lui donnai une bonne claque sur la joue.

Elle ouvrit les yeux, mais son esprit peinait à reprendre contact avec la réalité.

— Norma, réveillez-vous.

Je la secouai un peu par les épaules, mais elle ne réagissait pas, trop engourdie par la drogue. Je la souffletai plus vigoureusement, et là, je vis à la peur au fond de ses yeux qu'elle reprenait conscience.

— N'ayez pas peur, Norma, je suis là pour vous sortir d'ici.

Je la tirai de force pour la mettre debout, puis la soutins. Elle luttait pour s'éveiller, mais le combat était rude.

Une odeur toxique s'infiltra soudain dans l'air du compartiment. Un mauvais pressentiment m'envahit l'esprit. Tout en m'assurant que Norma ne tomberait pas, je tendis un bras pour écarter les rideaux qui voilaient la fenêtre. Je vis aussitôt des flammes vaciller. Eugène avait dû mettre le feu à une substance chimique quelconque, comme du gaz d'éclairage ou de la peinture. Il nous fallait sortir de là au plus vite. Je fis franchir la porte du compartiment à Norma et la portai à moitié dans le corridor pour aller plus vite. Nous étions tout près de la sortie quand une violente déflagration retentit, nous projetant au sol. Je vis une boule de feu monter jusqu'à la toiture de l'atelier. Sous l'effet de l'explosion, tous les carreaux vitrés de l'usine furent soufflés vers l'extérieur de l'atelier de montage. Mais ceux du toit retombèrent, telle une pluie de verre, alors que nous sortions du wagon. Ils se fragmentaient en aboutissant sur les passerelles métalliques, sur le toit des wagons, sur le sol de ciment. Je protégeai Norma des éclats tranchants en formant un bouclier avec mon corps. Elle était comme un animal apeuré, toujours désorientée par les effets de l'éther. Ses cils battaient lentement. Elle toussa, indisposée par la fumée, poussa un cri en voyant les flammes. Je devais la calmer avant que nous puissions prendre la fuite. Son cœur battait fort contre ma poitrine. Miraculeusement, nous n'avions que quelques coupures superficielles au visage.

— Accrochez-vous à mon cou, lui ordonnai-je.

Peut-être mon assurance transpirait-elle dans ma voix, toujours est-il que la jeune femme m'obéit. Je la soulevai dans mes bras pour la transporter. Je pris la direction opposée aux flammes, qui s'attaquaient maintenant à la pile de matelas. Norma toussa plusieurs fois contre mon cou. Cette fumée toxique devenait irrespirable. Mes voies respiratoires aussi cherchaient l'air sain. Il fallait sortir d'ici avant d'être asphyxiés ou consumés par les flammes, qui gagnaient du terrain à une vitesse folle. Le bruit de leur progression augmentait sans cesse. Il fallait s'extraire de cette forge de l'enfer. J'arrivai dans une impasse. Je déposai Norma au sol. Pas question de revenir sur nos pas. Nous devions passer sous un wagon pour sortir de là.

— Par ici !

Norma rampa comme moi, mais elle se frappa contre une pièce en fonte en se relevant de l'autre côté et se fit mal à la hanche. Des brisures de verre continuaient de s'abattre autour de nous. La chaleur du brasier devenait de plus en plus intense. Nous toussions sans arrêt.

— Courage, on y arrive ! dis-je alors que nous progressions parmi des bielles, des essieux et des roues de fer.

Tous mes sens étaient à l'affût. Je craignais sans cesse l'apparition de Leblanc. Affaiblie par l'éther et la fumée, Norma semblait sur le bord de s'évanouir. Je la pris à nouveau dans mes bras. Arrivé près d'une des portes-garages, je vis que celle-ci était attachée par de gros verrous cadenassés. Je cherchai tout autour un outil pour briser le cadenas. Je trouvai une barre de fer, mais elle était trop longue et pesante. Je la rejetai devant moi. Rien à faire. Je regardai d'un côté et de l'autre. Là où nous étions, il n'y avait aucune fenêtre à moins d'une douzaine de pieds du sol. En empilant quelques caisses, je pourrais y grimper, mais Norma n'était pas en état de réaliser cet exploit. Je devais trouver une échelle de fortune. Un courant d'air entra d'un coup et embrasa davantage l'atelier derrière nous. Plusieurs wagons étaient maintenant la proie des flammes. J'entendais l'acier crisser sous la chaleur. Ce concerto d'acier et de feu était sinistre. Une chute de débris acérés s'abattit à cent pieds de nous. Je voulus déplacer un établi, mais il était trop lourd. La fumée devenait de plus en plus épaisse et asphyxiante. En scrutant tout autour, j'aperçus les échafaudages qui servaient aux employés travaillant à fixer les rivets sur le toit des wagons. Je regardai Norma, qui s'était affalée près de l'établi.

— Restez là, je reviens, lui dis-je.

Je courus jusqu'à l'échafaudage le plus près, le saisis à pleines mains. Il était lourd, mais je parvins à le bouger. Je tirai de toutes mes forces pour le traîner, de six pouces en six pouces, jusqu'au mur extérieur. Je repris la barre de fer, grimpai en haut de l'échafaudage.

Le bas du châssis était encore à quatre pieds du dernier madrier. Je fracassai les montants de bois de la fenêtre, dégageai tous les tessons et redescendis l'échelle pour tendre la main à Norma. Je l'aidai à se relever et l'amenai à l'échafaudage.

— Montez !

Elle était totalement léthargique. Je la plaçai devant les barreaux de l'échelle et la poussai vers le haut. Norma se hissa avec peine. Je la suivis, tout en la retenant pour qu'elle ne bascule pas. En haut de l'échafaudage, j'évaluai la situation. La détresse se lisait sur le visage de Norma. À travers les fenêtres et la verrière éclatée du toit, une épaisse guirlande de fumée noire s'échappait vers le canal.

— Norma, je vais vous aider à passer le châssis et vous pourrez vous laisser tomber de l'autre côté. Je serai juste derrière vous.

La chute pouvait être dangereuse, mais nous n'avions pas le choix. Il fallait sortir du brasier. Je lui pris la main. Elle s'agrippa au rebord, mais refusa que je la soulève. Elle avait peur de sauter.

— Vous en êtes capable, Norma.

— Non, je ne peux pas, pleura-t-elle.

— Écoutez, c'est mieux que de mourir brûlé. Vous devez sauter !

Elle se figea dans un silence angoissé.

— Je ne pourrai pas...

Je la pris dans mes bras et la soulevai pour l'asseoir sur le rebord de la fenêtre. J'entrepris de lui passer les jambes de l'autre côté.

— Allez-y, Norma, sautez. Vous pouvez le faire.

— C'est trop haut, dit-elle en toussotant.

— Sautez tout de suite !

Elle regarda le sol de l'autre côté et se laissa finalement aller en criant. Je l'entendis heurter le sol en criant de nouveau et m'étirai le cou pour voir si elle était blessée. Elle était étendue par terre.

— Norma, vous êtes correcte ? Relevez-vous, bon sang !

Je la vis bouger. Elle se mit à genoux, elle ne semblait pas blessée sérieusement.

J'entendis au loin une cloche que l'on agitait avec force. Les pompiers étaient en route ! Et probablement aussi les policiers. Norma était maintenant debout.

— Éloignez-vous du feu, Norma. Éloignez-vous !

Elle se mit en marche lentement. Elle claudiquait de la jambe droite, probablement une cheville tordue.

Résolu, je descendis de l'échafaudage. Il me fallait retrouver Leblanc. Le garçon était fou, mais ce n'était pas une raison pour le laisser mourir. S'il fallait protéger la société de sa barbarie, il fallait aussi le sauver de sa folie.

— Eugène, criai-je de toutes mes forces, où es-tu ?

Pas de réponse. Je tentai de m'avancer davantage dans l'atelier, mais la fumée m'empêchait de respirer et rendait la visibilité quasi nulle.

J'entendis un bruit d'éclatement de bois. Je me tournai rapidement dans sa direction en brandissant mon revolver. Je vis l'éclat d'une hache, puis l'embout de trois lances d'incendie. Je poussai un hurlement de joie. Bientôt, trois grands jets d'eau s'élevaient dans les airs pour retomber sur le brasier.

Quand ils touchaient l'acier surchauffé des wagons, le métal criait et l'eau se changeait en vapeur. L'épaisse fumée noire qui s'élevait des matelas diminua à peine. J'enlevai mon parka, déchirai ma chemise pour m'en faire un masque que je plaçai sur mon visage. Je m'avançai un peu plus dans les décombres, là où je croyais avoir vu l'escalier qui menait aux passerelles. Tout près de moi, je vis une échelle apparaître par une des fenêtres éventrées. Un sapeur-pompier grimpa, traînant avec lui son lourd tuyau.

Le bruit des haches s'amplifia. On s'attaquait aux grandes portes. Je continuais d'avancer à travers les foyers d'incendie. Le pompier dans son échelle m'aperçut et cria :

— Sortez de là !

Je levai mon masque, le temps de lui répondre.

— Je suis le docteur Villeneuve, il y a quelqu'un d'autre à l'intérieur.

— C'est notre travail, laissez-nous faire ! Sortez tout de suite !

— Non, je dois trouver le…

Une quinte de toux m'empêcha de terminer ma phrase. Je remis mon pan de chemise devant ma bouche et me penchai au niveau du sol, où l'air était moins pollué.

— Docteur…

C'était venu de ma gauche. Je tournai aussitôt ma tête dans cette direction. À travers la fumée, je vis deux jambes qui sortaient de sous le châssis enfumé d'un wagon. Leblanc ! Je rampai lentement vers lui. J'en étais à moins de vingt pieds quand une main vigoureuse m'agrippa violemment par le collet.

— Suivez-moi !

Je me tournai vers un gros visage bouffi couvert de suie et surmonté d'un casque rouge.

— Attendez, il y a quelqu'un sous ce wagon !

— Les policiers nous ont dit qui c'était. Laissez-le crever !

Puis il vit mon revolver et me lâcha de surprise. J'en profitai pour m'éloigner de lui.

— Laissez-moi faire mon travail, je suis désormais son médecin et je dois le sauver.

Le sapeur me regarda de ses gros yeux qui pleuraient dans la fumée.

— Vous êtes aussi fou que lui, dit-il en cherchant à m'agripper de nouveau.

Mon poing s'abattit sur son visage et il s'affaissa comme un sac de pommes.

— Hé, vous !

Un autre pompier qui m'avait vu frapper son collègue s'avança vers moi, mais je lui tournai le dos.

— Eugène, criai-je, sors de là avant qu'il soit trop...

Je vis Leblanc en train de courir le long du wagon, directement vers les flammes. Il traversa le mur de feu en hurlant. Je me lançai à sa poursuite, chemise collée au visage. Je contournai le brasier plutôt que de m'y enfoncer comme Leblanc. Je fus aspergé par les jets d'eau et mon parka se mit à fumer de la vapeur.

Soudain, je le vis devant moi. Il s'était débarrassé de son manteau qui se consumait sur le sol à ses côtés. Une partie de ses cheveux avait brûlé. Le bas de son visage noirci par la suie portait aussi des traces de brûlure, là où il n'avait pu se protéger du feu. Ses mains étaient ensanglantées et des cloques y apparaissaient. Malgré cela, il tenait fermement une barre de fer. En m'apercevant, il la leva, prêt à frapper. Je levai mon revolver.

— Eugène, je suis là pour t'aider, pas pour te tuer. Dépose cette barre et suis-moi hors de cet enfer.

— C'est vous qui allez connaître l'enfer, Villeneuve, cria-t-il en s'élançant vers moi.

Un coup de feu retentit. Le garçon échappa sa tige et s'étendit de tout son long. Il avait été touché à la poitrine. J'étais tétanisé. Ce n'était pas moi qui avais tiré. Je me retournai et aperçus MacCaskill, revolver à la main. Je jurai atrocement et fis les quelques pas qui me séparaient de Leblanc pour examiner sa blessure. Du sang gorgé de bulles s'échappait de sa bouche. Un poumon avait été perforé. Il n'y avait rien à faire.

— Docteur, dit MacCaskill derrière moi, laissez-le brûler. Il faut sortir d'ici.

— Pas question de sortir sans lui !

J'attrapai Leblanc sous les bras. Il sentait la chair brûlée. Ses sourcils avaient roussi et ses joues portaient des traces de brûlures. Mais c'est aux mains qu'il s'était infligé les pires blessures. La peau pendait et les cloques ne cessaient de gonfler.

— Allez, MacCaskill, prenez-lui les jambes.

— Pourquoi ?

— Parce que vous n'êtes pas un être sans cœur pour laisser brûler vivant quelqu'un, qu'il soit un criminel ou un malade.

— Vous êtes complètement fou, dit MacCaskill qui n'en saisit pas moins les jambes d'Eugène.

Nous retraitâmes lentement, en toussant comme des perdus. MacCaskill me guidait, sachant où se trouvait l'ouverture qu'avaient pratiquée les pompiers. Nous en étions à une cinquantaine de pieds quand des pompiers nous virent et nous prêtèrent main-forte en prenant Leblanc à leur tour.

Une fois à l'extérieur, leur chef me regarda avec un air hostile.

— Pourquoi diable avez-vous frappé un de mes hommes ?

— À cause de mon serment.

Il me regarda comme si j'étais plus aliéné qu'aliéniste. Il s'apprêtait à me répondre je ne sais quoi quand, venu du toit, un concert de craquements résonna.

— Sortez tous ! hurla-t-il en voyant que les poutres commençaient à s'effondrer.

Tous ceux qui s'étaient aventurés à l'intérieur pour attaquer les foyers d'incendie se précipitèrent dehors. Quelques secondes plus tard, le toit s'effondra complètement dans un fracas assourdissant. Nous nous éloignâmes d'une bonne vingtaine de mètres afin d'échapper à l'effroyable embrasement et au souffle chaud. La structure se désintégra sous nos yeux et s'écroula dans un vacarme assourdissant. La poussière se répandit dans toutes les directions. Je tournai mon regard vers les deux pompiers qui avaient évacué Leblanc, étendu à leurs pieds. Je m'approchai de mon élève.

Leblanc était toujours vivant, mais il n'en avait plus pour longtemps. Du sang sortait de sa bouche. Je me penchai sur lui.

— Parle-moi, Eugène.

Il tenta de me dire quelque chose, ses lèvres s'ouvraient et se fermaient, mais je ne comprenais rien. L'expression de son regard était glaçante.

— Pourquoi as-tu tué ces femmes ?

Il toussota, crachota. Ses lèvres remuaient. Je m'approchai encore plus. Ses expectorations sanguinolentes atteignaient ma joue. Je crus entendre « des damnées ».

Puis ses yeux se révulsèrent, il expira son dernier soupir en râlant et son corps se détendit. Sa bouche demeura figée dans un étrange rictus – j'eus l'impression qu'il souriait. Je fermai ses paupières et me signai.

Je vis MacCaskill pas loin. Il était avec Norma. Elle avait une épaisse couverture de laine grise sur les épaules. Elle pleurait. L'Irlandais la réconfortait comme il pouvait, lui disant que tout allait bien, qu'elle ne courait plus aucun danger.

Un des policiers qui avaient participé aux recherches s'approcha du corps de Leblanc pour lui cracher dessus.

— On ne crache pas sur le corps d'un mort, l'apostrophai-je, en colère.

Mais le policer ne parlait pas français ou il se fichait de moi. Je me levai et me dirigeai vers Norma.

— Vous avez été très courageuse, lui dis-je. Ce n'était pas facile de sauter ainsi dans le vide.

Elle ne répondit pas.

— J'ai demandé à un agent d'aller chercher son ami, me confia MacCaskill. Elle aura besoin de lui.

J'acquiesçai. C'était effectivement la chose à faire.

Le vent froid qui venait du fleuve nettoyait mes poumons et poussait la fumée de l'autre côté du canal, vers la ville. Je toussotais encore par à-coups. Une dizaine de pompes puisaient l'eau à même le canal pour contenir l'immense brasier, qui englobait maintenant l'ensemble de l'atelier, totalement effondré.

Quelques minutes plus tard, alors que nous regardions toujours l'action des sapeurs, nous eûmes la surprise de voir se pointer Bruno Lafontaine, un pansement tout frais à son poignet.

Sans dire un mot, je lui remis son arme. Il ouvrit le barillet, écarquilla les yeux.

— Tu ne l'as pas utilisée.

— Connais-tu des docteurs qui tuent leur patient?

— Il n'y a que ça... lança-t-il, pince-sans-rire.

J'éclatai d'un rire nerveux qui me secoua les tripes. Mes vêtements étaient complètement souillés et j'avais les mains et les genoux noirs après avoir rampé sur le plancher de l'usine. Nous vîmes soudain arriver John Maynard, accompagné par deux policiers. Dès qu'il la vit, il se dirigea vers Norma pour l'enlacer. Elle se blottit contre lui et ses larmes coulèrent à flots. Il lui frotta doucement le dos, sans dire un mot.

MacCaskill lui parla doucement, et Maynard me regarda soudain. Il me fit un signe de la tête.

— Merci de l'avoir sortie de là, docteur Villeneuve. Je ne sais pas comment vous remercier.

— Vous n'avez pas à me remercier, John. Mais si vous y tenez absolument, dites-moi que vous protégerez comme il se doit Norma, et ce sera ma récompense.

Je le sentis perdre son air détaché pour la première fois, comme s'il réalisait enfin l'ampleur du désastre auquel ils venaient d'échapper. Il se passa une main dans les cheveux et essuya une larme qui avait échappé à son contrôle. Il hocha simplement la tête pour me signifier qu'il avait compris le message.

Le cœur dur de MacCaskill semblait touché. Serrant la mâchoire pour l'empêcher de trembler, il préféra reporter son regard vers le brasier.

Je me tournai vers Bruno.

— Que dirais-tu de les faire raccompagner chez les sœurs de la Miséricorde? Norma serait bien mieux là, sous leurs bons soins, que dans une chambre d'hôtel.

Tant la jeune femme que son compagnon acceptèrent la proposition. Avant qu'ils ne partent, j'examinai sommairement Norma. Outre sa légère blessure à une cheville, elle s'en sortait bien. J'espérai qu'il en irait de même pour le bébé.

Bruno demanda aux deux policiers qui avaient amené Maynard de raccompagner le couple à l'hospice de la Miséricorde.

Nous regardâmes encore pendant de longues minutes le travail des sapeurs, puis les ambulanciers se présentèrent, mais comme il était trop tard pour Leblanc, ils disposèrent rapidement son corps sur une civière. Je leur demandai de le garder au frais et de le livrer dès le lendemain matin à la morgue.

Vint le temps de se retirer de cette scène de désolation. Je retournai en voiture avec Lafontaine et MacCaskill au poste de la rue Dorchester, puis ils insistèrent pour que le chauffeur me ramène directement chez moi. J'acceptai de bonne grâce. J'étais noir de suie, comme un ramoneur, et je ressemblais presque à un vagabond. Je n'aspirais plus qu'à me laver et à dormir. La nuit serait bonne et réparatrice.

ÉPILOGUE

Nous dormons en sûreté jusqu'au matin

Mercredi, il neigea. Une grosse bordée, suivie d'un froid vorace comme les canines d'un loup. Les rafales râpaient les joues. L'hiver s'annonçait dur. Le champ de Mars recouvert d'une nappe de neige me rappela mon enfance.

C'est Wyatt qui se chargea de l'autopsie d'Eugène Leblanc. Je ne me sentais pas en mesure d'accomplir cette tâche sur le corps d'un de mes étudiants. « Je te comprends, avait-il répondu en entendant ma requête. À ta place, je ne voudrais pas non plus effectuer ce travail... »

La mort de Leblanc, sans m'arracher des larmes, m'avait grandement attristé. D'un autre côté, je ne pouvais ignorer le soulagement que j'éprouvais, car sa disparition m'épargnait tous les feux de la rampe d'une requête en folie.

En fin d'avant-midi, une autre mort assombrit le tableau : on venait de trouver Sullivan pendu dans sa cellule. Peu avant, Lafontaine lui avait fait confirmer le rôle de Vance comme tête dirigeante de l'ensemble du réseau d'avortements clandestins. C'est au retour dans sa cellule qu'il était passé à l'acte.

Au Parlement de Québec, Gaudias Rochon, assistant-procureur de la province, se leva en

Chambre pour annoncer que le boucher de Montréal ne sévirait plus. Il félicita les autorités policières, auxquelles son ministère, affirma-t-il, avait apporté toute l'assistance nécessaire pour arriver à cet heureux résultat.

Dans les éditions du soir, une rumeur persistante envahit les premières pages des grands quotidiens. Le réseau aurait été l'œuvre d'une prétendue secte maudite, les Pénitentes de Marie, qui pratiquait des rites sataniques, des baptêmes diaboliques, d'où les femmes éventrées, la disparition des fœtus, etc. Ces fadaises sensationnalistes me dégoûtaient... Déjà que, dans les éditions du matin, les journalistes avaient pris un malin plaisir à répandre aux quatre coins de la province et du Canada la nouvelle que l'opérateur criminel était un ancien candidat à la prêtrise et, de surcroît, un futur médecin !

Jeudi, les autorités de Boston, Joe Valiquette en tête, procédèrent au démantèlement du réseau sur le territoire américain. Le docteur Wells, Andrew White et plusieurs autres personnes furent arrêtés. C'est dans les dossiers du médecin que les enquêteurs trouveraient la facture de la commande de l'insufflateur utilisé par Leblanc.

Toujours le jeudi, l'archevêché, qui jusque-là avait été silencieux au sujet de l'opérateur criminel, émit une déclaration pour remercier Dieu d'avoir mis fin aux activités de l'assassin. Bruno s'offusqua. Tout comme moi, il aurait aimé plus de reconnaissance, mais personne ne fut réellement surpris par l'énoncé.

Vendredi, après avoir été soignée chez les sœurs de Notre-Dame-de-la-Miséricorde, Norma Prévost rentra chez elle en compagnie de John Maynard. Elle fut accueillie dans la plus grande joie par sa famille, et tout particulièrement par son oncle, Joe Valiquette, qui nous envoya un long télégramme pour nous remercier d'avoir sauvé sa nièce.

Le 8 décembre, à neuf heures et quart du soir, Marie-Jeanne, la femme de Bruno, donna naissance à une fille de six livres. Comble de l'ironie, ce fut le docteur Rousseau en personne qui supervisa l'accouchement en raison des risques. Étrange destin, puisque le lendemain, le long calvaire de Florence, la femme de Rousseau, prit fin.

Le 10 décembre, Wyatt et moi apprîmes qu'aucune modernisation de la morgue n'était à l'ordre du jour pour l'année à venir malgré la plaidoirie que nous avions prononcée il y avait près de trois mois devant une salle remplie de notables. Tant le gouvernement de la province de Québec que l'administration de la Ville de Montréal continuaient de se renvoyer la balle.

Le 12 décembre, je reçus de Paris une courte lettre qui me chavira le cœur.

Meudon, lundi 19 novembre 1894

Cher Georges,

Je prends la liberté de t'écrire après tout ce temps. Cinq années sont passées depuis que nous nous sommes vus la dernière fois. Il est vrai que je suis partie comme une voleuse, mais j'avais terriblement peur, en te suivant à Montréal, de finir par m'y retrouver seule. J'ai vécu avec ton doux souvenir depuis.

Tu te demandes sans doute ce que je deviens. Je n'ai jamais refait le trottoir. La petite machine à coudre que tu m'as achetée est devenue un atelier, boulevard Clichy. Deux filles travaillent pour moi. Je ne roule pas sur l'or, mais les affaires vont bien. Je me suis spécialisée dans les robes de mariage. Je ne me suis pas mariée, comme tu t'en doutes bien. Il m'arrive parfois de confectionner une robe pour des filles de chez madame Luce. Malgré les demandes répétées de cette dernière, je ne leur confectionne plus de nuisettes ou de lingerie fine.

J'ai beaucoup pensé à toi. Tu m'as redonné confiance dans la vie. Je garde l'image d'un garçon droit, fort et dévoué. Tout le contraire des macaques que j'ai connus.

Si jamais tu passes par Paris, je suis à l'adresse suivante : Le dé du bonheur, 64, boulevard Clichy.

C'est le docteur Magnan qui m'a donné ton adresse. Il t'envoie ses amitiés.

Ton amie pour toujours, heureuse et reconnaissante,

Joyeux Noël!

Vivi

La lettre me plongea dans une profonde rêverie. Je me vis me diriger vers le comptoir de la Ligne Allen, qui se trouvait à quelques pas de chez moi, sauter dans un train pour New York pour ensuite prendre un bateau et voguer vers le vieux continent… Je ne sais ce que Viviane provoquait en moi, de quel philtre elle avait usé pour m'envoûter ainsi, mais à son seul souvenir je perdais tous mes moyens.

Je m'ébrouai.

Une autre réalité m'entourait maintenant. Je ne pouvais partir ainsi en laissant tout derrière, la morgue, l'asile, mes étudiants… et Emma!

Le lendemain, je reçus un télégramme de cette dernière. Elle venait d'accepter un concert impromptu avec Ernest Lavigne pour le samedi suivant ; peut-être pourrions-nous aller faire de la raquette le dimanche ? Je lui exprimai mon acceptation enthousiaste, à laquelle elle répondit par une nouvelle demande : accepterais-je de participer aux fêtes du Nouvel An avec sa famille ? Nouvel accord chaleureux de ma part. Mon emploi du temps n'était pas de tout repos malgré la résolution de notre enquête, mais il me laissait la possibilité de jouir de la vie.

Comme vous le savez, cher Berthiaume, j'avais rencontré la famille d'Emma lors du passage de notre bataillon au Manitoba en 1885. Je crois que je lui avais fait bonne impression. Mais après le drame parisien qui avait failli coûter la vie à Emma, que pensait son père de moi ? Je serais bientôt dans le camp des vieux garçons. Et Emma accepterait-elle de partager ma vie agitée ?

Le 15 décembre, la journée s'annonçait parfaite. Le ciel bleuissait d'heure en heure et les nuages annoncés se dissipaient au-dessus du fleuve. Le soleil allait monter telle une couronne de lumière pour faire de cette journée un jour mémorable. À la gare Dalhousie, j'entendis annoncer l'arrivée du train d'Ottawa. Je faisais le pied de grue au quai numéro 2. J'avais un bouquet de roses blanches qui contrastaient bien avec mon veston noir. Je m'étais aspergé d'eau de Cologne pour chasser les miasmes de la salle de dissection.

Le train chuinta un grand coup de vapeur et je marchai vite devant la porte de la première classe pour accueillir Emma à sa descente.

Elle portait un bibi noir orné d'une fleur blanche, un long manteau en mouton de Perse. Elle avait glissé ses précieuses mains de pianiste dans un manchon en fourrure. Elle ne s'attendait pas à me voir si tôt et, si je me fiais à son sourire, elle paraissait heureuse de me retrouver.

— Georges ! Quelle belle surprise ! Vous êtes venu m'accueillir.

— J'ai décidé de vous reconduire à votre hôtel pour que vous puissiez vous rafraîchir avant votre classe de maître et le concert que vous donnerez.

— C'est trop d'honneur, Georges.

— Comment allez-vous, très chère ?

— Merveilleusement bien ! Et vous, cher ami ?

— Je me porte bien.

Le préposé aux bagages déposa la dernière des deux lourdes valises d'Emma sur le chariot. Je les amenai jusqu'à la voiture. J'avais demandé au cocher de m'attendre.

Je pris la main d'Emma et elle monta dans le fiacre.

Le cocher se tourna vers moi.

— Hôtel Windsor, s'il vous plaît.

Remerciements

L'auteur s'est permis de légères entorses historiques quant à la chronologie. L'histoire principale est inventée, mais de multiples événements autour de la grande intrigue ont été empruntés à la vie de Georges Villeneuve. Je suis reconnaissant d'avoir pu bénéficier des sources suivantes :

- D'abord, l'excellent mémoire de David B. Hanna, *Griffintown : son histoire et son cadre bâti* (Ville de Montréal, Service de la mise en valeur du territoire et du patrimoine). Cet essai m'a donné des repères d'époque et m'a fait voir ce quartier jadis ouvrier. J'ai beaucoup apprécié les vieilles cartes de la ville de Montréal qui sont disponibles sur le site de la Bibliothèque et des Archives nationales du Québec.

- Je tiens à remercier Micheline Lachance pour son bel ouvrage *Rosalie Jetté et les filles-mères au XIXᵉ siècle*, publié chez Leméac en 2010. Il m'a permis de comprendre le phénomène des filles-mères d'un point de vue différent.

- Le précis de médecine légale de Wilfrid Derome qui traite de la question des avortements avec un angle médical et judiciaire m'a été très utile.

Un cas d'avortement illégal a été inspiré d'un chapitre de ma biographie *Wilfrid Derome, expert en homicides*, publiée chez Boréal en 2003.

Quant aux sources sur Georges Villeneuve et Wyatt Galt Johnston, je ne les dévoilerai qu'à la publication de la biographie afin d'éviter le piratage dont j'ai été la cible dans les dernières années avec d'autres projets.

Merci à Pierre-Yves Villeneuve d'avoir lu et relu cet ouvrage avec beaucoup de finesse ainsi qu'à tous les autres collaborateurs : Jean Pettigrew, Diane Martin, Philippe Turgeon et Martine Latulippe, sans oublier Louise Alain.